D0582397

COMPRENDRE
LA FAMILLE

PRESSES DE L'UNIVERSITÉ DU QUÉBEC
2875, boul. Laurier, Sainte-Foy (Québec) G1V 2M3
Téléphone : (418) 657-4399 • Télécopieur : (418) 657-2096
Courriel : secretariat@puq.uquebec.ca • Internet : www.puq.uquebec.ca

Distribution :

CANADA et autres pays

DISTRIBUTION DE LIVRES UNIVERS S.E.N.C.
845, rue Marie-Victorin, Saint-Nicolas (Québec) G7A 3S8
Téléphone : (418) 831-7474 / 1-800-859-7474 • Télécopieur : (418) 831-4021

FRANCE

DIFFUSION DE L'ÉDITION QUÉBÉCOISE
30, rue Gay-Lussac, 75005 Paris, France
Téléphone : 33 1 43 54 49 02
Télécopieur : 33 1 43 54 39 15

SUISSE

GM DIFFUSION SA
Rue d'Etraz 2, CH-1027 Lonay, Suisse
Téléphone : 021 803 26 26
Télécopieur : 021 803 26 29

Actes du 5ᵉ symposium québécois de recherche sur la famille

COMPRENDRE LA FAMILLE

Sous la direction de
Marie SIMARD et Jacques ALARY

Une réalisation du Conseil de développement
de la recherche sur la famille du Québec
avec la collaboration conjointe
des Centres jeunesse Mauricie – Centre-du-Québec
et de l'Université du Québec à Trois-Rivières

2000

Presses de l'Université du Québec
2875, boul. Laurier, Sainte-Foy (Québec) G1V 2M3

Données de catalogage avant publication (Canada)

Symposium québécois de recherche sur la famille (5e : 1999 ; Université du Québec à Trois-Rivières)

    Comprendre la famille : actes du 5e Symposium québécois de recherche sur la famille

Textes présentés lors du Symposium tenu les 4 et 5 nov. 1999.
    Comprend des réf. bibliogr.

    ISBN 2-7605-1104-9

    1. Famille – Québec (Province) – Congrès. 2. Service social familial – Québec (Province) – Congrès. 3. Politique familiale – Québec (Province) – Congrès. 4. Enfants – Développement – Québec (Province) – Congrès. 5. Rôle parental – Québec (Province) – Congrès. 6. Représentations sociales – Québec (Province) – Congrès. I. Simard, Marie. II. Alary, Jacques, 1932- . III. Titre.

HQ560.15.Q8S95 1999   306.85'09714   C00-941290-5

Nous reconnaissons l'aide financière du gouvernement du Canada par l'entremise du Programme d'aide au développement de l'industrie de l'édition (PADIÉ) pour nos activités d'édition.

 Nous remercions le Conseil des arts du Canada de l'aide accordée à notre programme de publication.

Mise en pages : PRESSES DE L'UNIVERSITÉ DU QUÉBEC

Couverture : PRESSES DE L'UNIVERSITÉ DU QUÉBEC

1 2 3 4 5 6 7 8 9 PUQ 2000 9 8 7 6 5 4 3 2 1

Dépôt légal – 3e trimestre 2000
Bibliothèque nationale du Québec / Bibliothèque nationale du Canada
Imprimé au Canada

Table des matières

L'organisation du symposium

CONSEIL DE DÉVELOPPEMENT DE LA RECHERCHE SUR LA FAMILLE DU QUÉBEC

Membres du conseil d'administration

Manon Bourbeau, Parents-Secours du Québec inc., vice-présidente du Conseil

François Bowen, Université de Montréal

André Dontigny, Conférence des Régies régionales de la santé et des services sociaux du Québec

Ruth Laliberté-Marchand, Familis

Jean-Pierre Lamoureux, Conseil de la famille et de l'enfance, secrétaire du Conseil

Céline Le Bourdais, INRS–Urbanisation

Alain Maire, Université du Québec à Trois-Rivières, trésorier du Conseil

Jacqueline Nadeau-Martin, Association féminine d'éducation et d'action sociale (AFÉAS)

Laurent Paré, Association des CLSC et des CHSLD, président du Conseil

Pierre Pinard, Les Centres jeunesse de la Mauricie et du Centre-du-Québec

Laurent Roy, Ministère de la Famille et de l'Enfance

Marie Simard, Université Laval

Liliane Spector, Institut de psychiatrie communautaire et familiale, Hôpital général juif de Montréal

Jacques Alary, directeur général du Conseil

Membres du comité scientifique

Marie Simard, École de service social, Université Laval, responsable du comité

François Bowen, Département de psychopédagogie et d'andragogie, Université de Montréal

Christianne Dubreuil, Faculté de droit, Université de Montréal

Germain Dulac, Centre d'études appliquées sur la famille, Université McGill

Louise S. Éthier, Département de psychologie, Université du Québec à Trois-Rivières

Carl Lacharité, Département de psychologie, Université du Québec à Trois-Rivières

Pierre Lefebvre, Département des sciences économiques, Université du Québec à Montréal

Françoise-Romaine Ouellette, Institut national de la recherche scientifique – Culture et Société

Denise Paul, Département des sciences infirmières, Faculté de médecine, Université de Sherbrooke

Alain Roy, Faculté de droit, Université de Montréal

Jean-François Saucier, Département de psychiatrie, Université de Montréal

Jacques Alary, directeur général du Conseil

Membres du comité de logistique

Jacques Alary, responsable du comité

Sébastien Boisvert, Aramis.com, systèmes informatiques, bénévole

Manon Bourbeau, Parents-Secours du Québec inc.

Michèle Charland, secrétaire du Conseil

Christian Pierre, technicien en audiovisuel, Université du Québec à Trois-Rivières

Remerciements

La tenue du symposium et la publication des actes ont été rendus possibles grâce au soutien financier des personnes, des organismes et des ministères suivants :

La Fondation Appui enfance–famille

La Société d'habitation du Québec

Le ministère de la Famille et de l'Enfance

Le ministère de la Santé et des Services sociaux

Le Secrétariat à l'action communautaire autonome

La Direction des partenariats – Université du Québec à Trois-Rivières

Le ministre délégué à l'Industrie et au Commerce (M. Guy Julien)

Les Centres jeunesse de la Mauricie et du Centre-du-Québec

La Régie régionale de la santé et des services sociaux de la Mauricie et du Centre-du-Québec

Le Conseil remercie également l'Université du Québec à Trois-Rivières qui a gracieusement fourni les locaux et les équipements pour les activités scientifiques ainsi que les personnes et les entreprises suivantes qui ont contribué de différentes façons à l'organisation de cet événement :

Aramis.com, systèmes informatiques

Député de Saint-Maurice, M. Claude Pinard

Hôtel des Gouverneurs, Trois-Rivières

Fédération des caisses populaires Desjardins du Centre-du-Québec

Introduction

Marie SIMARD
Jacques ALARY

Situé dans le contexte de l'Année internationale des personnes âgées, le Ve Symposium québécois de recherche sur la famille a été inauguré par une communication scientifique de Mme Claudine Attias-Donfut, basée sur une recherche qui avait pour but d'analyser les contours sociologiques du rôle des nouveaux grands-parents. Ce sont les résultats d'une vaste enquête effectuée en France « auprès d'un échantillon de familles dans lesquelles existent trois générations adultes [...] une génération pivot composée de personnes âgées de 49 à 53 ans, la génération de leurs parents et celle de leurs enfants adultes » qui ont été présentés. Plusieurs constats se dégagent de l'enquête et de l'analyse effectuées avec le concours de Mme Martine Ségalen : les nouveaux grands-parents sont « généralement des adultes dans la force de l'âge, en bonne santé, encore parfois actifs, disposant de salaires ou de retraites souvent confortables et de patrimoine » ; du fait de l'allongement de la vie, la phase grand-parentale est maintenant de longue durée ; les jeunes grands-parents s'investissent massivement auprès de leurs petits-enfants qu'ils gardent de façon régulière ; les grands-parents interviennent peu dans l'éducation des petits-enfants ; les relations entre grands-parents et petits-enfants ont un caractère informel ; les arrière-grands-parents, dont l'âge moyen est d'environ 74 ans, sont très présents et rendent très vivace l'existence de la lignée familiale ; la figure du grand-père ou de la grand-mère demeure un repère identitaire important pour les petits-enfants, etc.

Si le portrait sociologique des grands-parents ainsi tracé est caractérisé par l'autonomie et la gratuité, il n'en va pas de même du rôle des aidantes et soignantes décrit par Francine Saillant dans sa communication ouvrant le débat en table ronde sur le thème « les familles et le virage ambulatoire ». Ce sont plutôt les termes de contrainte et de responsabilité qui sont repris de façon percutante par l'auteure dans la description qu'elle fait du rôle des femmes, qui, au Québec comme au Brésil, sont les principales personnes vouées à la dispensation à domicile des soins aux proches, malades, handicapés, dépendants, et parfois atteints de démence. C'est d'ailleurs par une analyse du phénomène de la dépendance qu'Éric Gagnon poursuivra la discussion de l'impact du virage ambulatoire sur les familles. Jean-Pierre Lavoie interrogera, à son tour, le sens de ce transfert de responsabilités de l'État vers les familles à la lumière de quelques recherches qui montrent que les personnes âgées préfèrent recevoir des services plutôt que de dépendre de leurs enfants pour leurs soins. Il soulignera aussi, au passage, les limites d'une politique familiale trop centrée sur les familles avec de jeunes enfants.

En conférence de clôture, Mme Nicole Boily s'est d'abord appliquée à dresser une fresque des grandes tendances sociologiques, économiques et culturelles qui traversent la société québécoise contemporaine. Après avoir bien campé la situation des familles confrontées à la double tâche d'assurer l'éducation des enfants et le soin des grands-parents vieillissants, elle plaidera pour un meilleur soutien de la part de l'État à l'égard de cette génération de parents qui ont de lourdes responsabilités intergénérationnelles.

LA POLITIQUE FAMILIALE
ET LES CONDITIONS DE VIE DES FAMILLES

Les recherches présentées dans ce chapitre montrent que la vie familiale est une réalité dont l'avenir ne peut être assuré par les seules ressources des parents. Si les réseaux de parenté et d'amitié se mobilisent spontanément pour soutenir le couple au moment de l'acquisition et de l'occupation d'une propriété résidentielle (Barakatt), les ressources de l'État et les accommodements des employeurs sont également nécessaires pour créer des conditions de vie propices au fonctionnement de la famille et au développement des enfants.

À une époque où la participation au marché du travail des femmes avec des enfants âgés de moins de 6 ans dépasse 60 %, la stabilité en emploi, la flexibilité des horaires de travail et les modalités de travail à temps partiel prennent un nouveau relief. Les données analysées par Lefebvre et Merrigan « montrent que le travail et la vie familiale sont fondamentalement interdépendants. Et, que les parents satisfont aux exigences concurrentes du travail, des rôles familiaux et de la vie domestique en saisissant les occasions offertes par la flexibilité des modalités de travail et en utilisant efficacement leur temps domestique disponible ».

Par ailleurs, on constate qu'il y a aussi des parents qui doivent s'accommoder d'horaires de travail standard ou non standard pour garder un emploi régulier parce qu'ils ont besoin du revenu que procure cet emploi. Si l'expérience de travail et l'autonomie financière procurent certaines satisfactions, certaines mesures sont aussi nécessaires pour alléger le fardeau objectif associé à la conciliation du travail et de la vie familiale. C'est l'évolution de ces différentes mesures qu'étudient Dandurand et Saint-Pierre à travers l'exploration des changements survenus dans les dispositions de la politique familiale québécoise de 1987 à 1998.

Conçue à l'origine comme une politique intersectorielle, la politique familiale québécoise contenait plusieurs mesures dont l'application commandait la participation de ministères à vocation sectorielle tels que la Santé et les Services sociaux, l'Éducation, le Revenu et la Justice. L'abandon de certaines mesures universelles et l'accent mis plus récemment sur le développement d'un réseau de services à la petite enfance annoncent peut-être une nouvelle orientation à caractère plus sectoriel avec tous les inconvénients associés à un tel cloisonnement.

DES PROFILS DE FAMILLES ET DES PROFILS DE DÉVELOPPEMENT DES ENFANTS ET DES JEUNES

Les trois études regroupées dans ce chapitre nous font pénétrer dans l'univers particulier de trois types de familles : les familles recomposées, les familles négligentes et les familles homosexuelles. Une préoccupation commune ressort de ces trois études où les auteures cherchent à comprendre comment s'y déroule le développement des enfants et des adolescents lorsqu'on compare ces situations familiales à celles des familles biparentales intactes ou monoparentales, à celles des familles non négligentes et à celles des familles hétérosexuelles.

On découvre rapidement à la lecture de chacune de ces études que les différences basées sur des éléments de structure, de comportement parental ou d'orientation sexuelle n'arrivent pas à rendre compte à eux seuls des résultats qu'on observe au plan de l'adaptation et du développement des enfants. De plus, de multiples croisements se retrouvent chez ces types de familles, les familles négligentes pouvant être monoparentales ou biparentales et les familles homosexuelles pouvant être issues de familles hétérosexuelles et constituer une famille recomposée autour d'un couple homosexuel.

Il est intéressant de noter que dans ces trois études on s'efforce de prendre en considération les mêmes facteurs tels que les caractéristiques personnelles des parents et des enfants, les processus intrafamiliaux de communication et de relation, les dispositions structurelles et les éléments contextuels ou environnementaux. Enfin, l'étude de Saint-Jacques et Chamberland se distingue par le souci d'examiner le fonctionnement de la famille recomposée au regard de son évolution dans le temps ainsi qu'à la lumière des représentations que s'en font les jeunes qui y vivent et des modèles de rupture ou de continuité dans les relations avec les familles dont elle est issue.

LE SOUTIEN SOCIAL À L'EXERCICE DES RÔLES PARENTAUX

Comme le montrent les études regroupées dans le premier chapitre, l'exercice des rôles parentaux s'accomplit de nos jours dans des conditions qui rendent nécessaire la mise en place de différentes mesures de soutien qui correspondent à autant de dispositions de la politique familiale. Si cela est vrai pour les parents en général, on peut s'attendre à ce que les besoins en matière de soutien social aux rôles parentaux soient encore plus marqués lorsqu'il s'agit de parents qui vivent des situations caractérisées par des difficultés plus importantes. C'est ce que démontrent les quatre études regroupées dans le présent chapitre qui décrivent les conditions de vie des jeunes mères âgées de 14 à 19 ans ainsi que les difficultés auxquelles sont confrontés les parents de jeunes adultes handicapés et les parents de jeunes adultes homosexuels.

L'étude de Gaudet et Charbonneau sur les jeunes mères établit clairement qu'environ 50 % de ces personnes peuvent compter sur un soutien social et économique de la part de leur famille et de leur conjoint alors que les autres ayant déjà connu un parcours de rupture familiale et de placements en milieu substitut se retrouvent isolées socialement et doivent s'en remettre aux ressources institutionnelles et communautaires avant, pendant et après la naissance de leur enfant. C'est donc dans des conditions difficiles et avec l'aide des professionnels des services sociaux que ces dernières font l'apprentissage de leur rôle de parent. C'est aussi principalement à ce deuxième groupe que s'intéresse l'étude de Quéniart qui décrit une expérience de recherche-action réalisée avec des intervenantes d'un organisme communautaire et d'un CLSC participant à un projet d'appartements supervisés pour jeunes mères. Comme le montre bien cette étude, le rôle des intervenantes évoluera, et pour mieux répondre au besoin de soutien social de ces jeunes mères, il passera de conseillère professionnelle à celui d'éducatrice pour enfin mieux se définir comme celui d'accompagnante ou de grande sœur.

C'est aussi l'analyse d'une expérience d'accompagnement auprès de jeunes adultes handicapés que relate l'étude de Jourdan-Ionescu et collaborateurs portant sur la mise en relation de 14 jeunes handicapés avec 14 étudiants. Partant du constat que les parents de jeunes handicapés vivent un stress familial élevé pendant la période de transition vers l'âge adulte de leur adolescent, les chercheurs ont voulu savoir si ces parents pouvaient compter sur un réseau de soutien social. Ayant découvert l'absence presque totale de soutien au-delà de la famille immédiate, on a alors procédé à la mise sur pied d'un projet d'entraide entre jeunes handicapés intellectuels et jeunes étudiants avec le concours d'une ressource institutionnelle et d'une ressource communautaire du milieu. Ce sont les résultats de cette expérience de jumelage au sein d'un groupe de pairs qui sont rapportés dans cette étude.

La chercheure Julien, pour sa part, s'est intéressée aux besoins de soutien social des parents de jeunes adultes homosexuels. C'est principalement au moyen d'une synthèse des recherches sur les rapports entre famille et homosexualité que l'auteure définit la problématique entourant le dévoilement de l'homosexualité chez les jeunes de familles hétérosexuelles. Elle rappelle en s'appuyant sur les résultats de diverses études les difficultés que vivent les parents qui découvrent l'orientation homosexuelle de leur jeune, les réactions négatives qu'ils manifestent face aux relations amoureuses qui s'amorcent et comment l'absence de soutien familial engendre à son tour des problèmes de santé et d'adaptation sociale chez les jeunes adultes eux-mêmes.

Elle a documenté également « l'absence complète de services adaptés aux parents d'enfants homosexuels et l'absence de préparation des intervenants eu égard aux problèmes familiaux et conjugaux des personnes homosexuelles ». En conclusion, elle souligne qu'il s'agit là d'un champ de recherche encore peu fréquenté et qu'il y a nécessité d'entreprendre des travaux pour « mieux comprendre les réalités familiales des jeunes adultes, gais et lesbiennes, et celles de leurs parents ».

LES REPRÉSENTATIONS SOCIALES DES ENFANTS, DES PARENTS ET DES INTERVENANTS

Comme le souligne Sellenet, « rares sont les études qui décryptent les représentations sociales des intervenants auprès des familles, encore moins celles des parents eux-mêmes ». Les trois études regroupées dans ce chapitre accordent, par ailleurs, une place importante au concept de représentation sociale et signalent peut-être l'apparition d'une nouvelle approche dans l'étude des problèmes sociaux et des pratiques d'intervention. Les représentations sociales étant en quelque sorte des théories de la vie sociale au quotidien, elles permettent de comprendre comment les parents et les enfants expliquent ou interprètent leurs réussites et leurs échecs et comment les intervenants expliquent ou interprètent les réussites et les échecs des familles ainsi que les réussites et les échecs de leur propre pratique.

L'étude de Lessard et Turcotte et celle de Sellenet ont en commun l'objectif d'examiner les représentations des intervenants à propos des familles « à risque » ou d'un « quartier défavorisé ». Bien que réalisées dans des milieux différents, au Québec et en France, les observations effectuées par ces chercheurs concordent sur plusieurs points pour ce qui est des représentations que les intervenants entretiennent à l'égard des parents. Par ailleurs, si l'étude de Lessard et Turcotte fait ressortir les contradictions entre une perception axée sur les lacunes et les faiblesses des familles à problèmes multiples et une pratique axée sur la mobilisation des capacités et des forces de ces mêmes familles, la recherche de Sellenet révèle plutôt l'écart entre les perceptions que les familles ont d'elles-mêmes et celles que les intervenants entretiennent à leur égard. Les deux recherches s'entendent cependant pour inciter les intervenants à raffiner leurs représentations des familles à risque de façon à mieux percevoir l'hétérogénéité des situations qui se profilent derrière l'apparente homogénéité des groupes sociaux avec lesquels ils interagissent. Les chercheurs sont d'accord aussi pour reconnaître le rôle important que peuvent jouer les représentations dans la relation entre les intervenants et les familles à risque, car le brouillage qui en découle est souvent à la source de stratégies d'évitement ou de tendances à blâmer les clients.

Bien que centrée sur des objectifs plus larges, l'étude de Bouchard et Saint-Amant porte aussi sur des familles de « milieu populaire » et envisage, entre autres, de « comparer les représentations de l'école, de l'identité sociosexuelle et de l'avenir chez des garçons et des filles du primaire avec celles de leurs parents ». Il est intéressant de constater la vision commune que partagent les parents et les enfants dans chacun des deux groupes d'élèves, ceux qui connaissent du succès scolaire et ceux qui connaissent des difficultés scolaires, notamment en ce qui a trait à la représentation de l'école (l'univers du scolaire) et à la représentation des rapports sociaux entre les sexes (l'univers du social).

L'ÉVALUATION DES PRATIQUES D'INTERVENTION

Lorsqu'on évoque l'idée d'une évaluation de l'intervention, on pense habituellement à une recherche qui met en œuvre une procédure permettant de mesurer les résultats d'un processus d'aide axé sur l'atteinte de certains objectifs formulés de façon explicite. Dans ce chapitre, le concept d'évaluation est employé dans une acception plus large et permet de regrouper cinq études portant un regard évaluatif sur divers aspects de l'intervention.

Ainsi les recherches présentées par Lacharité et collaborateurs et par Carrier et collaborateurs portent principalement sur la collaboration et la concertation entre les parents et les intervenants dans le cadre de services offerts en pédopsychiatrie, d'une part, et en protection de la jeunesse, d'autre part. On postule, d'une certaine façon, que l'engagement et la participation des parents dans le processus d'intervention est une condition nécessaire à la réussite de l'action entreprise pour modifier et améliorer la situation de l'enfant et de sa famille. Ces études ne visent pas à vérifier dans quelle mesure ces résultats auront été atteints, mais plutôt à vérifier dans quelle mesure, dans quelles circonstances et à quelles conditions cette alliance entre parents et intervenants a pu s'établir. Basée principalement sur des données recueillies auprès des intervenants, l'étude de Carrier démontre que « les parents ont tendance à être moins présents lorsqu'il y a décision sur l'orientation de l'intervention et plus présents lorsqu'il y a échange d'information et recherche d'une vision commune sur la situation ».

L'étude de Lacharité, par ailleurs, repose sur une collecte de données auprès des parents à l'aide de trois instruments et auprès des intervenants à l'aide de deux autres instruments, son objectif général étant de comparer la perception des uns et des autres quant à la collaboration. Cette recherche conduit à des résultats intéressants et nuancés sur les conditions qui permettent la construction d'une réciprocité dans les perceptions interpersonnelles des acteurs en présence.

Dans une toute autre perspective, les recherches de Quéniart et Joyal sur les pratiques juridiques et de Giroux et Dion sur l'éthique de l'intervention permettent de comprendre comment les effets des systèmes à l'intérieur desquels les clients et les intervenants sont encadrés peuvent neutraliser les efforts des praticiens pour assurer « le meilleur intérêt des familles et des enfants auprès desquels ils interviennent », ce qui est, par ailleurs, la finalité même de leur action. Devant ces constats, on sait gré aux auteurs de proposer des voies alternatives qui peuvent permettre aux intervenants d'échapper à la logique et à l'emprise des systèmes à l'intérieur desquels ils exercent leur action professionnelle.

Enfin, l'étude de Tremblay vise explicitement l'évaluation d'un programme d'action éducative préventive auprès de jeunes couples. Mais comme le précise l'auteur, il s'agit d'un programme qui en est à un stade d'expérimentation et l'approche utilisée relève de l'évaluation formative. On voit donc clairement apparaître en cours d'évaluation les modifications suggérées pour améliorer les divers éléments du programme. Si plusieurs des mesures appliquées visent à vérifier le degré de satisfaction des participants inscrits dans le programme, d'autres mesures permettent cependant de repérer plus objectivement la nature des apprentissages effectués.

CONFÉRENCE D'OUVERTURE

Nouvelle génération de grands-parents et mutations familiales

Claudine ATTIAS-DONFUT[*]

Je suis très honorée de participer à vos travaux et je remercie le Conseil de développement de la recherche sur la famille de m'avoir invitée et donné ainsi l'occasion de vous présenter la recherche sur les grands-parents que j'ai réalisée avec Martine Segalen[1].

Cette invitation témoigne de la reconnaissance que vous, spécialistes de la famille, accordez au thème des grands-parents. J'y suis d'autant plus sensible que les grands-parents ont été les grands oubliés de la sociologie de la famille, et cela, en particulier en France. Je serai heureuse de pouvoir contribuer à montrer que non seulement les grands-parents sont une figure parentale digne d'intérêt en soi, mais aussi qu'ils sont mêlés à tous événements de la vie familiale. En les étudiant, on fait apparaître de nouvelles facettes de cette vie familiale, dans plusieurs domaines, rapports parents-enfants, conciliation de la vie professionnelle et familiale, ou encore les crises familiales, les ruptures et recompositions...

La première question que nous nous sommes posée, Martine Segalen et moi-même, concernait les raisons de l'invisibilité des grands-parents dans le champ de la famille. Il y en a plusieurs. Il y a certes des raisons historiques. En France par exemple, du fait que la sociologie de la famille s'est constituée dans le contexte si caractéristique du natalisme, l'attention

---

Directeur des recherches sur le vieillissement de la Caisse nationale d'assurance vieillesse.
1.   Cette communication reprend des analyses et des résultats présentés dans *Grands-parents. La famille à travers les générations*, Claudine Attias-Donfut et Martine Segalen, Paris, Odile Jacob, 1998.

des chercheurs a été accaparée par les mutations spectaculaires que représentent les fragilités conjugales, le déclin du mariage, les recompositions familiales, ou les nouvelles techniques de reproduction. Plus généralement, dans les sociétés modernes l'image du grand-parent reste fortement associée à la vieillesse, thème dévalorisé en raison de la minoration historique du vieux. Surtout le stéréotype des papys et mamys voués aux rocking-chairs et aux confitures les rend peu dignes de mobiliser le travail des chercheurs. L'oubli des grands-parents est cependant surprenant quand on sait qu'ils représentent une part croissante de la population du fait de l'allongement de la vie. La durée de la phase grand-parentale est devenue plus longue que celle de la phase parentale qui la précède. Le plus étonnant est que la question des rapports intergénérationnels se soit largement développée depuis plus d'une dizaine d'années en négligeant les relations grands-parentales qui sont au cœur du lien intergénérationnel.

Dans notre recherche, nous nous sommes assignées pour but d'analyser les contours sociologiques du rôle des nouveaux grands-parents, généralement adultes dans la force de l'âge, en bonne santé, encore parfois actifs, disposant de salaires ou de retraites souvent confortables et de patrimoine. Pour mieux faire ressortir la nouveauté de la figure, nous l'avons opposée à celles que montrent l'histoire ou l'anthropologie ; ensuite, nous avons suivi les transformations qui interviennent au cours du cycle de la grand-parentalité.

Les grands-parents ont changé au cours de l'histoire. L'histoire de la vieillesse en Occident a montré la présence d'images contradictoires de la vieillesse et ses transformations. On est passé au cours du XVIIIᵉ siècle d'un extrême à l'autre, de la dérision habituelle au respect imposé. Mais si l'image des vieux et des vieilles a été alors revalorisée, c'est en prenant les traits des grands-pères et des grands-mères, qui ont acquis une fonction pédagogique auprès des petits-enfants, à l'époque où se formait l'idéal bourgeois de la famille[2].

On peut se demander si l'intérêt relativement récent pour l'aïeul n'est pas subordonné à celui que la société porte à l'enfant, dont il serait l'éducateur désigné. En effet, le « sentiment de l'enfance », dont Philippe Ariès scrutait la naissance est aujourd'hui totalement différent de ce qu'il était autrefois. Il faut le rappeler avec force tant nous sommes enclins à projeter dans le passé nos représentations contemporaines. Dans les sociétés

---

2.   *Cf.* les études historiques sur la vieillesse en Occident, notamment Jean-Pierre Bois (1989), *Les vieux. De Montaigne aux premières retraites*, Paris, Fayard ; Georges Minoi (1987), *Histoire de la vieillesse, de l'Antiquité à la Renaissance*, Paris, Fayard ; David G. Troyanski (1992), *Miroirs de la vieillesse... en France au siècle des lumières*, Paris, Éditions Eshel.

paysannes, comme dans les sociétés non occidentales, le jeune enfant était avant tout un travailleur, un continuateur de lignée et le garant des soins futurs donnés à ses parents devenus des vieillards, dans une société dépourvue d'État providence. Les enfants étaient mis aux champs dès l'âge de 5 ans, à la charrue avec leur père, à la cuisine avec leur mère, à l'atelier ou à l'usine. Il faudra attendre les lois sur l'école obligatoire pour que leur statut d'être en devenir, à façonner, soit reconnu.

La solidarité entre jeunes et vieux dans les sociétés rurales relevait de l'ordre du privé ; celle-ci a été désorganisée par les effets de l'industrialisation qui a prolétarisé plusieurs générations et par les migrations qui ont rompu les liens familiaux tant sociaux que culturels. Ces liens se sont reconstitués par la suite, lorsque s'est améliorée la condition ouvrière, et que sont apparues les retraites, libérant du temps avant la mort et la possibilité d'exercer un rôle de grand-parent. Les personnes âgées devenant désormais financièrement autonomes, leurs enfants ont été déchargés de l'obligation de les entretenir ou de les loger. Et d'économiquement dépendants, les grands-parents sont devenus, à l'inverse, pourvoyeurs de leurs descendants. Quant à ces derniers, engagés dans la vie professionnelle, ils retirent du système des pensions une double libération : ils n'ont plus à se préoccuper d'assurer les vieux jours ni de leurs parents, ni d'eux-mêmes, la perspective de leur retraite leur garantissant leur propre vieillesse. L'essentiel de leur effort économique peut alors se concentrer sur l'aide apportée à leurs enfants et / ou sur la constitution d'un patrimoine qu'ils leur transmettront également. La retraite a ainsi favorisé l'inversion des solidarités familiales, leur réorientation en direction des jeunes, jouant indirectement dans le même sens que les prestations familiales ou les bourses d'études, incitant les parents à miser sur l'éducation des enfants.

Les retraites publiques et obligatoires produisent un lien social entre générations. Leur complémentarité avec les solidarités privées renforce leur fonction de redistribution et de cohésion sociale. On démontre en effet, à travers les enquêtes, que l'aide de l'État, loin de se substituer au soutien apporté par la famille, a au contraire pour effet de le stimuler[3]. Les comparaisons internationales le confirment. Même dans les pays du sud caractérisés par une forte tradition familiale, comme le Portugal, la faiblesse de l'État providence a pour conséquence une certaine incapacité des familles démunies à exercer des solidarités efficaces, ce que montre une récente enquête de Karin Wall (à paraître).

---

3. Cette complémentarité a été également démontrée dans une enquête réalisée aux Antilles, à la Guadeloupe. *Cf.* Claudine Attias-Donfut et Nicole Lapierre (1997), *La famille providence. Trois générations en Guadeloupe*, Paris, La Documentation française.

En déchargeant la famille de sa fonction traditionnelle de prise en charge économique de la vieillesse, la solidarité publique a aussi contribué à l'émergence de nouveaux liens, s'établissant sur la base de l'autonomie des générations.

Rappelons brièvement d'autres paramètres sociaux. Du fait de l'allongement de la vie, le statut de grand-parent est désormais très répandu. On accède à cet âge en moyenne entre 48 et 52 ans, soit bien avant le troisième et a fortiori le quatrième âge. Les changements de la structure démographique de la famille sont bien connus. L'augmentation de la durée moyenne de vie, d'environ 30 ans au cours du XXe siècle, équivaut à une génération supplémentaire ; et en même temps la natalité a fortement diminué. Dans les familles contemporaines, multigénérationnelles, il n'est pas rare de compter plus d'aïeux que de petits-enfants. Il faut aussi souligner les caractéristiques de la nouvelle génération de grands-parents née entre 1940 et 1950. Elle a connu tous les bouleversements : nouveaux types de liens conjugaux, nouveau style de relations éducatives, transformations juridiques du statut conjugal, pour les femmes accès à la contraception et à l'avortement, entrée massive sur le marché du travail... cette génération a bénéficié d'une croissance économique sans précédent dans l'histoire de la France ; elle se démarque tant de celle de leurs parents qui devaient davantage compter sur leurs propres forces pour s'élever dans l'échelle sociale que de celle de leurs enfants dont l'entrée sur le marché du travail est difficile, en dépit du soutien familial considérable qu'ils reçoivent.

Les jeunes grands-parents ont été des parents libéraux nettement influencés par les idées post-soixante-huitardes. Ils ont ouvert la voie aux divorces, aux unions libres et à la désaffection à l'égard du mariage. Les enfants mis au monde, de façon volontaire et généralement programmée, s'inscrivent dans les finalités du nouvel ordre amoureux. L'enfant devient un miroir du « nous », l'expression de l'amour du couple. Odile Bourguignon[4], une psychologue, estimait que, tout comme le couple qui revendique la vie privée pour épanouir ses sentiments, « l'enfant – aussi – se privatise et prend un sens par les gratifications affectives qu'il apporte au couple ». François de Singly souligne justement le rôle croissant de la psychanalyse pour enfants dans les années 1970, qui s'incarnait notamment dans les émissions radiophoniques de Françoise Dolto : « l'enfant a le droit d'être lui-même, il doit parvenir à son plein équilibre et à l'épanouissement de sa personnalité[5] ». C'est la fin de la « famille morale » à laquelle s'est

---

4. Odile Bourguignon (1987), « La question de l'enfant », *L'Année sociologique*, 37, p. 93-118.
5. François (de) Singly (1996), *Le soi, le couple et la famille*, Paris, Nathan.

substituée la « famille relationnelle ». Cette nouvelle forme de parentalité se prolonge aujourd'hui dans une nouvelle forme de grand-parentalité. Pour en analyser les contours, nous avons eu recours à deux enquêtes.

Une vaste enquête quantitative portant sur les échanges de toutes natures entre générations. Cette enquête a été menée auprès d'un échantillon de familles dans lesquelles existent trois générations adultes vivant dans le territoire métropolitain, une génération pivot composée de personnes âgées de 49 à 53 ans, la génération de leurs parents et celle de leurs enfants adultes. Ces trois générations ont été enquêtées, soit près de 5 000 personnes appartenant à environ 2 000 lignées. Dans cette enquête, les jeunes adultes ont, pour la moitié d'entre eux, des enfants dont la moyenne d'âge est d'environ 4 ans. Il en résulte que les deux générations précédentes, c'est-à-dire celle des pivots et celle de leurs parents, sont composées de grands-parents, les plus âgés étant bien évidemment des arrière-grands-parents. Cette enquête se prête alors particulièrement bien à l'étude de la grand-parentalité. Pour en approfondir l'analyse, nous avons réalisé en 1996 une enquête qualitative, codirigée par Martine Segalen, Nicole Lapierre et moi-même, auprès d'un sous-échantillon d'une trentaine de lignées, soit près d'une centaine d'entretiens approfondis menés dans plusieurs régions françaises. Les thèmes abordés dans ces entretiens portaient sur les liens affectifs, la mémoire, le contenu des échanges, les temps et les lieux dans lesquels ils interviennent, la transmission et la mobilité sociale. Nous avons ainsi recueilli un matériau considérable sur les trois générations, couvrant en réalité six générations puisque les arrière-grands-parents évoquent dans leurs souvenirs leurs propres grands-parents.

D'après nos résultats, comment caractériser les nouveaux styles grands-parentaux ? Il y a certes plusieurs façons d'être grand-parent entre les attitudes d'engagement et de refus, entre la jeunesse et la vieillesse des grands-parents. La liberté est d'autant plus grande qu'il n'existe pas de modèle prescrit. Certes les grands-parents ont un statut, qui résulte de leur rang dans l'ordre des générations, mais à ce statut n'est pas attribué un rôle précis. Les guides normatifs sont très flous, ce qui laisse une grande marge de manœuvre aux grands-parents. La relation entre grand-parent et petit-enfant est finalement volontaire, négociée par chacun des protagonistes et évolue à chaque fois dans un contexte spécifique.

Mais au-delà de la diversité des pratiques, il se dégage de grandes tendances que je vais m'efforcer de résumer brièvement : La relation grand-parentale se joue à trois niveaux enchevêtrés : celui des grands-parents, celui des parents et celui des petits-enfants.

Je m'attarderai davantage sur le premier niveau, celui des grands-parents : ils ont aujourd'hui le privilège, du fait de l'allongement de la vie, de voir leurs petits-enfants naître, grandir et devenir à leur tour parents. La longue durée de la phase grand-parentale, qui se décompose en plusieurs périodes bien distinctes, permet l'établissement de relations à long terme avec les petits-enfants.

La première étape, l'entrée dans la grand-parentalité à la naissance du premier petit-enfant est toujours un choc pour les futurs grands-parents, même lorsque l'événement est fortement souhaité. Il existe en effet un désir de petit-enfant, très souvent exprimé, de la part des femmes et aussi des hommes (qui peut aussi motiver le désir d'enfants parmi les jeunes comme certains le confient).

La façon dont est vécu l'événement dépend du moment où il survient. Il y a un bon âge, ni trop tôt, ni trop tard, qui favorise l'acceptation sereine de cette nouvelle identité. Devenir grand-parent signifie un changement de statut générationnel et en même temps un « coup de vieux », pas toujours bien vécu surtout pour ceux qui n'ont pas encore atteint la cinquantaine. La première phase se situe souvent encore dans la vie active, qui est même multiactive, partagée entre un ensemble de rôles, pas toujours faciles à concilier. Les sollicitations de la vie professionnelle, la lutte pour s'accrocher à son statut ou la crainte de perdre son emploi, le disputent à des responsabilités nouvelles dans la vie familiale, auprès des enfants (et beaux-enfants), petits-enfants et aussi, et bien souvent, des parents âgés, qui ont besoin d'aide. De plus, les engagements sociaux, politiques ou associatifs culminent à cet âge, pour les hommes comme pour les femmes.

Malgré cette multiactivité, malgré la vie professionnelle des grands-mères, les jeunes grands-parents font preuve d'un investissement massif et d'une ampleur inédite auprès des petits-enfants : 85 % des femmes et 75 % des hommes gardent leurs petits-enfants (c'est-à-dire en dehors de la présence des parents) de façon plus ou moins régulière, de façon quotidienne ou hebdomadaire pour certains, en week-end ou pendant les vacances. Cet investissement massif est un des résultats notables de notre enquête : la comparaison des réponses obtenues auprès des trois générations enquêtées montre que la garde des petits-enfants était moins largement répandue autrefois. La présence importante des grands-parents s'avère aujourd'hui plus forte que pour les deux générations précédentes. Cette présence est attestée dans tous les milieux sociaux, même si ce sont les femmes inactives qui assurent le plus souvent une aide quotidienne. Le développement des crèches et des écoles maternelles n'a pas entraîné un retrait de l'aide grand-parentale auprès des tout-petits. Cette aide vient bien souvent en complément du recours aux formes de garde extérieures à la famille.

Il y a plusieurs explications à cela parmi lesquelles le travail généralisé des jeunes mères et leurs besoins accrus d'aide en sont bien évidemment un facteur majeur. De plus, ce sont les jeunes femmes en situation de promotion sociale qui bénéficient le plus largement de l'aide de la grand-mère. Cela signifie qu'on assiste à une forte solidarité féminine intergénérationnelle pour favoriser la promotion professionnelle des nouvelles générations de femmes.

La nature même des relations grands-parentales évolue, comme a évolué la relation parentale. L'éducation des enfants incombe en premier aux parents, et cela, de façon plus normative que par le passé. Sauf en cas de crise familiale, les grands-parents ne se chargent pas de l'éducation des petits-enfants. Ils doivent au contraire respecter l'autonomie des jeunes parents et garder « la bonne distance », ni trop proche, ni trop loin. Dans un passé récent, les parents pouvaient confier plus facilement un enfant à élever aux grands-parents, pour des raisons de commodité, par exemple à l'occasion d'une migration professionnelle. Cette pratique est aujourd'hui déconsidérée, la psychologie en a dénoncé les méfaits possibles sur les enfants qui supportent mal la séparation d'avec les parents. On assiste donc à une nouvelle distribution des rôles entre parents et grands-parents ; ces derniers étant assignés à un rôle plus ludique et plus périphérique. En revanche, ils entretiennent plus largement des relations proches, voire complices avec l'ensemble des petits-enfants. Dans le passé, la relation était plus distante avec la majorité des petits-enfants, qui étaient plus nombreux, tout en pouvant être, pour l'un ou l'autre d'entre eux, une véritable relation parentale.

Ces changements ne vont certes pas sans tensions et les questions d'éducation représentent la source majeure des conflits intergénérationnels. Ces conflits sont plus fréquents entre grands-parents et parents tandis que les relations entre grands-parents et petits-enfants sont en général plus harmonieuses. Ce sont aussi des relations plus électives, la préférence pour un des petits-enfants se déclare sans complexe, de même d'ailleurs que la préférence pour un des quatre grands-parents, de la part des petits-enfants. Ceci est aussi un signe de la plus grande liberté de ce lien par rapport aux liens parentaux et filiaux dans lesquels la norme d'égalité s'impose.

Signe du changement de style, les nouvelles modes de dénomination des grands-parents. Notre enquête a révélé la diversité et l'innovation dans les dénominations dont sont baptisés les grands-parents. Si les termes de papa / maman sont universellement adoptés, il n'en est pas de même pour le vocabulaire utilisé pour les grands-parents. Il faut rappeler que c'est le terme d'aïeul dérivé du latin qui était utilisé jusqu'au XIIIᵉ siècle environ, et qu'il a été remplacé progressivement par celui de grands-parents.

Aujourd'hui, les petits noms comme pépé / mémé, papy / mamy sont plus souvent réservés aux bisaïeux tandis que les aïeux innovent pour se différencier de leurs parents. Il est en effet rare que la grand-mère soit débaptisée devenant arrière-grand-mère comme ce fut le cas pour Maguy, qui a été rebaptisée grand-mamy par sa fille qui a pris elle-même le nom de mamy – ce que Maguy a du reste fort mal pris. Parmi les nombreux exemples d'inventions langagières, il y a papou / nanou / mabé / dany / dady, des petits noms qui vont souvent par deux et évoquent le lien conjugal. Les nouvelles appellations sont souvent aussi dérivées des prénoms comme mamirène (pour Irène) ou pajean. On trouve aussi la simple appellation par les prénoms pour les grands-pères qui ont du mal à se percevoir comme des aïeux ou pour ceux qui en refusent plus ou moins consciemment le rôle. Nous avons rencontré une jeune femme qui s'est fâchée avec son père parce qu'il voulait se faire appeler « tonton » par son petit-fils.

Parfois ce sont les petits-enfants qui attribuent un nom comme papy-rouge / bleu en fonction de la couleur de la voiture, mamy-Arsouille, du nom du chat, milune, grand-mère à lunette, mamilaine, pour une mamy tricoteuse. Juste retournement des choses : les grands-parents ne donnent plus les prénoms aux petits-enfants, comme le voulait la tradition de parrainage, mais ce sont les petits qui donnent un nom aux grands-parents.

La question des dénominations n'est pas anecdotique, elle dit beaucoup sur la nature des relations familiales. Et dans le cas des grands-parents, elle est significative du caractère informel de leurs relations aux petits-enfants, comme elle est révélatrice aussi, dans certains cas, du milieu social. Une enquête a montré que pépé / mémé est fréquent en milieu rural, mamy / papy dans la classe moyenne et bon papa / bonne maman dans les couches supérieures.

Lorsque les petits-enfants grandissent, les relations continuent d'être fréquentes, même si elles le sont moins que dans la période précédente. Les adolescents se tournent vers leur classe d'âge et les occasions d'activités avec les grands-parents s'amenuisent ; il n'en reste pas moins qu'entre les repas familiaux, les dons en nature ou en argent, les liens restent vifs. Par la suite, les arrière-grands-parents en bonne santé peuvent assurer la garde de leurs arrière-petits-enfants, lorsque les grands-parents sont encore très engagés dans leur activité professionnelle, mais cela reste très minoritaire. Avec l'âge et les problèmes de santé, ils peuvent plus difficilement nouer des liens avec les tout-petits. Et ils risquent de se sentir relégués en perdant leur statut de grands-parents au profit de leurs enfants. Une arrière-grand-mère le dit avec humour : « quand vos enfants deviennent grands-parents, on ne compte plus ». Les arrière-grands-parents, qui mériteraient de faire l'objet d'études plus approfondies, deviennent une nouvelle figure familiale d'autant plus significative que leur nombre s'accroît. D'après notre enquête, la moyenne d'âge à la naissance du premier arrière-petit-enfant est d'environ 74 ans, et les trois quarts des membres de la génération âgée (de 68 à 92 ans) de notre échantillon sont des arrière-grands-parents. Ils remplissent un double rôle, celui d'incarner la lignée et de rassembler la famille élargie autour d'eux, en donnant des nouvelles des uns aux autres. À leur disparition, la parentèle éclate et se recompose autour de nouveaux pôles.

Pour compléter ce rapide tour d'horizon du point de vue des grands-parents, je voudrais évoquer, trop rapidement, le grand-père, dont la présence dans la famille est beaucoup plus importante qu'on ne pense et qui mériterait aussi d'être mieux connu. Le grand-père intervient directement dans la garde des petits-enfants, bien qu'un peu moins que la grand-mère. Il intervient aussi indirectement en soutenant la grand-mère dans l'exercice de son rôle. Aussi les grands-mères en couple sont-elles plus investies auprès des petits-enfants que les grands-mères vivant seules. La présence du grand-père contribue à l'orienter vers la famille et lui facilite les tâches auprès des petits-enfants. Les jeunes grands-pères témoignent parfois d'un plus grand intérêt pour leurs petits-enfants qu'ils n'en ont eu pour leurs propres enfants, à une époque où leur vie professionnelle les accaparait. Comme s'ils voulaient rattraper le temps perdu en se vouant aux petits-enfants.

La place du grand-père et celle de la grand-mère se différencient dans la mémoire des petits-enfants. Les souvenirs évoqués à leur sujet ont tendance à situer la grand-mère dans le domaine de l'intime, de l'histoire des relations familiales, tandis que le grand-père est plus évoqué dans sa vie extérieure, en relation avec l'histoire sociale. Ils représentent donc deux dimensions différentes et complémentaires de l'ancrage identitaire du petit-enfant. Sans doute cette distinction ira-t-elle en s'atténuant dans les prochaines générations, pour lesquelles les divisions du travail selon le sexe seront moins tranchées.

Abordons à présent la place des parents. Leur rôle dans la relation grand-parentale est bien entendu un rôle clé. Ce sont les parents qui ouvrent ou ferment la porte des relations entre les grands-parents et les petits-enfants. Ce sont eux qui favorisent le lien avec une lignée plutôt qu'avec l'autre (c'est le plus souvent la lignée maternelle qui est favorisée, comme on le sait bien). La qualité de la relation du parent à son propre parent conditionne la qualité de la relation qui s'établira entre le petit-enfant et le grand-parent. D'une façon générale, notre enquête révèle une demande importante de la part des jeunes parents pour recevoir une aide des grands-parents et pour que se crée un lien entre leurs enfants et leurs parents. Leur besoin de soutien dans la tâche d'élever les enfants, de concilier vie familiale et vie professionnelle est réel, il n'en est pas moins en tension avec leur revendication d'autonomie. Cette revendication est exprimée par exemple par Sophie, jeune mère appartenant à la bourgeoisie parisienne, qui affirme vouloir « se démarquer » d'une famille qui, selon elle, « forme un clan » : « De génération en génération on est un peu l'enfant de la génération du dessus. C'est-à-dire que moi, je suis encore restée la petite fille de ma mère qui est elle-même restée la petite fille de sa mère. Donc on se retrouve un peu dans des positions d'enfants dans certaines situations. Et ça, ça suppose de pouvoir marquer son territoire et de dire : " j'ai grandi, j'ai deux enfants, je les élève donc je peux prendre des décisions et vous pouvez les respecter ". Voilà ! »

La relation entre grands-parents et parents fait l'objet de négociations permanentes, son point d'équilibre est délicat et facilement déstabilisé. Elle contient plusieurs germes de conflits, entre générations – parents et enfants ou beaux-parents et beaux-enfants – et entre lignées. Ces conflits s'exacerbent en cas de rupture du jeune couple, quand le parent gardien rompt les contacts avec la lignée de son ex-conjoint, privant ainsi les parents de ce dernier de leurs petits-enfants. Dans les situations extrêmes, des procédures judiciaires sont engagées, phénomène qui a tendance à s'amplifier selon les juristes[6]. D'après notre enquête, les divorces ou sépa-rations ont des conséquences différentes sur le lien intergénérationnel selon la génération dans laquelle ils surviennent. Quand les jeunes parents se séparent, le père ou le plus souvent la mère, resté(e) seul avec les jeunes enfants bénéficie d'un soutien accru de la part de ses parents (et parfois aussi des beaux-parents). Mais quand ce sont les grands-parents qui se sont séparés, chacun d'eux (le grand-père surtout et aussi à un moindre degré la grand-mère) est moins investi auprès des petits-enfants que les grands-parents vivant en couple stable. La distance avec les petits-enfants est encore accrue quand le grand-parent a fondé un nouveau couple, la nouvelle lignée venant en concurrence avec celle issue du couple précé-dent. L'intensité des relations, mesurée par la fréquence des contacts, est plus importante avec les enfants communs du nouveau couple qu'avec les enfants et petits-enfants issus d'unions précédentes. Les liens des divorcés avec la génération ascendante se relâchent aussi quelque peu. Dans tous les cas, les femmes sont meilleures gardiennes des liens intergénérationnels que les hommes, même si hommes et femmes suivent la même tendance à se recentrer sur le nouveau couple et ses enfants communs. Mais malgré leur affaiblissement, les liens intergénérationnels se maintiennent dans l'ensemble après les séparations conjugales. La filiation demeure l'axe de stabilité de la construction familiale.

---

6. *Cf.* Muriel Laroque (1999), Communication à la rencontre sur *Le rôle des grands-parents*, Paris, CNAV, 29 septembre.

Les grands-parents facilitent l'ouverture du foyer du jeune couple. Le foyer moderne, même lorsque les deux parents y sont présents, sécrète en effet une certaine solitude : le rythme de vie, largement occupé par le travail, la réduction du nombre d'enfants, l'effacement des liens communautaires locaux contribuent à cet isolement que la télévision prétend combler. Le microcosme parents-enfants risque de produire des liens familiaux clos sur eux-mêmes. En gravitant autour du foyer, les grands-parents contribuent à l'enrichissement et à l'ouverture de ce lien. Quand les relations sont harmonieuses, ce qui n'est pas toujours le cas, le soutien qu'en retirent les parents leur apporte plus d'assurance et de sérénité dans l'éducation des enfants. Par ailleurs, la disponibilité et l'indulgence des grands-parents à l'égard des petits-enfants en font pour ces derniers un recours toujours possible en cas de conflit enfants-parents.

Je terminerai ce tour d'horizon de la relation grand-parentale en évoquant le troisième partenaire de la relation, le petit-enfant, ce que ce lien lui apporte et ce qu'il signifie pour lui.

Dans les cas de crise familiale, la présence des grands-parents est un facteur d'équilibre. Des études menées aux États-Unis et rapportées par Peter Uhlenberg[7], comparant des familles en situation de crise, selon la présence ou non des grands-parents, montrent que les petits-enfants présentent moins de troubles psychologiques ou sociaux quand les grands-parents sont présents.

De façon plus générale, c'est à travers les petits-enfants que se révèle pleinement la dimension fondamentale du lien grand-parental, celle de la filiation. En effet, la filiation ne saurait se réduire à la relation parents-enfants, elle renvoie toujours à un au-delà de cette relation et suppose l'existence d'ancêtres, c'est-à-dire de personnes à l'origine de la famille dont on descend. Dans notre enquête, nous avons mis en relation les discours de nos interlocuteurs avec les analyses de la psychanalyse et de l'ethnologie. Ces données concernent certes nos enquêtés adultes, dont les grands-parents sont déjà très âgés ou disparus. Elles ont néanmoins révélé une certaine permanence, au-delà des changements d'une génération à l'autre.

Ainsi, lorsqu'on demande quelle est la figure marquante de la famille, celle-ci est toujours représentée par une grand-mère ou un grand-père ou un arrière-grand-parent. Ces figures sont toujours idéalisées. La mémoire est embellie, mais c'est une mémoire fondatrice, elle offre une ressource identitaire pour agir au présent. Il y a toujours une identification avec tel trait de caractère ou tel intérêt attribué à l'aïeul que chacun se choisit. C'est

---

7. *Cf.* Peter Uhlenberg (1999) : Communication à la rencontre sur *Le rôle des grands-parents*, Paris, CNAV, 29 septembre.

une mémoire individualisée, ce que confirment d'ailleurs les recherches sur la mémoire familiale, notamment celle d'Anne Muxel ou de Josette Coenen-Huther. Les objets hérités des grands-parents ont une valeur sentimentale, même si ce sont des objets modestes, sans valeur marchande ; la nappe brodée de la grand-mère ou le fusil de chasse du grand-père. Les grands-parents aspirent à transmettre quelque chose d'eux-mêmes, à demeurer dans la mémoire de leurs petits-enfants. Au désir de continuité à travers leurs descendants correspond chez ces derniers le besoin de racines et d'ancêtres.

Souvent les grands-parents n'ont pas conscience de ce qu'ils représentent pour les petits-enfants, ni de la force des souvenirs qu'ils ont imprimés en eux pour la vie. Ils sont cependant une référence pour la construction de leur identité et confèrent une forme d'immortalité au petit-enfant en l'inscrivant dans la chaîne des générations. C'est une constante même si aujourd'hui l'importance sociale des lignées a diminué, c'est-à-dire qu'elle intervient peu ou pas du tout dans la définition du statut social. Mais son importance symbolique demeure : en offrant l'assurance d'une identité enracinée dans un temps immémorial, elle permet l'appropriation de son propre temps et par là, l'intégration à la collectivité. Et aujourd'hui, peut-être plus que jamais, les grands-parents, à travers la stabilité familiale qu'ils incarnent, sont les garants de la filiation.

Les familles
et le virage ambulatoire

Soigner, *ultimement.*

De la nécessité de la providence des savoirs

Francine SAILLANT
Centre de recherche sur les services communautaires
Département d'anthropologie
Université Laval

« Prendre soin[1] » d'un proche suppose un sentiment d'obligation et une attitude d'engagement moral et émotif plus ou moins profond et conflictuel, dans le contexte d'une relation et d'un lien particulier à l'Autre, d'une relation chargée d'histoire et de singularités qui s'inscrit dans le temps social et personnel, d'un lien qui a pour toile de fond la dépendance, un terme chargé aussi, parce qu'il fait problème à une société qui en refuse la perspective et les difficultés. Le mot dépendance n'est pas à la mode : on lui préfère celui de « perte d'autonomie », plus correct politiquement. Tous les groupes dont l'expérience quotidienne est marquée par une certaine forme de dépendance (ne faut-il pas penser l'autonomie et la dépendance dans un continuum) ont vu leur identité modelée par des manipulations sémantiques diverses : des sourds sont devenus des mal entendants, des grands vieillards, des personnes en lourde perte d'autonomie, etc. On atténue la différence que suppose la dépendance cherchant à intégrer ce qui est souhaitable, mais paradoxalement on la nivelle par rapport à un ensemble dont les contours n'induisent pas moins des normes ; en particulier, celle de l'autonomie, recherchée et idéalisée.

---

1. Je me situerai ici dans le « prendre soin » qui implique d'abord et avant tout les situations de dépendance provoquées par la maladie. Le « prendre soin » peut s'étendre et recouvrir par exemple le soin des enfants. Ce texte n'en rend pas vraiment compte.

« Prendre soin » renvoie à l'idée de préoccupation constante, de responsabilité morale mais aussi de partage expérientiel avec un autre proche, d'une condition, d'une souffrance, d'une perte. « Prendre soin » implique des tâches multiples, bien sûr, mais ce qui doit attirer notre attention, c'est peut-être ici son caractère relationnel, dialogique : on « prend soin » dans le contexte d'une relation avec la personne aidée, mais d'une relation qui s'inscrit elle-même dans un réseau de relations et de rapports sociaux, et dans le contexte d'une certaine compréhension (locale, contextuelle) de ce qui est jugé important de faire ou de ne pas faire pour l'autre qui ne peut résolument faire seul, indépendamment de tout autre.

« Prendre soin » suppose aussi des connaissances, des savoirs. Dans la société actuelle, ces connaissances, ces savoirs, sont plus ou moins naturalisés, ils paraissent aller de soi, en particulier lorsque l'on se réfère à l'univers des soins familiaux.

Ces savoirs sont ce que l'on suppose que des femmes savent déjà depuis des générations (les femmes se retrouvent en très grand nombre comme « aidantes naturelles », n'est-ce pas ?[2]). Ces savoirs acquis auraient quelque chose d'archéologique : bribes enfouies dans une mémoire immémoriale, à réinterpréter au besoin, selon les usages. On imagine que les femmes savent prendre soin dans la famille, car on leur suppose certaines qualités : un savoir acquis dans le « prendre soin de l'enfant », un savoir qu'elles pourraient reproduire dans d'autres contextes, pour des proches qui ne sont pas des enfants : des parents, des beaux-parents, des sœurs, des frères, des grands-parents. Également, un savoir transportable et interchangeable entre les sphères professionnelle et domestique, publique et privée. Dans le virage ambulatoire, le brouillage des responsabilités entre les différentes aidantes (dans les réseaux de proches) et intervenants (dans le réseau public) entraîne une plus grande flexibilité des rôles autrefois dévolus à chacun. Une étude récente (Gagnon *et al.,* 2000) montre justement cette grande perméabilité des sphères publiques et privées maintenant, dans l'aide et les soins à domicile, se répercutant bien entendu sur les savoirs, de plus en plus hybrides, de moins en moins étanches entre les catégories d'aidants et d'intervenants.

Ces savoirs féminins, disons socialement attribués aux « aidantes naturelles », sont les savoirs liés au *caring* : un ensemble d'attitudes et de techniques relationnelles situant l'altruisme et le souci pour l'autre comme une partie essentielle des valeurs morales féminines, associant présence,

---

2.   Pour cette raison, d'ailleurs, j'ai choisi le marquage systématique du féminin lorsque je parle des personnes qui soignent. Mais on sait par ailleurs que de plus en plus d'hommes sont amenés à occuper ce rôle, notamment dans le contexte du sida et dans celui de la maladie d'Alzheimer.

don de soi, empathie, gratuité, générosité, etc. Il s'agit au fond des valeurs morales incorporées culturellement que des générations de femmes ont reproduites pour prendre soin des enfants et des adultes dans la plupart des sociétés euro-américaines mais aussi ailleurs. Le *caring* est un peu l'habitus (Bourdieu, 1980) de soin des femmes, une disposition, un ensemble d'attitudes, intériorisées et extériorisées. Cela est vrai surtout de celles de plus de 50 ans maintenant, mais l'on ignore encore comment se transformera l'habitus en question chez la génération des 40 ans et moins.

Comme le « prendre soin » est apparu pour bien des gens (planificateurs, décideurs, intervenants adoptant la vision enchantée du communautaire ; Panet-Raymond et Bourque, 1991) une évidence, une pratique naturelle pour les familles et les femmes au sein de la famille, disons comme « un stock de connaissances disponibles » dans lequel l'État et les communautés pouvaient puiser indéfiniment comme dans le cas du pétrole en Arabie saoudite ou de l'eau dans le nord du Québec, il paraissait facile d'imaginer que les restructurations allaient pouvoir s'appuyer sur ce stock, cette richesse, dont nous allions pouvoir bénéficier collectivement. Et, si ce savoir venait à manquer, on instaurerait des programmes d'éducation : les « aidantes naturelles » n'auraient alors qu'à apprendre comment faire, orientées par les lumières professionnelles et bienveillantes (Saillant et Gagnon, 1996). Les « aidantes » suivraient alors des cours « d'aide naturelle » pour savoir comment (Guberman, Maheu et Maillé, 1991) ne pas s'épuiser et mesurer leurs énergies (c'est-à-dire ménager leur amour), pour se garantir d'un excès d'altruisme. Ou encore, devant des machines et des techniques plus complexes, des professionnelles apprendraient aux aidantes à s'affranchir des professionnelles. Une autonomie programmée, donc, bien différente de l'autonomie émancipatrice qui mobilisa des milliers d'individus dans les années 1970-1980 (autosanté, humanisation). Car il n'y a pas que les personnes dites en perte d'autonomie qui doivent être autonomes, il y a aussi leurs aidantes. Autonomes veut dire ici ne pas dépendre des services publics, contribuer à réduire le déficit, accepter les nouveaux partenariats, mais sans contrat explicite entre les partenaires.

Mais il y a ici contradiction et paradoxe : si les familles et les femmes savent « naturellement », tout comme elles aident « naturellement », pourquoi faudrait-il leur indiquer comment le faire ? Pourquoi dispense-t-on des cours « d'aide naturelle » et procède-t-on à diverses pratiques éducationnelles de santé ? Y aurait-il des choses non naturelles à apprendre, par exemple poser un cathéter, et des choses naturelles à désapprendre, par exemple le trop d'engagement moral qui épuiserait ? Y aurait-il au fond différentes formes de savoir et aurait-on confondu les genres ? Quelle est la demande des familles et des femmes face au savoir, face à ce qui serait requis, maintenant, pour prendre soin d'un proche ? Connaît-on cette demande ? Tous les savoirs sont-ils équivalents ?

Lorsqu'on pense aux savoirs liés au « prendre soin » d'un proche, on les associe assez facilement aux savoirs naturalisés de la *nurturance*, et du *caring*, savoirs de proximité, mais aussi aux savoirs plus techniques[3], savoirs d'experts. « Prendre soin » serait d'une part une expérience émanant d'une « nature naturelle et universelle », féminine de surcroît (mais cela reste toujours silencieux, non dit), et d'autre part une expérience technologique, associée à des experts parfois transformés en éducateurs que l'on peut consulter au besoin et que les profanes devraient imiter.

Cela n'a rien de nouveau, nous pensons ainsi depuis environ un siècle. Ainsi, au Québec (Saillant, 1998), en France (Delaisi de Parseval et Lallemand, 1998) et aux États-Unis (Ehrenreich et English, 1982), on a dès le tournant du XXᵉ siècle suggéré de substituer les savoirs proximaux, familiaux, qui dépassent d'ailleurs de loin les attitudes bienveillantes du *caring*, pour des savoirs d'experts, d'abord anodins (p. ex., les nouveaux médicaments) puis de plus en plus sophistiqués (p. ex., l'accouchement médical et hospitalier par opposition à l'accouchement à la maison assisté par des sages-femmes de village). Nous négligeons cependant tout un pan de la réalité, sur lequel je vais me pencher maintenant.

On a souvent dit que les personnes prenant soin de proches sont des femmes, et qu'il arrive fréquemment qu'elles se retrouvent seules avec la personne dont elles prennent soin, les autres membres de la famille tout en étant là, se désengageant avec le temps (Garant et Bolduc, 1990). Sans être seule constamment, la soignante ultime, celle qui se caractérise par une présence engagée, par le souci de l'Autre proche, par la co-présence continue, par le face-à-face, par la rencontre de l'émotion et du visage de l'autre, parfois aimé, parfois détesté, là où naît non pas la responsabilité, mais les sentiments qui accompagnent cette nécessité de la responsabilité (Ricoeur et Lévinas, 1989), contradictoires, fragmentaires, intenses ou fugitifs, expérimentent souvent une forme d'isolement psychique : « ils sont là mais je suis seule ». Les autres proches, les aidants de l'aidante, parfois vont exprimer ceci : on ne sait pas comment l'aider ; elle fait beaucoup, mais que peut-on faire pour elle ? Elle se donne trop ou, encore, n'est-elle pas extraordinaire !

Il faut se poser la question de ce qu'est et implique la posture de soignante ultime, sous l'angle des savoirs sur les soins, dans le contexte de l'absence ou d'une réduction des services publics du moins tels que

---

3. Il faut éviter de croire que le savoir technique ou expérienciel s'opposerait de façon très rigide. Il y a des techniques dans le savoir expérienciel qui se structurent justement au fil de l'expérience et il y a de l'expérience dans le savoir technique qui ne passe pas que par des schémas cognitifs. Mais cette question dépasse le débat posé ici.

nous les connaissions avant la réforme, condition de l'État pré- et post-providentiel, et ce que cette posture signifie dans les rapports individu-société, quant aux obligations que toute société entretient et construit envers les personnes dépendantes. Voilà ce que je veux maintenant explorer.

Posons comme postulat que l'État providence a posé un rapport unique face à la dépendance : celui de la construction d'une protection collective et civile basée sur l'égalité des droits face à la santé, et sur l'universalité de l'accès à l'aide et aux soins, d'une part, et d'autre part celui, peut-être illusoire, d'une sécurité absolue face à « ce qui pourrait arriver » : la maladie, le handicap, l'incapacité. Cela supposait, non sans problèmes bien sûr, que nul ne serait plus seul face aux conséquences de la dépendance causée par la maladie et la perte d'autonomie, et que l'on collectiviserait au possible la « gestion » de ces mêmes conséquences. C'est ainsi que se créa au Québec, la société « du pain et des services » décrite par Lesemann (1981). Une société comme il n'en a existé très peu à ce jour, et dont les bases sont actuellement déplacées, reformulées, certains disent détruites. Une société où il suffisait de laisser faire les experts, aussi.

Pour comprendre l'expérience actuelle des soignantes ultimes et aussi le rapport savoir-expérience de celles qui se retrouvent en bout de parcours, quand les autres proches déclinent et limitent aide et présence et quand l'État se défait de ses anciennes formes de responsabilité envers les personnes dépendantes, il est utile de comparer le contexte actuel de ces soignantes ultimes à d'autres contextes : on peut toujours regretter l'État providence, les écrits actuels sont parsemés de tels regrets. On peut aussi se demander ce qu'il en était du Québec d'avant l'État providence, ou d'une société paraissant éloignée et vivant comme nous les conséquences de l'État post-providentiel. Pour voir ce qu'il en est aujourd'hui, de ces personnes dans les familles à qui il est demandé de prendre soin, tentons maintenant le risque de la comparaison.

J'aborderai les sociétés québécoises et brésiliennes. D'abord, celles du Québec ancien, puis celles du Brésil et du Québec contemporains. Ces trois sociétés ont ceci en commun qu'elles sont marquées par des services publics faibles ou en processus d'affaiblissement[4].

Je comparerai ces trois sociétés sur trois points : a) l'État et les services publics, b) les responsabilités des familles et des femmes envers les personnes dépendantes et malades, c) les savoirs locaux et familiaux.

---

4. L'affaiblissement des services signifie ici le passage à la communautarisation de la santé : pour certains, cela équivaut à une forme de désengagement de l'État à l'égard des services publics, pour d'autres, il s'agit d'un réaménagement et d'une réaffectation des ressources, qui, pour les pays du Nord, demeurent malgré tout encore très importantes.

TROIS CAS : UN MODÈLE ?

Premier cas : le Québec ancien

Parlons d'abord du Québec ancien, celui que nous connaissions du tournant du siècle jusque vers les années 1960, avant les régimes collectifs d'assurance maladie et d'hospitalisation, et l'instauration de l'État providence.

Je me réfère à des travaux effectués sur les pratiques familiales de soins, en particulier sur les apports féminins, dans le Québec francophone des années 1870-1970 (Saillant, 1991, 1996, 1999). Concentrons-nous sur les années 1900-1960.

a) Rappelons que durant cette période les services sociosanitaires sont ceux des hôpitaux et des services d'hygiène des dispensaires ; il y a des institutions de type hospice et asile, gérées par les communautés religieuses. L'idée de santé publique est présente dans le sens où il y a surveillance étatique et épidémiologique de certaines pathologies et émergence d'une pensée collective en matière de santé. Mais il n'y a pas de services publics gratuits à grande échelle, la gratuité étant l'apanage de la charité. Ceux qui sont les initiateurs de la santé publique seront sans doute les premiers tenants de la gratuité des services. Les soins et services sont donc laissés au privé dans un double sens : il faut payer les services médicaux et les services hospitaliers (le privé marchand), les entrepreneurs sont là des communautés religieuses ou ici des médecins. Et la famille, et les femmes donnent de leur temps et de leur savoir pour prendre soin, au sein de la famille, des personnes malades et dépendantes (le privé gratuit).

b) La famille est le maillon le plus sûr des services de santé. Aussi, le manque d'argent, le manque de confiance (en la chose médicale) avant les années 1950, la prégnance de l'idée selon laquelle il est normal de prendre soin de ses proches, on le fait par tradition et devoir, fait que cela est possible. Il y a en fait peu de choix, et la question du choix de prendre soin des proches, surtout les personnes âgées, ne se pose pas, cette question du choix demeurant contemporaine. C'est en tout dernier ressort que l'on a recours à l'hôpital, surtout avant les années 1950. Généralement, le fils héritier de la maison paternelle, à la campagne notamment, a charge des parents âgés (toits et couverts), mais socialement, on s'attend donc que les femmes dans la famille « prennent soin » des personnes dépendantes (Collard, 1999), et on se représente géné-ralement une famille élargie très généreuse de son temps et de ses

services, venant en aide à celle que l'on appelle aujourd'hui
« l'aidante principale ». Était-ce le cas ? On ne le sait pas au fond
si clairement.

c) Les femmes sont les principales dépositaires des savoirs sur les
soins familiaux. Elles disposent d'une quantité importante de
savoirs hérités par l'intermédiaire des traditions orales de soins,
mais déjà en profonde transformation à partir des années 1930,
parce que des experts commencent à prendre le marché : début
des compagnies pharmaceutiques, incitation des experts de
l'hygiène à abandonner les savoirs familiaux, place importance
accordée aux experts médicaux plutôt qu'aux sages-femmes, etc.
Entre les années 1930 et 1960, les anciens savoirs de soin sont
progressivement abandonnés, ceux issus principalement de la
transmission intergénérationnelle et qui ne sont plus que l'attitude ou la disposition à prendre soin de l'autre. Ces savoirs qui
visaient entre autres l'application de remèdes, mais aussi tous ces
petits gestes au quotidien que l'on posait pour favoriser le confort,
le mieux-être, tous ces savoirs tendent à être relégués aux oubliettes
au profit de ceux de la modernité. On dit aux femmes de faire
autrement, d'abandonner ces savoirs qui faisaient partie de l'identité culturelle et féminine, pour choisir la sécurité de la science
moderne. Curieusement, les experts leur disaient : vous ne soignez
pas bien les enfants et les malades, faites autrement ; jamais on
ne leur disait : ne soignez plus les enfants et les malades. Ainsi,
les experts ont-ils cherché à préserver chez les femmes les attitudes
et dispositions à s'occuper de l'autre, mais ils ont modifié et
transformé le contenu des savoirs, ce que les femmes ont accepté
assez passivement. Disons qu'on a troqué l'herbe à dinde pour
l'aspirine, mais qu'on a tenu à laisser en place celle qui pense à
ouvrir l'armoire et à préparer le remède. On a voulu alors utiliser
du savoir des femmes que sa partie la plus malléable et la plus
« utile » aux pouvoirs publics : celle de la disposition transformée
en disponibilité. Mais, lorsque les experts ne pouvaient offrir des
réponses satisfaisantes, malgré leur insistance, les recours des
femmes étaient aussi religieux : quand plus rien n'allait, mais aussi
pour des buts préventifs, la religion était toujours une source de
réconfort.

Ainsi, la famille, et la femme, qui gardait chez elle une personne âgée
ou dépendante lui devait d'abord un lit, une place, une présence, du
confort, et des moyens normaux pour vivre. La disposition et la disponibilité sont peu à peu devenues ce qui a subsisté de façon plus évidente du
savoir ancien des femmes, transfiguré dans le contexte de la modernité.

Mais l'on sait peu de chose sur la manière dont furent vécues par les familles et les femmes ces dispositions mais aussi ces obligations qui, autrefois, paraissaient si normales, faisaient partie des devoirs qu'une génération entretenait envers l'autre.

Deuxième cas : l'Amazonie brésilienne des *caboclo*

Passons maintenant au deuxième exemple. Il s'agit d'une population qui vit bien loin de nous, les métis de l'Amazonie brésilienne, qualifiés de *caboclo* (Saillant et Forline, 2000) population défavorisée parce qu'elle ne jouit pas du *glamour* des populations autochtones de cette région, et parce qu'elle se situe au nord du Brésil, où les phénomènes de pauvreté sont des plus importants pour ce pays, si on les compare au sud du Brésil, à des villes comme São Paulo ou Rio de Janeiro. Je me situe maintenant à l'époque actuelle, et j'ai eu l'occasion, en deux séjours de recherche, en 1998 et 1999, de vivre et de partager la réalité des soins familiaux dispensés là aussi surtout par les femmes dans un contexte d'État minimaliste et néolibéraliste.

a) Le Brésil comme le Québec est un pays où sévissent les politiques néolibéralistes conduisant à une diminution ou à la disparition des services sociaux et de santé. Les services publics s'effritent, les carences liées à la pauvreté sont extrêmes, la médecine digne de ce nom est privatisée et coûte extrêmement cher. Au cours des cinq dernières années, ce pays a municipalisé, privatisé, transféré aux populations locales les soins de santé. Les services publics étaient déjà fragiles bien qu'en principe offerts à tous et gérés par l'État ; ils sont maintenant réduits et de moins en moins accessibles aux plus pauvres. Dans une région comme l'Amazonie, il y a aussi des problèmes d'accessibilité géographique. La population brésilienne jouit cependant de multiples systèmes de soins locaux, qu'intègre la médecine populaire et familiale, en plus des recours religieux, très importants au Brésil (Saillant, 2000).

b) Les femmes sont les principales responsables de la santé de leurs proches. On s'attend, là aussi, à ce qu'elles « prennent soin ». Elles comblent chaque jour ce que ne donnent pas les promesses de la modernité et des services publics. Elles sont présentes pour les enfants, nombreux bien sûr, mais aussi pour les personnes âgées et les personnes malades. En principe, le support social est fort entre les membres d'une même maisonnée, puisque même si l'organisation sociale est basée sur la famille nucléaire, les familles vivent à proximité les unes des autres, formant des maisonnées flexibles et matricentrées où les échanges de biens et de services sont nombreux. La maladie et la dépendance sont une occasion de rendre des services : don de plantes, aide aux repas, gardiennage, etc. Les rapports intergénérationnels entre grands-mères, mères et filles sont très serrés dans le sens de la collaboration et de l'échange. Malgré la densité du réseau familial qui transcende les murs de la maison de la famille nucléaire, et les possibilités d'aide naturelle, on peut constater deux choses : l'importance que les femmes accordent aux services publics, qui apparaissent l'idéal dans le contexte où ces derniers représentent un moyen de limiter la charge familiale et féminine, mais aussi de diminuer l'anxiété créée par une responsabilité trop grande et une peur de se voir attribuer la responsabilité de la mort d'un proche, enfant ou malade, et cela, malgré aussi l'importance des systèmes locaux de soins. Dans les situations où des femmes ont la charge de personnes très dépendantes et adultes (p. ex., grands vieillards, personnes handicapées), ce problème devient crucial et étonne dans son expression. Les femmes que j'ai pu interroger et aux prises avec de telles responsabilités vivaient un très grand isolement, parfois même une détresse extrême. Ce sentiment en fait que l'on observe chez certaines femmes d'ici, et chez certains hommes, qui doivent au jour le jour accompagner un proche, m'est apparu assez similaire dans ce milieu. La présence du groupe familial, source pourtant réelle de soutien, ne semblait pas remédier à cet isolement, qui est aussi un isolement psychique, devant ce qu'on ne peut changer : le cours du vieillissement, le handicap sévère, l'incapacité de changer le cours de la vie. Aussi, malgré le réseau familial dense et le support disponible de la maisonnée, c'est à une personne particulière, une femme dans la très grande majorité des cas, à qui incombe la responsabilité de la dépendance. Cette personne vit souvent de l'inquiétude, notamment celle de ne pas savoir quoi faire au moment où la maladie s'aggrave, celle de ne pas avoir d'argent, celle de ne pas savoir nourrir quand la nourriture manque, celle de ne pas correspondre à ce rôle très particulier de soignante ultime, de ne pas être à la hauteur du savoir naturel attribué. Celle de ne pas avoir été ce qu'il aurait fallu être quand la mort survient.

c) Par ailleurs, les savoirs traditionnels[5] s'effritent. Les femmes sont les principales dépositaires des savoirs familiaux, mais on commence à observer, comme on l'a vu au Québec dans les années 1930-1960, une perte des savoirs anciens, au profit des savoirs de

---

5. Ces propos ne constituent pas une idéalisation de l'efficacité des savoirs « traditionnels », mais plutôt une analyse de la position qu'ils ont pu occuper dans la société.

la modernité, plus attrayants parce que synonymes d'ascension sociale. Il s'ensuit que les jeunes femmes se sentent parfois démunies devant les responsabilités à assumer et comptent sur les mères et surtout les grands-mères. Mais cette perte des savoirs anciens ne s'accompagne pas d'une perte de la responsabilité. Là comme dans le Québec ancien, on s'attend à ce que les femmes prennent soin, mais avec des moyens différents. On les veut disponibles au gré des politiques, mais on ne veut pas tout à fait de leur savoir. On recherche surtout leur disposition et leur disponibilité. Mais quand les savoirs anciens ont disparu, que les savoirs modernes sont inaccessibles, quand on est pauvre et déclassé, que signifie alors « prendre soin » ? Veiller à la mort, veiller jusqu'à la mort. Aussi, en Amazonie, il y a aussi diverses religions pour donner des réponses que les médecines ne peuvent à elles seules donner. Certaines ancrées dans l'histoire ancienne, comme le catholicisme et les religions afro-brésiliennes, d'autres plus récentes, version locale du pentecôtisme, en extension dans le monde latino-américain, très contrôlantes quant aux recours aux médecines locales associées le plus souvent à la sorcellerie et au démon.

Ainsi, pour les familles pauvres, la logique est la suivante : peu ou pas de services publics, fardeau important quant aux responsabilités à assumer envers les personnes dépendantes.

Troisième cas : la société québécoise actuelle

Pour des raisons similaires à celles du Brésil, le Québec actuel vit au rythme du néolibéralisme et des diminutions et transformations des services publics et de santé. Je ne décrirai donc pas ici une situation connue de tous (Côté, AFEAS et al., 1998). Je parlerai toutefois de deux recherches que je mène avec des collègues[6].

L'aide naturelle, c'est-à-dire familiale et surtout féminine, est une aide actuellement très sollicitée. Euphémisme diraient certains. Attendue, naturelle et naturalisée. Après une longue période où l'on a déqualifié les familles et les femmes de leurs savoirs, et où on leur a demandé de se fier

---

6.   Celle qui vient de s'achever, avec Éric Gagnon, Robert Sévigny, Catherine Montgomery et Steve Paquet (voir référence en liste), portant sur les liens sociaux dans les soins dans le contexte des organismes de services intermédiaires dans l'aide et les soins à domicile au Québec, et celle menée actuellement en collaboration avec Renée Dandurand, Éric Gagnon et Odile Sévigny, sur les pratiques familiales de soins dans le contexte de la restructuration du réseau de la santé et des services sociaux et des transformations familiales au Québec.

aux experts, leurs savoirs, « stock inépuisable d'expériences », est de nouveau requis au goût du jour. Surprise. Les savoirs anciens ne sont pas au rendez-vous et les femmes s'inquiètent de ce qui leur arrive. Et leur savoir d'expérience, réduit historiquement à leur disponibilité attendue, ne paraît pas toujours suffisant. Ce savoir d'expérience n'est le plus souvent que cette capacité construite à prendre l'autre en charge. Capacité construite des femmes à reproduire avec des adultes ce qu'elles font pour des enfants : être là. Sur une expérience et une posture qui ne sont pas nécessairement considérées comme un savoir par la société entière[7].

Par ailleurs, l'aide et les soins à prodiguer aux proches tendent pourtant à se complexifier avec les transformations du réseau de la santé et des services sociaux. L'aide et les soins sont de plus en plus dépendants du désir des professionnels et dispensateurs de services, de leurs techniques, de leur programme, de leur disponibilité. Ils découlent d'une idée somme toute assez simple : les familles et les femmes aideront non seulement les proches, mais aussi les professionnels, les intervenants, par leur présence : elles seront là et elles garantiront cette présence, cette co-présence avec l'aidé, et elles mettront en œuvre leur savoir d'expérience, celui qui assimile l'expérience reproductive à l'expérience du « prendre soin » d'adultes dépendants, comme cela peut être le cas de personnes âgées, et elles apprendront le cas échéant des savoirs nouveaux, que leur enseigneront les professionnels. Peu importe le contenu et l'orientation de ces savoirs, l'important est de collaborer, de devenir partenaires de services. On ne leur demande pas seulement d'être là, on leur demande d'être là d'une certaine manière (le partenariat), et on leur indique la finalité (l'éducation).

L'aide actuelle existante est basée sur des services formels (CLSC), sur des services intermédiaires (de la communauté) et sur de l'aide dite naturelle, celle de la famille et des femmes. Nous assistons ainsi simultanément à la diminution des services formels, à une sorte de multiplication des services intermédiaires et des portes d'entrée dans le système de santé. L'« aidante naturelle », en bout de piste, c'est celle qui est présente, toujours là, quand les membres de la famille ou les proches ne peuvent plus y être, et que les intervenants ont quitté, nombreux parfois, mais dont la présence nécessaire demeure cependant ponctuelle et éphémère. L'« aidante naturelle » aide et soigne sous forme d'un accompagnement dans différentes sphères de l'existence, d'une présence qui exige la plus grande constance possible. C'est celle qui trop souvent se retrouve seule. Seule en face de quoi et de qui ? C'est cela qu'il faut se demander. Seule à ne pas savoir

---

7. Geneviève Cresson a bien mis en évidence ce silence et cette non-reconnaissance des femmes elles-mêmes sur leur savoir relatif aux soins des enfants (Cresson, 1991).

quoi faire à chaque fois, à ne pas se sentir « compétente » à tous instants. On peut se demander de quel type de savoir il s'agit quand une « aidante naturelle » dit ne pas savoir quoi faire et ne pas se sentir adéquate.

Il faut restituer le savoir dans un horizon plus large, dépassant l'actuel contexte québécois. Pouvoir prendre en compte le phénomène du « prendre soin » en tant que responsabilité morale pour l'autre proche, qui est d'abord et avant tout une responsabilité face à une personne avec qui se vit une histoire, un type de relation et dans un contexte sociétal et local donné. Un savoir qui n'est pas que technique, mais bien un savoir qui renvoie à l'existence, au savoir-être dans le contexte d'un lien particulier enchâssé dans un réseau de relations et de rapports sociaux. Parfois le savoir-être devant ce qui est inédit, ce qui n'a pas de comparable, ou ce qui est inéluctable.

J'ai parlé du savoir d'expérience, celui qui passe par l'expérience de la reproduction (à travers le lien mère-enfant), ce savoir que l'on transpose à l'ensemble des pratiques de soin dispensé à l'ensemble des membres de la société, comme s'il était interchangeable, sans spécificité. Comme si, par exemple, prendre soin d'un jeune enfant dont on est la mère, était identique à prendre soin d'un vieillard dont on est l'enfant, le fils, par exemple. Il faut au moins poser la question de ces différences et de ces spécificités.

J'ai parlé du savoir technique ; celui des femmes a été déqualifié et perdu dans le contexte de la rupture historique avec les savoirs hérités de mère en fille par tradition ou transmission orale. Le savoir qui manque, qui est exprimé comme manquant par plusieurs « aidantes naturelles », ne relève ni de l'un ni de l'autre. Il s'agit d'un savoir face à l'inédit (devenir parent pour son parent), face à l'inéluctable (comment accepte-t-on de voir un proche diminué ?), devant l'insupportable et l'impossible (on ne peut pas changer certaines situations, par exemple la maladie d'Alzheimer). Comment être, voilà de quoi il est question, voilà la question que celles et ceux qui sont dans la position de devoir prendre soin posent maintenant le plus souvent[8].

Et être aidante principale dans ce contexte, c'est se retrouver là, devant ces questions, en cherchant la ou les réponses qu'il pourrait bien y avoir au bout de l'horizon.

---

8.   Les savoirs techniques risquent toutefois de prendre plus d'ampleur dans le contexte d'une médecine ambulatoire de plus en plus sophistiquée.

CONCLUSION

Je tiens à revenir sur la définition de l'aide et des soins. L'aide et les soins sont entendus ici comme ensemble de pratiques et de savoirs liés à l'expérience, mettant en scène les dimensions affectives et symboliques de la vie ; formes d'accompagnement des personnes fragilisées dans leur corps esprit ; formes de présence incarnant le souci de l'autre proche ; formes particulières de relations qui sous-tendent les liens sociaux et expressions de l'altérité ; formes de savoirs. Des savoirs techniques, des savoirs relationnels, des savoir-être, des savoirs sur soi, des savoirs sur la rencontre de l'autre proche avec qui l'on est lié, comme parent, enfant, ami, citoyen dans ses diverses postures de vulnérabilité, de fragilité, de dépendance. La dépendance est un problème quand la notion de personne se superpose à celle d'individu, et qu'un individu « complet » aujourd'hui est assimilé à un individu autonome. Libre de ses liens. Affranchi de tout ce qui avait fait les sociétés fonctionnant sous le régime de la tradition : l'interdépendance. Une utopie dont nous percevons maintenant les limites.

BIBLIOGRAPHIE

Bourdieu, P. (1980). *Le sens pratique*, Paris, Éditions de Minuit.

Collard, C. (1999). *Une famille, un village, une nation*, Montréal, Boréal.

Côté, D., AFEAS, É. Gagnon, C. Gilbert, N. Guberman, F. Saillant, N. Thivierge et M. Tremblay (1998). *Qui donnera les soins ? Les incidences du virage ambulatoire et des mesures d'économie sociale sur les femmes du Québec*, Condition féminine Canada.

Cresson, G. (1991). *Le travail sanitaire profane dans la famille : Analyse sociologique*, thèse de doctorat en sociologie, Paris,

Delaisi de Parseval, G. et S. Lallemand (1998). *L'art d'accommoder les bébés : cent ans de recettes françaises de puériculture*, Paris, Éditions O. Jacob.

Ehrenreich, B. et D. English (1982). *Des experts et des femmes*, Montréal, Éditions du Remue-ménage.

Gagnon, É., F. Saillant, C. Montgomery, S. Paquet et R. Sévigny (2000). *Pratiques de soin, figures du lien, Étude sur les services intermédiaires dans l'aide et les soins à domicile au Québec*, Université Laval et Université McGill, Centre de recherche sur les services communautaires et Centre de recherche et de formation du CLSC Côte-des-Neiges.

Garant, L. et Mario Bolduc (1990). L'aide par les proches : mythes et réalités : revue de littérature et réflexions sur les personnes âgées en perte d'autonomie, leurs aidants et aidantes naturels et le lien avec les services formels, Québec, Direction de l'évaluation, Ministère de la Santé et des Services sociaux.

Guberman, N., P. Maheu et C. Maillé (1991). *Et si l'amour ne suffisait pas : femmes, familles et adultes dépendants*, Montréal, Éditions du Remue-ménage.

Lesemann, Frédéric (1981). *Du pain et des services : la réforme de la santé et des services sociaux*, Montréal, Éditions coopératives A. Saint-Martin.

Panet-Raymond, J. et Denis Bourque (1991). *Partenariat ou Pater-nariat ? : la collaboration entre établissements publics et organismes communautaires œuvrant auprès des personnes âgées à domicile*, Montréal, Université de Montréal, École de service social.

Ricoeur, P. et É. Lévinas (1989). *Répondre d'autrui*, Boudry-Neuchâtel, À la Baconnière.

Saillant, F. (1991). « Les soins en péril : entre la nécessité et l'exclusion », *Recherches féministes, 4*(1), p. 11-30.

Saillant, F. (1992). « La part des femmes dans les soins de santé », *Revue internationale d'action communautaire, 28*(66), p. 95-106.

Saillant, F. (1998). « Home care and prevention », *Medical Anthropology Quarterly, 12*(2), p. 188-205.

Saillant, F. (1999). « Femmes, soins domestiques et espace thérapeutique », *Anthropologie et sociétés, 23*(2), p. 15-40.

Saillant, F. (2000). « Restructurations socio-sanitaires et pratiques familiales de soins : comparaisons entre les situations québécoise et brésilienne », dans B. Hours et J. Benoist (dir.), *Anthropologie et changements dans les systèmes de santé*, Paris, L'Harmattan, à paraître.

Saillant, F. et L. Forline (2000). « Memória fugitiva, identidade flexível : " caboclos na Amazônia ", dans Annete Leibing (dir.), *Memoria no Brasil*, ouvrage à paraître.

Saillant, F. et É. Gagnon (1996). « Le *self care* : de l'autonomie libération à la gestion du soi », *Sciences sociales et santé, 14*(3), p. 17-46.

Une aide pour la famille ?*

Éric GAGNON
Direction de la santé publique de Québec et
Département de médecine sociale et préventive
Université Laval

L'AMÉNAGEMENT DE LA DÉPENDANCE

L'aspect le plus important de la réforme des services de santé et des services sociaux est le déplacement d'une partie des tâches et des responsabilités de soins des établissements hospitaliers vers le domicile des patients. Le « virage ambulatoire » désigne avant tout une réduction des durées d'hospitalisation : on retourne les malades plus rapidement à domicile, on les garde en convalescence moins longtemps après une intervention chirurgicale ou traitement donné à l'hôpital. C'est l'hôpital transplanté en partie à la maison, non plus seulement pour certains parents comme c'était déjà parfois le cas (p. ex., pour l'hémodialyse), mais pour la plupart des malades hospitalisés. Qui plus est, à domicile, le malade poursuit ses traitements avec des équipements et des soins professionnels de plus en plus techniques et spécialisés (de la désinfection des plaies aux injections intraveineuses, de la médication aux soins palliatifs), des soins que le malade lui-même ou ses proches doivent prendre parfois eux-mêmes en charge.

De différentes façons et sous différents angles, le virage ambulatoire pose la question de la *dépendance* dans notre société. Les facteurs invoqués par les pouvoirs publics pour expliquer et justifier ce virage sont tous porteurs de la question de la dépendance et de ce qui serait son contraire,

---

*   Cette communication doit beaucoup à mes échanges avec Mme Francine Saillant et aux travaux que nous poursuivons ensemble.

l'autonomie : le vieillissement de la population et la part croissante des
maladies chroniques dans les problèmes de santé prennent la forme d'un
diagnostic : « la perte d'autonomie » ; le désir des personnes âgées de
demeurer à leur domicile le plus longtemps possible et le désir des malades
de retourner chez eux le plus rapidement possible sont présentés comme
une volonté de garder un contrôle sur leur vie, comme une possibilité de
préserver leurs activités ou de recouvrer plus vite leur autonomie ; les
innovations techniques et thérapeutiques permettant la poursuite des
traitements et de la convalescence au domicile du malade plutôt qu'à
l'hôpital (p. ex., l'antibiothérapie intraveineuse) exigent des malades et des
proches une plus grande autonomie face aux professionnels de la santé,
et une confiance dans leur capacité à assumer une plus grande part de leurs
soins ; même la nécessité invoquée de réduire les coûts de santé, et qui a
accéléré le virage ambulatoire, s'inscrit dans une interrogation sur l'État-
providence et sur la dépendance des citoyens à l'égard des services publics
et de la collectivité.

Si le mot autonomie est employé de préférence à celui de dépendance
dans ces arguments et débats, ce n'est qu'en raison du caractère positif de
la première notion et du caractère extrêmement négatif, sinon inquiétant
et même angoissant, de la seconde. Se demander de qui je dépends et qui
dépend de moi n'est pas sans provoquer une certaine gêne dans une société
qui valorise la liberté et la capacité à conserver son indépendance. C'est
se demander qui assure ou garantit la *sécurité* d'une personne ; c'est s'interroger non seulement sur la fragilité physique de cette personne, mais aussi
la fragilité de l'aide dont elle peut profiter ; c'est mettre à l'épreuve ses liens
et en reconnaître la précarité. Une question préoccupe tous les adultes
de plus de 35 ans aujourd'hui : comment pourrais-je m'occuper de mes
parents lorsqu'ils seront âgés ? Qui s'occupera de moi quand j'aurai leur
âge ?

La question de la dépendance prend d'autant plus d'importance ou
de visibilité que la famille n'est pas seule à apporter de l'aide et des soins
à domicile. S'il y a bien transfert de responsabilités aux familles, un grand
nombre de services a été mis sur pied depuis plus de 20 ans pour venir
en aide aux personnes dépendantes et aux aidants familiaux. L'État essaie
de cette façon de compenser son retrait (peut-être insuffisamment) par
l'envoi au domicile des personnes d'une grande variété d'intervenants :
les employés du CLSC bien entendu (auxiliaires familiale, infirmières,
professionnels en réadaptation et travailleurs sociaux) ; des bénévoles qui
livrent des repas, accompagnent les personnes âgées dans leurs dépla-
cements ; des employés d'entreprises privés ou des nouvelles entreprises
d'économie sociale qui apportent une aide domestique (entretien ménager
et préparation de repas, gardiennage). À ces divers aidants, on peut ajouter

les différentes formes d'entraide entre les personnes âgées[1]. En même temps que l'État se retire, il essaie de « réinjecter » des services, d'autres formes de soutien. On atténue la dépendance à l'égard de la famille par l'envoi de soignants plus « professionnels »; on déplace ou fractionne les rapports de dépendance des personnes « en perte d'autonomie ».

Ces services représentent-ils une aide pour la famille, que l'on veut ainsi décharger? La question est souvent formulée en termes de *volume* de services offerts (Y en a-t-il suffisamment pour répondre aux besoins des personnes dépendantes et des aidants naturels?) et en termes d'*accessibilité* des services (Faut-il débourser pour les obtenir? En existent-ils dans toutes les régions?). Le volume et l'accessibilité de ces services sont certes des questions importantes, mais sous des dehors très gestionnaires et pratiques, ils posent aussi la question de la dépendance : sur qui chacun peut-il compter? à quoi puis-je m'attendre? que suis-je pour les autres membres de ma famille et pour la collectivité pour qu'ils me viennent en aide? à quelle condition cette dépendance est-elle acceptable, et pour quelle situation (maladie, vieillesse...)?

On assiste à un grand chambardement dans les rapports de dépendance au sein de notre société, sans que soit clair où les changements nous conduisent. L'État se libère de certaines formes de dépendance d'un côté, on en crée de l'autre. On cherche à en préserver ici, on s'en défait le plus possible là. En même temps que l'on envoie différents aidants au domicile des personnes malades, les intervenants hospitaliers ont moins de temps à consacrer aux patients, les intervenants de CLSC n'ont plus de temps pour faire de la prévention et, de manière générale, l'hôpital est moins un lieu de « protection » dans la mesure où l'on y reste moins longtemps. En même temps que l'on cherche à s'affranchir des liens familiaux ou qu'on en assouplit le caractère contraignant par l'affirmation de l'autonomie des individus (qui se traduit par des conduites et institutions aussi variées que le divorce, la protection de la jeunesse et l'absence d'obligation ferme de subvenir à d'autres besoins que ceux de ses enfants), la famille est plus sollicitée. Nous sommes à repenser et à réaménager la dépendance dans notre société en créant et réaménageant les services d'aide et de soins à domicile.

Symptomatique de ce chambardement est le *brouillage entre les secteurs formels et informels d'aide et de soins* (distinction introduite il y a une quinzaine d'années pour départager ce qui devenait précisément difficile à départager). Entre les soins formels (services professionnels et services publics) et les soins informels (soins prodigués par la famille et

---

1. Roy, 1998.

les proches), il devient de plus en plus difficile de faire une claire distinction[2], tant au plan du type de relation développée que du contenu de l'aide et des soins offerts. D'une part, les professionnels et plus généralement ceux qui vendent leurs services veulent établir une relation particulière avec leur client. Ils y tiennent au point que cela devient une dimension importante de leur identité professionnelle. D'autre part, les familles apprennent à donner des soins de plus en plus spécialisés, exigeant des compétences (dyalise, changement de pansements, sonde, pose de cathéter, etc). Plus généralement, c'est à un brouillage *entre les sphères privée et publique* auquel on assiste. Comme partenaire, la famille est intégrée au plan de services monté par le CLSC pour aider une personne dépendante. Le domicile devient ainsi non seulement un lieu où se donnent des soins, autrefois donnés en institution, mais un lieu où se rencontrent divers intérêts et personnes pour déterminer les responsabilités de chacun : chacun des membres de la famille, l'État par le biais de ses services, la société civile par le biais des bénévoles ou des employés d'entreprises d'économie sociale engagés dans des services dit de « proximité » et de solidarité.

L'AMÉNAGEMENT DES LIENS

Cette question de la dépendance, on peut la reformuler en termes de *liens sociaux*. Sur quels types de liens peut-on faire reposer l'aide et les soins requis ? En quoi les services d'aide aux personnes dépendantes et aux familles peuvent-ils soutenir les liens familiaux, les compléter, les décharger, voire les remplacer ? Sur quels types de liens reposent ces services ? Ce que sont deux personnes l'une pour l'autre – c'est ainsi que nous définirions le lien social – les engage dans un type de relations, permet certaines formes d'aide et de soins. Leur lien est ce *au nom de quoi* elles ont l'une à l'égard de l'autre des obligations et des attentes ; une référence, un modèle qui justifie et organise la rencontre de deux personnes et lui assure une certaine permanence. Un lien familial ne garantit pas le même type d'aide qu'un lien professionnel ; il ne confère pas à l'aide le même sens. Un lien de filiation ne permet pas une même forme de soin qu'un lien conjugal. De quoi peut-on s'attendre des différentes formes de liens que nous tissons : quelles formes de liens faut-il compter ou doit-on chercher à développer ? Lesquels assurent les soins et l'aide nécessaires ? Lesquels garantissent une sécurité minimale et une dépendance acceptable (tant pour l'aidé que pour l'aidant) ?

---

2.   Comme pouvaient encore le faire Lesemann et Chaume en 1989.

Cette question des liens s'impose d'autant plus avec le virage ambulatoire, que celui-ci soulève la question des liens familiaux et de leur pérennité : peut-on s'appuyer sur la famille pour la prise en charge des personnes malades ou en perte d'autonomie ? Qui plus est, l'aide et les soins sont prodigués dans un univers où la dimension relationnelle est à la fois manifeste, évidente, et problématique : le domicile des personnes, leur univers privé et intime, et non dans un espace neutre comme l'hôpital. Il faut les aider, les soigner, les laver, les aider à se nourrir ; il faut les accompagner, les écouter, les rassurer. Leur fragilité est d'autant plus manifeste que l'aide est apportée dans l'espace domestique, lieu à la fois de la plus grande autonomie (l'espace privé) et des obligations les plus fortes (l'espace familial).

Le grand chambardement dans les rapports de dépendance autour du virage ambulatoire et de la prise en charge des personnes malades (mais aussi autour d'autres questions et dans d'autres domaines) amène un réaménagement des liens, leur transformation ou leur combinaison. Il est remarquable de voir comment ces intervenants (bénévoles, aides domestiques ou infirmières) cherchent à se rapprocher d'une forme de lien d'amitié ou même d'une relation familiale (« on est comme de la famille », disent-ils souvent), comment ils insistent sur le temps, le respect, la confiance pour développer une relation d'aide particulière, individualisée, singulière. Jusqu'aux femmes et aux hommes qui font l'entretien ménager parlent de leur travail comme d'une relation d'aide, ne cessant d'insister, dans les entrevues qu'ils nous ont accordés[3] sur la dimension affective et morale de leur relation avec le client ; sur la présence, sur leur présence auprès de la personne. On combine diverses formes de liens ou l'on passe de l'un à l'autre au sein d'une même relation : ici, un lien professionnel fondé sur une compétence et une certaine neutralité est combiné à un lien d'amitié fondé sur la singularité et la liberté réciproque ; là, il est associé à un lien de type familial appelant une dimension affective ; ailleurs, on passe en cours d'intervention d'un lien professionnel à un lien de type bénévole fondant le service sur un principe de solidarité et de justice. Les intervenants sont à la recherche de formes de liens au sein des pratiques d'aide et de soins qui assurent une certaine proximité entre eux et l'aidé, exempt cependant de jugement l'un envers l'autre ; un lien qui assure une certaine identité tout en maintenant une distance ; un lien qui particularise l'aide tout en garantissant une certaine objectivité et un professionnalisme.

---

3.   Entrevues accordées dans le cadre d'une recherche sur le thème « Pratiques de soins et figures du lien », menée en collaboration avec Mme Francine Saillant et M. Robert Sévigny, et avec la participation de Mme Catherine Montgomery et de M. Steve Paquet (Gagnon, Saillant *et al.*, 1999).

Le lien familial lui-même se transforme, se rapprochant du lien d'amitié, qui ne cherche plus à se comprendre comme un lien d'obligation fondé sur des rôles et un statut, mais comme une relation élective, choisie. Ce sont des liens de filiation que l'on cherche à vivre sous le modèle de l'amitié, de la relation élective entre personnes libres et égales ; des liens où la responsabilité tend à devenir une réalisation de soi ou une dette personnelle : elle est apportée davantage pour des motifs privés (l'affection mutuelle, le passé de la relation) et moins au nom d'un statut social définissant des obligations. L'aide est recentrée sur l'individu et sa subjectivité, elle est moins un rôle à assumer ou une place à occuper. Ce sont des individus qui soignent, non des personnes insérées dans un rapport social, un lien, une lignée ou un droit.

Mais cette nouvelle forme de lien familial donnant un autre fondement à la responsabilité demeure encore une sorte d'idéal. En fait, la possibilité pour les intervenants extérieurs à la famille de remplacer ou de copier les liens familiaux, comme la possibilité pour les liens familiaux de se vivre sous une forme élective ou professionnelle, comporte une limite. Si les intervenants (bénévoles, aides domestiques et infirmières) insistent sur la relation et ses dimensions affectives, ils insistent également sur la liberté, sur la distance qu'ils conservent. Ils ne veulent pas se placer en situation de dépendance ni placer l'autre en pareille situation. Mais surtout, ces intervenants bénévoles ou rémunérés, à l'emploi des services publics, d'organismes communautaires ou d'entreprises privées, ne cessent de dire qu'ils ne sont pas là pour remplacer la famille, qu'ils ne veulent pas enlever à la famille ce qui lui « revient de droit ». Ils sont là pour donner un répit, disent-ils, pour soutenir la famille, surtout pas pour l'écarter ou la libérer de ses responsabilités. Ils s'efforcent même d'impliquer la famille dans l'aide aux personnes dépendantes et ne se gênent pas parfois pour rappeler aux membres d'une famille leurs responsabilités, les incitant à s'occuper davantage de la personne ou tentant parfois au contraire de convaincre l'aidant d'en faire moins pour ne pas s'épuiser. Dans leur esprit souvent, « libérer » la famille de certaines tâches ne doit pas conduire à la déresponsabiliser, mais plutôt à mettre en évidence cette responsabilité des enfants à l'égard de leurs parents. En somme, il s'agit de décharger le lien familial pour en assurer la pérennité. Par sa présence, l'intervenant à domicile contribue à diminuer le poids physique ou matériel de la prise en charge que supporte la famille pour lui permettre de conserver sa part de responsabilité. Cet objectif est souvent formulé en ces termes : en prenant en charge une partie des soins que requiert la condition d'une personne en perte d'autonomie, on libère la famille de certaines de ses tâches et de ses obligations, ce qui lui permettra de développer une relation plus « intéressante » avec la personne malade. La famille ne viendra pas la voir uniquement par obligation ou parce qu'elle y est contrainte. Visiter ses parents ne sera plus une *obligation*, mais un *choix* personnel fondé sur la recherche d'une relation qui se voudra d'abord affective.

Ce soutien apporté aux liens familiaux ne fait que mettre en évidence la difficulté de les remplacer. On ne peut vraiment être de la famille, ni ne veut être de la famille, c'est-à-dire engagé dans un lien durable comme l'est encore le lien familial. On est bénévole pendant quelques années, jamais avec les mêmes usagers ; on fait de l'entretien domestique dans une entreprise d'économie sociale en attendant souvent de se trouver ailleurs un meilleur emploi ; l'entreprise elle-même et le groupe communautaire ne sont pas assurés de survivre longtemps. Personne n'est ici lié pour la vie, pour le meilleur et pour le pire, même si la relation est parfois très intense. Cette aide aux personnes dépendantes et aux familles est précaire et toujours provisoire. La seule forme de lien qui a une durée, c'est le lien familial. Il est le seul à conserver un caractère inconditionnel malgré la volonté de le « déserrer » et de lui donner un caractère électif. Les autres liens et sources d'aide sont précaires et provisoires. Le lien familial est aussi le plus englobant : même intégrés au plan de services du CLSC, les soins familiaux ne se réduisent pas à un secteur et à des tâches particulières ; ils répondent à un engagement plus profond et plus large envers la personne dépendante que l'aide procurée par les intervenants. Qu'elle soit assumée au nom un rôle et un statut ou qu'elle se fonde sur une relation parti-culière, la responsabilité est à l'égard de la personne et non d'une tâche particulière.

Aussi on ne voit pas encore comment on peut remplacer le lien familial, même si l'on serait en peine de définir la famille ou d'en proposer un modèle idéal. Et c'est parce qu'on le sait menacé par la dénatalité, parce qu'on en voit la fragilité par les transformations qu'il connaît, que ce lien apparaît aujourd'hui si essentiel. Toutes les études sur le maintien à domicile l'ont souligné : la famille ou l'aidant principal ne se retire pas avec l'arrivée d'une aide des services publics. Premier et dernier recours, la famille est encore souvent le principal garant de la sécurité des personnes ; elle est une forme de sécurité, mais qui a, elle-même, besoin d'être « sécurisée » par une aide extérieure.

DEUX REMARQUES

1) La dépendance place dans une situation de soumission : on ne peut se passer de la personne dont on dépend pour satisfaire certains de nos besoins ; qui plus est, on ne peut se permettre de porter des jugements sur l'aide que l'on reçoit. La dépendance la plus forte est d'être en situation de ne dépendre que d'un nombre restreint de personnes ou d'organismes. L'autonomie, au contraire,

est d'avoir de multiples liens et ainsi d'être moins dépendant de chacun d'eux ; l'autonomie, c'est être inséré dans un faisceau de liens. La réponse à la dépendance n'est certes pas la rupture de liens – qui conduit à une plus forte dépendance ou fragilité. Elle réside sans doute dans une diversification des liens et supports (par le recours notamment aux intervenants bénévoles, salariés et professionnels). Un lien ou une source d'aide additionnelle, on l'a vu, permet d'alléger les autres liens et même de les préserver. Cette diversification est d'autant plus nécessaire que les liens et l'aide sont plus précaires. Aussi la dépendance aujourd'hui change d'aspect : elle apparaît de moins en moins comme le fait d'être subordonné à une personne par un lien insécable, une ferme attache, que par le fait d'une précarité des attaches, d'une perte de liens, qui rend plus vulnérable, plus dépendant des quelques sources d'aide qui lui reste. L'autonomie n'est pas le contraire ou l'envers de la dépendance, mais l'une de ses modalités et l'une de ses finalités.

2) La question de la sécurité dans les soins à domicile est inséparable de cette question de la dépendance. Le virage ambulatoire est la poursuite des traitements et des soins au domicile du patient, et lorsque nous interrogeons les personnes sur la qualité des soins qu'elles reçoivent et leur capacité à en assumer une partie, leur sentiment de sécurité ne tient pas seulement à la compétence des intervenants qui viennent chez elles et à la qualité de la formation et de l'information qu'elles ont reçu à l'hôpital avant leur congé. Il tient autant au fait de savoir que l'on n'est pas seul responsable de ses propres soins. Le sentiment de sécurité tient au fait d'avoir des visites régulières, de savoir où appeler en cas de problème, d'être certain de recevoir une aide en cas de difficulté, mais plus fondamentalement au fait de savoir que d'autres se sentent responsables de nous. Le plus difficile, nous confiait une femme qui recevait, de son propre avis, tout le support technique requis du CLSC pour ses soins (en l'occurrence, une antibiothérapie intraveineuse), c'est de n'avoir aucune autre visite que celles des professionnelles ; avec le virage ambulatoire, le plus difficile c'est d'avoir le sentiment *d'être la seule responsable de sa propre santé*[4]. La difficulté ne tenait pas dans son cas à la qualité des soins, mais à un isolement moral : ne pas sentir que la responsabilité touchant

---

4. Confidence faite dans le cadre d'une recherche en cours sur les impacts du virage ambulatoire menée en collaboration avec Mmes Nancy Guberman, Denyse Côté, Nicole Thivierge et Marielle Tremblay.

sa santé est partagée par d'autres, ne pas avoir l'impression que d'autres se sentent concernés. L'hôpital l'a retournée chez elle, ses enfants ne viennent pas la voir, elle est sans conjoint, et les inter-venantes du CLSC, malgré tout leur savoir-faire et leur bonne volonté, ne peuvent, en de courtes visites, suppléer à tous les liens.

Une responsabilité partagée n'est pas une responsabilité fragmentée à laquelle conduit parfois le virage ambulatoire, où les aidants familiaux, les intervenants hospitaliers, les intervenants du CLSC, les intervenants du communautaire ont chacun leur secteur de responsabilité, leurs tâches ou leurs soins, sans trop savoir ce que font les autres. Un lien et une responsabilité n'est pas qu'une tâche à accomplir. Ne pas être seul à être responsable de sa santé, c'est se savoir lié ; ce n'est pas seulement pouvoir compter *sur* les autres, mais compter *pour* les autres. C'est une banalité que de rappeler ce besoin, c'en est moins une que d'inventer de nouveaux liens pour y répondre.

BIBLIOGRAPHIE

Bowers, B. J. (1987). « Intergenerational Caregiving : Adult Caregivers and Their Aging Parents, *Advances in Nursing Science*, *9*(2), p. 20-31.

Godbout, J. T. et J. Charbonneau (1994). « Le réseau familial et l'appareil d'État », *Recherches sociographiques XXX* (1), p. 9-38.

Fortin, A. (1994). « La famille, premier et ultime recours », dans F. Dumont *et al.* (dir.), *Traité des problèmes sociaux*, Québec, Institut québécois de recherche sur la culture.

Gagnon, É. (1998). « Cinq figures du lien social », *La revue du MAUSS semestrielle*, (11), p. 237-249.

Gagnon, É., F. Saillant *et al.* (1999). *Pratiques de soins et figures du lien*, Rapport de recherche remis au Conseil québécois de recherche sociale.

Lesemann, F. et C. Chaume (1989). *Familles-providence. La part de l'État*, Montréal, Saint-Martin.

Roy, J. (1998). *Les personnes âgées et les solidarités. La fin des mythes*, Québec, Presses de l'Université Laval et Institut québécois de recherche sur la culture.

Roy, J., A. Vézina et M. Paradis (1992). « Personnes âgées, familles et services intensifs de maintien à domicile (SIMAD) : un microcosme des rapports familles-État », dans G. Pronovost (dir.), *Comprendre la famille*, Sainte-Foy, Presses de l'Université du Québec, p. 531-544.

Les paradigmes implicites du virage ambulatoire

Vers un affrontement État-familles?

Jean-Pierre LAVOIE, Ph.D.
*Direction de la santé publique de Montréal-Centre et
Institut universitaire de gérontologie sociale – CLSC René-Cassin*

INTRODUCTION

Avec le récent *virage ambulatoire*, la population québécoise, appuyée en cela par les *médias*, prend abruptement conscience des politiques de désinstitutionnalisation mises en place par l'État québécois depuis la fin des années 1970. On impute ainsi au *virage* la sortie précoce de grands malades des hôpitaux, la rareté des places en centres d'hébergement et de soins de longue durée pour les personnes atteintes d'incapacités graves et persistantes et la montée de l'itinérance à la suite de la réduction du nombre de places dans les hôpitaux psychiatriques. L'actuel *virage ambulatoire*, mis en place au milieu des années 1990, ne porte essentiellement que sur les services hospitaliers de courte durée. Par un recours accru à la chirurgie d'un jour et en réduisant les durées de séjour pour diverses interventions, l'État cherche à réduire l'utilisation des centres hospitaliers de courte durée. Malgré sa nouveauté, le virage se situe dans la filiation des grandes politiques qui cherchent à réduire le recours aux services en institution et à favoriser le maintien dans leur milieu de vie des personnes atteintes d'incapacités physiques et cognitives ou celles atteintes de problèmes de santé mentale. Il s'agit désormais d'offrir les services *dans* la communauté. Ce faisant, l'État québécois ne fait pas œuvre de pionnier, étant plutôt en retard sur plusieurs autres États en Occident.

Ces politiques de désinstitutionnalisation ont soulevé de nombreuses critiques. Plusieurs chercheurs, particulièrement des Britanniques, ont souligné que l'État, sous un discours de recours à la communauté, cherche surtout à limiter son engagement envers les personnes dépendantes et à transférer aux familles, plus particulièrement aux femmes, une part de plus en plus grande du soutien requis par ces personnes. À la suite d'un transfert insuffisant des ressources vers les services communautaires, la politique de soins *dans* la communauté serait bien davantage une politique de soins *par* la communauté (Lesemann et Martin, 1993 ; Lewis et Meredith, 1988 ; Philipson, 1997). Rosenthal (1997) souligne, quant à elle, que le virage « communautaire » est d'abord et avant tout un virage « familial ».

Comme le soulignent Lesemann et Martin (1993), ces politiques reposent sur des représentations, généralement implicites, des responsabilités familiales, et par le fait même de celles de l'État, de la volonté de même que de la capacité des familles à assumer le soutien requis par ses membres dépendants. L'explicitation de ces paradigmes sous-tendant le virage ambulatoire et, plus largement, l'ensemble des politiques de désinstitutionnalisation constitue le propos central de ce texte. Celui-ci porte, dans un premier temps, sur le statut accordé aux aidantes familiales[1] dans les politiques et programmes de soutien à domicile de même que par les intervenants de ces services. Dans un deuxième temps, il souligne en quoi le virage ambulatoire repose sur un diagnostic fort différent de la vitalité des familles nucléaires, d'une part, et des familles élargies, d'autre part. Enfin, ce texte traite de la contradiction que nous voyons entre ces orientations gouvernementales et l'évolution des relations entre parents et enfants adultes, de plus en plus marquées, nous semble-t-il, par une volonté d'autonomie réciproque.

LE STATUT ACCORDÉ AUX AIDANTES FAMILIALES : CLIENTES, PARTENAIRES... OU RESSOURCES ?

Dans leur étude des orientations des programmes de services à domicile des instances gouvernementales québécoises (MSSSQ, Régies régionales de la santé et des services sociaux, CLSC), Lavoie et ses collègues (1998) notent que l'on accorde souvent un statut de cliente et de partenaire aux aidantes familiales. Toutefois, cette reconnaissance officielle ne semble pas

---

1. Il est reconnu que le soutien aux parents dépendants est principalement assumé par les membres féminins de la famille, environ 75 % des aidants principaux étant en fait des aidantes. Nous utiliserons donc dans ce texte le féminin qui ici inclut le masculin.

déboucher sur des mesures concrètes visant à actualiser ce statut. Être client suppose que notre situation soit l'objet d'une évaluation consignée dans un dossier. Être partenaire suppose, quant à lui, la présence de mécanismes de consultation sur les objectifs et les activités de chacun des partenaires. De telles mesures sont quasi inexistantes dans les CLSC. Seuls quelques établissements tentent d'actualiser ce statut de cliente ou de partenaire des aidantes.

Au-delà des déclarations de principe, les aidantes apparaissent plutôt comme des ressources nécessaires au maintien à domicile des personnes atteintes d'incapacités. Au pire, elles sont considérées comme des ressources à stimuler et à former afin qu'elles augmentent leur contribution au soutien à leurs parents dépendants, sachant déjà qu'elles offrent de 75 à 80 % du soutien requis par ces derniers (Garant et Bolduc, 1990 ; Hébert *et al.*, 1997). Au mieux, elles sont vues comme des ressources à risque d'épuisement à soutenir, avec du répit ponctuel et des groupes de soutien de brève durée, lorsqu'elles sont sur le point de lâcher. Même dans cette situation, l'approche est utilitariste et les aidantes n'y ont qu'un statut subsidiaire : du soutien leur est accordé, car leur épuisement mène inéluctablement à l'hébergement de leur parent, alors que l'objectif fondamental demeure la prévention de l'hébergement des personnes dépendantes.

Quant aux intervenants qui sont en contact avec la clientèle, ils semblent reproduire ou partager, au moins en partie, cette conception des aidantes. Clément (1996) indique que les aidantes sont souvent *invisibles* aux intervenants qui n'ont aucun contact avec elles. Parfois, les aidantes peuvent être *sur-visibles*, c'est-à-dire que les intervenants voient bien le travail qu'elles effectuent, mais le considèrent naturel et évident, surtout s'il s'agit d'une conjointe ou d'une fille qui cohabite avec son parent. Dans ces deux cas, les intervenants ne se préoccupent que très peu de la situation des aidantes. De façon similaire, Twigg (1988) de même que Guberman et Maheu (à paraître) observent que chez les intervenants les approches dominantes envers les aidantes vont de l'ignorance ou « du tenu pour acquis », à les considérer comme des *ressources* à qui déléguer le plus de tâches possible, ou comme *co-travailleuse* avec qui partager la tâche, ce qui implique toutefois une certaine forme de concertation. Moins nombreux sont ceux qui les voient comme clientes ou comme partenaires dans une prise en charge qui serait une responsabilité communautaire.

Cette approche faisant des aidantes d'abord des ressources a quelques corollaires fondamentaux. Un premier est appelé le « familialisme » (Rosenthal, 1997). La famille y est vue comme le milieu idéal de prise en charge, celle-ci offrant une aide de qualité supérieure à celle des services publics, car elle est personnalisée et souple. La prise en charge y est également vue comme étant d'abord une responsabilité familiale. Lorsque les aidantes sont vues comme des ressources à qui l'on transfère des services et des soins offerts par les intervenants, aidantes et intervenants apparaissent dès lors substituables. Ce deuxième corollaire a comme conséquence de banaliser aussi bien le travail des intervenants que celui des aidantes. D'une part, il « déprofessionnalise » le travail des intervenants, travail qui peut être fait par toute femme bien intentionnée (Kaufmann, 1996). Est-il nécessaire de souligner que ces intervenants sont surtout des femmes ? D'autre part, il sous-estime également le travail des familles qui dépasse de beaucoup celui effectué par les intervenants. Plusieurs chercheurs ont souligné la grande complexité de ce travail de soutien, souvent intangible. Les aidantes doivent gérer un grand nombre d'aides et de services, tant familiaux que publics ; revoir l'organisation du travail domestique ; réaménager leur vie professionnelle et personnelle ; concilier de multiples besoins, de multiples allégeances et des principes éthiques contradictoires ; protéger et éventuellement redéfinir leur identité et celle de leur parent (Bowers, 1987 ; Corbin et Strauss, 1988 ; Guberman et Maheu, 1994 ; Lavoie, à paraître ; Orona, 1990). Rosenthal (1997) note que les orientations gouvernementales concernant le soutien à domicile véhiculent une vision essentiellement instrumentale et fonctionnelle de la prise en charge. En opérant cette double banalisation et réduction, le travail de soutien se trouve alors réduit au plus petit dénominateur commun, ce qui à son tour ouvre la porte à l'abus des ressources de la famille. S'il est difficile de fixer un seuil de tolérance aux familles dans l'aide qu'elles peuvent apporter à un parent dépendant, tant les ressources matérielles et relationnelles sont différentes, il nous semble que les politiques actuelles, surtout avec le virage ambulatoire et son transfert de soins traditionnellement professionnels, dépassent ce seuil ou, tout au moins, le seuil de nombreuses familles[2]. Il semble toutefois que nous divergions d'opinion avec le gouvernement québécois qui, quant à lui, verrait un grand potentiel de soutien et de solidarité dans les familles élargies.

---

2. Nous devons faire ici une mise au point concernant le virage ambulatoire. Dans sa première modalité, soit le recours accru à la chirurgie d'un jour pour des interventions mineures, le virage semble susciter peu de problèmes, au contraire (Ducharme, 1998 ; Tousignant *et al.*, recherche en cours à la Direction de la santé publique de Montréal-Centre). C'est plutôt dans sa deuxième modalité, soit la réduction de la durée de séjour pour des problèmes et des interventions plus importantes, que le virage ambulatoire semble soulever le plus de problèmes.

LA VITALITÉ DES FAMILLES NUCLÉAIRES ET
DES FAMILLES ÉLARGIES, DIAGNOSTICS DIVERGENTS

On peut observer au gré des récentes « politiques familiales[3] » du gouvernement québécois un hiatus dans le diagnostic qu'il dresse de la vitalité des familles, selon qu'il s'agisse de familles nucléaires ou de familles élargies. D'une part, on pose un diagnostic de fragilité des familles nucléaires avec la fragilisation des unions, les recompositions familiales successives, l'importance de la monoparentalité, la pauvreté subséquente des familles. De plus, on reconnaît les difficultés soulevées par la conciliation du travail et des responsabilités familiales de même que la complexité du rôle parental (Dandurand *et al.*, 1999). D'autre part, on pose un diagnostic de grande vitalité des familles élargies où l'on note le maintien de contacts fréquents entre les enfants adultes et leurs parents âgés et l'existence de solidarités actives et spontanées résultant en un échange important de services.

La reconnaissance du besoin de soutien au rôle parental se reflète dans le développement de services aux familles avec de jeunes enfants. Nous pensons ici à la mise en place des services de garde à cinq dollars la journée et à l'instauration de la maternelle à temps plein[4]. La reconnaissance des solidarités dans les familles élargies mène, quant à elle, au transfert de responsabilités accrues vers ces familles, dont des soins infirmiers de plus en plus complexes, dans le cadre de politiques de désinstitutionnalisation et un virage ambulatoire, sans véritable contrepartie en termes de services communautaires, sinon le développement timide de services de soutien tels que des programmes de répit et la mise sur pied de groupes de soutien. En comparant ces mesures, on ne peut que constater les écarts importants. Les premières se caractérisent par leur grande intensité, les enfants étant pris en charge toute la journée, par leur coût réduit ou leur gratuité de même que par leur universalité, laissant les parents libres d'utiliser ou non les services mis à leur disposition. Les services de répit et les interventions de groupes se caractérisent, quant à elles, par leur faible

---

3.   Nous appellerons ici politique familiale toute mesure qui a une incidence sur la structure, le fonctionnement et les responsabilités des familles. Cette définition s'éloigne résolument du langage politique actuel pour qui le terme de politique familiale est généralement réservé aux mesures visant les familles avec de jeunes enfants.

4.   Deux remarques s'imposent ici. D'abord, l'action gouvernementale en faveur des familles avec de jeunes enfants est loin d'être aussi univoque que ce que notre propos laisse entendre comme l'ont bien démontré Dandurand et ses collègues (1999). Ensuite, si nous contrastons les orientations gouvernementales en faveur des familles avec de jeunes enfants et celles en faveur des familles avec des parents dépendants, ce n'est pas pour remettre en question les premières, mais bien les deuxièmes.

intensité, le répit n'étant offert que quelques heures par semaine et les groupes ne se déroulant que sur quelques semaines ; par leur coût fixé selon la capacité de payer de la famille ; par l'existence de nombreux critères qui en restreignent l'accès aux seules familles « épuisées » ou à celles dont le parent est atteint de démence avancée, faisant en sorte que l'on décide pour les familles si elles ont besoin ou non des services. Elles n'ont de véritable choix que dans la mesure où elles peuvent se payer des services.

Avec une telle approche dans les services destinés aux familles dont un parent est dépendant, on fait comme si ces familles, et les aidantes en particulier, n'étaient pas touchées par la fragilisation des unions et la montée de la monoparentalité, par le cumul de responsabilités et la difficile conciliation entre le travail et le soutien aux parents dépendants et par la pauvreté. Ces silences font que le rôle d'aidante apparaît, comme nous l'avons indiqué précédemment, plutôt simple, peu complexe et, surtout, comme allant de soi. Ces silences font également que l'on n'est pas obligé de trop s'arrêter au lien familial (particulièrement celui entre parents âgés et enfants adultes) et à son évolution.

LE LIEN FAMILIAL ENTRE PARENTS ET ENFANTS ADULTES, DE LA « RELATION PURE » À L'AUTONOMIE MUTUELLE

Giddens (1991) avance que, dans la société de modernité tardive, les relations interpersonnelles entre adultes évoluent vers ce qu'il appelle un mode de « relations pures » ; la relation amicale en constitue le prototype. Les relations seraient moins fondées sur des conditions économiques et sociales que sur la satisfaction émotive mutuelle, alors que l'engagement et les obligations envers l'autre ne tiendraient plus des normes et des statuts, mais plutôt de la réciprocité et de l'intimité. À l'instar de plusieurs sociologues de la famille (Hagestad, 1995 ; Kellerhals *et al.*, 1994 ; Pitrou, 1997), il note que les relations entre apparentés ainsi qu'entre enfants adultes et parents âgés évoluent vers un mode de relation pure. Le soutien offert par un membre de la famille à un autre serait ainsi de moins en moins lié à une norme d'obligation ou à son statut familial et de plus en plus à l'appréciation de la relation avec le parent, au lien affectif établi avec lui.

Non seulement l'entraide entre parents serait de plus en plus fondée sur l'affection réciproque, mais nous sommes porté à croire que les relations entre les enfants adultes et leurs parents âgés sont en voie de devenir des relations essentiellement affectives, dominées par un principe d'autonomie décisionnelle et fonctionnelle. La vive réaction des personnes âgées, soutenues par l'ensemble de la population, aux projets du gouvernement fédéral de réduction des prestations des programmes de pension publique a illustré l'intention ferme des personnes retraitées de préserver leur autonomie financière face à leurs enfants et la volonté de ces derniers de ne pas assumer la dépendance économique de leurs parents. Pourtant, avant l'instauration des programmes publics de pension qui datent d'une cinquantaine d'années, cette dépendance était une responsabilité familiale. Il est maintenant acquis que la dépendance économique des personnes retraitées est une responsabilité sociale relevant des gouvernements, des entreprises et des individus. En irait-il de plus en plus ainsi pour la dépendance fonctionnelle? Certains résultats de recherche vont certainement dans ce sens. Ainsi, Phillipson (1997) rapporte que plusieurs sondages effectués en Grande-Bretagne indiquent que la majorité des personnes âgées désire recevoir des services plutôt que dépendre de leurs enfants pour leurs soins. Dans notre propre recherche sur les aidantes familiales, nous avons été frappé par la grande difficulté des enfants à prendre des décisions pour leurs parents, conscientes qu'elles étaient de brimer leur autonomie décisionnelle (Lavoie, à paraître). De même un leitmotiv revenait chez plusieurs aidantes: il n'est pas question d'accepter que leurs enfants fassent pour elles ce qu'elles font pour leurs parents.

CONCLUSION

Pour conclure, revenons à la question énoncée dans le titre de ce texte. Nous dirigeons-nous vers un affrontement entre l'État et les familles? Il nous semble clair que l'État et les familles vont dans des directions opposées. D'une part, ce premier compte de plus en plus sur les familles pour assumer la prise en charge des dépendances liées à la santé et à l'âge. D'autre part, les secondes définissent de plus en plus leurs relations sur le registre de l'affection et de l'autonomie, ce qui les amène à manifester de plus en plus d'attentes envers l'État pour compenser les dépendances liées à la santé affectant leurs membres. Mais y aura-t-il confrontation ou affrontement? Si oui, quelle forme prendra-t-elle? Jusqu'à maintenant, le secteur privé a servi d'exutoire. Malheureusement, cette solution, si cela en est une, n'est accessible qu'aux familles les plus favorisées économiquement. Les familles défavorisées n'ont d'autres recours que les services publics, les mettant ainsi devant l'obligation de soutenir leurs parents alors même qu'elles ont des ressources limitées et des conditions de vie difficiles. L'orientation « familialiste » du gouvernement risque donc d'atteindre d'abord ces familles, d'y accroître les tensions et les conflits et finalement d'accentuer les écarts sociaux en santé.

BIBLIOGRAPHIE

Bowers, B. J. (1987). Intergenerational Caregiving : Adult Caregivers and Their Aging Parents, *Advanced Nursing Science, 9*, p. 20-31.

Clément, S. (1996). L'aide informelle visible et invisible, dans S. Aymé *et al.* (dir.), *Handicap et vieillissement. Politiques publiques et pratiques sociales*, Paris, Éditions INSERM.

Corbin, J. et A. Strauss (1988). *Unending Work and Care : Managing Chronic Illness at Home*, San Francisco, Jossey-Bass Publishers.

Dandurand, R.B., J. Bergeron, M. Kempeneers et M.H. Saint-Pierre (1999). Analyse contextuelle de l'émergence des nouvelles dispositions de politique familiale au Québec, *Vᵉ Symposium québécois de recherche sur la famille*, Trois-Rivières.

Ducharme, F. (1998). Le virage ambulatoire : ce qu'en pensent les femmes âgées. *Sans préjudice... pour la santé des femmes, 15*, p. 8-9.

Garant, L. et M. Bolduc (1990). *L'aide par les proches : mythes et réalité*, Québec, Ministère de la Santé et des Services sociaux, Direction de la planification et de l'évaluation.

Giddens, A. (1991). *Modernity and Self-Identity – Self and Society in the Late Modern Age*, Stanford, Stanford University Press.

Guberman, N. et P. Maheu (1994). Au delà des soins : un travail de conciliation, *Service Social, 43*(1), p. 87-104.

Guberman, N. et P. Maheu (à paraître). Les soignantes familiales vues par le réseau formel : co-clientes, ressources, co-intervenantes ou partenaires, dans A. Colvez, O. Firbank, M. Frossard, J.C. Henrard, J.P. Lavoie et A. Vézina (dir.), *Actes du séminaire franco-québécois en matière de santé et de vieillissement*, Paris, Éditions INSERM.

Hagestad, G.O. (1995). La négociation de l'aide : jeux croisés entre familles, sexes et politique sociale, dans C. Attias-Donfut (dir.), *Les solidarités entre générations – Vieillesse, familles, État*, Paris, Nathan (p. 157-168).

Hébert, R., N. Dubuc, M. Buteau, C. Roy, J. Desrosiers, G. Bravo, L. Trottier et C. St-Hilaire (1997). *Services requis par les personnes âgées en perte d'autonomie. Évaluation clinique et estimation des coûts selon le milieu de vie*, Québec, Ministère de la Santé et des Services sociaux, Gouvernement du Québec.

Kaufmann, J.C. (1996). *Faire ou faire-faire ? Famille et services*, Rennes, Presses universitaires de Rennes.

Kellerhals, J., J. Coenen-Huther, M. von Allmen et H. Hagmann (1994). Proximité affective et entraide entre générations : la « génération-pivot » et ses pères et mères, *Gérontologie et Société, 68*, p. 98-112.

Lavoie, J.P. (2000). *Familles et soutien aux parents âgés dépendants*, Paris et Montréal, Éditions de l'Harmattan.

Lavoie, J.P., J. Pepin, S. Lauzon, P. Tousignant, N. L'Heureux et H. Belley (1998). *Les relations entre les services formels et les aidantes naturelles. Une analyse des politiques de soutien à domicile du Québec*, Montréal, Direction de la santé publique de Montréal-Centre, Université de Montréal et Regroupement des aidantes et aidants naturels de Montréal.

Lesemann, F. et C. Martin (1993). *Les personnes âgées. Dépendance, soins et solidarités familiales. Comparaisons internationales*, Paris, La Documentation française.

Lewis, J. et B. Meredith (1988). Daughters Caring for Mothers : The Experience of Caring and Its Implications for Professional Helpers, *Ageing and Society, 8*, p. 1-21.

Orona, C.J. (1990). Temporality and Identity Loss Due to Alzheimer's Disease, *Social Science and Medicine, 30*(11), p. 1247-1256.

Phillipson, C. (1997). La prise en charge des parents âgés en Grande-Bretagne : perspectives sociologiques, *Lien social et Politiques - RIAC, 38* (automne), p. 165-173.

Pitrou, A. (1997). Vieillesse et famille : qui soutient l'autre ? *Lien social et Politiques - RIAC, 38* (automne), p. 145-158.

Rosenthal, C.J. (1997). Le soutien des familles canadiennes à leurs membres vieillissants : changements de contexte, *Lien social et Politiques - RIAC, 38* (automne), p. 123-131.

Tousignant, P., L. Soderstrom, J.-P. Lavoie, R. Pineault et T. Kaufman (recherche en cours). *Impact d'une augmentation de chirurgie d'un jour sur les usagers et leur famille*, Montréal, Direction de la santé publique de Montréal-Centre.

Twigg, J. (1988). Models of carers : How do social care agencies conceptualise their relationship with informal carers ? *Journal of Social Policy, 18*(1), p. 53-56.

PREMIÈRE PARTIE

La politique familiale et les conditions de vie des familles

Les nouvelles dispositions de la politique familiale québécoise

Un retournement ou une évolution prévisible?

Renée B.-Dandurand
Marie-Hélène Saint-Pierre
*Institut national de la recherche scientifique –
Culture et Société*

Le Québec est le seul État en Amérique du Nord qui dispose d'une politique familiale explicite. Formulée dans un premier temps à la fin de la décennie 1980, cette politique regroupait alors un ensemble de mesures, la plupart universelles, dont la plus spectaculaire consistait en une allocation versée après la naissance et fortement majorée à partir du troisième enfant. Si des objectifs d'ordre démographique et de compensation de la charge familiale apparaissent dans les différents plans d'action formulés par le Secrétariat à la famille entre 1988 et 1997, d'autres objectifs, toujours relatifs à la sphère familiale, sont formulés, notamment la prévention au regard du développement de l'enfant (intervention précoce, besoins globaux, etc.) et la conciliation entre les activités professionnelles et familiales des parents.

Les nouvelles dispositions de la politique familiale présentées en 1997 se résument essentiellement[1] à trois grandes mesures : 1) un système de garde

---

1   Voir Québec. Secrétariat du Comité des priorités (1997). Il faut noter que la politique familiale québécoise ne se résume pas à ces quelques dispositions. Certaines mesures ne relèvent pas directement du ministère de la Famille et de l'Enfance mais des ministères de la Santé et des Services sociaux, de l'Éducation, du Revenu, de la Justice, ou encore d'organismes comme la Commission de la santé et de la sécurité au travail (CSST).

plus accessible en termes de places et de déboursés pour les parents et à vocation éducative affirmée : c'est la *garde à contribution réduite (5 $ par jour)* qui sera graduellement ouverte à tous les âges de la petite enfance ; une maternelle à plein temps s'ajoute à cette mesure ainsi que des tarifs à 5 $ par jour pour les services de garde en milieu scolaire destinées aux enfants de 5 à 12 ans ; 2) une *allocation familiale* (dite alors unifiée) pour les enfants de moins de 18 ans, dirigée de façon privilégiée vers les familles à faibles revenus et définie selon le modèle des prestations fiscales canadiennes pour enfants, instaurées en 1993 ; 3) la promesse de congés maternels et parentaux plus généreux, une *assurance parentale* qui serait mise en place à la suite d'une entente avec le gouvernement fédéral autour de l'assurance-emploi ; au début de l'an 2000, cette entente est loin de s'être concrétisée.

N'ayant pas été précédée d'une consultation publique, l'annonce de ces nouvelles dispositions a suscité la surprise, en particulier dans les milieux gouvernementaux (Secrétariat et Conseil de la famille) ainsi que dans les associations et groupes communautaires reliés au domaine de la famille. Par rapport aux orientations précédentes, s'agit-il d'un *retournement* de la politique familiale québécoise ou s'agit-il d'une *évolution prévisible,* conforme aux tendances récentes qui sont observables dans la plupart des États occidentaux, y compris au Québec ? C'est la question à laquelle cet article tentera d'apporter une réponse.

Les réflexions qui suivent sont issues d'une recherche en cours[2], amorcée en 1996, qui vise à comparer les mesures de politique familiale en vigueur au Québec avec celles d'autres provinces canadiennes (Ontario, Nouveau-Brunswick et Alberta) et avec celles d'autres pays, la France, la Suède et les États-Unis. Les comparaisons interprovinciales et internationales ont de plus en plus tendance à se faire non pas en comparant les mesures terme à terme mais selon une *analyse* dite *contextuelle,* basée sur le principe que chaque société a développé une manière différente (parce qu'issue d'une histoire, d'une culture et d'une organisation sociale spécifiques) de concevoir les rapports socioculturels, économiques et politiques qui animent les grands acteurs sociaux et qui contribuent à structurer les mesures d'aide aux familles. Pour nous, l'analyse contextuelle des

---

2.   Participent à cette recherche, trois chercheures (outre Renée B.-Dandurand, Marianne Kempeneers de l'Université de Montréal et Josée Bergeron de l'Université d'Alberta), deux partenaires (Laurent Roy du ministère de la Famille et de l'Enfance et Denyse Casimir du Regroupement inter-organismes pour une politique familiale au Québec) et une professionnelle de recherche, Marie-Hélène Saint-Pierre. Cette recherche est subventionnée par le Fonds pour la formation de chercheurs et l'aide à la recherche et par Développement des ressources humaines du Canada. Elle a également reçu un soutien financier du Conseil québécois de la recherche sociale.

politiques de chaque province ou pays comprend les aspects suivants : 1) le *contexte sociodémographique*, dont les principaux acteurs sont les familles, avec les choix qu'elles font, les orientations qu'elles privilégient, les conditions dans lesquelles elles vivent, etc. ; 2) le *contexte politico-administratif*, qui comprend les acteurs des institutions étatiques : ministères, administrations publiques et, en partie, conseils consultatifs ; 3) le *contexte de la société civile*, qui comprend les acteurs des associations communautaires, familiales, des groupes de femmes, des syndicats et, partiellement, les conseils consultatifs ; 4) le *contexte des experts et intervenants* directement concernés par le milieu familial : démographes, psychologues, psychopédagogues, sociologues, juristes, travailleurs sociaux et professionnels de la santé.

Pour chaque pays ou province, c'est donc à l'aide de ce cadre contextuel qu'il convient d'examiner et ensuite de comparer les mesures de politique familiale, leur évolution et leur mise en œuvre. Dans cet article, c'est ce que nous avons fait pour examiner l'émergence des nouvelles dispositions de la politique familiale québécoise. Une première section examinera les grandes tendances qui, selon nous, marquent le contexte de cette émergence. Une deuxième section reprendra chacune des nouvelles dispositions pour les mettre en relation avec les tendances précédemment exposées. Ce qui nous permettra de répondre à notre question centrale : ces nouvelles dispositions sont-elles un retournement ou présentent-elles une évolution qui était, somme toute, prévisible ?

TROIS GRANDES TENDANCES QUI INFLUENT SUR LES POLITIQUES TOUCHANT LES FAMILLES

Les trois tendances dont il sera ici question sont *communes à plusieurs pays occidentaux*. Mais *tous les gouvernements ne les gèrent pas de la même manière*. Pour une même tendance, par exemple la restructuration de l'économie et le désengagement de l'État, le gouvernement d'un pays peut s'orienter vers une plus grande sélectivité de ses mesures alors qu'un autre abolira certains programmes ou en réduira les montants[3]. Deux

---

3. Par exemple, depuis les années 1980, un pays comme la Suède ne cède pas sur l'universalité de ses mesures familiales, mais il se voit obligé d'en réduire les montants ; alors qu'au Canada, entre 1960 et 1992, et surtout depuis la fin des années 1970, on constate que les prestations sélectives sont passées de 21 à 52 % des transferts de revenus (Banting, 1997, cité par Jenson et Stroick, 1999, p. 21). Notons en outre que tous les pays ne vivent pas dans le même contexte sociodémographique : par exemple, en Espagne et au Portugal, les grands-mères sont plus nombreuses à accepter de garder leurs petits-enfants, ce qui, encore aujourd'hui, réduit le besoin de garde collective.

autres tendances sont examinées ici ; il s'agit de la préoccupation accrue pour l'enfance et de l'augmentation de l'activité professionnelle des mères de jeunes enfants et son corollaire, la nécessité de services collectifs pour concilier famille et emploi.

La *première tendance* évoquée ci-dessous est très générale et concerne surtout la *gestion de l'État* et de l'*ensemble des politiques sociales*. Les *deux autres tendances* sont plus spécifiques et sont relatives au domaine de la *famille* et de l'*enfance*. Dans chaque cas cependant, nous tenterons de voir comment ces tendances se sont développées et ont donné lieu à des orientations particulières au Québec et au Canada. À l'occasion, nous comparerons ces orientations aux choix faits par d'autres pays, les États-Unis, la France ou la Suède.

Restructuration de l'économie et désengagement graduel de l'État providence

La restructuration de l'économie et du travail est sans contredit une tendance très lourde, qui a profondément bouleversé les pays occidentaux et qui prend plus de relief depuis la crise de 1982. Les acteurs sociaux qui président à cette tendance sont les acteurs économiques, le marché en somme. Les principales caractéristiques de la restructuration de l'économie sont bien connues : précarisation de l'emploi, hausse du chômage, polarisation croissante entre travailleurs à bas et à hauts revenus, tout cela dans le cadre d'une mondialisation accrue des échanges.

Il n'est pas dans notre propos de présenter cette tendance de façon approfondie mais surtout de voir ses répercussions sur la sphère politique, en particulier sur le désengagement graduel de l'État providence.

Dans les années qui ont suivi la Deuxième Guerre mondiale, la plupart des États occidentaux avaient développé un volet « providence ». Des années de prospérité qui, au Québec et au Canada, avaient donné naissance à des programmes généreux, notamment de protection sociale et sanitaire. Mais pendant la décennie 1980, on voit apparaître les premiers signes d'un désengagement de l'État. Au Québec, nous en retiendrons deux :

- Le *Livre blanc sur la fiscalité des particuliers* (1984) constate que la clientèle des assistés sociaux aptes au travail s'est multipliée par quatre depuis 1970 et que les coûts du programme ont grimpé en conséquence : on suggère que aptes et inaptes au travail ne devraient pas se retrouver dans la même structure de prestations à l'aide sociale.

- La *Commission d'enquête sur les services de santé et les services sociaux* (Commission Rochon, 1988) laisse entendre clairement que l'État ne peut plus venir en aide à *tous* ceux qui en auraient besoin. Il faut mettre des priorités à la redistribution sociale, il faut *cibler* et diriger le soutien vers les groupes les plus « à risque ». Si les principaux acteurs du Livre blanc sur la fiscalité provenaient du contexte politico-administratif, la Commission Rochon, rappelons-le, avait largement consulté les milieux d'intervenants et d'experts universitaires. Sa légitimité en était d'autant accrue.

Ces deux documents, qui annoncent un désengagement de l'État, véhiculent des choix qu'il importe d'examiner davantage. Ils augurent les actions et orientations que prendront les gouvernements d'ici. Ainsi, au Canada et surtout au Québec, les choix politiques iront vers les orientations suivantes :

- Il faudra remédier à une *crise fiscale* de l'État ;
- On rendra *sélectives* des mesures jusqu'alors *universelles* et on procédera à une *fiscalisation* graduelle des mesures ;
- L'emploi étant plus rare et plus précaire, on mettra en œuvre des mesures d'*incitation au travail* ;
- On en viendra à *diversifier les objectifs* des politiques sociales et notamment des politiques familiales.

À ce niveau du désengagement de l'État, les acteurs sociaux sont nettement ceux du contexte politico-administratif, largement appuyés par les milieux économiques et financiers animés des idéologies néolibérales : dès le milieu des années 1980, d'après ces acteurs, il faut « dégraisser l'État ». C'est ce que recommande au Québec le rapport Gobeil qui suggère en 1986 de faire disparaître plusieurs organismes publics.

La crise fiscale de l'État

Avec la crise économique de 1982, les taux de chômage et d'assistance augmentent fortement, ce qui a une double conséquence sur les coffres de l'État : d'une part, des ressources importantes y sont prélevées (beaucoup de prestations versées aux chômeurs et aux assistés sociaux) et, d'autre part, les rentrées fiscales y sont moins substantielles (moins de contribuables paient de l'impôt). Pour l'équilibre de leurs finances, les États canadien et québécois décideront de *mettre en place des mesures qui restreignent l'accessibilité des programmes d'assistance sociale et d'assurance-chômage.* C'est dans cette logique qu'il faut placer les deux réformes québécoises de l'aide sociale de 1988 et 1996 qui, désormais, soumettent les assistés sociaux aptes au travail à des critères d'employabilité. Si, en 1988, la réforme est passablement inspirée par la réforme américaine de l'AFDC (Aid to Families with Dependant Children) et par l'implantation du FSA

(Family Support Act), en 1996, le Québec n'ira pas aussi loin que ses voisins du Sud qui, avec le PRWORA (Personal Responsibility and Work Opportunity Reconciliation Act), mettent fin à une tradition d'assistance instaurée depuis le New Deal (Villeneuve et Lesemann, 1998). C'est aussi dans la même logique qu'il faut situer la réforme canadienne de l'assurance-chômage : en effet depuis 1994, le nouveau régime de l'assurance-emploi[4] restreint considérablement l'accès au programme, le taux de couverture et la durée des prestations ; on verra ainsi s'accumuler d'autant les surplus de la caisse, dans laquelle le gouvernement se permet de puiser pour d'autres fins que pour le versement des prestations de chômage ou de congé parental.

De l'universalité à la sélectivité ; la fiscalisation des mesures

Le ciblage des populations « à risque » va souvent de pair avec le passage vers la sélectivité. Et celle-ci consiste la plupart du temps à cibler le versement des prestations selon le revenu, à introduire des « conditions de ressources » dans la nouvelle ventilation des mesures. Dès 1979, avec le crédit-impôt pour enfants, le gouvernement canadien introduisait la sélectivité dans ses allocations familiales et, au milieu des années 1980, il réussissait à désindexer les allocations familiales, mais se heurtait à la résistance des « lobbies » de personnes âgées pour appliquer la même désindexation à ses prestations de vieillesse. C'est finalement en 1993 que le gouvernement canadien arrivait à rendre encore plus sélectives les allo-cations familiales et créait les prestations fiscales pour enfants, modulées de façon à favoriser l'insertion ou le maintien en emploi des familles à faible revenu et, à l'autre pôle des revenus, à priver de prestation les familles les plus aisées. Dès lors au Canada, l'équité verticale l'emporte nettement sur l'équité horizontale (voir notamment Baril, Lefebvre et Merrigan, 1997). Alors qu'en France, au milieu des années 1990, échouait une tenta-tive analogue de récupérer les allocations familiales auprès des ménages très aisés, au Canada, l'abolition des allocations familiales et la mise en place des prestations fiscales suscitèrent, somme toute, assez peu de remous.

Au Canada, comme dans la plupart des pays occidentaux, l'implan-tation de la sélectivité s'accompagne donc d'une fiscalisation croissante des mesures : les prestations étant modulées en fonction des revenus, la déclaration d'impôt devient un passage obligé pour les bénéficiaires des programmes sociaux.

---

4. La restructuration de l'ancien régime d'assurance-chômage a été amorcée en 1994 et achevée pleinement en janvier 1997.

Autant dans les réformes de l'assistance sociale et de l'assurance-chômage (assurance-emploi) que dans les allocations familiales et les prestations fiscales canadiennes pour enfants, une préoccupation centrale émerge : elles portent une incitation très nette au travail.

L'incitation au travail

Les discours qui avaient accompagné les généreux programmes de l'État providence des décennies d'après-guerre sont mis en question dès les années 1980. Il ne s'agit plus, on l'a vu, de secourir *tous* ceux qui sont dans le besoin. Bien sûr, on doit continuer de soutenir ceux qui sont « inaptes » au travail. Mais les autres, les « aptes », sont de plus en plus considérés, quel que soit l'état du marché du travail, comme responsables de leur survie matérielle. Les idéologies du libéralisme américain reviennent ici en force. Oui, il faut secourir les familles pauvres, mais à la condition qu'elles fassent l'effort de regagner leur autonomie financière, c'est-à-dire de s'intégrer au marché du travail. Les programmes APPORT[5] (Québec) et de Supplément de revenu gagné (Canada), de même que les prestations fiscales canadiennes pour enfants et les nouvelles allocations québécoises vont tout à fait dans cette direction : elles visent à favoriser l'insertion ou le maintien en emploi des familles à faible revenu. Cependant, contrairement aux récents réaménagements des politiques sociales aux États-Unis[6], les mesures canadiennes d'incitation au travail prennent place à côté d'un filet de sécurité sociale qui, bien que réduit, conserve ses conditions de protection continue.

L'analyse de ces politiques sociales nous indique une quatrième orientation qui accompagne la restructuration de l'emploi et le désengagement de l'État et qui caractérise maintenant les politiques familiales de nombreux pays occidentaux.

La diversification des objectifs assignés aux politiques familiales

Après la fin de la Deuxième Guerre mondiale, dans les pays qui disposaient d'une politique familiale explicite, les objectifs poursuivis ont été d'assurer l'accroissement de la population, le bien-être des familles ainsi que de compenser celles-ci pour la charge supplémentaire que représentent l'entretien, le soin et l'éducation des enfants. Ce genre de politique suppose la mise en place de mesures favorisant une forme de redistribution de ressources allant des personnes sans enfant vers les familles avec enfant :

---

5. APPORT : Aide aux parents pour leurs revenus de travail.
6. Pour chaque prestataire, le programme PRWORA limite le versement de ses prestations d'assistance sociale à deux ans d'affilée et à cinq ans sur toute une vie.

c'est une redistribution dite horizontale. Par contre, d'autres politiques sociales (par exemple, l'assurance-chômage ou l'aide sociale) visent à assurer une prestation aux chômeurs et aux plus démunis : elles concernent la redistribution des ressources en provenance des contribuables à revenus élevés ou moyens vers les moins favorisés : c'est une redistribution dite verticale.

Avec la restructuration de l'emploi et le désengagement de l'État, les objectifs d'incitation au travail pour lutter contre la pauvreté ont pris de l'ampleur, notamment au Canada : se sont ainsi multipliées, dans divers domaines d'intervention, les mesures de *redistribution verticale, bousculant ainsi les mesures de redistribution horizontale ou s'entremêlant avec elles* (*cf.* les allocations familiales au Canada). En outre, pour assurer l'équilibre de ses coffres, l'*État a introduit ses propres objectifs* en visant, par l'entremise de ses programmes, la sortie de la « dépendance » de l'aide sociale, l'insertion ou le maintien en emploi des ménages à faibles revenus, le ciblage des populations à risque, la création d'emplois, la restriction de l'accès aux programmes d'assistance ou d'assurance-chômage, bref, différentes mesures d'incitation au travail qui visent à faire en sorte que les sources de subsistance de sa population deviennent de plus en plus le revenu « gagné » et « déclaré » et, de moins en moins, les transferts sociaux.

Dans le domaine des politiques familiales, cette diversification des objectifs introduit souvent, comme au Québec en 1997, des transformations qui, pour être comprises, doivent être interprétées en tenant compte de plusieurs logiques. Nous y reviendrons dans la deuxième partie de cet article. Auparavant, voyons deux tendances des années 1990 qui concernent plus spécifiquement les politiques familiales.

Préoccupation accrue pour l'enfance

Si des pays comme la Suède placent l'enfance au cœur de leur politique familiale dès les années 1970 (Arve-Parès, 1996), la préoccupation pour l'enfance (déjà émergente dans plusieurs pays depuis le siècle dernier, avec diverses mesures de protection, sociale, sanitaire et éducative) s'accentue en Occident avec la proclamation, à l'ONU en 1989, de la *Convention relative aux droits de l'enfant*. Deux ans plus tard, le gouvernement québécois adopte un décret qui ratifie cette convention et, l'année suivante, le Canada lance un plan d'action pour les enfants : *Grandir ensemble*. On peut dire que pendant la dernière décennie du siècle, cette préoccupation pour l'enfance s'intensifie également dans plusieurs pays occidentaux.

Dans les contextes scientifiques et politiques de l'Amérique du Nord, les années 1980 avaient apporté les premiers résultats des grandes études longitudinales américaines qui confirmaient l'hypothèse de la « reproduction » de la pauvreté d'une génération à l'autre, ainsi que de la monoparentalité et de l'assistance sociale. Quelques-unes de ces études laissent entendre que si les pouvoirs publics ne prennent pas « le mal » à sa source, les coûts de protection sociale ne risquent pas de diminuer. Prendre « le mal » à sa source, c'est dès maintenant s'occuper davantage des enfants et de leur environnement (familial, scolaire et sociosanitaire), faire de la prévention, donc du dépistage et de la correction.

Au Québec, la *prévention* deviendra le maître mot des années 1990, aussi bien dans la politique de la santé et du bien-être que dans les politiques familiales et éducatives. Des psychologues, des psycho-éducateurs, des juristes et des travailleurs sociaux en seront des acteurs très importants. Trois rapports des années 1991 et 1992 sont porteurs de constats et de recommandations concernant l'enfance et la jeunesse : le rapport Bouchard, *Un Québec fou de ses enfants*, le rapport Harvey, *La protection sur mesure : un projet collectif*, et le rapport Jasmin, *La protection de la jeunesse. Plus qu'une loi.* Ces rapports donneront lieu à la mise en place de programmes dans plusieurs secteurs, en premier lieu en santé et services sociaux : création des centres de protection de l'enfance et de la jeunesse (CPEJ) en 1992 et, en 1993, formulation d'une politique de la périnatalité – les services mis en place dans la foulée de cette politique seront ceux qui connaîtront le développement le plus important dans les CLSC entre 1993 et 1998 (Larose, 1998).

D'autres ministères ou secrétariats gouvernementaux montrent une préoccupation croissante pour l'enfance : à l'Éducation, on formule dès 1992 un plan d'action sur la réussite éducative, qui met l'accent sur la prévention du décrochage scolaire. La même année, le Secrétariat à la famille, tout en inscrivant la prévention comme un secteur majeur d'intervention de ses plans d'action, pilote un dossier interministériel sur les services gouvernementaux à la petite enfance ; les travaux de ce comité sont traduits dans un rapport déposé en 1994 : *La petite enfance : une responsabilité familiale, un projet de société.* Enfin, on peut penser que c'est l'inquiétude accrue pour les enfants du divorce (et la pauvreté des mères seules) qui permet à l'épineux dossier des pensions alimentaires d'aboutir : au milieu des années 1990, les ministères de la Justice et du Revenu (provinciaux et fédéraux) promulguent des règles pour la fixation, la défiscalisation et la perception automatique des pensions alimentaires.

Tous ces discours et mesures gouvernementales en faveur des enfants s'accompagnent de nombreux programmes, autant de dépistage des enfants « à risque » que d'amélioration de la « compétence parentale ». Ces programmes sont élaborés et dispensés par divers acteurs qui œuvrent autant en recherche qu'en intervention : par des experts (psychologues, psycho-pédagogues), des éducateurs et travailleurs sociaux en institution (services de garde, CLSC) et par des groupes communautaires intervenant auprès des familles (programme PACE[7] par exemple).

Une quatrième tendance de l'époque, l'augmentation constante de l'activité professionnelle des mères de jeunes enfants, tout en retenant l'attention sur l'enfance, oblige à considérer le problème non résolu de la pénurie de services collectifs pour concilier famille et emploi, notamment celle des services de garde pour la petite enfance.

Augmentation de l'activité professionnelle des mères de jeunes enfants et son corollaire, la nécessité de services collectifs pour concilier famille et emploi

Dans la plupart des pays occidentaux, les taux d'activité des mères de jeunes enfants sont en croissance depuis une trentaine d'années, et ce, même s'ils demeurent encore assez différenciés d'un pays à l'autre (Jenson et Sineau, 1998). Les chiffres sont éloquents et il faut les rappeler. Ainsi au Québec, depuis le milieu des années 1970, la proportion des mères d'enfants de 0-5 ans ayant une activité professionnelle a plus que doublé et concerne maintenant les deux tiers de cette population : en 1976, 30 % des mères de jeunes enfants étaient actives sur le marché du travail ; en 1986, ce taux passait à 57 % et, en 1998, il était de 66 % (Québec. Conseil de la famille et de l'enfance et al., 1999, p. 156 ; Canada. Statistique Canada, 1999).

Pendant cette période, les mesures publiques de conciliation entre la famille et l'emploi ne se développent que tardivement et lentement. Les congés parentaux demeurent à peu près les mêmes que ceux qui avaient été instaurés au niveau fédéral en 1971. Et les services de garde affichent un développement toujours en deçà des besoins de la population et des promesses gouvernementales, fédérales ou provinciales.

Au Québec, devant la difficulté de mettre en œuvre l'objectif de conciliation famille-emploi, pourtant considéré comme central dans les plans d'action du Secrétariat à la famille, certains acteurs gouvernementaux et de la société civile font connaître leur impatience. En 1993, un avis assez accablant du Conseil de la famille constate un « retard important »

---

7.   PACE (Programme d'action communautaire pour les enfants) est un programme fédéral qui subventionne des projets présentés par des groupes communautaires et des CLSC.

dans la réalisation des objectifs de la politique sur les services de garde formulée en 1988. En 1994, le rapport interministériel sur la petite enfance (Québec. Secrétariat à la famille, 1994) rapporte que, parmi 17 pays occidentaux, le Québec vient au dernier rang en ce qui concerne les services régis disponibles pour la garde des enfants de 3-4 ans. Les *États généraux sur l'éducation*, tenus en 1995, portent un regard d'ensemble notamment sur l'éducation des 0-5 ans et constatent « l'insuffisance, la dispersion et la discontinuité » des services publics destinés à la petite enfance. Ici, ce sont aussi bien les organismes éducatifs publics que les syndicats et les associations de parents qui se prononcent. Leur constat est repris dans un avis du Conseil supérieur de l'éducation adopté en février 1996, *Pour un développement intégré des services à la petite enfance : de la vision à l'action*. On recommande « de créer un nouvel organisme à autonomie fonctionnelle qui intégrerait les ressources consenties par le ministère de l'Éducation au préscolaire ainsi que celles de l'OSGE[8] ». Il est en outre recommandé de mettre en place des « services universels et gratuits », inscrits à « l'enseigne de la prévention primaire et de l'égalisation des chances » et d'en faire une implantation graduelle « sur un horizon de 7 ans ».

Moins d'un an plus tard apparaissent le ministère de la Famille et de l'Enfance et de nouvelles dispositions de politique familiale, dont la mesure vedette est celle des « garderies à 5 $ par jour ». Certains analystes se montreront surpris de cette mesure qui représente une dépense accrue pour le gouvernement québécois alors qu'à partir de 1996 l'État fédéral canadien amorce une lutte contre son déficit budgétaire et diminue sa contribution fiscale aux provinces, les privant d'importantes sources de revenus dans les domaines de la santé, des services sociaux et de l'assistance sociale.

TENDANCES ET NOUVELLES DISPOSITIONS DE POLITIQUE FAMILIALE : CONVERGENCE OU DIVERGENCE ?

Les « nouvelles dispositions » de politique familiale ne sont pas implantées par le gouvernement à l'aide de budgets supplémentaires mais, grosso modo, avec des sommes équivalentes à celles qui avaient été précédemment allouées à ce secteur d'intervention[9]. C'est dire qu'un bon nombre

---

8.   OSGE : Office des services de garde à l'enfance.
9.   Des suppléments de budget seront alloués par la suite au ministère de la Famille et de l'Enfance (Québec. Conseil du trésor, 1999, p. 84)

de mesures mises en œuvre entre 1988 et 1997 vont disparaître pour faire place aux nouvelles[10].

Parmi les mesures abolies figurent les allocations à la naissance à propos desquelles le gouvernement fait le constat suivant :

> [Cette politique] n'a pas produit de résultats vraiment probants et de toute évidence la formule qui consiste à soutenir plus généreusement la 3e naissance ne répond pas aux besoins de la majorité des familles d'aujourd'hui. (Québec. Secrétariat du Comité des priorités, 1997, p. 7)

L'examen des indices synthétiques de fécondité montre que si l'on remarque une augmentation de l'indice entre 1988 et 1990 par rapport à l'ensemble des naissances (qui serait due à un effet de calendrier), les années 1992 à 1997 indiquent une baisse nette (de 1,66 à 1,53) qui s'observe surtout à l'égard des naissances de rang 1. Par contre, le nombre des naissances de rang 3 a augmenté de 1988 à 1992 alors que celui des naissances de rang 4 et plus a poursuivi sa hausse jusqu'en 1994, ce qui fait dire au Secrétariat à la famille (1996) que la mesure a eu « une certaine influence ».

Voyons comment les trois « nouvelles dispositions » de politique familiale se situent, en convergence ou en divergence, par rapport aux tendances exposées précédemment

L'assurance parentale

Il y a peu à dire sur cette mesure, relative à l'indemnisation des congés maternels et parentaux puisque, n'étant pas négociée avec le palier fédéral, elle est encore virtuelle. Rappelons l'intention du gouvernement québécois de rendre ces congés accessibles aux jeunes parents qui vivent de nouvelles formes de travail (à contrat, autonome, à temps partiel, etc.) ou dont les revenus de travail sont peu élevés ; son intention aussi de bonifier ces congés relativement au pourcentage du salaire gagné et au nombre de semaines accordées[11].

On peut déceler, dans ce projet, une *préoccupation pour la petite enfance* et pour la *conciliation famille-emploi*. Surtout, par le souci de

---

10. Des mesures demeurent cependant : notons le programme de supplément au revenu de travail, APPORT, en place depuis 1988 ; le programme « Pour une maternité sans danger », qui offre un retrait préventif aux mères enceintes ou qui allaitent ; l'allocation pour enfant handicapé et quelques crédits d'impôt.

11. Ces congés autour des naissances, il est possible de les concevoir comme un incitatif (plus général et pas seulement économique) au projet procréatif des jeunes couples, qui pourrait avantageusement compenser pour la perte de l'allocation à la naissance et permettre, notamment, un accroissement des naissances de rang 1.

s'adapter aux jeunes parents qui sont souvent des travailleurs précaires, il est manifeste que ce projet répond de façon pertinente à la tendance à la *restructuration de l'emploi*. Par ailleurs, cette mesure souhaitée va tout à fait à l'encontre du programme canadien d'assurance-emploi, réformé depuis 1994 et dont les conditions d'accès font que les congés maternels et parentaux sont dispensés de façon de plus en plus parcimonieuse aux jeunes parents canadiens. De ce point de vue, l'assurance parentale plus accessible et plus généreuse projetée par le Québec est très novatrice et rappelle les mesures d'assurance parentale dispensées par la Suède, notamment en incitant davantage les pères à se prévaloir d'un congé.

La nouvelle allocation familiale

Cette allocation est maintenant dite « nouvelle », mais, en 1997, elle fut d'abord qualifiée d'« unifiée » parce que les fonds qui lui étaient alors réservés couvraient trois sortes d'allocations (à la naissance, familiale, pour jeune enfant) ainsi que la partie versée à l'égard des enfants dans le cadre du programme d'aide sociale et du crédit d'impôt remboursable pour la taxe de vente du Québec (TVQ). Conçue selon le modèle de la prestation fiscale canadienne pour enfants[12], cette allocation est dorénavant soumise à condition de revenu. Précisons en outre qu'elle a d'abord été élaborée dans le cadre de la réforme de la sécurité du revenu de 1996, dont l'un des slogans était de « sortir les enfants de l'aide sociale »[13]. Cette mesure fait donc état de cette *préoccupation* nouvelle *pour l'enfance* et en particulier pour les enfants pauvres[14].

Très nettement, cette nouvelle allocation va dans le sens de deux orientations exposées précédemment, qui sont elles-mêmes sous-jacentes à la tendance au désengagement de l'État. D'abord, c'est un *virage vers la sélectivité* et un abandon de l'universalité de ce type de mesure (que le

---

12. L'allocation familiale du Québec est non seulement conçue sur le modèle de la prestation fiscale canadienne pour enfants (PFCE), mais elle la complète puisqu'elle procure aux familles la différence entre la PFCE et les niveaux de besoins essentiels des enfants reconnus dans la fiscalité. C'est ainsi que pour l'exercice 1999-2000, les montants maximaux de l'allocation familiale avaient été revus à la baisse pour tenir compte de la hausse de la PFCE. Cependant, la prochaine augmentation de celle-ci, prévue pour le 1er juillet 2000 et annoncée par le gouvernement fédéral dans ses derniers budgets, n'entraînera pas de rajustement de l'allocation familiale du Québec pour l'exercice 2000-2001 (*Le Devoir*, 15 mai 2000).

13. Bouchard, Labrie et Noël, 1996 ; Fortin et Séguin, 1996.

14. On retrouve ici la signature d'un acteur important à ce chapitre, le psychologue Camil Bouchard qui, rappelons-le, avait présidé en 1991 au rapport *Un Québec fou de ses enfants* et qui, en 1996, coprésidait le comité sur la réforme de la sécurité du revenu.

Québec avait conservée malgré les orientations canadiennes vers la sélectivité des allocations familiales amorcées dès 1979). Étant donné le mode de ventilation adopté, soit des prestations plus élevées pour les familles les plus pauvres parmi les salariées, cette allocation porte clairement une incitation au maintien ou à l'insertion à l'emploi. L'*incitation au travail* y apparaît donc dans ce contexte comme un objectif qui appuie la volonté de l'État de résoudre sa *crise fiscale*. On s'écarte ainsi très nettement de l'objectif que poursuivait un programme universel d'allocations familiales avant 1997, à savoir de compenser les familles pour la charge des enfants. Avec la nouvelle allocation familiale, il s'agit d'aider les familles à revenus moyens et modestes, mais davantage les familles pauvres et, parmi elles, encore davantage celles qui cherchent à s'en sortir autrement qu'à l'aide des transferts sociaux de l'État. Et de plus, il s'agit de mettre cette mesure en place avec les fonds auparavant destinés à l'ensemble des familles et qui devaient servir à atteindre des objectifs d'équité entre les familles avec enfants et le reste de la population et non à atteindre des objectifs d'équité socioéconomique. En somme, les principes qui régissaient auparavant les politiques sociales pour ce qui est de la redistribution verticale aussi bien qu'horizontale sont ici réaménagés et, en un sens, trahis. Se faisant les porte-parole de plusieurs groupes de familles et de femmes, deux acteurs de la scène québécoise, ont exprimé un net désaccord face à ce virage vers la sélectivité. Le Conseil de la famille (1996) et le Conseil du statut de la femme (1997) font tous deux au gouvernement le reproche de puiser, pour des fins de lutte contre la pauvreté par l'incitation au travail, dans le budget public auparavant destiné aux familles et non dans des fonds issus de l'ensemble des contribuables.

Les services éducatifs et de garde à 5 $ par jour

Par rapport à ce qui existait avant 1997, les nouvelles dispositions de politique familiale préconisent l'implantation de centres de la petite enfance (CPE). Ces centres regroupent, sur un territoire donné, l'ensemble des garderies et des agences de services de garde en milieu familial, en somme, l'ensemble des services régis (à l'exception des garderies à but lucratif) pour la population d'âge préscolaire[15]. Les services de garde ont désormais une vocation explicitement éducative, qui vise le développement global de l'enfant, et ils sont présentés comme des lieux de prévention en vue de la réussite scolaire des enfants.

---

15. Mais précisons que, d'après une enquête effectuée à l'été 1998, la majorité des enfants, dans des pourcentages qui diffèrent selon l'âge, sont gardés en services non régis, soit à la maison, soit en milieu familial (Québec. Bureau de la statistique du Québec, ministère de la Famille et de l'Enfance et ministère de l'Éducation, 1999, p. 56).

La formule des services de garde à 5 $ par jour a été présentée à deux reprises : en 1996, lors du Sommet sur l'économie et l'emploi qui regroupait différents acteurs sociaux du Québec autour de la lutte contre le déficit, et en 1997, dans l'énoncé des nouvelles dispositions de politique familiale. Il importe de rappeler ici les objectifs que définissait le gouvernement à ces deux occasions.

Au Sommet sur l'économie et l'emploi de novembre 1996 (Québec. Secrétariat du Sommet, 1996, p. 21), les objectifs assignés au projet de garde à 5 $ par jour sont les suivants : faciliter la conciliation entre famille et emploi ; offrir à prix accessibles de meilleurs services à la petite enfance en prévision de leur séjour dans le système scolaire ; inciter au travail les prestataires d'aide sociale avec enfants et les travailleurs à faible revenu ; favoriser la croissance de l'économie sociale dans un secteur d'activité très important ; réduire le travail au noir dans un secteur d'activité où il est très présent[16].

Quelques mois plus tard (Québec. Secrétariat du Comité des priorités, 1997, p. 11), le gouvernement donne à ses trois nouvelles dispositions de politique familiale (et pas seulement à la garde à 5 $ par jour), les objectifs suivants, qui présentent certains recoupements avec les objectifs précédents mais évitent d'énoncer les objectifs économiques du gouvernement : faciliter la conciliation des responsabilités parentales et professionnelles ; favoriser le développement des enfants et l'égalité des chances (dans une optique de prévention) ; assurer l'équité par un soutien universel aux familles et une aide accrue aux familles à faible revenu.

Plusieurs commentaires s'imposent. D'abord, il est difficile de voir dans ces trois mesures des formes de « soutien universel ». Alors que l'assurance parentale est une mesure encore virtuelle et que les allocations familiales sont nettement sélectives, il est clair que l'*universalité ne peut s'appliquer* à la garde à 5 $ par jour *que dans l'intention*, tous les enfants n'y ayant pas encore accès (Saint-Pierre et Kempeneers, 1999)[17].

La garde à 5 $ par jour se situe par ailleurs dans la ligne de deux tendances énoncées précédemment : elle exprime une *préoccupation importante pour l'enfance* et, en apportant un net soutien à la conciliation famille-emploi, cette mesure va dans le sens de la tendance à soutenir la *croissance ou le maintien de l'activité professionnelle des mères de jeunes*

---

16. Fortin *et al.* (1996, p. 99) considèrent que les services de garde d'enfants sont le secteur où ces dépenses « au noir » sont les plus importantes, après la rénovation domiciliaire et l'achat de cigarettes.

17. Pour ce qui est de la fiscalité, si certaines mesures (le crédit d'impôt non remboursable pour enfants à charge par exemple) sont en principe universelles, dans la pratique toutefois, les familles moins nanties n'en profitent pas ou peu.

enfants. Cependant, pour appuyer ces deux tendances, le gouvernement aurait pu faire d'autres choix. Par exemple, il aurait pu augmenter de façon significative le nombre de places en garderie ou encore élargir la portée des choix d'horaires en matière de garde d'enfants *tout en conservant le mode de financement antérieur,* moins onéreux pour l'État, qui subventionnait les familles selon leurs revenus tout en leur offrant des crédits d'impôt pour la garde. Un autre choix aurait pu être, comme en France, de mettre l'accent sur le développement de modes de garde plus individualisés (Bergeron et Saint-Pierre, 1998). Ainsi, pour faire garder leurs enfants à leur domicile, les parents français peuvent bénéficier de l'*allocation de garde d'enfant à domicile* (AGED) et de *fortes déductions fiscales* pour l'embauche d'une gardienne. Ce mode de garde comporte cependant le risque de créer des « ghettos de gardiennes d'enfants mal payées » (Jenson et Sineau, 1998, p. 275).

Le *gouvernement n'a pas choisi ces voies.* On ne peut comprendre le mode de financement à 5 $ par jour sans se reporter à deux orientations sous-jacentes à la tendance de l'État au désengagement : *répondre à la crise fiscale de l'État, inciter au travail,* plus précisément *au travail « déclaré »* et par là, *créer de l'emploi.* Au Sommet sur l'économie et l'emploi de 1996, on fait observer que la garde est un secteur important du travail « au noir » et que l'économie sociale pourrait développer, davantage qu'elle ne l'a fait jusqu'à maintenant, le secteur garde d'enfants[18]. Or, pour répondre à ces deux énoncés, seule la formule de financement à 5 $ par jour offrait une forte compétition à la garde « au noir » et pouvait permettre de réduire celle-ci au profit d'une *garde « déclarée »* qui soit en même temps *régie* et qui, ainsi, préserve mieux l'intérêt de l'enfant. De cette façon, on espérait que des femmes assistées ou à petits revenus soient incitées à gagner le marché du travail ou à s'y maintenir (Rose, 1997), et surtout que les gardiennes « au noir » joignent les centres de la petite enfance et fassent reconnaître leur garde en milieu familial[19].

Il n'y a pas, bien sûr, une seule explication à l'élaboration d'une mesure comme la garde à 5 $ par jour. Dans son examen des récentes réformes, québécoise et française, des services de garde, Jane Jenson (1998, p. 189) considère, pour sa part, que, du côté du Québec,

---

18. Dans le document du Sommet sur l'économie et l'emploi (1996, p. 4), le gouvernement avance le chiffre de 10 000 emplois qui pourraient être générés par l'instauration de la « garde à 5 $ par jour ».

19. Soulignons que la bonification importante, au printemps 1999, des salaires du personnel des services de garde, soit une augmentation moyenne de l'ordre de 38 % à 40 % sur une période de quatre ans dans le cas des éducatrices, rend cette « offre » encore plus intéressante (Québec. Communiqué de presse du Cabinet de la ministre déléguée à la Famille et à l'Enfance, 20 mai 1999).

> [...] ces propositions visent à limiter considérablement le développement des garderies privées à but lucratif et à encourager les parents à confier leur enfant à des garderies publiques ou en milieu familial.

Sans doute cet aspect de la question a-t-il été considéré par les décideurs politiques, mais nous ne pensons pas qu'il a été primordial[20].

Outre les visées d'ordre économique et politique, il importe enfin de souligner que la garde à prix réduit permet l'*atteinte de plusieurs objectifs*, dont ceux qui ont été explicitement mentionnés par le gouvernement : avec la « *demande* » *de places* à coût réduit qu'elle permettra de susciter, on peut entrevoir un développement important des places disponibles et des possibilités de choix en matière de garde d'enfants, bref, une amélioration de l'accès aux services de garde pour une meilleure conciliation entre famille et emploi ; une augmentation de la *garde régie* pour l'ensemble de la petite enfance permettra également de mieux atteindre les objectifs liés à l'intérêt de l'enfant et à l'égalité des chances, et de le faire dans une optique de prévention et de diminution du décrochage scolaire ; une augmentation de la *garde déclarée* pourra enfin contribuer à résorber la crise fiscale de l'État, à créer de l'emploi pour les femmes, et ce, dans un contexte de meilleures conditions de travail. Bref, même si *à court terme* elle est plus *coûteuse* pour l'État, il est permis de penser que la garderie à 5 $ par jour pourra *à plus long terme* comporter *des avantages, aussi bien sociaux qu'économiques*, pour la population québécoise.

CONCLUSION

Si, en 1997, l'énoncé des nouvelles dispositions de la politique familiale québécoise a été vu comme *un « retournement »* par certains milieux gouvernementaux et associatifs reliés à la famille, l'examen des tendances plus larges, nationales et internationales, qui se sont imposées pendant la décennie 1990 et qui ont pu influer sur l'énoncé de ces nouvelles dispositions, permet de penser qu'il s'agit plutôt d'*une « évolution », sinon toujours prévisible, du moins compréhensible*, des orientations de la politique familiale québécoise.

---

20. On pourrait avancer d'autres explications qui pourraient s'ajouter à celles qui viennent d'être énoncées : la garde à 5 $ par jour a pu être vue comme une compensation aux familles de classes moyennes, que désavantage le remaniement des nouvelles allocations familiales ; c'était en outre une mesure qui pouvait rallier davantage l'électorat féminin au Parti québécois (ce qui aurait été le cas à l'élection 1998).

Ainsi, nous avons pu montrer que les *préoccupations accrues pour l'enfance* et *pour la conciliation famille-emploi* (en particulier par l'entremise des services de garde) étaient bien présentes au Québec pendant la décennie 1990, à la fois dans la société civile et dans les milieux concernés par l'éducation, le judiciaire, le sociosanitaire et même le familial.

Par contre, l'*abandon des mesures universelles* de soutien aux familles a sans doute constitué une surprise de même que le fait d'*associer des objectifs de redistribution horizontale et des objectifs de redistribution verticale* à la nouvelle formule d'aide financière aux familles. Mais l'exemple du Canada, qui avait depuis 20 ans introduit graduellement la sélectivité dans ses allocations familiales, pouvait-il ne pas se répercuter sur le Québec?

La décision du gouvernement québécois d'*investir davantage de fonds publics dans les services de garde*, et de le faire *au sein d'une stratégie de lutte contre le déficit*, a également de quoi surprendre. On peut rappeler que dans le même contexte de lutte contre le déficit, une province comme l'Alberta a plutôt choisi de couper ses dépenses, notamment au chapitre des services de garde et de maternelle (Dandurand et Bergeron, à paraître). Le Québec, de son côté, a choisi d'investir dans les services de garde et de le faire dans une optique de résorption du travail « au noir », de création d'emploi et d'accroissement des services de garde régis qui, en principe, protègent mieux les intérêts de l'enfant. Si ce choix n'était pas nécessairement prévisible, il devient compréhensible quand on saisit les enjeux de la crise fiscale à laquelle l'État doit faire face depuis deux décennies, au Québec comme dans plusieurs pays occidentaux. De plus, le « choix » de la garde à 5 $ par jour s'est fait dans un contexte favorable aux revendications féminines : alors qu'avec la Marche du pain et des roses de 1995, les groupes de femmes attiraient l'attention sur la pauvreté des femmes et sur la nécessité de leur assurer un meilleur accès au travail salarié ; alors qu'au gouvernement, deux ministres influentes et sensibles aux revendications des femmes[21], Pauline Marois et Louise Harel, présidaient aux instances ministérielles de qui relevaient les nouvelles dispositions de politique familiale ainsi que la politique de la sécurité du revenu.

Les orientations actuelles de la politique familiale québécoise se comparent à celles d'autres sociétés. Dans les pays qui ont une politique familiale explicite, la France et la Suède par exemple, des accents différents modulent le déroulement historique de leurs politiques. En France, où

---

21. Rappelons que dès 1965, lors du 25e anniversaire du droit de vote des femmes au Québec, les groupes de femmes réclament « la création immédiate de garderies de l'État » (*Le Devoir*, 20 avril 1965).

les politiques natalistes ont dominé jusqu'aux années 1970, l'équité des sexes puis l'enfance sont devenues par la suite des préoccupations grandissantes (Prost, 1984). De son côté, la Suède, qui n'a jamais eu de politique nataliste, tente de conserver les mêmes priorités depuis les années 1970 (Arve-Parès, 1996), à savoir l'enfance et l'équité des sexes face à la parentalité. Si, ces dernières années, les deux pays ont pu maintenir l'équité horizontale de leurs politiques familiales, ils ont dû cependant diminuer le niveau de compensation des charges familiales par rapport à ce qu'ils accordaient précédemment.

Dans un continent nord-américain qui, du côté anglophone, maintient une tradition de non-intervention de l'État auprès des familles, le Québec a une double résistance à mener : celle de défendre la légitimité de l'intervention étatique auprès des familles et celle de conserver une politique familiale qui maintienne, dans une certaine mesure, sa redistribution horizontale.

BIBLIOGRAPHIE

Arve-Parès, Birgit (1996). « Entre travail et vie familiale : le modèle suédois », *Lien social et Politiques – RIAC*, (36), p. 41-48.

Banting, Keith (1997). « The Social Policy Divide : The Welfare State in Canada and the United States », dans Keith Banting, George Hoberg et Richard Simeon (dir.), *Degrees of Freedom : Canada and the United States in a Changing World,* Montréal, McGill-Queen's University Press, p. 267-309.

Baril, Robert, Pierre Lefebvre et Philip Merrigan (1997). « La politique familiale : ses impacts et les options », *Choix. Les politiques sur la famille. IRPP, 3*(3), p. 1-73.

Bergeron, Josée et Marie Hélène Saint-Pierre (1998). « Assistantes maternelles et réorientation des services de garde en France : quand la politique familiale se conjugue à une politique d'emploi », dans Renée B.-Dandurand, Pierre Lefebvre et Jean-Pierre Lamoureux (dir.), *Quelle politique familiale à l'aube de l'an 2000 ?,* Montréal, Paris, L'Harmattan, p. 73-95.

Bouchard, Camil, Vivian Labrie et Alain Noël (1996). *Chacun sa part,* Rapport de trois membres du Comité externe de réforme de la sécurité du revenu, Québec, Gouvernement du Québec, ministère de la Sécurité du revenu, 235 p.

Canada, Ministère de la Santé nationale et du Bien-être social (1992). *Grandir ensemble : plan d'action canadien pour les enfants,* Ottawa, Gouvernement du Canada, Santé et Bien-être social Canada, Direction générale des communications, 55 p.

Canada, Statistique Canada (1999). *CANSIM, matrice 3477*. En ligne : <http://www.statcan.ca/francais/cansim>.

Dandurand, Renée et Josée Bergeron (à paraître). « Protection sociale destinée aux familles : une comparaison entre le Québec et l'Alberta », article soumis à la revue *Politique et sociétés*.

Fortin, Bernard, Gaétan Garneau, Guy Lacroix, Thomas Lemieux et Claude Montmarquette (1996). *L'économie souterraine au Québec : mythes et réalités*, Québec, Presses de l'Université Laval.

Fortin, Pierre et Francine Séguin (1996). *Pour un régime équitable axé sur l'emploi*, Rapport de deux membres du Comité externe de réforme de la sécurité du revenu, Québec, Gouvernement du Québec, Ministère de la Sécurité du revenu.

Jenson, Jane (1998). « Les réformes des services de garde pour jeunes enfants en France et au Québec : une analyse historico-institutionnaliste », *Politique et Sociétés*, *17*(1-2), p. 183-216.

Jenson, Jane et Mariette Sineau (1998). *Qui doit garder le jeune enfant ? Modes d'accueil et travail des mères dans l'Europe en crise*, Paris, Librairie générale de droit et de jurisprudence (LDDJ), coll. « Droit et société », (21), 312 p.

Jenson, Jane et Sharon M. Stroick (1999). *Un plan d'action stratégique axé sur les enfants au Canada*, Ottawa, Les réseaux canadiens de recherche en politiques publiques.

Larose, Andrée (1998). *Situation des ressources et des services des CLSC auprès des enfants de 0-18 ans et de leurs familles*, Montréal, Association des CLSC et des CHSLD du Québec, 62 p.

Le Devoir (2000). « La ministre Léger confirme le maintien du niveau des allocations familiales », 15 mai.

Prost, Antoine (1984). « L'évolution de la politique familiale en France de 1938 à 1981 », *Le mouvement social*, (129).

Québec, Bureau de la statistique du Québec, ministère de la Famille et de l'Enfance et ministère de l'Éducation (1999). *Enquête sur les besoins des familles en matière de services de garde*, Rapport d'analyse descriptive du Bureau de la statistique du Québec, Québec, Gouvernement du Québec, Bureau de la statistique du Québec, Ministère de la Famille et de l'Enfance et Ministère de l'Éducation, 312 p.

Québec, Comité interministériel (1994). *La petite enfance : une responsabilité familiale, un projet de société*, Rapport du Comité interministériel sur les services à la petite enfance, Québec, Gouvernement du Québec, Secrétariat à la famille, 159 p. [Document de travail].

Québec, Commission d'enquête sur les services de santé et les services sociaux (1988). *Rapport de la Commission d'enquête sur les services de santé et les services sociaux* [Rapport Rochon], Québec, Les Publications du Québec, 803 p.

Québec, Commission des États généraux sur l'éducation (1996). *Les États généraux sur l'éducation. 1995-1996. Exposé de la situation*, Québec, Gouvernement du Québec, Ministère de l'Éducation, 132 p.

Québec, Conseil de la famille et de l'enfance, Ministère de la Famille et de l'Enfance et Bureau de la statistique du Québec (1999). *Profil statistique des familles et des enfants au Québec*, Québec, Gouvernement du Québec, Conseil de la famille et de l'enfance, Ministère de la Famille et de l'Enfance et Bureau de la statistique du Québec, 206 p.

Québec, Conseil de la famille (1993). *Les services de garde au Québec : un équilibre précaire*, Québec, Gouvernement du Québec, Conseil de la famille, coll. Avis, 65 p.

Québec, Conseil de la famille (1996). *L'appauvrissement des familles dans un contexte d'insécurité. Réflexions familiales dans le cadre de la tenue du deuxième Sommet socio-économique*, Québec, Gouvernement du Québec, Conseil de la famille, 19 p.

Québec, Conseil du statut de la femme (1997). *La société et les familles : miser sur l'égalité et la solidarité. Avis sur les nouvelles dispositions de la politique familiale et sur la fiscalité des familles*, Québec, Gouvernement du Québec, Conseil du statut de la femme, coll. Avis du Conseil du statut de la femme, 84 p.

Québec, Conseil du trésor (1999). *Budget de dépenses 1999-2000. Volume II. Message du Président du Conseil du trésor et renseignements supplémentaires*, Québec, Gouvernement du Québec, Conseil du trésor, 155 p.

Québec, Conseil supérieur de l'éducation (1996). *Pour un développement intégré des services éducatifs à la petite enfance : de la vision à l'action*, Québec, Gouvernement du Québec, Conseil supérieur de l'éducation, 121 p.

Québec, Groupe de travail pour les jeunes (1991). *Un Québec fou de ses enfants*, Québec, Gouvernement du Québec, Ministère de la Santé et des Services sociaux, Direction des communications, 175 p.

Québec, Groupe de travail sur l'application des mesures de protection de la jeunesse (1991). *La protection sur mesure : un projet collectif*, Québec, Gouvernement du Québec, Ministère de la Santé et des Services sociaux, Direction générale de la prévention et des services communautaires, 164 p.

Québec, Groupe de travail sur l'évaluation de la *Loi sur la protection de la jeunesse* (1992). *La protection de la jeunesse. Plus qu'une loi*, Québec, Gouvernement du Québec, Ministère de la Santé et des Services sociaux et Ministère de la Justice, 191 p.

Québec, Ministère de l'Éducation (1992). *Chacun ses devoirs – Plan d'action sur la réussite éducative*, Québec, Gouvernement du Québec, Ministère de l'Éducation, 38 p.

Québec, Ministère des Finances (1984). *Livre blanc sur la fiscalité des particuliers*, Québec, Gouvernement du Québec, Ministère des Finances.

Québec, Ministre déléguée à la Condition féminine (1988). *Énoncé de politique sur les services de garde à l'enfance : pour un meilleur équilibre. Document d'orientation*, Québec, Gouvernement du Québec, Ministère du Conseil exécutif, 105 p.

Québec, Secrétariat à la famille (1989). *Familles en tête. Plan d'action en matière de politique familiale 1989-1991*, Québec, Gouvernement du Québec, Secrétariat à la famille, 57 p.

Québec, Secrétariat à la famille (1992). *Familles en tête. 2ᵉ plan d'action en matière de politique familiale 1992-1994*, Québec, Gouvernement du Québec, Secrétariat à la famille, 51 p.

Québec, Secrétariat à la famille (1995). *Familles en tête 1995-1997. Plan d'action des partenaires en matière familiale*, Québec, Gouvernement du Québec, Secrétariat à la famille, 137 p.

Québec, Secrétariat à la famille (1996). « Les allocations à la naissance », *Carnet de famille*.

Québec, Secrétariat du Comité des priorités du ministère du Conseil exécutif avec la collaboration du ministère de la Sécurité du revenu, l'Office des services de garde à l'enfance, le ministère de l'Éducation, la Régie des rentes du Québec et le Secrétariat à la famille (1997). *Familles en têtes. Nouvelles dispositions de la politique familiale. Les enfants au cœur de nos choix*, Québec, Les Publications du Québec, 40 p.

Québec, Secrétariat du Sommet (1996). *Sommet sur l'économie et l'emploi. Faits saillants*. s.l. Gouvernement du Québec, 27 p.

Rose, Ruth (1997). « For Direct Public Funding of Child Care », *Policy Options*, *18*(1), p. 31-33.

Saint-Pierre, Marie-Hélène et Marianne Kempeneers (1999). « Quelles politiques familiales pour quelles familles ? Réflexions autour des principales mesures de la politique familiale québécoise », Communication présentée au Colloque « Démographie et phénomènes sociaux contemporains », 67ᵉ Congrès de l'Association canadienne-française pour l'avancement des sciences (ACFAS), Université d'Ottawa, mai 1999.

Villeneuve, Patrick et Frédéric Lesemann (1998). « Politique familiale "implicite" et *Welfare* aux États-Unis », dans Renée B.-Dandurand, Pierre Lefebvre et Jean-Pierre Lamoureux (dir.), *Quelle politique familiale à l'aube de l'an 2000 ?*, Montréal et Paris, L'Harmattan, p. 289-298.

Est-ce que le revenu familial, le travail des mères, les conditions et les horaires de travail ont des effets sur le développement des enfants et les pratiques parentales ?[1]

Pierre LEFEBVRE
Philip MERRIGAN
Sciences économiques
Université du Québec à Montréal

INTRODUCTION

Ces 30 dernières années, le taux de participation au marché du travail des mères avec des enfants âgés de moins de 6 ans a augmenté régulièrement et rapidement. De négligeable qu'il était en 1960, il dépasse 60 % en 1990. L'augmentation des taux de salaire, l'expansion du secteur des services où

---

1. Cette étude a été réalisée grâce au soutien de la Direction générale de la recherche appliquée du ministère du Développement des ressources humaines Canada. Le document de travail original duquel est tiré cet article porte le titre « Work Schedules, Job Characteristics, Parenting Practices and Children's Outcomes ». Ce document est disponible sur le site suivant : http //ideas.uqam.ca/CREFE/publications.html (sous le titre /CREFE/cahiers/cah78.pdf).

sont concentrés les emplois occupés par les femmes, l'augmentation des occasions d'emploi pour les femmes plus scolarisées ainsi que les changements dans les prix relatifs des produits marchands et domestiques expliquent en grande partie la hausse du taux de participation. Les changements dans les comportements et les attitudes ont eu des effets sur la fécondité, les modalités de soins aux enfants et de travail des mères. Avec la hausse de la participation au marché du travail des mères se profile l'enjeu de l'effet du travail des mères sur le bien-être de leurs enfants, par exemple, sur leur santé physique, leur développement émotif, cognitif et social, de même que sur leur réussite à l'école.

Dans les premières années de la vie d'un enfant, le milieu familial est le premier environnement où s'exercent différentes influences ayant des répercussions sur des dimensions importantes de son développement[2]. Des ressources économiques suffisantes permettront aux parents d'offrir à leurs enfants un environnement matériel adéquat et adapté. Les ressources humaines propres des parents – comme leurs savoir-faire, leur éducation, leurs expériences de vie – façonneront l'environnement familial où grandissent les enfants. Finalement, les choix faits par les familles en ce qui concerne la taille et la structure du ménage, le travail, l'utilisation de leur temps ainsi que sur la façon d'éduquer leurs enfants (y compris leur implication et leurs attitudes) pourront favoriser le développement des enfants.

La littérature scientifique a examiné au plan empirique les déterminants du développement des jeunes enfants afin d'identifier comment les ressources, les circonstances et l'organisation familiales l'influencent dans ses dimensions particulières. Une des préoccupations de la recherche découle de l'observation que les comportements familiaux et les caractéristiques socioculturelles de la famille jouent un rôle important dans la transmission intergénérationnelle des compétences, des savoir-faire et des valeurs. Les liens qui peuvent être étudiés sont multiples et étendus dans le temps. Par exemple, on a montré que la compétence cognitive et l'ajustement social des jeunes enfants peuvent être un bon prédicteur de la réussite à l'école primaire et des succès postérieurs à l'école. Le lien entre l'obtention d'un diplôme d'études secondaires et les salaires postérieurs est aussi bien établi. La « production » du bien-être et de la réussite des enfants et, plus tard, de leurs succès – tant aux plans social, économique que psychologique – comme jeunes adultes, met en jeu des processus complexes où les traits innés d'un enfant, sa personnalité et la chance

---

2.   Par convention scientifique, les différents aspects du développement sont mesurés par des instruments qui fournissent des indicateurs appropriés à l'âge comme par exemple, sur la santé physique (poids à la naissance, taille), les habiletés cognitives et sociales, la réussite à l'école, les comportements problématiques, l'ajustement social, etc.

jouent un rôle. Du point de vue économique, les parents qui s'engagent littéralement dans le processus de production doivent y consacrer de leur temps (pour prendre soin des enfants, pour faire des activités et interagir avec eux) et utiliser des biens marchands (incluant le temps d'autres adultes comme pour les services de garde). Les politiques publiques qui comprennent les programmes de taxes et de transferts, l'école publique, les services fournis aux enfants (comme les services de garde subventionnés) et les services de santé, sont parties aux processus. Les familles se différencieront par leur expérience de vie, leurs compétences parentales et savoir-faire de base, leur dotation en capital humain et physique, leurs ressources (monétaires et temporelles) ainsi que par l'importance qu'elles accordent à l'éducation durant l'enfance. Également, elles adopteront différentes stratégies qui seront contraintes par leurs propres possibilités et l'environnement social et économique.

Il est évident que l'occupation d'un emploi contribue au bien-être financier d'une famille. Cependant, le travail maternel peut avoir des effets opposés. Le salaire d'une mère peut faire la différence entre la dépendance sociale et l'autonomie financière, particulièrement dans le cas des familles monoparentales, ou encore entre un niveau de vie de classe moyenne et celui associée à la « pauvreté ». Alors, du côté positif, on observe que l'entrée des mères sur le marché du travail permet aux familles de maintenir ou d'améliorer leur revenu réel et de fournir aux enfants des modèles de rôle stimulants. De l'autre côté, la participation au travail rémunéré peut avoir des conséquences négatives sur les relations entre conjoints et avec les autres membres de la famille, les pratiques parentales, la santé psychologique des parents et la sensibilité des parents envers leurs enfants. Le travail peut influencer le bien-être des enfants dans la mesure où potentiellement il réduit le temps consacré à les soigner, les éduquer, les encadrer et à interagir avec eux. De plus, certains ont soutenu que l'instabilité des emplois, des salaires faibles, des emplois stressants, de longues heures de travail et des conditions de travail atypiques peuvent mettre en danger la qualité des pratiques parentales en accaparant trop l'énergie, le temps et l'attention des parents. Ainsi, les effets du travail sur les processus d'éducation et sur le bien-être des parents sont contingents aux conditions de travail. On peut penser ici aux avantages mêmes de l'emploi, ses exigences, la flexibilité des routines de travail, les heures de travail, la proximité et une foule d'autres attributs relatifs à l'interface entre la vie familiale et le travail.

Selon les résultats de l'Enquête de 1995 sur les horaires et les conditions de travail (DRHC, 1997), seulement un Canadien sur trois occupait un emploi « atypique », défini comme un travail à temps plein, permanent, entre 9 heures et 17 heures, du lundi au vendredi, chez le même employeur.

Les horaires flexibles – y compris les emplois temporaires, à temps partiel, avec plus de 49 heures de travail par semaine, le partage du travail, le travail à domicile et le télétravail, le travail de fin de semaine, la semaine de travail comprimée et le travail autonome – représentent maintenant la norme. Ce large spectre des conditions de travail se combine avec les incertitudes quant à la stabilité du revenu provenant d'un emploi.

La participation au marché du travail peut avoir des effets positifs ou négatifs selon l'âge des enfants et les indicateurs de développement retenus. Les conditions de travail favorables et défavorables dont font l'expérience les parents ayant un emploi vont se refléter de plusieurs façons dans l'environnement familial qu'ils créent pour leurs enfants. Le contexte familial, les conditions de travail des parents et leurs effets sur les jeunes enfants sont précisément au centre de notre analyse. En particulier, nous voulions déterminer dans quelle mesure les caractéristiques des emplois détenus par les mères et l'incertitude relative à la stabilité des emplois pouvaient avoir des effets sur certains indicateurs mesurés (par des instruments évaluant le développement) chez les enfants canadiens et sur la qualité des pratiques parentales en prenant en considération les caractéristiques des familles et le revenu familial.

L'analyse de ces relations utilise les microdonnées du cycle 1 (1994-1995) de l'Enquête nationale longitudinale sur les enfants et les jeunes (ELNEJ) sous la responsabilité de Statistique Canada et de Développement des ressources humaine Canada. La section suivante présente certaines statistiques descriptives sur le travail des mères, les conditions de travail, le revenu familial et les indicateurs de développement des enfants. Une autre section résume les principaux résultats d'une analyse économétrique. Puis suivent quelques considérations méthodologiques. La dernière section contient une conclusion et certaines implications pour la politique publique.

STATISTIQUES DESCRIPTIVES

Le tableau 1 souligne l'hétérogénéité marquant les choix de travail des mères. Les enfants peuvent être dans cinq catégories, avec une mère qui travaille à temps plein ou à temps partiel, avec un horaire de travail typique (standard) ou atypique (non standard) ou ils peuvent être dans une famille où la mère ne travaille pas. Abstraction faite des enfants de 4-5 ans dont la mère est chef de famille monoparentale, la plupart des enfants ont une mère qui travaille à temps plein. Pour les deux types de familles, biparentales et monoparentales, environ le tiers des enfants dont la mère travaille à temps plein voient leur mère travailler selon un horaire non standard, mais

TABLEAU 1

Nombre d'enfants (effectifs pondérés) dans les différents échantillons retenus et distribution en pourcentage des mères selon le statut sur le marché du travail, le type d'emploi et l'horaire de travail pour l'emploi principal

Échantillons[a]	Temps plein[b]		Temps partiel[b]		Ne travaille pas[c]
	Jours/heures standard	Jours/heures non standard	Jours/heures standard	Jours/heures non standard	
Toutes familles					
4-5 ans : 742 623	26,4 %	13,3 %	10,5 %	14,8 %	35,0 %
École 1+ :1 016 488	29,9 %	16,5 %	13,4 %	13,4 %	26,8 %
4-11 ans : 2 897 246	29,9 %	14,6	12,4 %	13,7 %	29,4
Bi-parentales					
4-5 ans : 625 514	27,1 %	14,2 %	11,0 %	17,0 %	30,7 %
École 1+ : 852 805	29,4 %	16,8 %	14,6 %	14,5 %	24,7 %
4-11 ans : 2 429 400	29,1 %	9,4 %	13,4 %	14,7 %	33,4 %
Monoparentales					
4-5 ans : 106 752	24,4 %	10,1 %	8,4 %	9,9 %	47,2 %
École 1+ : 144 789	35,5 %	17,1 %	8,5 %	8,3 %	30,6 %
4-11 ans : 420 749	30,3 %	14,3 %	8,0 %	8,7 %	38,7 %

a) 4-5 ans : tous les enfants âgés de 4 à 5 ans ; École 1+ : tous les enfants fréquentant l'école primaire ou secondaire et pour lesquels un professeur a évalué leur réussite scolaire ; 4-11 ans : tous les enfants âgés de 4 à 11 ans pour lesquels un indicateur de comportement a été mesuré.

b) Mères qui déclarent occuper un emploi, le type d'emploi et l'horaire de travail usuel de leur emploi principal.

c) Mères qui déclarent ne pas occuper un emploi.

Source : Calcul des auteurs à partir des microdonnées de l'ELNEJ, cycle 1.

plus de la moitié des enfants dont la mère travaille à temps partiel voient leur mère travailler selon des jours/heures non standard. Sur la base de ces informations, on pourrait soutenir que les mères travaillant à temps partiel choisissent ces types d'emploi à cause de la flexibilité qu'ils apportent en permettant une meilleure conciliation entre la vie parentale et le travail. Approximativement 15 % de tous les enfants sont dans cette situation, une proportion non négligeable. Lorsque les enfants entrent à l'école, plus de mères travaillent, particulièrement chez les mères de famille monoparentale. Mais, dans ce cas, il y a une hausse de la proportion des mères à temps plein selon des conditions atypiques alors que la proportion des mères travaillant à temps partiel selon des conditions atypiques diminue. Ce qui ajoute à l'évidence que les mères optant pour un travail à temps partiel avec des conditions atypiques le font pour des raisons de flexibilité qui deviennent moins importantes lorsque les enfants fréquentent l'école à temps plein. La principale conclusion qui se dégage des statistiques du tableau 1 est le large éventail des expériences des enfants en termes des choix de travail des mères.

Le tableau 2 montre des différences importantes (et dérangeantes) entre les enfants de famille biparentale et monoparentale (à chef féminin). Une large majorité des enfants de famille monoparentale sont dans les catégories de famille à revenu très faible alors que la plupart de ces mères ont 12 années ou moins de scolarité.

Le tableau 3 présente les scores moyens normalisés obtenus par les enfants de 4-5 ans à un test très connu de développement cognitif (PPVT), les scores factoriels moyens associés à différents comportements (pour les 4-11 ans) et les scores factoriels moyens pour différentes pratiques parentales en fonction du statut des mères sur le marché du travail, les types d'emploi et les horaires de travail. Dans presque tous les cas, les scores moyens les plus faibles sont ceux des enfants de famille monoparentale où la mère ne travaille pas, l'exception étant le score d'interaction positive (dans les pratiques parentales) où les enfants vivant avec une mère monoparentale qui travaille à temps plein selon des conditions non standard ont le score le plus faible. Le score le plus faible pour les mères qui travaillent est celui des enfants dont la mère travaille à temps plein selon un horaire de travail non standard pour le cas de la réussite scolaire (qui est évaluée par les professeurs pour les enfants fréquentant l'école). Par comparaison avec les mères qui ne travaillent pas, la proportion de ces enfants considérés comme les premiers de leur classe à l'école est beaucoup plus faible que pour les autres enfants dont la mère travaille. Finalement, les mères qui ne travaillent pas interagissent positivement avec leurs enfants un peu plus que les mères qui travaillent. De sorte que, exception faite des mères monoparentales qui ne travaillent pas, les scores moyens sont relativement similaires entre les différents groupes d'enfants. Les résultats des analyses de régression présentés plus bas refléteront ces constats.

Le tableau 4 montre les scores moyens des enfants selon le niveau de scolarité de leur mère et le niveau du revenu total de la famille. Il est évident que les enfants dont la mère est plus fortement scolarisée ont de meilleurs scores ; par contre, les scores moyens associés aux pratiques parentales sont très similaires. Quant au niveau de revenu, un mode régulier ressort des statistiques. Pour les scores au test du PPVT, l'hyperactivité, les problèmes émotifs, la réussite à l'école et les pratiques parentales, les enfants qui vivent dans des familles ayant un revenu de 20 000 $ ou moins apparaissent comme sérieusement désavantagés, tandis que les enfants des familles dans tous les autres groupes de revenu ont des scores similaires. Les scores augmentent avec le niveau de revenu familial mais le taux de progression est très faible.

TABLEAU 2

Distribution en pourcentage des enfants
(effectifs pondérés) dans les échantillons retenus selon le nombre d'années de scolarité de la mère
et la catégorie du revenu familial

Échantillons[a]	Années de scolarité (mères)		Catégories de revenu familial total (en milliers de dollars)							
	12 ou moins	13 ou plus	<10$	10-20	20-30	30-40	40-50	50-60	60-70	>70$
Toutes les familles										
4-5 ans	57,7	43,3	1,4	13,7	11,8	14,0	14,5	13,3	9,2	22,1
École 1+	58,4	35,4	1,1	10,7	9,2	14,3	14,3	13,4	11,8	25,4
4-11 ans	58,6	41,4	1,2	12,1	10,6	14,5	14,4	13,4	10,0	23,9
Biparentales										
4-5 ans	56,5	45,5	1,0	5,5	10,8	14,9	16,3	15,3	10,6	26,0
École 1+	57,9	42,1	0,2	4,8	7,8	14,0	15,2	15,2	13,4	29,3
4-11 ans	57,4	42,6	0,4	5,4	9,2	14,9	15,7	15,2	11,3	28,0
Monoparentales										
4-5 ans	76,8	23,2	6,8	59,5	17,6	8,7	7,5[b]			
École 1+	69,2	30,8	6,3	44,1	16,2	14,8	18,6[b]			
4-11 ans	71,8	28,2	5,9	49,6	17,8	11,8[b]	14,9			

a) Voir le tableau 1 pour les définitions.

b) Incluant les catégories de 50 000 $ et plus.

Source : Calcul des auteurs à partir des microdonnées de l'ELNEJ, cycle 1.

Tableau 3

Scores moyens des enfants mesurés par différents instruments
évaluant le développement (cognitif, comportemental, réussite scolaire)
et scores moyens des pratiques parentales selon le statut de travail des mères,
le type d'emploi et l'horaire de travail usuel pour l'emploi principal

Échantillons	Cognitif		Scores des comportements			
	Score au PPVT[a] 50-160	Hyperactivité -inattention 0-16	Problèmes émotifs 0-16	Problèmes de conduite 0-12	Agressivité indirecte 0-10	Comportement prosocial 0-20
Toutes les familles	99,3	4,49	2,58	1,37	1,20	12,3
Mères avec emploi[b]	100,7	4,58	2,55	1,31	1,17	12,4
Mères sans emploi[b]	94,4	4,60	2,63	1,46	1,25	12,2
Bi-parentales	99,9	4,42	2,43	1,28	1,13	12,4
Mères avec emploi	100,8	4,49	2,46	1,26	1,14	12,4
Mères sans emploi	98,4	4,30	2,39	1,31	1,11	12,3
Monoparentales	95,9	5,45	3,31	1,83	1,59	12,1
Mères avec emploi	99,9	5,18	3,11	1,62	1,38	12,2
Mères sans emploi	93,3	5,73	3,52	2,05	1,81	12,1
Toutes les familles						
Temps plein-STD[c]	100,0	4,6	2,6	1,2	1,2	12,3
Temps plein-NSD[c]	99,0	4,7	2,6	1,4	1,2	12,2
Temps partiel-STD	101,2	4,3	2,6	1,4	1,2	12,7
Temps partiel-NSD	101,1	4,7	2,6	1,5	1,2	12,5
Ne travaille pas[d]	97,4	4,6	2,6	1,4	1,2	12,1
Biparentales						
Temps plein-STD	100,2	4,5	2,5	1,1	1,1	12,4
Temps plein-NSD	98,9	4,6	2,5	1,4	1,2	12,3
Temps partiel-STD	101,4	4,3	2,5	1,3	1,2	12,7
Temps partiel-NSD	101,5	4,5	2,4	1,4	1,1	12,5
Ne travaille pas	98,8	4,2	2,3	1,3	1,1	12,3
Monoparentales						
Temps plein-STD	99,2	5,1	3,2	1,7	1,4	12,1
Temps plein-NSD	99,7	5,4	3,2	1,6	1,4	11,9
Temps partiel-STD	99,9	5,2	3,4	1,8	1,5	12,8
Temps partiel-NSD	96,7	6,3	3,7	2,3	1,7	12,0
Ne travaille pas	92,3	5,6	3,4	1,9	1,8	12,2

TABLEAU 3 *(suite)*

Échantillons	Réussite à l'école^e					Scores de pratiques parentales			
	P	PM	M	MD	D	Hostilité	Punitif	Cohérence	Interaction positive
						0-18	0-19	0-20	0-20
Toutes les familles	22,9	22,0	32,7	14,9	7,4	8,9	8,8	14,9	12,8
Mères avec emploi^e	24,4	23,3	32,4	14,2	5,8	8,9	8,8	15,0	12,6
Mères sans emploi^b	20,2	19,8	33,4	16,3	10,4	8,8	8,8	14,6	13,1
Bi-parentales	24,6	22,9	32,3	14,0	6,2	8,7	8,8	15,0	12,8
Mères avec emploi	25,2	24,0	31,7	13,7	5,4	8,9	8,8	15,1	12,6
Mères sans emploi	23,5	20,7	33,5	14,5	7,8	8,6	8,8	14,8	13,1
Monoparentales	15,1	18,5	35,8	18,2	12,4	9,5	9,0	14,3	12,6
Mères avec emploi	19,7	18,6	36,6	17,2	8,0	9,3	8,9	14,7	12,2
Mères sans emploi	8,3	18,4	34,6	19,9	18,9	9,7	9,0	13,8	13,1
Toutes les familles									
Temps plein-STD^c	24,8	23,8	31,0	15,0	5,4	8,9	8,9	14,8	12,4
Temps plein-NSD^c	18,7	21,9	,37,0	16,8	5,7	8,7	8,8	14,8	12,6
Temps partiel-STD	25,3	28,3	28,6	11,3	6,6	9,0	8,8	15,3	12,7
Temps partiel-NSD	26,8	19,4	32,4	13,9	7,6	9,2	8,8	15,3	12,9
Ne travaille pas^d	20,1	18,8	33,7	15,9	11,6	8,7	8,8	14,6	13,1
Biparentales									
Temps plein-STD	25,8	24,9	30,2	13,8	5,4	8,7	8,8	14,8	12,4
Temps plein-NSD	18,5	22,7	36,5	16,7	5,7	8,7	8,8	14,8	12,8
Temps partiel-STD	26,4	28,2	28,8	11,6	5,0	9,0	8,9	15,3	12,6
Temps partiel-NSD	28,1	20,1	31,2	13,8	6,8	9,1	8,8	15,4	12,9
Ne travaille pas^d	24,0	19,7	34,2	13,8	8,3	8,5	8,7	14,8	13,1
Monoparentales									
Temps plein-STD	19,6	18,8	34,5	21,3	5,7	9,7	9,1	14,5	12,3
Temps plein-NSD	19,7	17,5	39,2	17,5	6,2	8,5	8,4	14,7	11,6
Temps partiel-STD	13,5	28,3	26,8	8,1	23,3	8,8	8,4	15,3	12,7
Temps partiel-NSD	13,7	11,7	43,7	14,8	16,0	10,4	9,2	14,5	13,0
Ne travaille pas^d	8,1	18,4	34,3	19,2	20,0	9,6	9,1	13,6	12,5

Source : Calcul des auteurs à partir des microdonnées de l'ELNEJ, cycle 1.

a) PPVT : score standardisé au test d'Échelle vocabulaire en image Peabody (moyenne de 100 points et écart type de 15 points).

b) Mères avec emploi (sans emploi) : si la mère a travaillé 27 semaines ou plus (moins) durant l'année précédant l'entrevue.

c) STD : jours et heures standard ; NSD : jours et/ou heures non standard pour les mères qui déclarent le type d'emploi occupé et l'horaire usuel pour l'emploi principal.

d) Cette définition du statut sur le marché du travail est différente de la précédente. Ne travaille pas : mère qui n'occupe pas un emploi.

e) Répartition en pourcentage des enfants (total égal 100 %) selon le classement du professeur ; P : haut ; PM : supérieur à la moyenne ; M : moyenne de la classe ; MD : inférieur à la moyenne ; D : bas de la classe.

TABLEAU 4

Scores moyens des enfants mesurés par différents instruments évaluant le développement
(cognitif, comportements, réussite scolaire)
et scores moyens des pratiques parentales selon le nombre d'années de scolarité de la mère et la catégorie du revenu familial

Scores selon les instruments de mesure	Nombre d'années de scolarité		Catégories de revenu familial total (en milliers de dollars)							
	12 ou moins	13 ou plus	<10$	10-20	20-30	30-40	40-50	50-60	60-70	>70$
Cognitif (PPVT)	97,8	101,3	90,2	93,6	98,6	97,5	98,3	102,3	101,1	102,8
Comportements										
Hyperactivité	4,9	4,1	5,2	5,6	4,9	4,6	4,4	4,6	4,5	4,1
Problèmes émotifs	2,7	2,4	3,8	3,2	2,7	2,5	2,4	2,5	2,7	2,3
Problèmes de conduite	1,4	1,	1,5	1,6	1,3	1,2	1,1	1,1	1,1	1,1
Agressivité indirecte	1,3	1,1	1,4	1,8	1,5	1,4	1,4	1,2	1,4	1,1
Comportement prosocial	12,2	12,5	12,2	12,3	12,5	11,9	12,2	12,4	12,4	12,6
Réussite globale à l'école										
Premiers de la classe	19,6	27,6	4,2	10,8	15,8	24,5	23,5	23,5	30,9	26,0
Au-dessus de la moyenne	19,8	25,4	16,1	15,4	19,1	18,2	19,4	27,7	25,2	26,7
Moyenne de la classe	35,5	28,4	43,7	37,0	32,9	35,1	35,2	31,3	26,9	30,5
Au-dessous de la moyenne	16,1	13,1	18,0	20,3	19,3	14,7	14,9	13,4	13,0	12,6
Derniers de la classe	9,0	5,5	18,0	16,5	13,0	7,5	7,0	4,2	3,9	5,2
Pratiques parentales										
Hostilité-inefficacité	8,9	8,7	9,6	9,3	8,9	8,7	8,8	9,0	9,0	8,6
Punitif-aversion	8,9	8,7	9,3	9,0	8,8	8,8	8,9	8,8	8,7	
Cohérence	14,5	15,3	13,8	13,9	14,4	14,6	15,0	14,9	15,0	15,6
Interaction positive	12,6	12,9	13,5	12,8	12,7	12,7	12,7	2,6	12,6	12,9

Source : Calcul des auteurs à partir des microdonnées de l'ELNEJ, cycle 1.

RÉSULTATS ÉCONOMÉTRIQUES

L'objectif de l'analyse statistique était d'identifier les effets négatifs que pourraient avoir les conditions de travail sur différents indicateurs mesurés associés au développement des enfants en prenant en considération les caractéristiques familiales disponibles dans l'ELNEJ et le niveau de revenu familial. En particulier, on voulait savoir si les caractéristiques des emplois des mères (travailler à temps plein ou partiel, occuper un emploi comportant des horaires atypiques, travailler dans un emploi faiblement qualifié, perdre un emploi) se répercutaient sur les indicateurs mesurés de développement des enfants. Indépendamment, on s'interrogeait sur l'influence des conditions de travail sur les pratiques parentales sans tenir compte du rôle de ces dernières sur les scores des enfants. Différents modèles et différentes spécifications pour chaque modèle ont été estimés. Le tableau 5 présente les modèles ainsi que toutes les variables explicatives (de contrôle) utilisées. Les résultats des estimations sont résumés au tableau 6.

Pour quelques conditions de travail, il y a des effets négatifs, mais ils ne peuvent être considérés comme sérieux étant donné leur ampleur. La dimension la plus importante semble être le temps, puisque les enfants dont la mère travaille à temps plein, peu importe l'horaire ou la nature de l'emploi, ont systématiquement des scores plus faibles que ceux dont les mères travaillent à temps partiel ou ne travaillent pas. De plus, lorsque certains effets négatifs apparaissent, c'est pour les indicateurs de comportement et les pratiques parentales. Dans la littérature scientifique, il n'y a pas de résultats clairs et robustes concernant l'effet des indicateurs de comportement sur les succès scolaires futurs des enfants. De sorte qu'il est possible que les mères travaillant à temps plein aient tendance à négliger un peu ces aspects du bien-être des enfants parce qu'elles considèrent (sans doute avec raison) qu'ils ne sont pas cruciaux pour le développement d'un enfant. Préparer son enfant pour l'école et sa réussite scolaire est probablement une préoccupation plus importante pour les parents et, c'est à cet égard, qu'il n'y a pas d'évidence empirique d'effets négatifs du travail des mères.

Les parents qui travaillent réussissent probablement à trouver des solutions adéquates pour compenser leur absence et soutenir correctement le développement intellectuel et social de leurs enfants. Ceci peut se faire par le choix de modalités de garde appropriées à l'enfant et en consacrant du temps pour réaliser différentes activités avec les enfants, être présents pour eux et pour suivre leur travail scolaire. Il ne devrait pas être étonnant que le travail des mères n'ait pas d'effets prononcés sur le développement des enfants et sur la façon dont les parents les éduquent. Les résultats

TABLEAU 5
Variables modélisées et variables explicatives

Variables dépendantes modélisées	Variables (de contrôle) indépendantes utilisées selon les modèles
A. Développement cognitif des 4-5 ans : Scores standardisés (50 à 160) obtenus au test du PPVT Méthode d'estimation : moindres carrés ordinaires B. Scores factoriels de comportements des 4-11 ans : Hyperactivité-inattention (0-16) Problèmes émotifs-anxiété (0-16) Problèmes de conduite-agression (0-12) Agression indirecte (0-10) Comportement prosocial (0-20) Méthode d'estimation : moindres carrés ordinaires C. Réussite globale à l'école (enfants en première année ou plus) selon le professeur principal : Premiers de la classe Au-dessus de la moyenne Moyenne de la classe Au-dessous de la moyenne Derniers de la classe Méthode d'estimation : probit ordonné D. Scores factoriels des pratiques parentales Hostilité-inefficacité (0-18) Comportement punitif-aversion (0-19) Cohérence (0-20) Interactions positives (0-20) Méthode d'estimation : moindres carrés ordinaires	Caractéristiques de l'enfant Si problème de santé lors du test PPVT* Score (0 à 16) de distraction lors du test PPVT Rang de naissance de l'enfant Sexe de l'enfant* Nombre de frères et sœurs Âge de l'enfant (nombre de mois dans le cas du PPVT) Caractéristiques de la mère Âge à la naissance de l'enfant Nombre d'années de scolarité Statut et années (catégories) d'immigration* Travail rémunéré (26 semaines ou plus)* Caractéristiques de la famille Classes (7 catégories) de revenu familial total* Fréquences de lecture à l'enfant (5 catégories)* Famille recomposée ou adoptive* Conditions de travail des mères occupant un emploi (et des partenaires dans les familles biparentales)* Temps plein – jours et heures standard Temps plein – jours non standard et heures standard Temps plein – jours standard et heures non standard Temps plein – jours non standard et heures non standard Temps partiel – jours et heures standard Temps partiel – jours non standard et heures standard Temps partiel – jours standard et heures non standard Temps partiel – jours non standard et heures non standard Mères n'occupant pas un emploi (catégorie de référence) Complexité de l'emploi des mères occupant un emploi* Professionnelle – cadre supérieur Semi-professionnelle – technicienne – cadre intermédiaire Superviseur – contremaître Ouvrière spécialisée – vente, services, etc. Ouvrière semi-spécialisée – vente, services, etc. Ouvrière non spécialisée – ventes, services, etc. Mères n'occupant pas un emploi (catégorie de référence) Incertitude concernant le revenu Mère a perdu son emploi durant l'année précédant l'entrevue* Mère n'a pas perdu son emploi* Mères n'occupant pas un emploi (catégorie de référence) Partenaire de la mère (familles biparentales) a perdu son emploi* Autres variables Province de résidence de la famille (10 catégories) Taille de la région de résidence (6 catégories)

* Variables dichotomiques

montrent que le travail et la vie familiale sont fondamentalement inter-dépendants et que les parents satisfont aux exigences concurrentes du travail, des rôles familiaux et de la vie domestique en saisissant les occasions offertes par la flexibilité des modalités de travail et en utilisant efficacement leur temps domestique disponible.

Les résultats vont également dans le sens des effets de revenu obtenus dans les études américaines récentes (Mayer, 1997). Ces effets, qui sont plus forts pour les familles pauvres puis se tassent pour les classes supérieures de revenu, soulignent l'importance que les familles atteignent un certain niveau de vie minimum pour que les enfants réussissent raisonnablement bien à l'école. Les effets de revenu estimés impliquent que les facteurs non monétaires jouent un plus grand rôle que le revenu dans le développement d'un enfant. Bien que l'analyse ne révèle pas explicitement ces facteurs, le niveau d'éducation atteint par les parents est un tel facteur (avec l'âge de la mère à la naissance de l'enfant), même si son effet quantitatif, qui est toujours statistiquement significatif dans tous les modèles estimés, n'apparaît pas très fort. D'autres résultats d'une analyse utilisant aussi les données de l'ELNEJ (Lefebvre et Merrigan, 1998a, b) montrent que les variables les plus importantes pour prédire les scores de développement cognitif et de comportement des enfants sont les caractéristiques des enfants de même que les caractéristiques des mères et le niveau d'éducation de leur partenaire (dans les familles biparentales). Il a été très souvent démontré que le niveau de scolarité est un facteur médiateur tant des succès scolaires des enfants que des perspectives économiques à long terme des adultes. Bien sûr, certains des effets liés à l'éducation sont redevables à des différences non mesurées et préexistantes dans les traits cognitifs et psychologiques des personnes qui ont poursuivi et atteint des niveaux plus élevés d'études ou de formation professionnelle. Mais le niveau des études influence les pratiques parentales, l'étendue du réseau social ainsi que les connaissances concernant le fonctionnement réel de la vie en société. Comme l'éducation est associée tant au capital humain, social et culturel, elle fait une différence tangible pour les enfants.

Finalement, la perte d'un emploi n'est pas un facteur significatif pour le développement des enfants. Dans ce cas, notre hypothèse était qu'une telle situation pouvait impliquer un élément de « stress familial » qui se manifesterait dans les scores des enfants et les pratiques parentales. Cependant, notre mesure – les parents faisant l'expérience d'une perte d'emploi au cours de l'année précédente – qui visait à capter l'incertitude relativement à la stabilité du revenu familial est très rudimentaire.

TABLEAU 6

Sommaire des effets du revenu familial, du statut sur le marché de travail des mères et des conditions de travail sur les scores (cognitif, comportements et réussite scolaire) des enfants et les scores de pratiques parentales

Modèles	Scores cognitifs 4-5 ans	4-11 ans	Scores de comportements Année 1 et plus		Réussite scolaire 4-11 ans		Scores des pratiques parentales	
	PPVT-R	Hyperactivité-inattention	Problèmes de conduite	Prosocial	Du bas de la classe au sommet	Punitif	Cohérence	Interaction positive
	Moy.: 99 ÉT.: 15	Moy.: 4,9 ÉT.: 2,6	Moy.: 1,4 ÉT.: 1,9	Moy.: 12,3 ÉT.: 3,9	5 niveaux	Moy.: 8,8 ÉT.: 2,1	Moy.: 14,9 ÉT.: 3,4	Moy.: 12,8 ÉT.: 3,1
Modèle 1 : Variables de base[a] plus								
Âge de la mère à la naissance de l'enfant	Positif	Positif	Positif	Positif	Positif	Pas d'effet	Positif	Pas d'effet
Nombre d'années de scolarité de la mère	Positif	Positif	Positif	Positif	Positif	Positif	Positif	Positif
Hausses du revenu familial 10 000 $ / moins de 10 000 $	Positif (+8)	Pas d'effet	Pas d'effet	Pas d'effet	Positif	Pas d'effet	Pas d'effet	Pas d'effet
27 semaines de travail et + / 26 semaines et moins	Négatif TP	Négatif TP	Négatif TP	Négatif TP	Pas d'effet	Pas d'effet	Pas d'effet	Négatif TP
Modèle 2 : Conditions de travail des mères / mères ne travaillent pas:								
Temps plein et jours ou heures standard	Pas d'effet	Négatif TP	Négatif TP	Négatif TP	Pas d'effet	Négatif TP	Négatif TP	Négatif TP
Temps plein et jours ou heures non standard	Pas d'effet	Négatif TP	Négatif TP	Pas d'effet	Pas d'effet	Pas d'effet	–TP, HNS	Négatif TP
Temps partiel et jours ou heures standard	Pas d'effet	Pas d'effet	Négatif TP	Pas d'effet	Pas d'effet	Pas d'effet	Positif	Pas d'effet
Temps partiel et jours ou heures non standard	JS-HNS(+3)	Pas d'effet	Pas d'effet	Pas d'effet	Pas d'effet	Pas d'effet	+TP, JS-HNS	Pas d'effet

TABLEAU 6 (suite)

Modèle 3 : Niveaux de qualifications de l'emploi des mères et conditions de travail/mères ne travaillent pas :								
Six niveaux de qualifications et temps plein	Pas d'effet	Négatif TP	Négatif TP	Certains–, TP / Certains+ TP	Négatif, QF	–TP, QH	–TP, QF	Négatif TP
Six niveaux de qualifications et temps partiel	Pas d'effet	Pas d'effet	Certains / – TP, QF	Certains+ TP	Positif, QM	–TP, QH	+TP, QH	–TP, QF
Modèle 4[b] : Conditions de travail des mères/mères ne travaillent pas :								
Temps plein et horaires standard ou non standard	Pas effet	–TP, JH-NS	Négatif, NS	–TP, JS-HS	Négatif, JNS-HS	Négatif TP	Négatif TP	Négatif TP
Temps partiel et horaires standard ou non standard	Certains+, – (3)	Pas effet	Négatif TP	Pas effet	Négatif, JS-HNS	+TP, JS-HS	Pas effet	–TP, JNS
Travail du partenaire standard/non standard	Pas effet	Pas effet	Pas effet	Négatif TP	Pas effet	Pas effet	Pas effet	–TP, JS
Modèles 5-6 : Perte d'emploi/mères ne travaillent pas								
Mères : oui, perte d'un emploi	Pas effet	Pas effet	Pas effet	Pas effet	Pas effet	Pas effet	Pas effet	Pas effet
Mères : pas de perte d'un emploi	Pas effet	Négatif TP	Négatif TP	Négatif TP	Négatif	Pas effet	Négatif TP	Négatif TP
Partenaires : oui, perte d'un emploi[b]	Négatif TP	Négatif TP	Pas effet	Négatif TP	Négatif	Négatif TP	Négatif TP	Positif TP

a) Sexe de l'enfant, nombre de frères et sœurs, ordre de naissance de l'enfant, âge de la mère à la naissance de l'enfant, statuts d'immigration de la mère, famille recomposée ou adoptive (dans les familles biparentales), province de résidence, taille de la région de résidence. Dans le cas du PPVT-R, les variables suivantes sont ajoutées : fréquences de lecture à l'enfant, problème de santé et niveau de distraction lors du test.

b) Échantillon d'enfants de familles biparentales où le partenaire de la mère occupe un emploi rémunéré.

Source : Voir texte. TP : très petit ; S : standard ; NS : non standard ; J : jour ; H : Heure ; QF : niveaux plus faibles de qualification ; QM : niveaux moyens de qualification ; QH : niveaux élevés de qualification.

QUELQUES DIFFICULTÉS MÉTHODOLOGIQUES

Les modèles estimés ne prennent pas en considération le fait que les conditions de travail peuvent être potentiellement choisies par les mères, plus particulièrement la décision de participer au marché du travail et la décision concernant l'horaire de travail et le type d'emploi. Pour la première décision, les résultats (Lefebvre et Merrigan, 1998) indiquant le faible effet du fort ou du faible attachement au marché du travail des mères – sauf pour les enfants de famille monoparentale dont la mère ne participe pas ou participe peu au marché du travail qui ont des scores beaucoup plus bas que les autres enfants – montrent que l'effet du travail des mères est biaisé positivement, c'est-à-dire que le fait d'occuper un emploi influence à la hausse les indicateurs de développement de l'enfant lorsque des variables de contrôle, notamment pour l'« autosélection », ne sont pas incluses dans l'analyse de régression.

Pour le deuxième type de décisions, il est très difficile de préciser la direction du biais d'estimation créé par la corrélation possible entre les facteurs non observables influençant le choix des conditions de travail et les facteurs non observables agissant sur les indicateurs de développement. Bien que la recherche empirique en économie du travail accorde beaucoup d'attention aux travailleurs temporaires et à temps partiel, mettant l'accent sur les éléments de la demande de travail pour expliquer la croissance de ces types d'emploi, elle a négligé la flexibilité et le caractère non standard qui leur sont associés (les éléments propres à l'offre de travail). Plusieurs questions restent sans réponse. Les personnes avec des responsabilités familiales découlant de la vie de couple et de la présence de très jeunes enfants peuvent préférer des modalités de travail flexibles qui augmentent la productivité au foyer, permettent de changer d'emploi et d'obtenir de la flexibilité dans les horaires de travail. Les préférences pour la flexibilité peuvent être corrélées avec les niveaux de qualifications des personnes. D'un autre point de vue, choisir un emploi à temps partiel peut refléter soit une incapacité à obtenir un emploi régulier, soit l'obligation de se contenter de ce type d'emploi. L'incapacité à trouver un emploi à temps plein pourrait être corrélée avec des facteurs non observables qui agissent négativement sur le développement des enfants. Ainsi, il y a plusieurs zones grises dans l'interprétation de la croissance des emplois atypiques qui doivent être gardées à l'esprit dans l'interprétation des résultats. Si des mères veulent un horaire de travail flexible parce qu'elles désirent passer plus de temps avec leurs enfants, alors il est possible que les effets des conditions de travail atypiques soient biaisés dans les résultats de régression. Si ce sont surtout les facteurs de demande qui conduisent les mères vers ces emplois, les possibilités de biais seront beaucoup plus faibles. De même, s'il y a corrélation entre les qualifications et la flexibilité, les effets des horaires de travail sur les indicateurs pourront encore être biaisés.

CONCLUSION ET IMPLICATIONS POUR LA POLITIQUE PUBLIQUE

Bien que l'objectif de la recherche fût d'évaluer les effets des conditions et des horaires de travail des mères sur des indicateurs de développement des enfants, les principales implications au regard de la politique publique sont liées aux effets de revenu et à leur rôle dans les chances de réussite à l'école. Pour tous les indicateurs, nous obtenons que les effets de revenu sont beaucoup plus forts pour les enfants de famille pauvre, tandis que pour les enfants de classe moyenne les bénéfices d'une augmentation du revenu familial de 10 000 $ sont pratiquement nuls. Pour le score au test cognitif (PPVT), *ceteris paribus*, les enfants dans les familles où le revenu est entre 10 000 $ et 20 000 $ obtiennent un score qui est de 8 % plus élevé (un demi écart type) que les enfants vivant dans les familles avec un revenu inférieur à 10 000 $. C'est aussi vrai pour les indicateurs de comportement, où les effets de revenu sont un peu plus élevés lorsque les familles avancent dans l'échelle du revenu. Cependant, en général, les effets de revenu sont faibles, de sorte que, *ceteris paribus*, un enfant dans une famille avec un revenu entre 10 000 $ et 20 000 $ n'est pas très désavantagé lorsqu'il est comparé avec des enfants vivant dans les familles avec un revenu entre 40 000 $ et 50 000 $. Par conséquent, les transferts monétaires aux familles pauvres, tout en étant utiles aux enfants pauvres, ne sont pas suffisantes pour accroître substantiellement les chances de succès des enfants désavantagés sur le plan socioéconomique.

Quant aux conditions de travail, il apparaît que les horaires de travail non standard ont des effets négatifs sur les pratiques parentales et les comportements, particulièrement lorsque les effets des horaires sont croisés avec ceux d'un emploi à temps plein ; mais ils sont faibles comparativement aux effets d'éducation ou de revenu. Quant à la complexité des emplois, nous trouvons des différences plus prononcées entre les enfants dont la mère travaille à temps plein et les enfants dont la mère travaille à temps partiel ou ne travaille pas. Les enfants dont la mère travaille à temps partiel obtiennent des scores similaires à ceux des enfants dont la mère ne travaille pas. Pour la perte d'un emploi, il ne semble pas y avoir de différences entre les enfants qui vivent dans une famille où une mère occupant un emploi l'a perdu et ceux dont la mère l'a conservé durant l'année.

Ainsi, si certaines conditions de travail produisent des effets négatifs, ils sont probablement compensés par le revenu supplémentaire gagné par les mères qui travaillent. Puisqu'on n'obtient pas d'effets négatifs convaincants associés au travail des mères sur le développement des enfants, il est possible d'argumenter en faveur de politiques qui soutiennent les mères sur le marché du travail. Comme les ruptures conjugales sont un évènement commun des sociétés modernes, l'assurance d'un revenu devient une protection importante pour les mères de jeunes enfants. Potentiellement, l'expérience de travail et l'autonomie financière contrebalancent les effets négatifs qu'un emploi avec un horaire plus difficile peut créer. Cela ne diminue en rien le besoin de substituts valables aux soins maternels lorsque la mère est sur le marché du travail, puisque le revenu supplémentaire ne sera pas suffisant pour accroître les chances de succès des enfants défavorisés. Bien que cela puisse sembler banal, il reste que les résultats révèlent que des niveaux d'éducation plus élevés pour les parents sont le meilleur gage du développement des enfants. L'amélioration des expertises de base et le report dans le temps d'une première naissance pourraient avoir plus d'effets sur le succès des enfants qu'une politique de transfert monétaire ciblé sur le revenu familial. Des modalités flexibles de travail semblent aussi améliorer le revenu familial sans entraîner d'effets négatifs à court terme pour les enfants tout en ayant des effets positifs à long terme ; ces effets ne sont pas mesurés dans l'étude, mais ils sont liés à la sécurité financière des femmes à travers les réseaux sociaux, les liens avec les institutions, les occasions et les informations que le travail crée. Un élément contingent dans la détermination de l'effet du travail sur le développement des enfants est l'existence d'alternatives aux soins parentaux tels que des services de garde pour les jeunes enfants et des programmes après l'école pour les enfants plus âgés qui peuvent agir en complément des pratiques parentales.

BIBLIOGRAPHIE

Lefebvre, P. et P. Merrigan (1998a). « Family Background, Family Income, Maternal Work and Child Development », W-98-12E, Applied Research Branch, Human Resources Development Canada.

Lefebvre, P. et P. Merrigan (1998b). « Work Schedules, Job Characteristics, Parenting Practices and Children's Outcomes », W-00-xxE, Applied Research Branch, Human Resources Development Canada

Mayer, Susan (1997), *What Money Can't Buy : Family Income and Children's Life Chances*, Cambridge, Mass., Harvard University Press.

Ministère du Développement des ressources humaines Canada (DRHC) (1997). Bulletin de la recherche appliquée, hiver-printemps, p. 6.

Les comportements d'entraide à l'égard du projet d'achat et d'occupation de la propriété résidentielle

Observations tirées d'une enquête à Montréal[1]

Guylaine BARAKATT
Département d'économie agroalimentaire
et des sciences de la consommation
Université Laval

À une époque où le « sens de la famille » n'a plus la même résonance qu'au temps de la société traditionnelle, il demeure des canaux d'expression à travers lesquels celui-ci déploie son ardeur. La propriété résidentielle constitue l'un de ces canaux.

Nous allons démontrer dans cet article la couleur particulière que prend le lien familial lorsqu'on l'inscrit dans le projet d'acquisition d'une propriété résidentielle. Il sera mis en évidence le rôle actif de la famille dans le comportement des ménages à l'égard de la propriété. Notre exposé a pour particularité d'être axé sur la présentation de données empiriques inédites tirées d'observations faites à Montréal plutôt que sur une discussion sur la famille à caractère plus théorique.

---

1. Cette communication s'appuie sur des résultats d'une thèse de doctorat de l'auteure intitulée « On investit et on s'investit : analyse des ressources mobilisées dans la propriété résidentielle chez un groupe de ménages de la région de Montréal », Université du Québec (INRS – Urbanisation) et UQAM, 1998.

LA PROPRIÉTÉ RÉSIDENTIELLE :
UNE HISTOIRE DE VALORISATION

La propriété résidentielle est l'un des rares biens de consommation impliquant à la fois les finances personnelles, le mode de vie, la famille, la qualité de vie, l'identité, etc. Ainsi, elle englobe plusieurs dimensions : financière, psychologique, sociologique, voire culturelle. Elle conjugue les sentiments du chez-soi, de l'autonomie, de la liberté, et compose notre sens des responsabilités financières et de l'identité sociale. La propriété reflète aussi notre attachement à la terre et notre désir de marquer notre territoire.

Ces valeurs sont fortement ancrées chez nous et ailleurs dans les autres sociétés occidentales où l'on retrouve aussi une majorité de ménages propriétaires (les États-Unis : 63,8 % ; l'Italie : 65 % ; le Royaume-Uni : 65,4 % ; la Norvège : 67 % ; le Japon : 62,4 %, etc. ; Choko, 1992). La propriété figure parmi les biens les plus désirables. D'ailleurs, pour plus de 85 % des Américains, la propriété résidentielle constitue la première composante d'une vie heureuse, ses bénéfices s'étendant au-delà du logement proprement dit pour procurer des sentiments de bonheur en général, de bien-être et de satisfaction dans la vie familiale et sociale (Vitt, 1992).

La propriété résidentielle s'impose comme modèle d'habiter. Dans le système de représentation collective, elle incarne le logement idéal en vertu des valeurs et des symboles élogieux que la société lui consacre. Par exemple, dès l'époque de l'industrialisation, la propriété était le symbole de l'indépendance économique par opposition à la location évoquant la pauvreté, la dépendance économique et les conditions de vie insalubres. De même, dans la société traditionnelle québécoise, le cultivateur qui incarnait le propriétaire par excellence jouissait du statut social le plus élevé. Le salarié villageois locataire était reconnu comme un individu plus dépensier préférant la consommation de nouveaux produits à l'épargne (Tremblay et Fortin, 1964). Jusqu'au début du XXᵉ siècle en France, le statut de propriétaire pouvait faire office de profession dans les actes d'état civil ou dans les recensements (Maison, 1993). On peut se risquer à affirmer que ces images ont laissé des traces dans l'opinion publique. À preuve, un répondant de notre enquête a fait la déclaration suivante : « Le Québec est un peuple soumis et locataire... en devenant propriétaire, je veux changer ça. »

L'État a joué un rôle de premier plan pour favoriser l'accès à la propriété résidentielle à un plus grand nombre de ménage, et ce, à l'aide de divers programmes et mesures spécifiques mis en place dès la fin de la Deuxième Guerre mondiale. Parmi celles-ci, la plus importante fut sans aucun doute celle de rendre disponible le crédit hypothécaire. Selon les années, l'État a accordé des fonds hypothécaires sous forme de prêts directs ou de garantie sur les prêts hypothécaires offerts par les institutions financières, des subventions directes à l'achat, des rabais d'intérêt sur les taux d'emprunt hypothécaire. Parmi les mesures toujours en vigueur, on trouve l'exonération d'impôt sur le gain en capital réalisé à la vente de la résidence principale[2], l'assurance hypothécaire[3], le régime d'accession à la propriété (le RAP)[4] et les subventions à la rénovation résidentielle[5].

De son côté, l'industrie du logement composée des entrepreneurs en construction et en rénovation, des propriétaires fonciers, les promoteurs, du système financier, etc., valorise le développement de la propriété résidentielle comme secteur d'activités économiques. C'est compréhensible, car il s'agit de leur gagne-pain. Avec la complicité de l'État, il s'est établi avec le temps une position affirmée en faveur de la construction de propriété résidentielle (unifamiliale ou condominium), celle-ci devenant même un symbole de l'effervescence économique. Qui ne connaît pas l'adage : « quand le bâtiment va, tout va ». Ce symbole est d'ailleurs encore très présent dans l'opinion publique.

La famille peut à son tour jouer le rôle de courroie de transmission d'une « culture de la propriété ». En effet, la génération transmet des influences en termes d'attitudes, de savoir-faire et de dispositions à l'égard du logement. Avec le temps, il s'établit de véritables lignées de propriétaires ou de lignées de locataires (Grafmeyer, 1993). Les ascendants jouent un rôle sur les chances d'accès à la propriété et sur les dispositifs organisant les stratégies résidentielles des ménages (Cuturello, 1992). Par exemple, l'achat du logement en France représente une « affaire de famille ». Les parents aident financièrement les enfants à accéder à la propriété en accordant des prêts d'argent, des dons d'argent ou un héritage anticipé (la transmission de l'héritage sous forme d'actifs liquides ou immobiliers ne se faisant plus nécessairement au décès des parents ou au mariage des enfants ; Bonvalet, 1988 ; Cuturello et Godard, 1980).

---

2. À titre d'information, l'aide fiscale à la propriété résidentielle au Canada se chiffrait à elle seule en 1992 à 3,8 milliards de dollars (Wexler, 1996).

3. Elle permet maintenant d'acheter une propriété avec une mise de fonds de départ équivalant à aussi peu que 5 % du prix d'achat (moyennant le respect de certaines conditions, dont celle de payer une prime d'assurance plus élevée). La Société canadienne d'hypothèques et de logement est l'organisme gouvernemental qui offre l'assurance hypothécaire.

4. Ce régime permet de recourir aux montants accumulés dans le REÉR personnel pour constituer la mise de fonds de départ à l'achat de la propriété résidentielle (à certaines conditions).

5. Ces subventions sont principalement destinées aux propriétaires à faible revenu dont la propriété affiche un besoin de remise en état.

Les stratégies adoptées par les acheteurs à l'égard du logement peuvent varier selon les cultures. À titre d'exemple, des Portugais migrants en France démontrent un comportement de double investissement : ils possèdent une maison dans leur village natal et deviennent aussi propriétaires en France. La maison du lieu d'origine sert de projet de retraite et de lieu de retrouvailles familiales pour maintenir l'unité de la famille dispersée tandis que celle du nouveau lieu de vie sert de stratégie pour favoriser l'intégration dans le pays d'adoption (De Villanova et Leite, 1992).

Sachant que la propriété résidentielle constitue l'une des principales composantes du patrimoine des ménages[6], le transfert de celui-ci de génération en génération par voie de l'héritage pourrait avoir des incidences significatives sur l'évolution des inégalités sociales. Plusieurs études chez les ménages anglais et français tendent à démontrer qu'il contribuerait à maintenir, voire à accroître les inégalités sociales (Hamnett, Harmer et Williams, 1989[7] ; Thorns, 1994 ; Munro, 1988 ; Segalen, 1981). Au Canada, des transferts de montants d'argent substantiels sont observés davantage sur le mode de la donation que sur le mode de l'héritage. Le groupe qui semble recevoir le plus en cadeau et en héritage est celui constitué des propriétaires sans hypothèque en comparaison des propriétaires avec hypothèque, des locataires et des chambreurs (Thorns, 1994).

Enfin, de nouvelles réalités sociales incitent à examiner les liens de solidarité familiale comme aide significative pouvant améliorer l'accessibilité au logement des ménages acheteurs : l'augmentation générale des dépenses de logement dans le budget des ménages (Silver, 1994 ; Langlois, 1992b ; Aarab et Calcoen, 1993), la difficulté des propriétaires disposant de revenus limités à faire face à leurs obligations financières (Forrest *et al.*, 1990 ; Ford, 1988), la prise de valeur incertaine de l'immobilier résidentiel au cours de la dernière décennie (Choko et Hamel, 1994).

LA PROPRIÉTÉ RÉSIDENTIELLE CHEZ LES QUÉBÉCOIS : LIEU D'INSCRIPTION DES SOLIDARITÉS FAMILIALES

Notre recherche consistait en une analyse en profondeur du comportement d'investissement des ménages montréalais à l'égard de la propriété de manière à mettre au jour la diversité des ressources engagées dans la réalisation du projet, comme les dépenses discrétionnaires consenties au logement et le jeu participatif des ressources humaines (personnelles,

---

6.   Le logement principal accapare 42 % de la valeur du patrimoine chez les Français, 68 % chez les Canadiens (SCHL, 1992).
7.   Cités dans Forrest, Murie et Williams, 1990.

familiales, amicales), et ce, de l'achat jusqu'à la vente[8]. Notre enquête chez les Québécois corrobore l'intervention de la famille dans les activités liées au projet d'acquisition et d'occupation de la propriété résidentielle. Celui-ci est un lieu d'expression de solidarités familiales et amicales, une véritable histoire d'entraide. En fait, il existe peu de projet de propriété résidentielle sans aucune entraide familiale et amicale. Celle-ci est fréquente pour réaliser l'achat et davantage pour réaliser l'occupation intervenant à différents temps et sous diverses formes.

Entraide pour l'achat et l'installation dans le logement : bien plus que l'aide à la mise de fonds

Jusqu'à présent, l'entraide familiale exercée à l'égard du projet d'acquisition de la propriété résidentielle était connue sous la forme d'un soutien financier de la part des parents pour composer la mise de fonds versée à l'achat du logement. Comme notre recherche avait pour ambition de tenir compte de l'ensemble des ressources mises à contribution dans le logement, nous avons donc élargi la notion d'entraide aux amis et intégré, outre le soutien financier, le soutien en nature (aide physique). Ainsi peut s'exprimer de manière un peu plus subtile le phénomène d'entraide destinée à faciliter l'achat et l'installation dans le logement.

L'entraide monétaire et humaine d'un parent ou d'un ami a concerné un nombre significatif de propriétaires de notre enquête incluant des propriétaires expérimentés, c'est-à-dire au stade du deuxième ou du troisième achat (voir tableau 1). En effet, environ la moitié des propriétaires (18/37) en ont bénéficié. Les formes d'entraide déclarées ont été, par ordre d'importance, la participation aux travaux d'amélioration du logement effectués à la prise de possession ou durant la première année d'occupation, fournie presque autant par les amis que par la famille, l'héritage ou le don d'argent pour composer la mise de fonds versée à l'achat, provenant presque exclusivement de la famille, et le prêt d'argent de la famille pour financer en totalité l'achat. Malgré le nombre limité de cas ($n = 3$), cette dernière forme d'aide financière de la famille attire l'attention en raison du fait qu'elle s'est substituée en totalité au financement des institutions financières[9].

---

8. Pour connaître les principaux paramètres méthodologiques de notre enquête, voir la section « Considérations méthodologiques » en annexe. Pour plus de détails, consulter la thèse de l'auteure. Signalons que l'entraide n'était pas une dimension d'analyse au cœur de notre étude mais seulement un aspect secondaire.

9. Lorsqu'il y avait prêt d'argent de la famille, les ménages bénéficiaient d'arrangements favorables présentant l'une ou plusieurs des caractéristiques suivantes : fréquence et durée de remboursement ajustées au besoin, prêt sans intérêt ou à un taux préférentiel.

Contrairement aux idées reçues, l'entraide n'apparaît pas qu'au premier achat pour disparaître au fil des achats subséquents. En effet, sur les 18 ménages aidés, 7 étaient des ménages expérimentés. L'un d'entre eux a connu la répétition de la même entraide[10] tandis que deux autres ont expérimenté l'entraide sous une forme différente.

Par ailleurs, nous avons cherché à savoir si le réseau de parents ou d'amis était intervenu dans une optique plus défensive face à des difficultés vécues par les propriétaires avec la gestion courante de la propriété (p. ex., tensions budgétaires) au cours de la première année d'occupation du logement[11]. Il s'est avéré que l'aide en argent apportée par un parent ou un ami pour combler au besoin les déficits d'opérations budgétaires est un phénomène peu observé. Deux cas seulement d'entraide familiale sont ressortis.

TABLEAU 1

Nombre de situations d'entraide familiale et/ou amicale[a] à l'achat et durant l'occupation de la propriété selon l'expérience d'achat et selon la localisation[b]

	Centre		Proche périphérie		Banlieue	
	Aide monétaire	Aide physique	Aide monétaire	Aide physique	Aide monétaire	Aide physique
À l'achat						
Premier achat	7	2	1	1	2	2
2e achat et plus	2	2	—	—	1	3
Durant l'occupation						
Premier achat	3	4	2	4	1	4
2e achat et plus	3	2	—	2	3	5

a) Il s'agit d'une compilation des aides au total. Comme certains ménages ont cumulé plus d'une forme d'entraide, le dénombrement des situations d'entraide ne correspond pas exactement au nombre de ménages distincts aidés.

b) Le tableau recense la nature de l'entraide et le nombre de ménages concernés. Il ne nous a pas été possible de comptabiliser toutes les sommes d'argent données et prêtées pour financer l'achat de la résidence principale (voire, dans certains cas, de la résidence secondaire), pour réaliser les travaux d'amélioration ou pour favoriser l'équilibre du budget. De même, nous n'avons pas discriminé les pratiques d'entraide selon qu'elles étaient gratuites, rémunérées ou échangées contre d'autres services.

10. Ce ménage a d'ailleurs été l'objet d'un scénario d'entraide quasi identique lors du premier achat. Le parent a été tout aussi présent en finançant encore en totalité le solde de prix de vente, et en y ajoutant d'autres aides.

11. Nous avons retenu la première année d'occupation jugeant celle-ci comme une période critique pendant laquelle les finances personnelles sont plus susceptibles d'être tendues en raison de la diversité des coûts survenant à l'achat et des frais associés à l'installation dans le logement.

Entraide durant l'occupation du logement : même les acheteurs expérimentés en profitent

L'achat de la propriété résidentielle n'a pas l'entière mainmise sur le phénomène d'entraide familiale et amicale. La période d'occupation est aussi complice d'activités d'aide monétaire et participative de la part des parents et des amis. En fait, les propriétaires ont reçu plus d'aide durant l'occupation qu'au moment de l'achat, un phénomène relativement méconnu jusqu'ici. Cela s'explique par les nombreuses activités d'amélioration de la propriété effectuées durant l'occupation et auxquelles s'est prêté à plusieurs reprises le réseau familial et amical.

Ainsi, une forte majorité de ménages (27/37) ont bénéficié d'une entraide durant l'occupation de la propriété (voir tableau 1). Il y a eu peu de différence entre les premiers acheteurs et les acheteurs expérimentés. La moitié des ménages aidés durant l'occupation ont également connu l'entraide à l'achat de la propriété (généralement la même aide, soit la participation aux travaux d'amélioration du logement).

L'aide physique sous forme de temps et de talent consacrés aux travaux d'amélioration a été plus fréquente que l'aide monétaire. L'entourage des propriétaires, surtout les amis, a été plus enclin à offrir une aide en nature durant l'occupation. Ces derniers étaient environ deux fois plus nombreux que la famille à aider dans les travaux d'amélioration apportés au logement. L'aide monétaire des parents a été observée de manière ponctuelle chez cinq ménages, premiers acheteurs et acheteurs expérimentés, faisant face à des tensions budgétaires dans la gestion courante des obligations de propriétaire.

En résumé, la propriété résidentielle constitue un lieu d'expression de solidarités familiales et amicales sous forme de temps, de talent et d'argent. Celles-ci se mettent en place à l'achat mais aussi et surtout durant l'occupation de la propriété. En outre, il apparaît que les pratiques d'entraide s'inscrivent davantage dans une optique offensive de valorisation de l'investissement dans la propriété (c'est-à-dire dans les activités d'acquisition et d'amélioration du logement) plutôt que dans une optique défensive face à des difficultés vécues avec la gestion courante des obligations liées à la propriété.

STATUT D'OCCUPATION ET LOCALISATION RÉSIDENTIELLES DES PARENTS ET DES AMIS : LE RAPPROCHEMENT EST INDÉNIABLE

Conformément aux études existantes à ce sujet, on a observé une relative homogénéité des statuts d'occupation résidentielle entre les propriétaires à l'étude et leur famille. La majorité des ménages étaient en effet issus de parents propriétaires. En outre, la plupart des propriétaires ont déclaré avoir un réseau d'amis composé principalement de propriétaires. On a d'ailleurs dénombré plus de situations d'amis propriétaires que de parents ou de frères/sœurs propriétaires. À ce propos, une répondante a spécifiquement désigné le statut de propriétaire des amis comme la principale motivation à devenir elle-même propriétaire : « tous mes amis étaient propriétaires, il était temps pour moi aussi que je le devienne ». La propriété résidentielle semble donc exercer un effet sur le sentiment d'appartenance au « club » familial et amical.

Par ailleurs, la moitié des ménages (17/37) se sont localisés dans un quartier où résidait au moins un parent ou un ami. Cinq d'entre eux ont avoué l'importance de la proximité de résidence d'un parent ou d'un ami comme critère de choix de localisation de la propriété. Douze ont soutenu que ce n'était ni plus ni moins un hasard, une coïncidence. Cette dimension particulière de l'influence de la famille ou des amis sur les choix de logement comporte un côté mitigé.

L'ENTRAIDE À LA PROPRIÉTÉ RÉSIDENTIELLE : COURROIE DE TRANSMISSION D'UNE CULTURE DE LA PROPRIÉTÉ ?

La famille exerce des influences sur les attitudes et les comportements adoptés par les ménages à l'égard du logement. L'appui financier et en nature de la famille aux activités liées à la propriété résidentielle confesse les valeurs patrimoniale, économique, symbolique qui lui sont conférées. Que des parents fournissent une aide financière équivalente au prêt hypothécaire des institutions financières pour financer en totalité l'achat du logement par les enfants constitue une pratique des plus révélatrices de la valeur économique accordée à la propriété résidentielle. Ces parents ont fait le choix d'immobiliser leur capital dans la propriété résidentielle des descendants plutôt que de l'investir ailleurs, dans un produit financier par exemple. Il s'agit d'un coût d'option non négligeable. Cet appui n'est pas seulement de nature financière mais aussi morale.

On remarquera que le mécanisme de l'entraide financière à la propriété résidentielle est supporté par la famille. Rares sont les amis ayant contribué sur le plan financier. L'entraide en argent n'a pas été une pratique courante de la part des amis. Il semble donc que les amis ne se sentent pas solidaires de la propriété résidentielle par un lien d'argent. Le symbole de réussite financière attaché à la propriété résidentielle, dont la résonance sociale atteste le mérite individuel, pourrait en partie expliquer ce phénomène. Les amis pourraient manifester une certaine pudeur à franchir cette zone d'intérêts individuels.

L'effort consacré aux travaux d'amélioration du logement, effort partagé en majorité avec la famille et les amis des propriétaires, est à souligner. Ces pratiques résidentielles témoignent d'un intérêt à rehausser la valeur d'usage du logement, à s'approprier et à personnaliser les espaces et à produire une « valeur ajoutée » dans le sens économique. Cette implication financière (arbitrage de dépenses discrétionnaires en faveur du logement) traduit un engagement moral d'autant plus significatif qu'elle s'est effectuée en période d'incertitude économique des retours sur l'investissement dans la propriété résidentielle.

Il est apparu que l'entraide ne s'est pas nécessairement pratiquée à l'égard de ménages disposant de revenus faibles, au stade du premier achat, ou faisant face à une situation précaire (endettement lourd, dépenses de logement trop élevées, instabilité des revenus, etc.). Les actions mises en place étaient plutôt caractérisées par une valorisation de l'investissement dans la propriété, c'est-à-dire par l'engagement d'argent ou d'actions destiné à créer un rendement particulier (amélioration du logement, plus-value, service rendu, etc.). Ce qui tend à démontrer que l'entraide s'est inscrite dans une optique plus « offensive » que « défensive ». Cela dit, l'une n'empêche pas l'autre. On peut facilement imaginer la mise en scène des liens de solidarité familiale pour soutenir les ménages aux prises avec des problèmes d'accessibilité au logement. À ce titre, les prêts avec la famille constituent une réalité sociale à examiner, celle d'un circuit d'endettement caché susceptible de peser à la fois sur le niveau d'endettement total des ménages mais aussi sur le rapport moral à la famille.

Selon Cuturello et Godard (1980), le fait d'avoir recours à l'aide financière de la famille pour résoudre le besoin de liquidités nécessaires aux activités liées à la maison pourrait structurer, voire renforcer les liens économiques et affectifs avec la famille. Toutefois, il a été démontré par Coenen-Huther *et al.* (1994) dans leur étude suisse sur les réseaux de solidarité dans la famille que les appuis financiers ne sont que très rarement sources de rapprochement (4 % de ceux-ci), tandis que l'héritage ne l'est jamais. Bien que 20 % de l'ensemble des familles eussent estimé que le climat relationnel dans la parenté s'est enrichi du fait des soutiens apportés, il s'est avéré que dans la grande majorité des cas, l'expression des solidarités n'a pas changé grand-chose aux relations. En outre, Segalen (1981) fait valoir le côté ambigu des attitudes familiales face à la transmission du patrimoine : « Les enfants souhaitent avant tout rester indépendants, et les parents ne peuvent manifester leur tendresse à travers les dons qu'avec grande discrétion, car ils ne doivent pas avoir l'air d'acheter l'affection de leurs enfants » (p. 286).

L'entraide a un effet d'entraînement sur le comportement d'investissement à l'égard du logement. Le réseau familial et amical sanctionne l'investissement de temps, de talent et d'argent dans la propriété résidentielle. Il y a une sorte d'encouragement, d'accord tacite de la part de la famille et des amis à investir et à s'investir dans la propriété. Le travail d'appropriation du logement se fait en partenariat avec la famille et les amis. L'entraide peut aussi avoir pour effet de nourrir un sentiment global de valorisation personnelle (d'être « quelqu'un ») consécutif au sentiment de compter pour la famille et les amis et à celui d'approbation des autres à l'égard du projet entrepris.

La propriété résidentielle recèle une histoire de valorisation. L'entraide à la propriété résidentielle enrichit cette histoire en participant à l'affirmation d'une culture de la propriété. Ses échos se font sentir sur différents plans : du temps, des talents, de l'argent et des sentiments. *Du temps*, parce qu'il y a le temps des autres, de la famille et des amis pour réaliser les travaux d'amélioration du logement. *Des talents*, parce qu'il existe une prédisposition familiale à devenir propriétaire, parce qu'il y a aussi le talent de la famille et des amis mis au service de la propriété. *De l'argent*, parce qu'il y a le soutien financier de la famille pour réaliser le projet de la propriété. *Des sentiments*, parce qu'il y a valorisation de l'investissement des ressources humaines et financières dans la propriété résidentielle de la part de la famille et des amis. Il en résulte une véritable production domestique digne d'intérêt pour des recherches à venir.

ANNEXE

Considérations méthodologiques

Dans l'opinion publique, la propriété résidentielle représente un « investissement », par opposition à la location. La première évoque des possibilités de plus-value, la seconde donne l'impression de « tirer l'argent par les fenêtres ». Certes, la propriété résidentielle a connu une prise de valeur en période de forte inflation et de croissance de la demande. Cet effet, combiné à celui de l'épargne forcée, a contribué à objectiver dans la conscience collective la propriété résidentielle comme « investissement » au sens économique du terme.

En outre, la maison est chargée à différents degrés de valeurs associées à l'identité, à la qualité de vie, au refuge, au chez-soi, au « home sweet home », au patrimoine. Les marchands de biens de consommation proposent plus que jamais une panoplie de produits et de services destinés à maximiser le confort, le bien-être et l'esthétique du foyer : ameublement, décoration, rénovation, accessoires de maison, domotique, etc. Cela agit sur les dimensions psychologiques et symboliques du besoin et du plaisir d'être propriétaire.

La valorisation collective de la propriété résidentielle prédispose favorablement les ménages à l'investissement de différents ordres dans la propriété, comme l'allocation de dépenses additionnelles, l'investissement affectif et en nature à l'égard du logement (ce que l'on désigne par « s'investir » dans la propriété). Par exemple, les projets d'autorénovation gagnent en popularité. Il est courant de voir des propriétaires faire de l'autofourniture, c'est-à-dire entreprendre eux-mêmes les travaux d'amélioration du logement.

Recenser transversalement les dépenses régulières de logement ne permettait donc pas de qualifier de manière satisfaisante le comportement lié au logement. Celui-ci s'inscrit dans un espace dynamique où prennent place des être, des paraître, des obligations, des aspirations. Il nous apparaissait ainsi pertinent de proposer une approche qui rende compte de plusieurs dimensions du comportement d'investissement des ménages dans la propriété sur une longue durée d'occupation.

Nous avons donc placé au cœur de notre démarche le concept de mobilisation des ressources[12] de manière à faire apparaître des aspects « cachés » du comportement d'investissement des ménages dans le logement. Cette approche présentait l'avantage de considérer à la fois les dépenses de logement régulières mais aussi les allocations d'argent discrétionnaires

---

12. Pour une définition des principales notions utilisées, consulter la thèse de l'auteure.

et les pratiques arbitrées en faveur du logement (p. ex., pratiques d'amélioration apportée au logement, entraide familiale ou amicale). Notre analyse de l'expérience de la propriété résidentielle s'est ainsi ouverte sur plusieurs dimensions : budgétaire, financière, sociale / familiale, voire psychologique touchant la sphère des intérêts, des opinions et des valeurs associés à la propriété.

Une démarche empirique longitudinale (rétrospective) a été privilégiée pour capter l'ampleur des ressources investies dans la propriété sur une longue durée d'occupation. L'entrevue en profondeur en face-à-face dirigée auprès d'un petit nombre de cas était tout indiquée pour mettre en évidence et évaluer les composantes de l'investissement personnel déployé à l'égard du logement. Un questionnaire a été mis au point de manière à relever dans le détail l'étendue et la nature des ressources impliquées. Nous avons analysé l'aide familiale en identifiant les contributions monétaires mais aussi en nature (par exemple, aide aux travaux d'amélioration du logement). En outre, nous avons étendu le réseau d'entraide au cercle des amis, ce qui en soi a été peu considéré dans les travaux sur la propriété résidentielle.

Nous avons choisi Montréal comme terrain d'étude pouvant disposer des données du rôle foncier et du fichier des ventes de maisons transigées sur le territoire de la Communauté urbaine de Montréal, d'Outremont et de Repentigny[13]. Aussi, Montréal se prêtait bien à la définition de situations types de logement. Le découpage selon certaines zones nous permettait d'intégrer la variable localisation et incidemment la typologie du bâti, comme facteurs d'analyse de la différenciation des logiques de mobilisation des ressources déployées par les ménages à l'égard de la propriété.

L'échantillon a été construit à partir des unités de logement vendues sur le territoire montréalais de manière à réunir des ménages ayant fermé la boucle achat-occupation-vente. Les caractéristiques de l'échantillon recherchées : Canadiens français âgés entre 35 et 55 ans aux revenus moyens et ayant occupé la propriété plusieurs années (minimum sept ans)[14]. Il s'agit d'un groupe d'individus appartenant à la génération des baby-boomers

---

13. On trouve dans ces banques de données les informations suivantes : la typologie de la maison, l'adresse civique, le ou les noms du ou des propriétaires, le compte de taxe foncière, le prix de vente, le prix de la transaction précédente.

14. Nous avons contrôlé l'ethnie sachant qu'elle est une variable déterminante des comportements d'investissement dans le logement (De Villanova et Leite, 1992). Nous avons retenu sept ans, car il s'agit d'une durée voisinant la moyenne d'années d'occupation d'une même propriété ; de même, cela assurait que le moment d'achat précédait celui de la flambée des prix observée sur le marché de l'immobilier montréalais (c'est-à-dire avant 1987).

dont les logiques de mobilisation des ressources ne se fondent pas a priori sur des contraintes de revenus limités ou sur des besoins en logement de stricte nécessité.

Sur la période 1993-1995, 8131 ventes ont été recensées. Pour l'entrevue téléphonique, 1186 ménages ont été présélectionnés en fonction des critères de durée d'occupation minimale, de propriétaire occupant et de vente « *bona fide*[15] ». Cinquante ménages ont accepté de se prêter aux entrevues dont 37 ont été retenus. Ce petit échantillon se justifie par l'envergure des aspects approfondis et l'objectif d'une collecte de données plus riches. Les 37 ménages se sont répartis de la manière suivante : 13 ménages au centre réunissant en majorité des copropriétaires, 10 ménages en proche périphérie et 14 ménages en banlieue, principalement des propriétaires d'unifamiliales.

RÉFÉRENCES BIBLIOGRAPHIQUES

Aarab, M. et F. Calcoen (1993). *Filières de logement et dépenses des ménages*, Lille, CRESGE.

Barakatt, G. (1998). « On investit et on s'investit » : Analyse des ressources mobilisées dans la propriété résidentielle chez un groupe de ménages de la région de Montréal », Thèse de doctorat, Montréal. INRS – Urbanisation et Université du Québec à Montréal.

Bonvalet, C. (1988). *Le statut de propriétaire : analyse des différences*, Communication au IIIe Colloque international de l'Association internationale des démographes de langue française, Montréal, 7-10 juin.

Choko, M. H. (1992). « Home-Ownership : From Dream to Materiality », dans Allen Hays (dir.), *Ownership, Control and the Future of Housing Policy*, Chicago, Greenwood Press.

Choko, M.H. et P.J. Hamel (1994). *Re-examining homeownership as an investment*, Communication présentée à la VIe Conférence internationale de recherche sur l'habitat, Beijing, septembre.

Coenen-Huther, J., J. Kellerhals et M. von Allmen (1994). *Les réseaux de solidarité dans la famille*, Lausanne, Réalités sociales.

---

15. C'est-à-dire dont la situation de vente et/ou les parties impliquées ne comportent pas de particularités susceptibles d'affecter d'une quelconque manière la valeur de la propriété transigée. Par exemple, la vente d'un immeuble pour un dollar et autres considérations, la vente pour défaut de paiement de taxes, la vente dans le cadre d'une liquidation de biens, la vente entre membres d'une même famille, etc. Somme toute, des situations où la valeur ne semble pas refléter une valeur établie à partir du marché.

Cuturello, P. (1992). « De la location à l'accession : un itinéraire familier », dans Paul Cuturello (dir.), *Regards sur le logement, une étrange marchandise*, Paris, L'Harmattan.

Cuturello, P. et F. Godard (1980). *Familles mobilisées : Accession à la propriété du logement et notion d'effort des ménages*, Paris, Plan-Construction.

De Villanova, R. et C. Leite (1992). « La maison et les projets immobiliers dans le trajet migratoire », dans Paul Cuturello (dir.), *Regards sur le logement, une étrange marchandise*, Paris, L'Harmattan.

Ford, J. (1988). *The Indebted Society : Credit and Default in the 1980's*, Londres et New York, Routledge.

Forrest, R., A. Murie et P. Williams (1990). *Home Ownership. Differentiation and Fragmentation*, Londres, Unwin Hyman.

Gotman, A. (1988). « Le logement comme patrimoine familial », dans C. Bonvalet et P. Merlin (dir.), *Transformation de la famille et habitat*, Paris, Presses universitaires de France.

Grafmeyer, Y. (1993). « Héritage et production du statut résidentiel : éléments pour l'analyse des milieux locaux », dans C. Bonvalet et A. Gotman (dir.), *Le logement une affaire de famille : l'approche intergénérationnelle des statuts résidentiels*, Paris, L'Harmattan.

Langlois, S. (1992a). « Culture et rapports sociaux : trente ans de changements », *Argus, la revue des bibliothécaires professionnels*, *21*(3), p. 4-10.

Langlois, S. (1992b). « Niveaux de vie et consommation durant les années 1960 à 1990 : l'avènement de nouveaux rapports sociaux », dans P. Lanthier et G. Rousseau (dir.), *La culture inventée*, Québec, Institut québécois de recherche sur la culture.

Maison, D. (1993). « Effet d'alliance et transmission différée dans le rapport à la propriété et à l'habitat », dans C. Bonvalet et A. Gotman (dir.), *Le logement une affaire de famille : l'approche intergénérationnelle des statuts résidentiels*, Paris, L'Harmattan.

Munro, M. (1988). « Housing Wealth and Inheritance », *Journal of Social Policy*, *17*(4), octobre, p. 417-436.

Saunders, P. (1990). *A Nation of Home Owners*, Londres, Unwin Hyman.

Segalen, M. (1981). *Sociologie de la famille*, Paris, Armand Colin.

Silver, C. (1994). « Comment dépensons-nous notre argent ? L'évolution des dépenses des ménages canadiens de 1969 à 1992 », *Tendances sociales canadiennes*, *35*, hiver, p. 12-17.

Société canadienne d'hypothèques et de logement (1992). « Polarisation de la richesse par la propriété », *Le point en recherche et développement*, 8, septembre.

Thorns, D. C. (1994). «The Role of Housing Inheritance in Selected Owner Occupied Societies (Britain, New Zealand, Canada)», *Housing Studies*, 9(4), octobre, p. 473-492.

Tremblay, M.A. et G. Fortin (1964). *Les comportements économiques de la famille salariée du Québec : une étude des conditions de vie, des besoins, et des aspirations de la famille canadienne-française d'aujourd'hui*, Québec, Presses de l'Université Laval.

Vitt, Lois (1992). «Les aspects psycho-sociologiques de la propriété dans la société américaine», dans Paul Cuturello (dir.), *Regards sur le logement, une étrange marchandise*, Paris, L'Harmattan.

Wexler, M. E. (1996). «A Comparison of Canadian and American Housing Policies», *Urban Studies*, 33(10), p. 1909-1921.

DEUXIÈME PARTIE

Des profils de familles et des profils de développement des enfants et des jeunes

Que nous apprend une lecture écologique de l'adaptation des jeunes de familles recomposées?

Marie-Christine SAINT-JACQUES[1]
Équipe JEFET
Centre de recherche sur les services communautaires
Université Laval

Claire CHAMBERLAND
IRDS et École de service social
Université de Montréal

Au Québec, près de 12 % des adolescents vivent au sein d'une famille recomposée (Conseil de la famille et de l'enfance, 1999). Si l'on ajoute à cela le nombre de jeunes de familles monoparentales qui vivent à temps partiel en famille recomposée, mais qui ne sont jamais comptabilisés dans les statistiques, on peut, de manière conservatrice, évaluer que 2 jeunes québécois sur 10 grandissent dans un environnement immédiat comprenant un beau-parent. Malgré l'importance quantitative de ce groupe, il faut reconnaître que peu d'attention a été accordée à la situation de ces jeunes et de ces familles dans les travaux de recherche menés au Québec. Cette absence d'informations est loin de nous être particulière. L'examen des recherches empiriques portant sur la recomposition familiale réalisées au

---

1. Cette communication est basée sur la thèse de doctorat de la première auteure ; Claire Chamberland en a assumé la direction. Cette recherche a été soutenue financièrement par les programmes de bourses d'études de troisième cycle du CRSH et de Santé Canada, de même que par la bourse de doctorat de la Fondation Enfance-Famille décernée lors du IIIe Symposium québécois de recherche sur la famille.

Canada comme aux États-Unis ou en Europe (Saint-Jacques, 1990, 1996, 1998) fait état d'un courant de recherche quasi inexistant au milieu des années 1980 et qui commence à réellement prendre son envol au début des années 1990.

Au cours de cette communication, nous souhaitons examiner les principaux résultats d'une étude portant sur le développement d'un modèle de compréhension de l'adaptation des jeunes de familles recomposées. Mentionnons d'entrée de jeu que cette étude est basée sur une lecture interdisciplinaire de la recomposition familiale qui a permis de considérer la contribution de facteurs propres à la psychologie, mais aussi à la sociologie et à l'anthropologie. Trois objectifs ont ainsi guidé le déroulement de ce projet. Un premier objectif a consisté à examiner les associations qui existent entre la qualité de l'environnement familial et l'adaptation des jeunes. Un second objectif a permis d'explorer les représentations entretenues par les jeunes à l'égard de la famille recomposée en tant que modèle d'organisation familiale. Enfin, un dernier objectif a porté sur le repérage des éléments de continuité et de rupture dans les trajectoires familiales des répondants. En dernier lieu, l'ensemble des résultats générés par la poursuite de ces objectifs a permis de mettre en évidence les facteurs qui contribuent (sur lesquels nous insisterons au cours de cette communication) et ceux qui ne contribuent pas à l'adaptation des jeunes de familles recomposées[2].

Le modèle « Processus-Personne-Contexte-Temps »

Sur le plan conceptuel, l'adoption d'une perspective écologique a permis l'examen de la contribution de facteurs de nature différente à l'adaptation des jeunes. À cet égard, le modèle « Processus-Personne-Contexte-Temps » a servi de toile de fond à ce projet. Développé par Bronfenbrenner (1996), ce modèle est en fait une opérationnalisation de la théorie écologique du développement humain (Mayer, 1994, p. 43) qui met particulièrement l'accent sur les processus. Il leur accorde une importance cruciale en les qualifiant « d'engins du développement ». Ces processus se combinent de manière non additive et donnent des résultats qui se produisent à une allure accélérée avec le temps. C'est l'aspect non additif, mais plutôt

---

2.   Compte tenu de l'ensemble du matériel à considérer dans cette communication, très peu de données statistiques seront présentées. Le lecteur désireux de connaître les résultats détaillés de cette étude se référera à Marie-Christine Saint-Jacques (2000). *L'ajustement des adolescents et des adolescentes dans les familles recomposées : Étude des processus familiaux et des représentations des jeunes.* Québec, Université Laval, Centre de recherche sur les services communautaires, 404 pages.

d'interinfluence entre les processus qui fait dire à Bronfenbrenner (1996) que le développement de la personne est « un produit synergique, résultant de forces synergiques » (p. 13). Bien que les processus proximaux[3] occupent une place cruciale dans le développement de la personne, ils sont enchâssés dans un modèle qui comprend aussi quatre autres composantes. Il s'agit : 1) des résultats développementaux ; 2) des caractéristiques personnelles ; 3) des caractéristiques de l'environnement et 4) de l'une ou l'autre de ces composantes pour lesquelles on possède des informations à différentes périodes de temps. Dans la partie qui suit, nous appliquerons cette grille de lecture à la situation des jeunes de familles recomposées.

L'adaptation des jeunes dans les familles recomposées

Il n'y a pas d'unanimité quant aux effets de la recomposition familiale sur les jeunes. Certains chercheurs évaluent que ces derniers se comparent avantageusement aux enfants vivant en famille « traditionnelle », pour ce qui est de l'estime de soi, de la satisfaction face à la vie, de la réussite scolaire et de la santé mentale (Acock et Demo, 1994 ; Noller et Callan, 1991 ; Silitsky, 1996). D'autres insistent davantage sur les effets perturbants de la recomposition familiale sur les jeunes à court ou à moyen terme (Amato et Keith, 1991 ; Haurin, 1992 ; Zill et Schoenborn, 1990, cités dans Bray, 1999). Au-delà de ces controverses (qui s'expliquent fréquemment par des distinctions méthodologiques), force est de reconnaître que si la majorité des jeunes de familles recomposées fonctionnent normalement, leur adaptation est généralement plus faible que celui des jeunes de familles biparentales intactes (Bray, 1988 ; Ganong et Coleman, 1993 ; Jeynes, 1999 ; Sokol-Katz *et al.*, 1997), sans pour autant pouvoir être qualifié de problématique ou de pathologique (Bray, 1999 ; Saint-Jacques, 1998). Toutefois, alors qu'environ 10 % des enfants éprouvent des problèmes de comportement à un niveau clinique, cette proportion est de 20 % lorsque l'on se limite à ceux qui vivent en famille recomposée (Bray, 1999). Afin de comprendre le risque dont la recomposition semble porteuse, de nombreux chercheurs ont d'abord adopté une perspective comparative, inscrivant ainsi leurs travaux dans la tradition du *family deficit model* (Marotz-Baden *et al.*, 1979). Devant le peu de variance que permettait généralement d'expliquer, à elle seule, la variable « structure familiale », plusieurs chercheurs (Acock et Demo, 1994 ; Henry et Lovelace, 1995 ;

---

3. Ces processus sont qualifiés de proximaux parce qu'ils concernent l'environnement immédiat de la personne, soit le microsystème, par opposition aux processus distaux qui se produisent dans des environnements plus éloignés de la personne. Ces derniers processus seront classés dans la catégorie « contexte ».

McFarlane *et al.*, 1995 ; Steinberg *et al.*, 1991) se sont intéressés aux processus familiaux permettant d'expliquer ces différences. Cette nouvelle clé a permis d'améliorer notre compréhension de l'adaptation des jeunes.

Les processus proximaux contribuant à l'adaptation des jeunes de familles recomposées

L'analyse des différents travaux de recherche portant sur l'adaptation des jeunes dans les familles recomposées fait ressortir l'importance d'un processus proximal particulier. Il s'agit de la qualité de l'environnement familial, aussi qualifiée de *psychological wholeness position* (Dancy et Handal, 1984). Dans cette perspective, on considère que ce n'est pas la structure familiale en soi qui crée les problèmes d'adaptation (ce qui référait plutôt à la notion de *physical wholeness position)*, mais bien la qualité du climat familial. Ainsi, dans ce contexte, on proposera que la qualité des relations entre les membres, le conflit et le manque d'harmonie au sein de la famille sont associés aux difficultés d'adaptation que l'on observe chez les adolescents (Borrine *et al.*, 1991 ; Dancy et Handal, 1984 ; Kurdek et Sinclair, 1988 ; Santrock *et al.*, 1982). Une telle perspective reçoit de plus en plus d'appuis provenant d'études empiriques qui ont mis en évidence l'influence indirecte de la structure familiale sur l'adaptation des jeunes (se manifestant, par exemple, par des problèmes émotifs, comportementaux, de somatisation, de délinquance, etc.), par rapport à l'importance que prennent des facteurs comme le conflit parental, l'harmonie et la cohésion familiales, la qualité des relations parent-enfant (Acock et Demo, 1994 ; Bastien *et al.*, 1996 ; Bray, 1988 ; Brown *et al.*, 1990 ; Dancy et Handal, 1984 ; Pasley et Healow, 1988 ; Sokol-Katz *et al.*, 1997), autant de facteurs propres à la qualité de l'environnement familial.

Par ailleurs, un autre processus qui semble contribuer de manière importante à l'adaptation des jeunes tient à la continuité[4] qui peut subsister malgré l'ensemble des changements qu'apporte une transition familiale comme une recomposition. Ce concept repose sur l'hypothèse voulant que :

> [...] l'adaptation des membres au changement survenant dans leur famille est facilitée par la continuité ou rendue plus difficile par la discontinuité. Par continuité nous entendons le maintien d'invariants ou de référents qui permettent aux acteurs familiaux

---

4.   Pour des raisons empiriques, c'est plutôt le concept de discontinuité qui a été mesuré et qui est employé dans la suite de ce document. En effet, il est beaucoup plus facile de développer une mesure de ce qui change que de tenter de tenir compte de tout ce qui ne change pas.

de conserver subjectivement un sens à leur vie à travers le changement, de maintenir un lien de signification entre ce qu'ils vivaient avant le changement, ce qu'ils vivent pendant le changement et ce qu'ils vivront par la suite. (Cloutier *et al.*, 1997, p. 31)

Ainsi, dans cette perspective, une transition familiale comporte des conditions facilitantes si : 1) le jeune a été prévenu et informé du changement et de ses conséquences sur sa vie ; 2) le lien parent-enfant est maintenu quantitativement et qualitativement et 3) la trajectoire adoptée par la famille lors du processus de recomposition s'inscrit dans une logique de pérennité familiale, par opposition à une logique de substitution. Ainsi, dans une logique de pérennité, la famille recomposée ne vient pas remplacer la première union, elle se situe plutôt dans son prolongement. Cette dernière logique fait intervenir différents comportements, dont le maintien des contacts de l'enfant avec son parent non gardien, qui est reconnu, par ailleurs, comme favorisant une adaptation positive des jeunes impliqués. Ce sont donc les liens établis entre la continuité et les logiques de recomposition qui amènent l'hypothèse que cette dimension doit être prise en compte dans la compréhension de la situation des jeunes, puisque les études (dont Martin, 1992 et Théry, 1985) portant sur cette question jusqu'à présent n'ont pas vraiment cherché à mettre en relation les logiques de recomposition et l'adaptation des jeunes. D'ailleurs, il est intéressant de constater que des arguments contradictoires, allant dans le sens de la substitution ou dans le sens de la pérennité, sont invoqués pour justifier un même but, protéger l'intérêt de l'enfant (Théry, 1985). Cependant, Martin (1992) a observé que les familles se recomposant sous une logique de substitution ont généralement donné lieu à des conflits importants, ce qui permet encore une fois de faire l'hypothèse d'un lien entre les logiques de recomposition et l'adaptation des jeunes. Cette observation amène à penser que l'on a peut-être tort de considérer toutes les recompositions familiales comme renvoyant à une même réalité. En mettant l'accent sur le contenu (les processus, les itinéraires empruntés, les modes de régulation, etc.) plutôt que sur le cadre (la structure familiale en soi), on arrivera à mieux cerner les conditions qui favorisent une adaptation supérieure des jeunes qui vivent dans ces familles. À l'heure actuelle, les logiques de recomposition, qui témoignent des modes de régulation de ces familles, ont été examinées en partant principalement des représentations entretenues par les parents et les beaux-parents (Le Gall et Martin, 1993 ; Théry, 1985). Dans la présente étude, ces logiques sont analysées à partir des représentations des jeunes. De plus, comme il s'agit d'un processus, ces logiques sont évaluées non seulement sur la base du fonctionnement actuel de la famille, mais aussi du déroulement des événements qui jalonnent le passage de la famille d'origine du jeune à la recomposition.

Les caractéristiques liées au jeune lui-même

Parmi les principales caractéristiques individuelles réputées intervenir dans l'adaptation d'un jeune à une situation de recomposition, on retrouve le sexe et l'âge. Par ailleurs, Bronfenbrenner (1996) précise que le système de croyances d'un individu fait partie des caractéristiques personnelles qui viennent moduler les effets des processus proximaux sur le développement. Aussi semble-t-il approprié de tenter d'évaluer les représentations qu'a le jeune de la famille en général et de la sienne en particulier. Ceci permettra de vérifier l'adhésion ou non des jeunes aux stéréotypes qui entourent la vie en famille recomposée, de même que leur idéalisation ou non, du modèle normatif de la famille biparentale intacte. Il semble très important d'évaluer ces dimensions, qui appartiennent au système de croyances d'un individu, car on sait qu'il existe un préjugé négatif à l'endroit des familles recomposées qui vient teinter les représentations, qui à leur tour agissent sur les conduites (Coleman et Ganong, 1987 ; Ganong et Coleman, 1990).

Les caractéristiques associées à l'environnement dans lequel vit le jeune

Dans les études du domaine, on reconnaît l'importance de tenir compte des caractéristiques structurelles de ces familles comme le sexe du beau-parent et la présence d'une demi et / ou d'une quasi-fratrie. Finalement, une étude des caractéristiques de l'environnement dans lequel vit le jeune ne peut se passer d'une évaluation des ressources économiques dont dispose la famille.

Le temps

Une conception écologique du développement humain comprend plusieurs systèmes. Un seul de ces systèmes traverse tous les autres : il s'agit du chronosystème qui permet de tenir compte de deux aspects du temps. Le premier comprend les transitions normatives ou non qui ponctuent le déroulement de la vie. Il en va ainsi du fait que le jeune soit à une étape de son développement que l'on qualifie d'adolescence ou qu'il ait à vivre au sein d'une famille recomposée après le remariage de son parent gardien. Le second aspect que permet de considérer le chronosystème est plus complexe et renvoie plutôt aux effets du passage du temps, c'est-à-dire aux « cumulative effects of an entire sequence of developmental transition over an extended period of the person's life » (Bronfenbrenner, 1986, p. 724). Par exemple, le fait pour un jeune d'avoir vécu la séparation de ses parents en bas âge a-t-il une influence sur la manière dont il s'ajustera à une recomposition qui surviendrait alors qu'il est adolescent ? L'ajout d'une dimension temporelle permet de pallier une limite fréquente notée dans ce champ d'étude, entre autres par Bray (1999), qui est celle de considérer la recomposition familiale comme une variable discrète, alors que plusieurs facteurs de temps doivent être pris en considération. La recension des écrits a fait ressortir l'importance de tenir compte du temps écoulé depuis le début de la recomposition, de l'âge du jeune (au moment de la séparation, de la recomposition et actuellement) de même que de situer les transitions familiales vécues par le jeune dans une trajectoire qui permet d'apprécier, outre la quantité et la nature, la densité et la discontinuité dont elles sont porteuses. Le tableau 1 présente une synthèse des variables à l'étude et les dimensions auxquelles elles appartiennent.

Méthodologie

Cette étude se subdivise en deux volets. Le premier volet a pris la forme d'une recherche quantitative de type associatif. La population étudiée comprend 234 jeunes de familles recomposées et, à certains moments de l'analyse, 2 515 jeunes de familles biparentales intactes, monoparentales et vivant en garde partagée. Cette population est extraite de l'enquête

TABLEAU 1

Application du modèle PPCT à l'ajustement des jeunes de familles recomposées

Résultat du développement	Processus	Personne	Contexte	Temps
Ajustement :	Qualité de l'environne-	Sexe	Présence d'une demi-fratrie et	Adolescence
Sentiment de bien-être personnel	ment familial :	Âge	d'une quasi-fratrie	Recomposition familiale
Anxiété	Climat familial	Représenta-tions de la famille	Type de familles recomposées	Trajectoire familiale du jeune
Problèmes de comportement	Autonomie décisionnelle	recomposée :	Situations et événements	Temps écoulé depuis le début
Sentiment de bien-être avec les amis	Qualité des relations avec la	Conformité au modèle	stressants	de la recom-position
Difficultés dans le milieu scolaire	mère, le père, le beau-parent, la fratrie	normatif de la famille nucléaire		
	Logiques de recomposition	Entretien de stéréotypes envers la famille recomposée		

Ados, familles et milieux de vie (Cloutier *et al.*, 1994). Des analyses statistiques univariées, bivariées et multivariées ont été utilisées. L'échantillon comporte un plus grand nombre de filles que de garçons, avec une surreprésentation de jeunes fréquentant le premier cycle du secondaire. La majorité vivent en milieu urbain ou semi-urbain. Environ le tiers des parents ont réalisé des études collégiales ; les deux tiers des pères et la moitié des mères occupent un emploi à temps plein. On note une nette prédominance des familles réorganisées autour de la mère puisque, dans 73,5 % des situations, ces jeunes appartiennent à une famille recomposée matricentrique. Les trois quarts de l'échantillon ont vécu une séparation parentale. En moyenne, cette séparation remonte à huit ans. Mentionnons, enfin, qu'une majorité de jeunes ont une fratrie.

Le second volet, qualitatif, a visé à faire émerger les représentations entretenues par les jeunes à l'égard de différents aspects de la recomposition. Pour ce faire, 26 entrevues semi-dirigées ont été réalisées auprès d'un échantillon de volontaires vivant en famille recomposée[5]. Ce groupe comprend 14 filles et 12 garçons, âgés en moyenne de 15 ans et demi, de la 2e à la 5e année du secondaire, et vivant en milieu urbain ou semi-urbain. Les pères de ces jeunes s'avèrent moins scolarisés que les mères ; près du tiers d'entre eux ont réalisé des études collégiales et la moitié des mères ont fait de telles études. Par contre, la majorité des pères occupent un emploi contre la moitié des mères. Cette partie de l'étude peut être qualifiée d'exploratoire-descriptive. Le traitement des données a été réalisé à l'aide de l'analyse de contenu thématique.

LES RÉSULTATS DU VOLET QUANTITATIF, EN BREF

Qualité de l'environnement familial et adaptation des jeunes

Une première hypothèse formulée dans le cadre de cette recherche propose que l'adaptation des jeunes dans les familles recomposées soit associé à la qualité de leur environnement familial. Plus précisément, il est suggéré que plus la qualité de cet environnement est élevée, plus l'adaptation des jeunes est élevée. De manière générale, les résultats obtenus viennent appuyer cette hypothèse. Ils ont par ailleurs permis d'identifier certains

---

5.   Les comparaisons qu'il a été possible de faire n'ont révélé que peu de différences statistiquement significatives entre les jeunes ayant participé à la partie quantitative et ceux rejoints par l'entremise de la partie qualitative. On note cependant que les jeunes du volet B éprouvent plus de problèmes d'anxiété et de problèmes de comportement que les jeunes du volet A. Il sont aussi plus nombreux à avoir vécu la séparation de leurs parents et à avoir connu un problème sérieux d'argent.

aspects qui semblent jouer un rôle plus important que d'autres. On observe, en effet, que la qualité du climat familial de même que la qualité des relations avec la figure paternelle sont associées à l'ensemble des facteurs composant l'adaptation des jeunes. La qualité des relations avec la figure maternelle est associée au degré de bien-être du jeune, au degré de problèmes d'anxiété, au nombre de problèmes de comportement et au degré de difficultés éprouvées dans le milieu scolaire. Lorsque l'on compare les liens qui existent entre la qualité des relations avec les figures maternelle et paternelle, la qualité des relations avec la figure paternelle est toujours plus fortement associée à l'adaptation des jeunes. Par ailleurs, le degré de bien-être avec les amis n'est pas associé à la qualité des relations avec la figure maternelle. Enfin, seul le bien-être personnel des jeunes est associé à la qualité des relations de fratrie. Finalement, aucune analyse ne révèle de liens entre le niveau d'autonomie décisionnelle du jeune et son adaptation. Quand on considère l'association entre l'adaptation des jeunes et la qualité de l'environnement familial, sans en distinguer les différentes composantes, on observe une association modérée et très significative.

Caractéristiques personnelles et adaptation des jeunes

On observe que les garçons éprouvent moins de difficultés d'adaptation que les filles, ce qui rejoint les résultats de nombreuses études (Amato et Keith, 1991 ; Bray, 1988 ; Hetherington, 1990 ; Hetherington *et al.*, 1985 ; Mitchell, 1983 ; Zimiles et Lee, 1991). Plus spécifiquement, des différences statistiques significatives ont été observées sur le plan du bien-être personnel (plus élevé chez les garçons) et des problèmes d'anxiété (plus élevés chez les filles) ce qui va, en partie, dans le sens des observations de Kasen *et al.* (1996) qui ont noté, dans les familles recomposées, plus de problèmes d'intériorisation chez les filles et plus de problèmes d'extériorisation chez les garçons. Dans la présente étude, les problèmes d'extériorisation s'avèrent aussi plus importants chez les garçons que chez les filles. Toutefois, ces différences ne sont pas statistiquement significatives. De plus, il est important de préciser que les différences observées ici entre les garçons et les filles, bien que statistiquement significatives, sont minimes, ce qui rejoint les observations de Mott *et al.* (1997).

Aucune autre association significative entre une variable socio-démographique et l'adaptation des jeunes n'a été observée. Notamment, nous n'avons pas observé de différences d'adaptation en fonction de l'âge des jeunes. Peut-être qu'une telle association se serait manifestée si les groupes d'âge avaient été plus contrastés. Le temps écoulé depuis la séparation des parents n'est pas non plus associé à l'adaptation des jeunes.

Situations et événements stressants et adaptation des jeunes

Plus des deux tiers (76,5 %) des répondants déclarent avoir vécu la sépa-ration de leurs parents, ce qui en fait l'événement stressant le plus fréquem-ment éprouvé par les jeunes. Cet événement est suivi de près par celui d'avoir vécu une peine d'amour (73,7 %) ou la mort d'un proche (56,4 %). On observe, par ailleurs, que les jeunes ayant vécu une peine d'amour éprouvent globalement un niveau de difficultés d'adaptation plus impor-tant que les autres. Par contre, la séparation des parents et le décès d'un proche ne sont pas associés, dans cette étude, au niveau d'adaptation des jeunes. D'autres événements stressants sont fortement corrélés à leur adaptation, mais ne seront pas détaillés ici, car ils concernent un très petit nombre de jeunes.

Prédiction de l'adaptation des jeunes

L'ensemble des facteurs qui se révèlent associés à l'adaptation des jeunes confirme la pertinence de chercher à mieux comprendre les enjeux développementaux à partir d'un modèle théorique qui permet de considérer des facteurs de différents ordres. De plus, dans une perspective quantitative, il devient intéressant de tenter de hiérarchiser la contribution de chacune des variables associées à l'adaptation. Cet objectif a été atteint à l'aide du développement d'un modèle de prédiction de l'adaptation des jeunes.

Sept facteurs se démarquent parmi l'ensemble des associations observées dans l'analyse bivariée. Le facteur permettant le plus de réduire l'erreur dans la prédiction de l'adaptation des jeunes est la qualité des relations avec la figure paternelle ($r^2p = 0,22$), suivi du fait d'avoir vécu un problème sérieux d'argent ($r^2p = 0,07$), de la qualité du climat familial ($r^2p = 0,05$), du fait d'avoir subi un avortement ($r^2p = 0,04$), une peine d'amour ($r^2p = 0,03$), d'être une fille et, enfin, d'avoir vécu une MTS ($r^2p = 0,02$). Nous reviendrons plus loin sur la discussion de ces résultats. Il convient toutefois de souligner, dès à présent, la contribution impor-tante des processus familiaux à l'adaptation des jeunes. Cependant, on note du même coup que ce type de variables ne permet pas, à lui seul, de saisir l'ensemble des éléments qui contribuent à l'adaptation des jeunes de familles recomposées. On leur a cependant accordé un poids prédo-minant, notamment en supposant que la structure familiale n'est plus associée au niveau d'adaptation des jeunes lorsque l'on tient compte de la qualité des processus familiaux qui animent les différents milieux familiaux. Ainsi, le volet A de ce projet s'est-il conclu sur l'examen de l'hypothèse suivante : quand la qualité de l'environnement familial est considérée, la structure familiale dans laquelle vit le jeune n'est pas associée à son adaptation.

Structure familiale, processus familiaux et adaptation

Plusieurs travaux de recherche, qui ont comparé différentes composantes de l'adaptation des jeunes selon la structure familiale dans laquelle ils vivent, en arrivent généralement à deux constats. Le premier précise que l'adaptation des jeunes de familles recomposées est plus faible que celui des jeunes de familles biparentales intactes (Bray, 1988 ; Ganong et Coleman, 1993 ; Zill, 1988) et plus élevé que celui des jeunes de familles monoparentales (Amato, 1987 ; Bray, 1988 ; Ganong et Coleman, 1993 ; Parish et Dostal, 1980 ; Sprujit, 1995). Le second porte sur l'amplitude des différences entre les groupes qui s'avèrent généralement peu importantes (Acock et Demo, 1994 ; Barber et Lyons, 1994 ; Noller et Callan, 1991 ; Silitsky, 1996).

Il est par ailleurs proposé que l'introduction de variables « processuelles » viennent en quelque sorte compenser ou éclairer les effets négatifs qui sont associés à certaines formes de structure familiale (Collins *et al.*, 1995). En effet, si l'on maintient constants des processus comme la qualité de l'environnement familial, on n'observera plus de différences sur le plan de l'adaptation des jeunes, ces processus pouvant gommer en quelque sorte « l'effet » de la structure familiale. C'est donc cette hypothèse qui a été vérifiée empiriquement.

Une première analyse de variance a consisté à comparer le niveau d'adaptation des jeunes selon la structure familiale dans laquelle ils vivent[6]. Les résultats corroborent les travaux d'autres chercheurs en faisant ressortir que le niveau de difficultés d'adaptation ressenties par les jeunes varie de manière statistiquement significative selon la structure familiale dans laquelle ils vivent. Les jeunes qui vivent en famille biparentale intacte sont ceux qui éprouvent le niveau le plus bas de difficultés d'adaptation. Les jeunes dont les parents se partagent la garde arrivent en seconde place suivis des jeunes de familles recomposées. Les jeunes vivant en famille monoparentale sont ceux qui présentent le plus haut niveau de difficultés d'adaptation.

Les deux prochaines analyses, cette fois de covariance, révèlent que l'association significative que l'on observe entre l'adaptation des jeunes et la structure familiale disparaît quand on prend en compte le climat familial. De plus, la structure familiale dans laquelle vit le jeune n'est pas plus associée à son adaptation si, en plus de tenir compte du climat familial,

---

6. C'est ainsi qu'à la population de jeunes vivant en famille recomposée (N = 234) s'ajoutent ici trois autres groupes. Le premier est composé de jeunes vivant en famille biparentale intacte (N = 2 048), le deuxième, de jeunes vivant en garde partagée (N = 111) et le troisième, de jeunes vivant en famille monoparentale (N = 356).

on considère aussi la covariable « qualité des relations avec la figure paternelle ». Aussi, ce deuxième résultat va-t-il dans le sens des observations faites dans d'autres études (Acock et Demo, 1994 ; Steinberg *et al.*, 1991), à savoir que la prise en compte de variables portant sur les processus familiaux atténue, voire ne permet plus d'observer, sur le plan statistique, l'impact de la structure familiale sur certains enjeux développementaux.

La suite de cette analyse remet par ailleurs en question l'hypothèse formulée au point de départ. En effet, la structure familiale dans laquelle vit le jeune redevient significativement associée à l'adaptation du jeune, une fois que l'on introduit une troisième covariable, soit « la qualité des relations avec la figure maternelle ». Ainsi, à partir du moment où l'on tient compte de l'ensemble des dimensions de la qualité de l'environnement familial qui, dans les analyses bivariées, s'avéraient statistiquement associées à l'adaptation des jeunes, la structure familiale redevient associée au niveau d'adaptation des jeunes. Plus précisément, on observe que l'introduction de la covariable « qualité des relations avec la figure maternelle » rend toujours la variable « structure familiale » significativement associée à l'adaptation des jeunes, et ce, peu importe l'ordre d'entrée de cette covariable. En effet, lorsque la covariable « qualité des relations avec la figure maternelle » est introduite en première covariable, la structure familiale demeure significativement associée à l'adaptation et le demeurera, malgré l'introduction, en deuxième lieu, de la covariable « qualité du climat familial » et en troisième lieu de la covariable « qualité des relations avec la figure paternelle ».

Des vérifications successives, regroupant les structures familiales selon différents paramètres, ont confirmé ce résultat. En fait, une seule analyse de covariance a permis de confirmer la contribution plus importante des processus familiaux à l'adaptation des jeunes plutôt que la structure familiale. Cette analyse n'incluait que les jeunes de familles biparentales intactes, de familles recomposées et ceux vivant en garde partagée, excluant ainsi les jeunes de familles monoparentales. Cette élimination s'appuie sur le fait de ne garder dans l'échantillon que les jeunes étant très régulièrement en contact avec deux figures parentales (que ce soient les parents d'origine ou les beaux-parents). Sur cette base, on observe que la structure familiale dans laquelle vit le jeune est statistiquement associée à son adaptation. Toutefois, à partir du moment où l'on commence à tenir compte de la qualité de l'environnement familial, cette association ne réapparaîtra plus jamais. En ce sens, ce résultat tend à appuyer l'hypothèse alternative formulée au point de départ, à la différence que cette proposition n'est vraie que pour les jeunes qui vivent en famille biparentale intacte, en garde partagée et en famille recomposée. Dans tous les autres cas, il faut conserver l'hypothèse nulle voulant que, même en considérant la qualité de l'environnement familial, la structure familiale dans laquelle vit le jeune est associée à son niveau d'adaptation.

En conclusion de ce premier volet de l'étude, il convient de souligner trois éléments. Le premier est que la considération de plusieurs dimensions de la qualité de l'environnement familial ne parvient pas à éliminer l'association que l'on observe entre l'adaptation des jeunes et la structure familiale dans laquelle ils vivent. Le deuxième élément est que, même si l'on observe des écarts entre l'adaptation des jeunes selon leur structure familiale, ces écarts sont minimes, voire négligeables. En effet, il apparaît important de ne pas se limiter à identifier la présence d'une différence entre des groupes, encore faut-il être conscient de l'importance de cette différence. À cet égard, plusieurs analyses statistiques réalisées ont mis en lumière l'importance de variables, particulièrement des événements stressants, dont l'association avec l'adaptation des jeunes est beaucoup plus puissante (notamment, le fait d'avoir subi un abus sexuel, de se sentir victime de discrimination sexuelle, d'avoir vécu une peine d'amour ou un problème sérieux d'argent). Par ailleurs, même si l'analyse de régression multiple de l'adaptation des jeunes fait ressortir l'importance de certains processus familiaux, elle a aussi révélé l'importance de différentes variables contextuelles dans la prédiction de l'adaptation des jeunes. Enfin, l'hypothèse voulant que la considération de la qualité de l'environnement familial élimine l'association entre la structure familiale et l'adaptation des jeunes se révèle exacte, quand on se restreint aux jeunes étant très régulièrement en contact avec une figure paternelle et une figure maternelle, soit les jeunes de familles biparentales intactes et de familles recomposées ainsi que ceux vivant en garde partagée. Une telle relation n'est pas observée lorsque les quatre formes courantes d'organisation familiale sont retenues.

LES RÉSULTATS DU VOLET QUALITATIF, EN BREF

Temps écoulé depuis le début de la recomposition et adaptation des jeunes

L'association entre l'adaptation des jeunes et le temps écoulé depuis le début de la recomposition familiale a été examinée de deux manières. La première tient compte de la recomposition la plus ancienne vécue par le jeune, alors que la seconde est basée sur la recomposition la plus récente. Les associations établies sur une base qualitative entre l'adaptation des jeunes et différentes variables ont pour objectifs de générer des tendances et de faire jaillir de nouvelles pistes de recherche. On ne saurait donc les considérer au même titre que les tests statistiques produits au volet A. De manière générale, on observe que peu importe le temps écoulé depuis la première recomposition familiale vécue par les jeunes, la majorité d'entre eux ont un niveau d'adaptation se situant dans la moyenne. Par ailleurs, il faut souligner que, si aucun jeune vivant une recomposition familiale récente n'a une adaptation supérieure à la moyenne, le fait de vivre depuis une assez longue période au sein de cette famille n'est pas nécessairement associé à une adaptation supérieure. La possibilité de retrouver des jeunes qui vivent depuis une très longue période au sein d'une famille recomposée, mais qui éprouvent tout de même des difficultés d'adaptation s'observe à nouveau lorsque l'on examine les niveaux d'adaptation en fonction du temps écoulé depuis la recomposition familiale la plus récente. Dans ces situations, on remarque que plus la recomposition date, plus la proportion de jeunes ayant un faible niveau d'adaptation s'accroît. Il faut, par ailleurs, tenir compte qu'à la notion de « temps écoulé » s'ajoute celle des recompositions multiples qui peuvent aussi interférer sur les niveaux d'adaptation des jeunes dans la présente analyse. D'autres chercheurs (Acock et Demo, 1994 ; Clingempeel et Segal, 1986 ; Collins *et al.*, 1995 ; Hetherington, 1990), qui se sont penchés sur cette variable, ont aussi obtenu des résultats qui obligent à nuancer l'impact du temps écoulé depuis le début de la recomposition sur l'adaptation des jeunes. En effet, une étude d'Acock et Demo (1994) conclut que ni la durée de la recomposition familiale ni le temps écoulé depuis la séparation des parents n'est associé au bien-être des enfants. Auparavant, Hetherington (1990), avait noté que certains types de comportements s'amélioraient avec le temps, chez les garçons, mais pas chez les filles de familles recomposées. Des travaux plus récents (Bray, 1999) démontrent que ce n'est pas nécessairement au début de la recomposition que se manifestent le plus les difficultés d'adaptation appuyant en cela une observation faite il y a plusieurs années par Hetherington *et al.*, (1982) au sujet d'une réaction latente (*sleeper effect*) des jeunes vivant une recomposition familiale. Toutes ces données mises en commun permettent de formuler l'hypothèse que ce n'est pas le temps écoulé qui a un impact sur l'adaptation comme le fait que les problèmes surgissent au moment où le jeune parvient à l'adolescence.

Enfin, la répartition des jeunes selon leur niveau d'adaptation a été examinée en tenant compte du fait qu'ils vivent en présence d'enfants issus de la recomposition actuelle ou d'une union antérieure du beau-parent. De manière générale, peu importe que la famille comporte une demi-fratrie ou une quasi-fratrie, on observe une concentration de jeunes ayant un niveau d'adaptation se situant dans la moyenne ; cette concentration est plus marquée pour les jeunes ne vivant pas en présence d'une demi ou d'une quasi-fratrie.

Représentations des jeunes

Plusieurs thèmes ont été abordés avec les jeunes rencontrés en entrevue afin de saisir le contenu des représentations qu'ils entretiennent à l'égard de la recomposition en tant que modèle d'organisation familiale. Il en va ainsi de la composition de leur famille, de la manière dont ils la désignent, de l'appellation des différents acteurs familiaux entrés en scène à la suite de la recomposition, de leur définition de la famille recomposée, des avantages et des inconvénients associés à la vie au sein de cette famille et, enfin, des conseils qu'ils donneraient à leur meilleur ami afin de l'aider à vivre une situation de recomposition. Ces thèmes sont autant de composantes des représentations permettant, au bout du compte, de s'en faire une idée générale. Par la suite, ce contenu a de nouveau été examiné afin d'y déceler la présence ou non de stéréotypes négatifs à l'égard de la recomposition, de même que la tendance à stigmatiser ou à l'inverse, à normaliser les familles qui se distinguent des familles biparentales intactes. Finalement, le contenu des représentations de chaque jeune a été mis en relation avec son niveau d'adaptation.

Très brièvement, il ressort de manière assez évidente de ces analyses que les représentations entretenues par les jeunes à l'endroit de la famille recomposée ne sont pas stéréotypées et qu'elles ne tendent pas à attribuer une étiquette d'anormalité aux familles recomposées. Par contre, le fait que les jeunes aient mentionné qu'un des avantages de la vie en famille recomposée soit précisément celui de vivre une « vraie » vie de famille laisse sous-entendre que, pour eux, la vie au sein d'une famille monoparentale comporte des aspects qui font d'elle un milieu de vie qui n'est pas tout à fait « familial ». L'élément clé ici semble être la présence de deux figures parentales et la possibilité d'être quotidiennement en interaction avec elles. On peut donc émettre l'hypothèse que si les représentations que les jeunes se font de la famille ne sont pas essentiellement basées sur les liens de sang qui unissent les membres entre eux, elles tendent par contre à s'articuler autour de la présence de deux acteurs spécifiques que sont les figures paternelle et maternelle.

On remarque peu de différences dans les niveaux d'adaptation des jeunes selon les représentations qu'ils se font de la famille recomposée. Un tel résultat, il est vrai, est peut-être attribuable aux représentations assez communes qui se dégagent des propos des jeunes. Ce qui demeure toutefois le plus frappant, c'est l'écart qui existe entre le regard que portent les jeunes sur ce modèle d'organisation familiale et le regard que porte l'observateur extérieur (Fortin, 1987 ; Théry, 1991). Si notre étude laisse apparaître très peu de stéréotypes à l'endroit de la famille recomposée, de nombreuses études ont démontré l'existence d'un stéréotype négatif à l'endroit de ces familles (Ganong et Coleman, 1990 ; Lefaucheur, 1987 ; Noy, 1991 ; Wald, 1981). Ceci tend à confirmer les résultats de l'étude de Fine (1986) qui a fait ressortir qu'une exposition à la recomposition familiale tend à diminuer les stéréotypes négatifs entretenus à son égard, et ce, particulièrement à l'endroit de la belle-mère.

Trajectoires familiales

La trajectoire familiale de chaque jeune a été examinée en s'attardant au milieu de vie où le jeune passe le plus de temps. Ainsi, l'itinéraire le plus courant consiste à avoir vécu la séparation des parents (intervenue en moyenne il y a sept ans), puis une période d'environ trois ans en famille monoparentale, suivie d'une recomposition familiale. Près de trois jeunes sur quatre n'ont pas vécu plus de trois changements dans la configuration de leur famille au moment où s'est déroulée l'entrevue. L'étude des trajectoires familiales a été l'occasion d'examiner l'importance de la discontinuité des liens vécue par les jeunes, ce qui présuppose que l'on considère qu'un jeune peut vivre de la continuité même à travers des changements aussi importants que ceux se produisant dans la composition de sa famille. Pour ce faire, la trajectoire familiale de chaque jeune a été catégorisée sur une échelle comportant quatre niveaux possibles de discontinuité (très faible, faible, moyenne et importante). On observe ainsi que la moitié des répondants ont une trajectoire familiale marquée par une discontinuité moyenne et qu'un peu plus du tiers ont vécu une faible discontinuité. Il est par ailleurs beaucoup plus exceptionnel de retrouver des situations où les jeunes vivent une très faible discontinuité ou, au contraire, une discontinuité importante. Par ailleurs, lorsque l'on examine la discontinuité vécue par les jeunes selon leur niveau d'adaptation, il se dégage de très nettes différences entre les groupes.

En effet, on remarque qu'aucun des jeunes dont l'adaptation se situe sous la moyenne n'a vécu une très faible discontinuité alors, qu'à l'opposé, aucun des jeunes ayant vécu une très importante discontinuité n'a un niveau d'adaptation le situant au-dessus de la moyenne. On note aussi une tendance, chez les jeunes dont l'adaptation se situe au-dessus de la moyenne, à avoir vécu un niveau de discontinuité moins important que celui observé chez les deux autres groupes. Bref, il est permis, à partir de ces données exploratoires, de faire l'hypothèse qu'au-delà du nombre de changements familiaux vécus par les jeunes, la possibilité de maintenir un lien, une continuité à travers le changement soit associée à un niveau d'adaptation supérieur. Pour différents chercheurs (Beaudoin *et al.*, 1997 ; Perry, 1995), il est possible de favoriser cette continuité, malgré la séparation conjugale et la recomposition familiale, en permettant notamment aux jeunes de maintenir des relations avec le parent qui n'a pas la garde.

Logiques de recomposition familiale

Plusieurs thèmes ont été abordés avec les jeunes afin de cerner le mode de régulation propre à leur famille. En effet, l'analyse de leurs propos a porté sur les transitions familiales vécues, la nature et la fréquence des contacts avec les membres de la famille d'origine qui ne vivent plus ensemble, les changements perçus dans la relation avec le parent non gardien, les différences qui peuvent exister entre le rôle du parent non gardien et du parent gardien, la nature du lien qui unit les jeunes à leur beau-parent, le rôle de ce dernier auprès d'eux et, enfin, la représentation qu'a le jeune des personnes composant sa famille.

L'analyse assez complexe de ce corpus a d'abord visé à confirmer une typologie déjà établie proposant l'existence de deux logiques distinctes, l'une dite de substitution, qui se caractérise par un effacement plus ou moins important de l'organisation familiale précédente, l'autre dite de pérennité, qui témoigne de l'existence d'une continuité dans la vie du jeune au-delà de la séparation et de la remise en couple de ses parents. L'analyse des représentations des jeunes s'est d'abord faite en tentant de classer leur situation selon l'une ou l'autre des deux logiques. Mais, si certaines situations s'y adaptaient parfaitement, il est vite apparu que d'autres s'inscrivaient dans des modes de régulation différents. Il est donc proposé que les logiques de recomposition familiale puissent se diviser en quatre types distincts, soit de substitution, de pérennité, d'exclusion et de monoparentalité permanente.

Brièvement, soulignons la caractéristique de fond de chacune de ces logiques. La première, de loin la plus répandue (N = 15), est qualifiée de « logique de substitution ». Elle se caractérise par le fait que le beau-parent gardien joue un rôle de parent auprès du jeune, alors que le parent non gardien, *lorsqu'il est présent dans la vie du jeune*, est surtout actif dans la sphère des loisirs, de l'affection et du soutien financier. La deuxième logique, qualifiée de pérennité, regroupe quatre situations qui se caractérisent d'abord et avant tout par le fait que les ex-conjoints continuent d'assumer leur rôle de parent au-delà de la séparation conjugale et du fait de ne pas vivre constamment avec leur enfant. Les relations entre eux sont généralement harmonieuses et basées sur la coopération. Le jeune a un libre accès à ses parents et entretient des contacts réguliers avec eux. Une troisième logique de recomposition, qualifiée « d'exclusion », a regroupé la situation familiale de trois jeunes. La caractéristique de base de cette logique est le fait que le jeune ne se sente pas intégré à la famille recomposée. Elle est principalement mais non exclusivement apparue dans des situations où le jeune vit à temps plein au sein d'une famille monoparentale matricentrique et à temps partiel au sein d'une famille recomposée patricentrique. La relation avec la mère gardienne est très positive alors qu'elle est plus conflictuelle avec le père non gardien. Finalement, une dernière logique, dite « de monoparentalité », comprend la situation familiale de quatre jeunes. La principale caractéristique de cette logique concerne le rôle du beau-parent gardien qui se limite à celui de conjoint du parent. Ainsi, et contrairement à ce qui est observé sous la logique de substitution, le beau-parent ne se substitue pas ici au parent non gardien. Il n'est pas plus un parent d'addition, comme il est observé sous la logique de pérennité. Cette personne ne joue tout simplement pas un rôle de parent auprès du jeune, son action se limite à la sphère conjugale.

Logiques de recomposition familiale et adaptation

Est-il possible d'observer un lien entre la logique sous-tendant la recomposition familiale et le niveau d'adaptation du jeune ? D'abord, rappelons le contexte qualitatif et exploratoire dans lequel s'insère ce questionnement. Il n'y a donc ici aucune aspiration de type confirmatoire, mais plutôt le désir de faire émerger de nouvelles pistes permettant de mieux comprendre ce qui contribue à un équilibre positif des jeunes au sein de ces familles. Cette précision étant encore une fois faite, on peut se permettre de souligner certains faits de l'analyse de ce corpus. Ainsi, le croisement effectué entre le niveau d'adaptation des jeunes et les logiques de recomposition ne révèle aucune tendance permettant d'établir une association entre ces deux éléments. Mis à part les jeunes appartenant à une famille recomposée sous une logique d'exclusion (qui ont tous un niveau d'adaptation se situant dans le seuil moyen), dans toutes les autres situations, on observe une concentration de la moitié des cas à l'intérieur d'un seuil d'adaptation moyen alors que l'autre moitié se répartit également entre les deux extrêmes. Pourtant, des associations entre ces deux dimensions étaient attendues en vertu des liens que l'on établit dans les écrits entre la qualité des processus familiaux et l'adaptation des jeunes. Par exemple, la logique de pérennité étant plus axée sur le maintien de la coparentalité et de l'harmonie entre ex-conjoints (Le Gall et Martin, 1993 ; Théry, 1985), on était en droit de s'attendre à retrouver une association concrète se manifestant par un niveau d'adaptation plus élevé chez les jeunes (Kurdek et Sinclair, 1988 ; Nelson *et al.*, 1993). À l'inverse, la logique de substitution impliquant plus fréquemment un niveau de conflit important entre les parents, ce processus négatif aurait pu se manifester en affectant négativement l'adaptation des jeunes. De plus, ces deux modes de régulation apparaissaient s'opposer sur le plan de la continuité, la logique de substitution semblant plus marquée par la rupture, alors que la logique de pérennité s'inscrivait plutôt dans le prolongement de la première union. L'analyse des propos des adolescents tend à appuyer cette vision de la logique de pérennité. Par contre, les observations faites au sujet de la logique de substitution montrent que cette « rupture » dans la vie du jeune n'entraîne pas nécessairement une importante discontinuité sur le plan des liens ou un niveau de conflit important entre les parents. Bref, il s'agit de situations où, au-delà de la transformation des rôles joués par les adultes et des changements dans l'environnement du jeune, une continuité relationnelle peut persister. Cette dernière observation permet, entre autres, de faire l'hypothèse que l'absence d'associations apparentes entre les logiques de recomposition et le niveau d'adaptation des jeunes est peut-être plus reliée aux variations vécues par les jeunes sur le plan de la continuité des liens. En effet, si les logiques de recomposition ne semblent pas associées à l'adaptation des jeunes, on remarque que cette adaptation est associée à l'importance de la discontinuité vécue, elle-même associée aux logiques de recomposition. Aussi, au-delà des modes de régulation familiale et du nombre de changements vécus, la possibilité de maintenir un lien à travers le changement par l'entremise des relations familiales est associée à un adaptation supérieur, ce qui confirme la position théorique développée récemment par Beaudoin *et al.* (1997).

De plus, même s'il n'a pas été possible d'établir de liens entre les logiques de recomposition et l'adaptation des jeunes, l'étude des modes de régulation a permis de faire ressortir les diversités que prend cette structure familiale, en apparence identique. Qu'il s'agisse de familles recomposées ou de toute autre forme d'organisation familiale, il est important de considérer la multiplicité des réalités qu'une même étiquette peut comprendre. En ce sens, nous appuyons les propos tenus par Kasen *et al.* (1996) qui affirmaient : « *We are mindful that family status is a structural variable, and certainly not homogeneous with regard to the complex economic, social, and psychological processes occurring within family structures* » (p. 145).

CONCLUSION

L'objectif de cette communication était d'insister sur les principales dimensions qui ressortent d'une lecture écologique de l'adaptation des jeunes de familles recomposées. Au point de départ, une perspective accordant une place primordiale à l'étude de certains processus familiaux, regroupés ici sous le concept de qualité de l'environnement familial, tout en reléguant au second plan l'impact des structures familiales proprement dites, a été adoptée. Toutefois, à la lumière des résultats obtenus, il apparaît prudent, dans une démarche de compréhension de ce qui contribue à faire des adolescents et adolescentes de familles recomposées « des jeunes qui vont bien », de ne pas chercher à choisir entre les processus familiaux et les caractéristiques contextuelles ou individuelles. Il semble en effet plus prometteur de concevoir que cette structure familiale comporte une

demande d'adaptation certaine à laquelle se superposent un environnement familial et des caractéristiques personnelles qui pourront se
révéler, dans le contexte, comme des forces ou des faiblesses. En dernier
lieu, une lecture plus exhaustive situera l'ensemble de ces facteurs dans
une perspective temporelle qui tiendra à la fois compte des trajectoires
vécues par les individus de même que de leur stade de développement à
la fois personnel et familial.

BIBLIOGRAPHIE

Acock, Alan C. et David H. Demo (1994). *Family Diversity and Well-Being*, Thousand
   Oaks, Sage Publications.

Amato, Paul R. (1987). « Family Processes in One-Parent, Stepparent, and Intact
   Families : The Child's Point of View », *Journal of Marriage and the Family*,
   49(2), p. 327-337.

Amato, Paul R. et Bruce Keith (1991). « Parental Divorce and the Well-Being of
   Children : A Meta-Analysis », *Psychological Bulletin*, *110*(1), p. 26-46.

Barber, Bonnie L. et Janice M. Lyons (1994). « Family Processes and Adolescent
   Adjustment in Intact and Remarried Families », *Journal of Youth and
   Adolescence*, *23*(4), p. 421-436.

Bastien, C., Linda Pagani, M. De Civita et Richard E. Tremblay (1996). Affiche
   présentée à la XIVᵉ Biennale de l'International Society for the Study of
   Behavioural Development. L'impact des transitions familiales et des pratiques
   parentales sur la déviance des garçons de milieux défavorisés, Québec,
   12-16 août.

Beaudoin, S., M. Beaudry, G. Carrier, R. Cloutier, S. Drapeau, M.-T. Duquette, M.-C.
   Saint-Jacques, M. Simard et J. Vachon (1997). « Réflexions critiques autour du
   concept de transition familiale », *Les Cahiers internationaux de psychologie
   sociale*, *3*(35), p. 49-67.

Borrine, M. Lisa, Paul J. Handal, Nancy Y. Brown et H. Russell Searight (1991).
   « Family Conflict and Adolescent Adjustment in Intact, Divorced, and Blended
   Families », *Journal of Consulting and Clinical Psychology*, *59*(5), p. 753-755.

Bray, James H. (1988). « Children's Development During Early Remarriage », dans
   E. Mavis Hetherington et Josephine D. Arasteh, *Impact of Divorce, Single
   Parenting and Stepparenting on Children*, Mahwah, New Jersey, Lawrence
   Erlbaum Associates.

Bray, James H. (1999). « From Marriage to Remarriage and Beyond : Findings from
   the Developmental Issues in Stepfamilies Research Project », Mavies E. Hetherington (dir.), *Coping with Divorce, Single Parenting and Remarriage – A Risk and
   Resiliency Perspective*, Mahwah, New Jersey, Lawrence Erlbaum.

Bronfenbrenner, Urie (1996). « Le modèle « Processus-Personne-Contexte-Temps » dans la recherche en psychologie du développement : principes, applications et implications », Réjean Tessier et Georges M. Tarabulsy (dir.), *Le modèle écologique dans l'étude du développement de l'enfant*, Sainte-Foy, Presses de l'Université du Québec, p. 9-59.

Brown Chalfant, Anne, Robert-Jay Green et Joan Druckman (1990). « A Comparison of Stepfamilies with and without Child-Focused Problems », *American Journal of Orthopsychiatry, 60*(4), p. 556-566.

Clingempeel, Glenn W. et Sion Segal (1986). « Stepparent-Stepchild Relationships and the Psychological Adjustment of Children in Stepmother and Stepfather Families », *Child Development, 57*(2), p. 474-484.

Cloutier, Richard, Madeleine Beaudry, Sylvie Drapeau, Christine Samson, Gilles Mireault, Marie Simard et Jacques Vachon (1997). « Changements familiaux et continuité : une approche théorique de l'adaptation aux transformations familiales », Georges M. Tarabulsy et Réjean Tessier (dir.), *Enfance et Famille – Contextes et développement*, Sainte-Foy, Presses de l'Université du Québec, p. 29-56.

Cloutier, Richard, Lyne Champoux et Christian Jacques (1994). *Enquête Ados, familles et milieux de vie*, Québec, Centre de recherche sur les services communautaires, 124 p.

Coleman, Marilyn et Lawrence Ganong (1987). « The Cultural Stereotyping of Stepfamilies », Kay Pasley et Marilyn Ihinger-Tallman (dir.), *Remarriage and Stepparenting – Current Research et Theory*, New York, Guilford Press, p. 19-41.

Collins, William E., Barbara M. Newman et Patrick McKenry (1995). « Intrapsychic and Interpersonal Factors Related to Adolescent Psychological Well-Being in Stepmother and Stepfather Families », *Journal of Family Psychology, 9*(4), p. 433-445.

Conseil de la famille et de l'enfance et collaborateurs (1999). *Un portrait statistique des familles et des enfants au Québec*, Québec, Gouvernement du Québec, 206 p.

Dancy, Barbara L. et Paul J. Handal (1984). « Perceived Family Climate, Psychological Adjustement, and Peer Relationship of Black Adolescents : A Function of Parental Marital Status or Perceived Family Conflict ? », *Journal of Community Psychology, 12*(3), p. 222-229.

Fine, Mark A. (1986). « Perceptions of Stepparents : Variation in Stereotypes as a Function of Current Family Structure», *Journal of Marriage and the Family, 48*(3), p. 49-67.

Fortin, Andrée (1987). *Histoire de familles et de réseaux*, Montréal, Éditions Saint-Martin, 225 p.

Ganong, Lawrence H. et Marilyn M. Coleman (1990). « A Meta-Analytic Review of Family Structure Stereotypes », *Journal of Marriage and the Family, 52*(2), p. 287-297.

Ganong, Lawrence H. et Marilyn Coleman (1993). « A Meta-Analytic Comparison of the Self-Esteem and Behavior Problems of Stepchildren to Children in Other Family Structures », *Journal of Divorce and Remarriage, 19*(3/4), p. 143-163.

Henry, Carolyn S. et Sandra G. Lovelace (1995). « Family Resources and Adolescent Family Life Satisfaction in Remarried Family Households », *Journal of Family Issues, 16*(6), p. 765-786.

Hetherington, E. Mavis (1990). « Coping with Family Transitions : Winners, Losers, and Survivors », Stella Chess et Margaret E. Hertzig (dir.), *Annual Progress in Child Psychiatry and Child Development*, New York, Brunner / Mazel.

Hetherington, E. Mavis, Martha Cox et Roger Cox (1985). « Long-Term Effects of Divorce and Remarriage on the Adjustment of Children », *Journal of the American Academy of Child Psychiatry, 24*(5), p. 518-530.

Hetherington, Mavies E., M. Cox et Cox R. (1982). « Effects of Divorce on Parent and Children », Michael E. Lamb (dir.), *Nontraditional Families : Parenting and Child Development*, Mahwah, New Jersey, Lawrence Erlbaum, p. 233-288.

Jeynes, W. H. (1999). « Effects of Remarriage Following Divorce on the Academic Achievement of Children », *Journal of Youths and Adolescence, 28*(3), p. 385-393.

Kasen, Stephanie, Patricia Cohen, Judith S. Brook et Claudia Hartmark (1996). « A Multiple-Risk Interaction Model : Effects of Temperament and Divorce on Psychiatric Disorders in Children », *Journal of Abnormal Child Psychology, 24*(2), p. 121-150.

Kurdek, Lawrence A. et Ronald J. Sinclair (1988). « Adjustment of Young Adolescents in Two-Parent Nuclear, Stepfather, and Mother-Custody Families », *Journal of Consulting and Clinical Psychology, 56*(1), p. 91-96.

Le Gall, Didier et Claude Martin (1993). « Transitions familiales, logiques de recomposition et modes de régulation conjugale », Marie-Thérèse Meulders-Klein et Irène Théry (dir.), *Les recompositions familiales aujourd'hui*, Paris, Nathan, p. 137-158.

Lefaucheur, Nadine (1987). « Quand leur situation était inférieure à celle de l'orphelin ou le psychiatre, la marâtre et le délinquant juvénile », *Dialogue,* (97), p. 104-120.

McFarlane, Allan H., Anthony Bellissimo et Geoffrey R. Norman (1995). « Family Structure, Family Functioning and Adolescent Well-Being : The Transcendent Influence of Parental Style », *Journal of Child Psychology and Psychiatry and Allied Disciplines, 36*(5), p. 847-864.

Marotz-Baden, Ramona, Gerald R. Adams, Nancy Bueche, Brenda Munro et Gordon Munro (1979). « Family Form or Family Process ? Reconsidering the Deficit Family Model Approach », *The Family Coordinator, 28*(1), p. 5-14.

Martin, Claude (1992). « Transitions familiales – Évolution du réseau social et familial après la désunion et modes de régulation sociale ». Thèse de doctorat, Université de Paris VIII Vincennes à Saint-Denis, 469 p.

Mayer, Micheline (1994). « Écologie humaine, Écologie sociale et mauvais traitements ». Manuscrit non publié, Montréal, Université de Montréal, 92 p.

Mitchell, Kristen (1983). « The Price Tag of Responsibility : A Comparison of Divorced and Remarried Mothers », *Journal of Divorce*, 6(3), p. 33-42.

Mott, Frank L., Lori Kowaleski-Jones et Elizabeth G. Menaghan (1997). « Paternal Absence and Child Behavior : Does a Child's Gender Make a Difference ? », *Journal of Marriage and the Family*, 59(1), p. 103-118.

Nelson, Wendy L., Honore M. Hughes, Paul Handal, Barry Katz et H. Russell Searight (1993). « The Relationship of Family Structure and Family Conflict to Adjustment in Young Adult College Students », *Adolescence*, 28(109), p. 29-40.

Noller, Patricia et Victor Callan (1991). *The Adolescent in the Family*, Londres, Routledge, 172 p.

Noy, David (1991). « Wicked Stepmothers in Roman Society and Imagination », *Journal of Family History*, 16(4), p. 345-361.

Parish, Thomas S. et Judy W. Dostal (1980). « Evaluations of Self and Parent Figures by Children from Intact, Divorced, and Reconstituted Families », *Journal of Youth and Adolescence*, 9(4), p. 347-351.

Pasley, B. Kay et Cathy L. Healow (1988). « Adolescent Self-Esteem : A Focus on Children in Stepfamilies », E. Mavis Hetherington et Josephine D. Arasteh (dir.), *Impact of Divorce, Single Parenting and Step-parenting on Children*, Mahwah, New Jersey, Lawrence Erlbaum.

Perry, Barbara (1995). « Step-parenting : How Vulnerable are Step-Children ? », *Educational and Child Psychology*, 12(2), p.58-70.

Saint-Jacques, Marie-Christine (1990). « Familles recomposées : Qu'avons-nous appris au fil des ans ? », *Service Social*, 9(3), p. 7-37.

Saint-Jacques, Marie-Christine (1996). Adolescent Adjustment in Stepfamilies : Structural or Process Problem ? Affiche présentée à la XIVᵉ Biennale de l'International Society for the Study of Behavioural Development, 12-16 août, Québec.

Saint-Jacques, Marie-Christine (1996). « L'ajustement des enfants et des adolescents qui vivent en famille recomposée : État de la question », Jacques Alary (dir.), *Comprendre la famille* – Actes du IIIᵉ Symposium de recherche sur la famille, Sainte-Foy, Presses de l'Université du Québec, p. 9-31.

Saint-Jacques, Marie-Christine (1998). *L'ajustement des adolescents et des adolescentes dans les familles recomposées : étude des processus familiaux et des représentations des jeunes*. Thèse de doctorat, Ph.D. en sciences humaines appliquées, Montréal, Université de Montréal, 385 p.

Saint-Jacques, Marie-Christine (2000). *L'ajustement des adolescents et des adolescentes dans les familles recomposées : étude des processus familiaux et des représentations des jeunes,* Québec, Université Laval, Centre de recherche sur les services communautaires, 404 p.

Santrok, John W., Richard Warshak, Cheryl Lindbergh et Larry Meadows (1982). « Children's and Parent's Observed Social Behavior in Stepfather Families », *Child Development, 53*(2), p. 472-480.

Silitsky, Daniel (1996). « Correlates of Psychological Adjustment in Adolescents from Divorced Families », *Journal of Divorce and Remarriage, 26*(1/2), p. 151-169.

Sokol-Katz, Jan, Roger Dunham et Rick Zimmerman (1997). « Family Structure Versus Parental Attachment in Controlling Adolescent Deviant Behavior : A Social Control Model », *Adolescence, 32*(125), p. 199-215.

Sprujit, A. P. (1995). « Adolescents from Stepfamilies, Single-Parent Families and (In)Stable Intact Families in the Netherlands », Craig A. Everett (dir.), *Understanding Stepfamilies – Their Structure and Dynamics,* New York, Haworth Press, p. 115-132.

Steinberg, Laurence, Nina S. Mounts, Susie D. Lamborn et Sanford M. Dornbusch (1991). « Authoritative Parenting and Adolescent Adjustment Across Varied Ecological Niches », *Journal of Research on Adolescence, 1*(1), p. 19-36.

Théry, Irène (1985). « La référence de l'intérêt de l'enfant : usage judiciaire et ambiguïtés », Odile Bourguignon, Jean-Louis Rallu et Irène Théry, *Du divorce et des enfants,* Institut national d'études démographiques, Paris, Presses universitaires de France, p. 33-114.

Théry, Irène (1991). « Trouver le mot juste », coordonné par Martine Segalen, *Jeux de famille,* Paris, Presses du CNRS, p. 137-156.

Wald, Esther (1981). *The Remarried Family – Challenge and Promise,* New York, Family Service Association of America, 254 p.

Zill, Nicholas (1988). « Behavior, Achievement, and Health Problems Among Children in Stepfamilies : Findings from a National Survey of Child Health », E. Mavis Hetherington et Josephine D. Arasteh (dir.), *Impact of Divorce, Single Parenting and Stepparenting on Children,* Mahwah, New Jersey, Lawrence Erlbaum Associates.

Zimiles, Herbert et Valerie E. Lee (1991). « Adolescent Family Structure and Educational Progress », *Developmental Psychology, 27*(2), p. 314-320.

Fonctionnement familial et négligence des enfants

Michèle BROUSSEAU
Centre jeunesse de Québec

Marie SIMARD
École de service social
Université Laval

INTRODUCTION

Jusqu'à maintenant, l'attention des praticiens sociaux et des chercheurs a surtout été orientée vers l'identification des manifestations et des différents types de négligence. Même si l'on reconnaît l'importance des modèles d'interaction familiale, la négligence a été jusqu'ici peu étudiée dans une perspective familiale. Cet article présente certains résultats tirés d'une recherche sur le fonctionnement familial d'un groupe de familles négligentes et non négligentes[1]. Il comprend quatre parties : la problématique de recherche, le cadre d'analyse, la méthodologie et, enfin, les résultats eux-mêmes. Nous concluons sur la portée de ces résultats sur le plan de la pratique et de la recherche.

---

1. Les données sont tirées de la thèse de doctorat de la première auteure, réalisée à l'École de service social de l'Université Laval, sous la direction de la deuxième auteure. L'auteure a bénéficié d'une bourse du Conseil québécois de recherche sociale (1994-1997) et d'un congé d'étude (1997) du Centre jeunesse de Québec pour la réalisation de cette recherche.

PROBLÉMATIQUE DE RECHERCHE

Un certain consensus se dégage chez les chercheurs selon lequel la négligence survient lorsqu'on est en présence de facteurs de risque individuels, familiaux et environnementaux. « La négligence est la résultante des interactions de facteurs d'ordre économique, sociologique, ontogénétique et psychologique relatifs tant aux parents qu'aux enfants. Ces interactions et leur dynamique ont pour effet de miner les capacités parentales et d'entraver les mécanismes de compensation des familles » (Oxman-Martinez et Moreau, 1994, p. 302). Malgré la reconnaissance du caractère multidimensionnel de la négligence, on a peu exploré la dynamique du système familial des familles négligentes (Gaudin *et al.,* 1996 ; Palacio-Quintin, Couture et Paquet, 1995).

L'importance de la famille dans l'éducation des enfants justifie de s'intéresser à la compréhension du fonctionnement des familles et d'examiner « les conduites parentales négligentes envers l'enfant [...] à l'intérieur du contexte global de la famille (Palacio-Quintin et Éthier, 1993, p. 161). Les familles négligentes sont susceptibles de manifester aussi des dysfonctions familiales. La négligence, qui est la non-réponse aux besoins physiques, affectifs et éducatifs de l'enfant, peut être vue, par conséquent, comme une incapacité de la famille à assumer les tâches de protection et de socialisation de l'enfant. L'étude du fonctionnement familial peut donc enrichir la compréhension du phénomène de la négligence.

Les connaissances actuelles sur la négligence témoignent d'une réalité multidimensionnelle. Sous l'influence des modèles psychologiques, sociologiques et écologiques d'analyse, les études ont permis d'identifier plusieurs facteurs associés à la négligence. On dispose ainsi de connaissances sur les caractéristiques individuelles des parents, en particulier les mères (jeune âge, faible scolarisation, immaturité, dépression, antécédents de placement, etc.), et sur celles des enfants (jeune âge, retards de développement sur plusieurs plans, expériences de placement). Les caractéristiques sociales des familles et de leur voisinage (pauvreté et isolement) ainsi que leur structure (familles monoparentales dirigées par la mère, absence des pères) sont également documentées. C'est aussi le cas de la relation parent-enfant : des problèmes d'attachement et le stress parental sont aussi associés à la négligence (Chamberland, Bouchard et Beaudry, 1986 ; Egeland, 1988 ; Garbarino, 1976 ; Mayer-Renaud, 1990 ; Oxman-Martinez et Moreau, 1993 ; Palacio-Quintin, Couture et Paquet, 1995 ; Polansky, Ammons et Gaudin, 1985 ; Trocmé *et al.,* 1994 ; Zuravin, 1989).

Toutefois, en ce qui a trait au fonctionnement des familles négligentes, nous avons recensé seulement cinq études. Crittenden (1988) rapporte que les familles négligentes vivent au jour le jour, sans planification. Les stratégies d'adaptation des parents se caractérisent par le retrait devant des situations difficiles ; ils comptent sur les autres, reportent à plus tard et ont peu recours à la discipline.

Pour leur part, Oxman-Martinez et Moreau (1993) ont observé que le climat des familles négligentes (d'après *l'Échelle du climat familial* de Moos et Moos) s'approche de celui de familles normales sur les dimensions relationnelles (cohésion, expression des sentiments et conflit) et de maintien du système familial (organisation et contrôle). Elles s'apparentent aux familles en détresse pour les dimensions de développement des personnes (autonomie, poursuite de la réussite, intellectuel/culturel, activités/loisirs et morale/religion). Avec la même mesure, Mollerstrom, Patchner et Milner (1992) ont observé, pour leur part, des corrélations entre le climat familial et le potentiel d'abus et que les familles négligentes ne se distinguaient pas des autres familles maltraitantes.

Nelson, Saunders et Landsman (1993) se sont intéressés à la chronicité de la négligence. À partir des échelles de Hudson, ils ne rapportent pas de différences significatives entre les attitudes parentales des mères négligentes et non négligentes (cas non fondés) ; toutefois, les familles récemment signalées étaient celles qui éprouvaient le plus de difficultés sur le plan des relations familiales (41,7 % des nouvelles familles négligentes contre 29,7 % de l'ensemble des familles). La taille de la famille est apparue le facteur le plus important, à l'analyse discriminante, pour distinguer les familles selon la chronicité de la négligence, celle-ci étant le fait des familles ayant plus d'enfants.

Enfin, Gaudin et ses collègues (1996) ont comparé les perceptions de mères négligentes et non négligentes et de praticiens sociaux sur les processus d'interaction de familles négligentes et non négligentes à partir du *Self-Report Inventory – SFI* (Beavers et Hampson, 1990, cité). Selon l'opinion des mères, les familles tendent à se différencier sur les dimensions leadership et santé/compétence, mais les mères négligentes décrivent leur famille aussi cohésive que les mères non négligentes. Toutefois, les évaluations des praticiens sociaux indiquent un fonctionnement moins sain et moins compétent pour toutes les dimensions : la communication, la cohésion et les frontières dans la famille différencient les familles négligentes et non négligentes selon ces derniers.

Les résultats de ces études ne concordent pas tous, en raison, entre autres, des définitions et des mesures différentes du fonctionnement familial retenues. Les populations étudiées diffèrent aussi : échantillons non probabilistes composés de familles présentant des différences quant à la structure familiale, au revenu et à l'âge des enfants. La négligence est parfois définie selon les définitions légales ou encore avec des mesures standardisées différentes et des cas mixtes de négligence et d'abus sont parfois inclus. Enfin, la majorité des études sont transversales, ce qui ne permet pas de déterminer le rôle respectif des différents facteurs en présence. Gaudin et Dubowitz (1997) arrivent aux mêmes observations à la suite de l'analyse de cinq études du fonctionnement de familles négligentes.

CADRE D'ANALYSE

L'objet d'étude porte sur le fonctionnement familial de familles négligentes et non négligentes selon les perceptions des parents. Cette étude avait, entre autres objectifs, celui d'étudier comment des parents – pères et mères – décrivent le fonctionnement de leur famille et leur environnement et d'examiner la contribution du fonctionnement familial à la compréhension de la négligence des enfants.

Le cadre d'analyse écosystémique (voir le schéma de la figure 1) s'inspire plus particulièrement des modèles de Belsky (1993), Hegar et Yungman (1989), Trocmé (1996b), et Garbarino et Abramowitz (1992). Il comprend des dimensions ontosystémiques (caractéristiques du parent et de l'enfant), microsystémiques (caractéristiques de la famille et fonctionnement familial) ainsi que méso- et exosystémiques (soutien social et voisinage). Les caractéristiques de l'enfant sont retenues à des fins descriptives seulement, puisque la négligence affecte habituellement tous les enfants de la famille.

FIGURE 1

Modèle d'analyse de l'étude

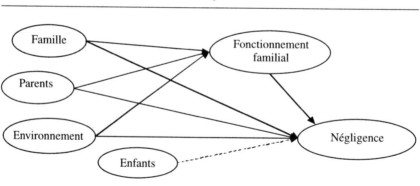

Les lignes continues indiquent les associations entre les dimensions, alors que la ligne discontinue indique une dimension retenue uniquement à des fins descriptives. Les résultats concernant les facteurs associés au fonctionnement familial ne sont pas présentés ici.

Selon les théories systémiques, une famille compétente ou fonctionnelle s'acquitte de ses tâches de façon satisfaisante. C'est un système ouvert, en interaction avec le milieu (Minuchin, 1979). Elle remplit deux types de tâches : des tâches externes de socialisation ou de transmission de la culture et des tâches internes de protection et de réponse aux besoins de ses membres, des enfants en particulier (Beckwith, 1990 ; Garbarino et Abramowitz, 1992 ; Minuchin, 1979 ; Wood et Geismar, 1989). Ces tâches impliquent de nourrir, de contrôler et de guider les enfants et leur importance varie selon leur âge et leur développement. La famille est « un petit groupe de personnes qui partagent amour, intimité et responsabilité des enfants ; c'est aussi une institution sociale du macrosystème américain et qui le reflète » (Garbarino et Abramowitz, 1992, p. 71, notre traduction).

Selon Garbarino et Abramowitz, « les familles fortes trouvent une façon de produire des enfants compétents, de répondre aux besoins émotifs des parents et d'agir comme unités économiquement et socialement viables » (1992, p. 80, notre traduction). À l'opposé, la maltraitance est une dysfonction du système familial dans un contexte où les stress économiques et sociaux, ainsi que certains antécédents et caractéristiques des parents et des enfants, nuisent à l'exercice des rôles parentaux et constituent aussi des facteurs de risque de mauvais traitements (Bolger, Thomas et Eckenrode, 1997).

Le fonctionnement familial renvoie à un ensemble de « processus [qui] concernent l'intégration et le maintien de l'unité familiale et sa capacité à mener à bien les tâches essentielles à la croissance et au bien-être de ses membres, telles l'éducation et la protection de sa progéniture ainsi que le soin des personnes âgées » (Walsh, 1993, p. 7, notre traduction). C'est un phénomène complexe et multidimensionnel qui comprend des processus stables comme la communication, la prise de décision, les routines, les pratiques et la répartition des rôles (Engelbert et Herlth, 1987). Il existe différentes définitions du fonctionnement familial et bien qu'il n'y ait pas consensus, ces dernières renvoient habituellement à trois groupes de tâches, soit celles qui assurent le maintien de la famille, son développement et celui de ses membres, ainsi que la réponse aux événements imprévisibles. Le fonctionnement familial comprend donc des tâches instrumentales et des tâches affectives.

Garbarino et Abramowitz (1992) résument les caractéristiques des familles qui fonctionnent bien. Leurs modèles de communication sont clairs et ouverts ; leurs membres ont un sentiment d'appartenance (cohésion) tout en favorisant le développement individuel de chacun. On y retrouve aide mutuelle, soutien et reconnaissance, ainsi qu'une capacité à s'adapter et à faire face au stress et aux changements prévisibles. Les rôles et les responsabilités sont clairs et leurs membres apprécient être ensemble. Les familles sont, enfin, reliées à leur environnement. Cette définition correspond à celle des auteurs du modèle McMaster de fonctionnement familial (Epstein *et al.*, 1993). Il comprend six dimensions importantes pour le bien-être et la santé des membres et de la famille : résolution des problèmes, communication, rôles, expression affective, engagement affectif et maîtrise des comportements, ainsi qu'une mesure du fonctionnement général de la famille.

MÉTHODOLOGIE

Population à l'étude et échantillons

La population de l'étude comprend un groupe de familles négligentes et non négligentes. Les familles négligentes et à risque sont des familles connues des services de protection de la jeunesse, selon la LPJ. Ce groupe comprend trois types de cas, selon la décision prise au moment de l'évaluation et leur position dans le processus de protection : des cas « à risque », pour lesquels le signalement a été jugé non fondé, des cas nouveaux, jugés fondés, et des cas fondés en cours de suivi dans le milieu familial. Les familles non négligentes (groupe de comparaison) sont des familles de la population générale dont les enfants sont du même âge que ceux des familles négligentes et dont le statut socioéconomique est comparable. Elles ont été recrutées auprès de quatre écoles primaires et de la clinique petite-enfance d'un CLSC dans un quartier socioéconomiquement faible. Nous ne pouvons cependant exclure la possibilité que certaines familles de ce groupe présentent des comportements de négligence.

Les échantillons sont non probabilistes et composés de volontaires (Mayer et Ouellet, 1991). Pour le groupe négligent, 86 familles (sur 149 admissibles) ont accepté de participer à la recherche, un taux de réponse de 57,7 %. Les familles qui ont refusé de participer ou qui n'ont pas été rejointes ne se distinguent pas des familles participantes sur le plan de la structure et de la taille de la famille, ni quant au signalement et à la nature et à la gravité de la négligence, à l'exception de la négligence de supervision plus grave pour les enfants des familles non participantes (32,8 contre 25,9, p = 0,01). De plus, les familles négligentes (à risque, cas nouveaux et suivis) constituent un groupe homogène et ne présentent pas de différences significatives pour la majorité des dimensions étudiées sauf en ce qui concerne la gravité de la négligence, comme on le verra plus loin, et les antécédents de placement, plus nombreux et plus longs chez les enfants en cours de suivi. Pour les familles non négligentes, 965 lettres ont été remises aux enfants à l'école et 42 aux parents au CLSC ; un tiers sont

TABLEAU 1

Composition des échantillons de familles négligentes et non négligentes

Groupes de familles	Familles N	Enfants N	Pères	Parents (N) Mères	Total
Familles négligentes					
– À risque	10	24	5	9	14
– Nouveaux cas	20	39	11	14	25
– Cas suivis	56	98	23	46	69
Sous-total	86	I61 (187*)	39	69	108
Familles non négligentes					
– Écoles	74	–	24	67	91
– CLSC	8	–	4	7	11
Sous-total	82	152	28	74	102
Population totale de l'étude	168	313 (339*)	67	143	210

Note : Les familles négligentes comptent aussi 26 autres enfants non signalés.

revenues avec une réponse positive ou négative. Quatre-vingt-deux familles constituent l'échantillon du groupe de comparaison. Au total, 168 familles composent la population à l'étude (tableau 1).

Source des données et instruments de collecte

Les données proviennent de deux sources principales : praticiens sociaux et parents. Les praticiens sociaux responsables du dossier de l'enfant ont rempli un questionnaire pour tous les enfants de chaque famille admissible. Celui-ci comprend des questions sur les caractéristiques socio-démographiques de la famille et de l'enfant, sur le signalement, les anté-cédents en protection, les mesures appliquées et l'*Index de négligence*. Les autres données ont été recueillies auprès des parents par un questionnaire, administré en entrevue face à face. Les questions concernent les données sociodémographiques sur la famille, les enfants, les parents et la nature des problèmes. S'y ajoutent le *Questionnaire d'évaluation familiale* et les questions sur le soutien social et sur le voisinage.

Le fonctionnement familial est mesuré avec le *Questionnaire d'éva-luation familiale* (*Family Assessment Device – FAD III*, Epstein, Baldwin et Bishop, 1983 ; Miller *et al.*, 1985), basé sur le modèle McMaster de fonctionnement familial (Epstein *et al.*, 1993)[2]. Cette mesure comporte

---

2.   La version française a été adaptée à partir d'une traduction fournie par Miller et comparée à celle de Bolduc (1991), réalisée selon une méthode de traduction inversée. Des modi-fications mineures ont été apportées.

six dimensions : résolution des problèmes, communication, rôles, expression affective, engagement affectif, maîtrise des comportements ainsi qu'une mesure du fonctionnement général de la famille. Un score faible traduit un fonctionnement familial sain.

Cette mesure présente une fidélité et une validité satisfaisantes ainsi que des normes de référence américaines (Epstein, Baldwin et Bishop, 1983 ; Kabacoff *et al.*, 1990 ; Miller *et al.*, 1985) et québécoises (Bolduc, 1991). C'est une mesure bien établie (Buehler, 1990 ; Sawin et Harrrigan, 1994) dont l'usage est recommandé (Tutty, 1995), entre autres auprès de familles non traditionnelles (Sawin et Harrigan, 1994). Des analyses de fidélité et de validité ont confirmé les qualités satisfaisantes de l'instrument[3].

La négligence est mesurée avec l'*Index de négligence* (Trocmé, 1996a). Cet instrument mesure six formes de négligence et leur gravité : la supervision, les soins physiques, la nourriture et l'alimentation ainsi que l'habillement et l'hygiène, les soins de santé physique, les soins de santé mentale et la réponse aux besoins éducatifs et développementaux. Les échelles correspondent aux dimensions de la définition théorique de Palacio-Quintin et Éthier (1993) et la mesure permet de pondérer la gravité de la négligence selon l'âge de l'enfant. La gravité de la négligence est déterminée par la manifestation qui reçoit la cote la plus grave, sur une échelle de quatre à cinq niveaux pondérés, auxquels s'ajoute la pondération en fonction de l'âge de l'enfant. La validité et la fidélité de l'*Index* se comparent favorablement avec le *Child Well-Being Scales* (Magura et Moses, 1986, cité) et avec la classification NIS (National Incidence Study, 1988, cité) selon l'auteur ; ce dernier rapporte aussi une validité de construit, concurrente et prédictive et une fidélité test-retest satisfaisante.

L'*Inventaire des problèmes familiaux* est constitué d'une liste de 12 problèmes relationnels (conjugaux, violence conjugale, parent-enfant, avec la famille étendue), individuels (santé ou handicap physique, santé mentale, toxicomanie, légaux ou avec la justice) et instrumentaux (argent, emploi, logement) et une catégorie « autre problème ». Cet inventaire a été développé pour la présente étude. Le soutien social informel est mesuré avec

---

3. La consistance interne a été mesurée avec l'alpha de Cronbach, une mesure de fidélité généralement acceptée (Buehler, 1990 ; Nunnally, 1978). Les alpha varient entre 0,62 et 0,86 selon les dimensions. La structure théorique de l'instrument a été vérifiée par une analyse factorielle des composantes principales, avec matrice de corrélation de type R et rotation oblique PROMAX (Hair, Anderson, Tatham et Black, 1992). L'analyse factorielle confirme en partie les dimensions théoriques : 75 % des items (32/48) saturent plus sur le facteur théorique attendu.

la version abrégée de *l'Échelle de provisions sociales* (Caron, 1996 ; Cutrona et Russell, 1987), tirée de l'ELNEJ (Développement des ressources humaines Canada, 1995a, b) ; celle-ci évalue trois dimensions : l'aide tangible et matérielle, le soutien émotionnel et les conseils et informations. La qualité du voisinage est aussi mesurée à partir de questions tirées de l'ELNEJ, dont la qualité du quartier comme endroit où élever des enfants, la sécurité du voisinage et la gravité des problèmes dans le quartier.

Soulignons enfin que cette étude comporte certaines limites théoriques et méthodologiques reliées, entre autres, au choix des facteurs explicatifs étudiés, à la source des données (le seul point de vue des parents) et au type d'échantillon non probabiliste qui restreint la portée des généralisations.

RÉSULTATS

Le profil des familles, des parents, des enfants et de leur environnement

Les résultats confirment notre première hypothèse d'un profil différent des groupes négligent et non négligent et d'une surreprésentation des principaux facteurs de risque familiaux, parentaux et environnementaux reconnus dans le groupe négligent, à une exception près (tableau 2).

Sur le plan familial, les facteurs de risque, comme la monoparentalité, l'instabilité conjugale et résidentielle, sont plus accentués chez les familles négligentes et celles-ci ont aussi plus de problèmes. Les mères négligentes sont plus jeunes et elles étaient aussi plus jeunes à la naissance du premier enfant. Les parents sont faiblement scolarisés et leur situation socio-économique peut être considérée précaire, car les mères, en particulier, travaillent peu et les parents reçoivent plus souvent de l'aide sociale. Les parents négligents ont aussi plus d'antécédents de placement et d'abus. Toutefois, les enfants des deux groupes ne se distinguent pas, mais les enfants négligés sont un peu plus jeunes et leurs antécédents de placement plus fréquents.

Enfin, les parents négligents se perçoivent moins soutenus par leurs parents et amis, mais sont plus nombreux à considérer que les services sociaux et les professionnels de la santé les ont aidés à résoudre leurs problèmes. Par ailleurs, ils décrivent leur environnement plus favorablement que les parents non négligents. Ceci peut être attribuable aux caractéristiques de l'échantillon, refléter des standards différents ou traduire une perception juste de milieux de vie différents dans leur groupe.

TABLEAU 2

Comparaison des caractéristiques du groupe négligent et non négligent

Dimensions à l'étude	Différences significatives groupe négligent / non négligent		Valeur p*
Familles			
Structure et composition	Plus de familles monoparentales/mères	47,7 % contre 40,2 %	0,0002
	Couples moins stables	5,8 ans contre 11,8 ans	0,0001
Milieu de résidence	Moins de stabilité de résidence	2,2 ans contre 4,7 ans	0,0001
Revenu familial	Revenu familial inférieur	19 457 $ contre 30 564 $	0,0001
Problèmes présents	Plus grand nombre de problèmes	N = 5,6 contre 3,4	0,000
	Plus de problèmes relationnels, individuels et instrumentaux		
Parents			
Âge	Mères plus jeunes	31,1 ans contre 35,3 ans	0,0001
	Mères plus jeunes au premier enfant	21,6 ans contre 25,7 ans	0,0000
Statut socioéconomique	Scolarisation plus faible	10,4 ans contre 13,0 ans	0,0001
	Parents moins sur le marché du travail	27,8 % contre 57,8 %	0,001
	Parents plus souvent au foyer	73,1 % contre 39,51 %	0,001
	Source de revenu: plus d'aide sociale	61,3 % contre 29,7 %	0,001
Antécédents	Plus d'antécédents de placement	32,7 % contre 13,7 % des parents	0,001
	Plus de violence physique	40,2 % contre 25,5 % des parents	0,02
	Plus d'abus sexuels	29,6 % contre 12,9 % des parents	0,003
Enfants,	Enfants un peu plus jeunes	6,7 ans contre 7,7 ans	0,01
	Quelques enfants placés	10,7 % contre 0,0 % des enfants	0,001
	Plus d'antécédents de placement	52,4 % contre 2,6% des enfants	0,001
Environnement			
Soutien social informel	Soutien social informel élevé	50,5 % contre 82,4 % des parents	0,001
Aide formelle	Plus de sources d'aide formelle	1,87 contre 1,31 / 4 sources	0,0001
	Plus d'aide des services sociaux	82,4 % contre 44,1 % des parents	0,001
	Plus des professionnels (de la santé	63,9 % contre 29,4 % des parents	0,001
Réciprocité du soutien	Moins d'implication bénévole	19,4 % contre 46,1 % des parents	0,001
Voisinage	Évaluation excellente du quartier	62,6 % contre 40,2 % des parents	0,004
	Évaluation sécuritaire du quartier	58,9 % contre 44,6 % des parents	0,04
	Problèmes faibles dans le quartier	75,3 % contre 57,0 % des parents	0,02

* La valeur du p est celle du khi carré dans le cas des variables catégorielles et celle du test *t* de Student pour groupes indépendants dans le cas des comparaisons de moyennes.

Par ailleurs, si la situation des familles non négligentes est plus favorable que celle des négligentes, leur situation familiale et économique les situe entre les familles négligentes et les familles québécoises en général, en particulier en ce qui concerne la structure et la taille de la famille, l'âge des mères au premier enfant et le revenu (tableau 3). Même si nous pensions rejoindre des familles de statut socioéconomique comparable, en recrutant celles du groupe de comparaison dans un quartier populaire, les familles négligentes sont ici aussi « les plus pauvres parmi les pauvres »

TABLEAU 3

Comparaison des familles à l'étude avec les familles québécoises

Caractéristiques familiales	Familles de notre étude		Familles québécoises	
	Négligentes	Non négligentes	Région 03	Province
Type de familles				
- Monoparentales	65,1	47,5	22,8*	17,8**
- Recomposées	18,6	11,0	77,2*	8,4**
- Biparentales intactes	16,3	41,5		73,3**
Taille de la famille				
- 1 enfant	37,2	43,9		45,5***
- 2 enfants	25,6	37,8		40,2
- 3 enfants et plus	37,2	18,3		14,3
Âge de la mère au premier enfant				
Moyenne d'âge (années)	21,6	25,7		26,2***
- 15-19 ans (pourcentage)	47,0	11,0	2,6*	4,1*
Revenu familial moyen				
- Familles monoparentales	16 344	19 678		21 566***
- Familles biparentales	25 359	40 184		49 818

  * Gouvernement du Québec, 1993 (données de 1991 : âge à la naissance *d'un* enfant).

 ** Bellerose, Lavallée et Camirand, 1994 (données de 1992-1993).

*** Gouvernement du Québec, 1995 (données de 1993).

(Wolock et Horowitz, 1979). Toutefois, malgré la surreprésentation de certains facteurs de risque chez les familles non négligentes, le soutien social plus présent pourrait agir comme facteur de protection.

Nature et gravité de la négligence

Sur le plan légal (LPJ, 1995), la négligence est définie comme un risque relié au comportement ou au mode de vie des parents (article 38 *e*) dans la majorité des cas (84,5 % des enfants) ; la négligence affective, médicale ou physique (articles 38 *b*, *c* et *d*) est invoquée dans 12,4 % des cas seulement. Au total, 96,9 % des enfants sont négligés (ou à risque) selon la définition légale. Par ailleurs, selon l'*Index de négligence*, les cas nouveaux présentent la négligence la plus grave, alors que la gravité de la négligence pour les cas suivis et à risque se situe à des niveaux voisins et ces différences sont significatives. L'*Index* renseigne aussi sur la nature de la négligence : individuellement, les différentes formes de négligence sont peu graves ; les nouveaux cas conservent cependant les indices les plus graves pour chaque dimension (tableau 4).

TABLEAU 4

Nature et gravité de la négligence selon le type de cas

Négligence	À risque		Nouveaux cas		Cas suivis		Total		Valeur p*
	N	%	N	%	N	%	N	%	
Index global									
- Aucune (0-20)	1	4,2	4	10,5	21	21,4	26	16,3	
- Légère (25-45)	20	83,3	13	34,2	53	54,1	86	53,8	
- Modérée et grave (50-80)	3	12,5	21	55,3	24	24,5	48	30,0	
Total	24	100	38	100	98	100	160	100	0,001
	Moyenne (écart type)		*Moyenne (écart type)*		*Moyenne (écart type)*				
Moyenne (écart type)	35,6 (12,7)[a, b]		47,4 (22,7)[a]		35,1 (18,5)[b]				0,003
Formes de négligence									
Supervision	20,0 (15,3)[a]		34,9 (25,1)[b]		23,6 (18,7)[a]				0,006
Nourriture/alimentation	21,7(15,0)[a, b]		26,4 (20,2)[a]		16,9 (13,7)[b]				0,008
Habillement et hygiène	15,6 (10,1)		24,6 (22,8)		17,5 (14,9)				0,05
Santé physique	19,1 (15,5)		23,8 (24,5)		16,4 (14,5)				0,12
Santé mentale	22,3 (15,6)		31,6 (18,3)		30,1 (18,0)				0,15
Éducation et développement	22,0 (11,5)		28,1 (17,5)		23,2 (16,1)				0,24

* La valeur du p est celle du khi carré dans le cas des variables catégorielles et celle du test F (analyse de variance) dans le cas des comparaisons de moyennes. Des lettres différentes en exposant indiquent des moyennes différentes d'après le test de comparaison multiple de Scheffé, p ≤ 0,05.

La négligence plutôt modérée n'est pas surprenante, car les enfants vivent majoritairement dans leur famille. D'autres chercheurs rapportent aussi une négligence modérée, mesurée avec l'ICBE (Vézina et Bradet, 1990), pour des nouveaux cas (Palacio-Quintin, Couture et Paquet, 1995) ou des enfants suivis en milieu familial (Gaudin *et al.*, 1996) ; certains enfants plus gravement négligés ont été retirés de leur famille dans les semaines ayant suivi l'étude. En ce qui concerne les cas suivis (depuis 1,4 ans en moyenne), un degré de gravité moindre peut traduire une amélioration de la réponse aux besoins des enfants.

Enfin, un taux de concordance de 82,7 % (132/160 cas) entre l'*Index* et le jugement clinique constitue un taux satisfaisant et comparable à celui obtenu avec l'ICBE (Palacio-Quintin, Couture et Paquet, 1995). Il est aussi possible que certains praticiens aient banalisé certains cas moins graves. Nos résultats se rapprochent aussi de ceux observés en Ontario (Trocmé, 1996a), où l'on rapporte une gravité moyenne de 45 pour les cas ouverts (contre 47,4 pour les cas nouveaux de notre groupe) et de 31 pour les cas fermés à la suite de l'évaluation (contre 35,6 pour nos cas à risque)[4].

Perception du fonctionnement familial

Les familles négligentes présentent un niveau de fonctionnement moins sain que les familles non négligentes et les différences ressortent pour toutes les dimensions, ce qui confirme notre hypothèse en ce sens (tableau 5). Les différences sont statistiquement significatives, à l'exception de la dimension maîtrise des comportements, cependant près du seuil de signification. Par ailleurs, ces parents ne rapportent pas de difficultés graves et leur fonctionnement moyen est supérieur aux normes de référence américaines rapportées tant pour les populations cliniques que non cliniques (Kabacoff *et al.*, 1990). On peut avancer certaines explications.

---

4.   La différence avec l'Ontario (31) s'explique par les critères d'admissibilité de ce groupe. Les familles dont tous les enfants recevaient des soins adéquats selon l'*Index de négligence* ont été exclues de la population à l'étude, sur la base de la convergence entre le jugement clinique et la mesure standardisée. Lorsque ces six enfants sont inclus parmi les cas à risque (fermés), la moyenne de ce groupe est alors de 30,3, près de la moyenne ontarienne de 31.

TABLEAU 5

Comparaison du fonctionnement familial selon les parents

Dimensions du fonctionnement familial	Parents négligents		Parents non négligents		
	Moyenne	Écart type	Moyenne	Écart type	Valeur p*
	(N = 108)		(N = 102)		
– Résolution de problèmes	1,92	0,37	1,68	0,36	0,0000
– Communication	2,04	0,43	1,76	0,39	0,0000
– Rôles	2,39	0,36	2,22	0,39	0,001
– Expression affective	1,96	0,49	1,73	0,42	0,0004
– Engagement affectif	2,18	0,46	2,01	0,45	0,06
– Maîtrise des comportements	1,82	0,43	1,72	0,34	0,06
– Fonctionnement général	1,96**	0,42	1,68	0,43	0,0000

* La valeur du p est celle du test *t* de Student pour groupes indépendants.

** N = 107

Premièrement, le fonctionnement de la famille pourrait être associé au cycle de développement familial. Les familles de notre étude ont de jeunes enfants alors que les familles américaines auprès desquelles l'instrument a été validé sont des familles avec de jeunes adultes. D'autres chercheurs rapportent en effet que les familles avec des adolescents sont celles qui présentent le plus de difficultés (Epstein *et al.*, 1993 ; Wood et Geismar, 1989). Deuxièmement, les différences observées sont peut-être attribuables à la traduction de la mesure. Les résultats des parents non négligents de notre étude se rapprochent en effet de ceux d'un groupe de pères et de mères québécois francophones ayant des enfants en 3ᵉ année (Bolduc, 1991). Troisièmement, la négligence légère et modérée, que nous retrouvons chez les enfants qui vivent surtout dans leur famille, révèle un niveau également faible ou modéré de dysfonctions familiales.

Enfin, il est possible que ces parents ne voient pas les difficultés rencontrées et qu'ils ne jugent pas leur situation familiale non satisfaisante, en raison de leurs standards de fonctionnement familial et des modèles qu'ils ont connus dans leur propre enfance. Les parents perçoivent généralement un meilleur fonctionnement que les cliniciens (Gaudin *et al.*, 1996), ce qui rend aussi plausible l'hypothèse d'une sous-estimation des problèmes par les parents.

En ce qui concerne les familles négligentes, d'autres chercheurs rapportent qu'elles fonctionnent moins sainement que les familles non négligentes (Gaudin et Dubowitz, 1997 ; Gaudin *et al.*, 1996 ; Mollerstrom, Patchner et Milner, 1992). Les difficultés d'engagement affectif décrites par les parents négligents pourraient s'approcher des stratégies de retrait rapportées par Crittenden (1988). Par ailleurs, les difficultés de fonctionnement familial décrites par les parents négligents de notre étude touchent toutes les dimensions du fonctionnement familial alors que d'autres ont observé que le fonctionnement des familles négligentes, tel qu'il est perçu par les parents, s'apparentait aux normes de populations non cliniques pour certaines dimensions (Gaudin et Dubowitz, 1997 ; Gaudin *et al.*, 1996 ; Mollerstrom, Patchner et Milner, 1992 ; Oxman-Martinez et Moreau, 1993). Ces différences pourraient s'expliquer par les instruments de mesure utilisés[5] ou encore par la définition des populations à l'étude.

Facteurs associés à la négligence

La contribution respective des facteurs qui permettent de prédire l'appartenance au groupe négligent et non négligent est analysée à l'aide de la régression logistique de type standard (Tabachnick et Fidell, 1996)[6]. Le modèle final (tableau 6) comprend neuf variables qui permettent de classer correctement les familles négligentes et non négligentes. Des difficultés de fonctionnement familial concernant la résolution de problèmes et la maîtrise des comportements, une famille plus nombreuse et un plus faible niveau de scolarité, ainsi qu'un plus grand nombre de problèmes, augmentent le risque de se retrouver dans le groupe négligent. On a aussi plus de risque de se retrouver dans ce groupe si les conditions suivantes sont présentes dans l'environnement de la famille : moins de soutien social informel, le recours à plus de sources d'aide formelle et une évaluation plus positive de son quartier chez des familles qui résident dans leur milieu depuis moins longtemps. Deux dimensions du fonctionnement familial (résolution de problèmes et maîtrise des comportements), la scolarité du parent et la durée de résidence jouent un rôle prédictif de premier plan (d'après la valeur du p). La portée explicative de ce modèle peut être considérée utile puisque la négligence est un phénomène complexe et encore peu connu[7].

---

5. Selon Perosa et Perosa (1990), les corrélations entre des dimensions théoriquement proches sont souvent faibles lorsqu'on compare différentes mesures.

6. Cette analyse porte sur un sous-échantillon aléatoire composé d'un parent par famille pour assurer l'indépendance des observations. La variable problèmes dans le quartier (plusieurs données manquantes) a été exclue. Pour la construction du modèle de régression, toutes les variables retenues ont été introduites dans l'équation de régression ; puis les variables non significatives ont été retirées par étapes successives, jusqu'à l'obtention du meilleur modèle.

7. Selon Jones (1985) cité par Simard, Vachon et Moisan (1991), un modèle qui explique le quart de la variance se compare à ce qu'on retrouve dans les études en service social. Il peut être jugé modérément utile compte tenu de l'état de développement des connaissances dans ce champ d'études. Pour sa part, Garbarino (1976) qualifie de « substantiel » le pourcentage de 36 % de variance expliquée dans son étude sur l'écologie des voisinages à risque.

TABLEAU 6

Facteurs permettant de classer les familles négligentes et non négligentes

Variables retenues	Coefficient de régression	Valeur p	Paires concordantes	R²
Fonctionnement familial				
– résolution de problèmes	2,5395	0,003		
– maîtrise des comportements	– 2,0958	0,008		
Variables environnementales				
– soutien social	– 0,2695	0,011		
– aide informelle	0,5289	0,045		
– évaluation du quartier	– 1,0363	0,0001		
Variable parentale				
– scolarité du parent	– 0,2870	0,001		
Variables familiales				
– nombre d'enfants dans la famille	0,6071	0,011		
– nombre de problèmes présents	0,1902	0,036		
– durée de résidence	– 0,2444	0,001		
			90,4 %	0,4498
Pourcentage de familles négligentes bien classées			82,6 %	
Pourcentage de familles non négligentes bien classées			81,7 %	
Nombre total de familles : 168 (84 négligentes et 82 non négligentes)				

On peut s'étonner de prime abord de ne pas retrouver certaines variables que les recherches antérieures associent à la négligence comme la structure familiale, le revenu ou l'âge de la mère au premier enfant. La multicolinéarité entre facteurs peut masquer certaines associations dans le modèle de régression : en effet, l'âge au premier enfant, la scolarité du parent et le revenu familial sont modérément corrélés, ainsi que le fonctionnement général, les autres dimensions du fonctionnement familial et le soutien social.

CONCLUSION

Que signifient ces résultats pour la connaissance des familles négligentes ? Ils mettent en relief que les familles négligentes éprouvent des difficultés sur le plan du fonctionnement familial ; ces difficultés s'ajoutent aux problèmes familiaux, parentaux et environnementaux déjà bien connus. Les difficultés peu graves de fonctionnement familial rapportées par les parents négligents pourraient bien refléter la négligence plutôt modérée décrite par les praticiens sociaux de notre étude, pour des enfants vivant majoritairement dans leur famille. Ces résultats témoignent de la pertinence de s'intéresser au fonctionnement familial : les comportements de négligence traduisent, en effet, l'exercice inadéquat des tâches familiales de protection et de socialisation des enfants.

Sur le plan théorique, nos résultats confirment un modèle écosystémique de la négligence, auquel s'ajoutent des difficultés de fonctionnement intrafamilial. La négligence est un phénomène complexe et multidimensionnel ayant des racines dans les systèmes parental (ontosystème) et environnemental (méso- et exosystèmes) mais également dans le système familial (microsystème). On retrouve non seulement des difficultés économiques, mais aussi des problèmes personnels, sociaux et familiaux dans ces familles. Plus particulièrement, deux dimensions du fonctionnement familial (résolution des problèmes et maîtrise des comportements) sont parmi les facteurs qui permettent de prédire l'appartenance au groupe négligent et non négligent. Les théories systémiques du fonctionnement familial s'avèrent donc utiles pour la compréhension de la négligence. La présence de plusieurs facteurs de risque est aussi un indicateur du stress auquel les familles doivent faire face. En contrepartie, nos résultats réaffirment l'importance des ressources des parents (scolarisation) et de celles de l'environnement des familles (soutien social informel), dont la présence contribue aussi à distinguer les familles négligentes et non négligentes. En effet, même si certains facteurs de risque, comme la monoparentalité, le plus jeune âge de la mère au premier enfant et la pauvreté, sont plus présents chez les familles non négligentes de notre étude que dans la population générale, le soutien social informel plus élevé dans leur cas semble indiquer qu'il joue un rôle protecteur.

Que tirer maintenant de ces constats pour la pratique et pour la recherche ? En ce qui concerne l'intervention, les nombreuses difficultés auxquelles font face les familles réaffirment la pertinence d'aller au-delà des manifestations de négligence et d'adopter une approche multidimensionnelle en réponse à la complexité des situations : interventions auprès des parents sur le plan personnel et parental, interventions directes auprès des enfants, actions pour renforcer le réseau social et les conditions matérielles des familles, à l'exemple du Programme d'aide personnelle, familiale et communautaire – PAPFC (Palacio-Quintin, Couture et Paquet, 1995). La présence de difficultés de fonctionnement familial, mise en lumière par notre étude, indique l'à-propos d'inclure aussi une intervention familiale sur les processus familiaux eux-mêmes, c'est-à-dire sur la façon dont les parents s'acquittent des tâches de protection et de socialisation des enfants, tâches qui ne sont pas assumées adéquatement dans les situations de négligence physique, affective ou éducative. Selon la nature des difficultés observées, il faut améliorer les mécanismes de résolution

de problèmes et de communication, les rôles, l'engagement affectif, etc.
On peut faire l'hypothèse qu'une amélioration du fonctionnement
familial, combinée aux autres cibles d'intervention, entraînerait des changements durables et éviterait, par conséquent, la récurrence des cas dans
le système de protection.

La complexité des situations rencontrées requiert aussi une évaluation psychosociale globale. Les évaluations se résument trop souvent aux
manifestations de négligence, selon les définitions légales. La dynamique
familiale et parentale est généralement absente ou incomplète dans le
processus d'évaluation des familles. En ce qui a trait aux capacités parentales, on se limite souvent aux seules caractéristiques de personnalité des
parents. À notre avis, l'évaluation doit porter à la fois sur les manifestations
de négligence, sur les forces et limites personnelles des parents et leurs
antécédents, sur la dynamique familiale elle-même et les habiletés parentales, sur les effets de la négligence sur les enfants et sur l'environnement
de la famille. On ne saurait trop insister sur l'importance d'explorer aussi
les ressources d'aide formelle et informelle accessibles à la famille ainsi que
la qualité de leur environnement.

Sur le plan des outils disponibles pour évaluer les situations, l'*Index
de négligence*, le *Questionnaire d'évaluation familiale* et la mesure de
soutien social, entre autres, constituent des outils simples et faciles à
utiliser. Ils sont un appui au jugement clinique et permettent de systéma-
tiser les évaluations et de préciser les cibles d'intervention. Une évaluation
systématisée a généralement l'avantage de mettre en lumière les aspects
sains des individus et des familles tout autant que leurs dysfonctions,
donnant accès aux forces et ressources mobilisables pour corriger les
difficultés observées.

Enfin, pour les chercheurs, le défi de réaliser des études dans une
perspective écosystémique, où un plus grand nombre de facteurs de risque
pourront être considérés en même temps, demeure pertinent afin de
pondérer les facteurs en présence et de comprendre leur rôle respectif. En
effet, on n'est toujours pas en mesure de déterminer si les différents facteurs
associés à la négligence en sont la cause ou la conséquence.

BIBLIOGRAPHIE

Beckwith, L. (1990). « Adaptive and maladaptive parenting : implications for intervention », dans S.J. Meisels et J.P. Schonkoff (dir.), *Handbook of Early
Childhood Intervention*. Cambridge, Cambridge University Press, p. 53-77.

Bellerose, C., C. Lavallée et J. Camirand (1994). *Enquête sociale et de santé 1992-
1993 : Faits saillants*, Québec, Santé Québec, 71 p.

Belksy, J. (1993). « Etiology of child maltreatment : A developmental-ecological analysis », *Psychological Bulletin*, vol. 114, n° 3, p. 413-434.

Bolduc, N. (1991). « Lien entre le fonctionnement familial et le rendement scolaire chez les élèves de 3ᵉ année primaire », mémoire présenté à la Faculté de médecine en vue de l'obtention du grade de maître ès sciences, Université de Sherbrooke, Département des sciences infirmières, 114 p.

Bolger, K., M. Thomas et J. Eckenrode (1997). « Disturbances in relationships : Parenting, family development and child maltreatment », dans J. Garbarino et J. Eckenrode (dir.), *Understanding Abusive Families. An Ecological Approach to Theory and Practice*, San Francisco, Jossey-Bass, p. 86-98.

Buehler, C. (1990). « Adjustment », dans J. Touliatos, B.F. Perlmutter et M.A. Straus (dir.), *Handbook of Family Measurement Techniques*, Newbury Park, Sage, p. 493-515.

Caron, J. (1996). « L'Échelle de provisions sociales : une validation québécoise », *Santé mentale au Québec*, vol. 21, n° 2, p. 158-180.

Chamberland, C., C. Bouchard et J. Beaudry (1986). « Conduites abusives et négligentes envers les enfants : Réalités canadienne et américaine », *Revue canadienne des sciences du comportement*, vol. 18, n° 4, p. 391-412.

Crittenden, P. (1988). « Family and dyadic patterns of functioning in maltreating families », dans K. Browne, C. Davies et P. Stratton, *Early Prediction and Prevention of Child Abuse*. Chichester, John Wiley, p. 161-189.

Cutrona, C.E. et D.W. Russell (1987). « The provisions of social relationships and adaptation to stress », *Advances in Personal Relationships*, vol. 1, p. 37-67.

Développement des ressources humaines Canada (1995a). *Enquête longitudinale nationale sur les enfants. Aperçu du matériel d'enquête pour la collecte des données de 1994-1995, cycle 1*, Équipe de projet « Les approches efficaces pour les enfants » – Programme de développement de l'information, catalogue n° 95-02F, Ottawa, 115 p.

Développement des ressources humaines Canada (1995b). *Enquête longitudinale nationale sur les enfants. Matériel d'enquête pour la collecte des données de 1994-1995, cycle 1*, Équipe de projet « Les approches efficaces pour les enfants » – Programme de développement de l'information, catalogue n° 95-01F, p. 27-38.

Egeland, B. (1988). « The consequences of physical and emotional neglect on the development of young children », dans National Center on Child Abuse and Neglect, *Research Symposium on Child Neglect*. Washington, U.S. Department of Health and Human Services, p. D10-D22.

Engelbert A. et A. Herlth (1987). « Conditions of family functioning », dans K. Hurrelman, F.-X. Kaufmann et L. Friedrich (dir.), *Social Intervention : Potential and Constraint*. Berlin, Walter de Gruyter, p. 137-149.

Epstein, N.B., L.W. Baldwin et D.S. Bishop (1983). « The McMaster family assessment device », *Journal of Marital and Family Therapy*, vol. 9, n° 2, p. 171-180.

Epstein, N.B., D. Bishop, C. Ryan, I. Miller et G. Keitner (1993). « The McMaster model : View of healthy family functioning », dans F. Walsh (dir.), *Normal Family Processes*, 2ᵉ édition, New York, Guilford Press, p. 138-160.

Garbarino, J. (1976). « A preliminary study of some ecological correlates of child abuse : The impact of socioeconomic stress on mothers », *Child Development*, vol. 47, p. 178-185.

Garbarino, J. et R. Abramowitz (1992). « The family as a social system », dans J. Garbarino (dir.), *Children and Families in the Social Environment*, 2ᵉ édition, New York, Aldine de Gruyter, p. 71-98.

Gaudin, J.M. et H. Dubowitz (1997). « Family functioning in neglectful families : Recent research », dans J.D. Berrick, R.P. Barth et N. Gilbert (dir.), *Child Welfare Research Review*, vol. 2, New York, Columbia University Press, p. 28-62.

Gaudin, J.M., N.A. Polansky, A.C. Kilpatrick et P. Shilton (1996). « Family functioning in neglectful families », *Child Abuse and Neglect*, vol. 20, n° 4, p. 363-377.

Gouvernement du Québec (1995). *Les familles au Québec : Principales statistiques*, Québec, Secrétariat à la famille, n.p.

Gouvernement du Québec (1993). *Portrait statistique des familles : Région de Québec*, Québec, Secrétariat à la famille, 34 p.

Hair, J.F., R.E. Anderson, R.L. Tatham et W.C. Black (1992). *Multivariate Data Analysis with Readings*, 3ᵉ édition, New York, Maxwell Macmillan, 544 p.

Hegar, R.L. et J.J. Yungman (1989). « Toward a causal typology of child neglect », *Children and Youth Services Review*, vol. 11, n° 3, p. 203-220.

Kabacoff, R.I., I.W. Miller, D.S. Bishop, N.B. Epstein et G.I. Keitner (1990). « A psychometric study of the McMaster family assessment device in psychiatric, medical, and nonclinical samples », *Journal of Family Psychology*, vol. 3, n° 4, p. 431-439.

Loi sur la protection de la jeunesse. L.R.Q., chapitre P-34.1. (1995). Québec, Éditeur officiel du Québec, 44 + XII p.

Mayer, R. et F. Ouellet (1991). *Méthodologie de recherche pour les intervenants sociaux.* Boucherville, Gaëtan Morin Éditeur, 537 p.

Mayer-Renaud, M. (1990). *Les enfants négligés sur le territoire du CSSMM*, vol. 2, *Les caractéristiques personnelles familiales et sociales*, Montréa, Centre de services sociaux du Montréal métropolitain, Direction des services professionnels, 63 p. et annexes.

Miller, I., D.S. Bishop, N.B. Epstein et G.I. Keitner (1985). « The McMaster family assessment device : Reliability and validity », *Journal of Marital and Family Therapy*, vol. 11, n° 4, p. 345-356.

Minuchin, S. (1979). *Familles en thérapie.* Traduction de *Families and Therapy* (1974) par M. DuRanquet et M. Wajeman, Paris, J.P. Delarge, 281 p.

Mollerstrom, W.W., M.A. Patchner et J.S. Milner (1992). « Family functioning and child abuse potential », *Journal of Clinical Psychology*, vol. 48, n° 4, p. 445-454.

Nelson, K.E., E.J. Saunders et M.J. Landsman (1993). « Chronic child neglect in perspective », *Social Work*, vol. 38, n° 6, p. 661-671.

Nunnally, J.C. (1978). *Psychometric Theory.* New York, McGraw-Hill, 701 p.

Olson, D.H. (1993). « Circumplex model of marital and family systems : Assessing family functioning », dans F. Walsh (dir.), *Normal Family Processes*, 2ᵉ édition, New York, Guilford Press, p. 104-137.

Oxman-Martinez, J. et J. Moreau (1993). *La négligence faite aux enfants : une problématique inquiétante,* Longueuil, Les Centres jeunesse de la Montérégie, Centre de protection de l'enfance et de la jeunesse de la Montérégie, 99 p.

Oxman-Martinez, J. et J. Moreau (1994). « Prise de décision et intervention auprès des enfants négligés en Montérégie, dans *Comprendre la famille : Actes du IIᵉ Symposium québécois de recherche sur la famille,* G. Pronovost (sous la dir.), Sainte-Foy, Presses de l'Université du Québec, p. 283-310.

Palacio-Quintin, E., G. Couture et J. Paquet (1995). *Projet d'intervention auprès des familles négligentes présentant ou non des comportements violents,* Trois-Rivières, Groupe de recherche en développement de l'enfant et de la famille, 247 p.

Palacio-Quintin, E. et L. Éthier (1993). « La négligence, un phénomène négligé », *Apprentissage et socialisation*, vol. 16, nᵒˢ 1-2, p. 153-164.

Perosa, L.M. et S.L. Perosa (1990). « Convergent and discriminant validity for family self-report measures », *Educational and Psychological Measurement*, vol. 50, p. 855-868.

Polansky, N.A., P.W. Ammons et J.J. Gaudin (1985). « Loneliness and isolation in child neglect », *Social Casework*, vol. 66, n° 1, p. 38-47.

Sawin, K.J. et M. Harrigan (1994). *Measures of Family Functioning for Research and Practice,* New York, Springer, 130 p. Publié initialement dans un numéro spécial de *Scholarly Inquiry for Nursing Practice,* P. Woog (dir.), vol. 8, n° 1.

Simard, M., J. Vachon et M. Moisan (1991). *La réinsertion familiale de l'enfant placé : Facteurs de succès et d'échec,* Québec, Centre de recherche sur les services communautaires et École de service social, Université Laval, collection Rapport de recherche, 109 p. et annexes.

Tabachnick, B.G. et L.S. Fidell (1996). *Using Multivariate Statistics,* 3ᵉ édition, New York, Harper Collins College Publishers, 880 p. et disquette.

Trocmé, N. (1996a). « Development and preliminary evaluation of the Ontario Child Neglect Index », *Child Maltreatment,* vol. 1, n° 2, p. 145-155.

Trocmé, N. (1996b). « Le rôle des facteurs de classe et de genre dans la sélection de stratégies de recherche, d'intervention et de prévention de la maltraitance des enfants », dans *Violences dans les relations affectives : représentations et interventions,* F. Ouellet et M. Clément (sous la dir.), Actes du colloque tenu à Chicoutimi le 23 mai 1995 dans le cadre du 63ᵉ congrès de l'ACFAS, Montréal et Québec, CRI-VIFF, collection Réflexions, n° 4, p. 7-33.

Trocmé, N., D. McPhee, K.K. Tam et T. Hay (1994). *Ontario Incidence Study of Reported Child Abuse & Neglect. Final Report,* Toronto, The Institute for the Prevention of Child Abuse, 127 p. et annexes.

Tutty, L.M. (1995). « Theoretical and practical issues in selecting a measure of family functioning », *Research on Social Work Practice,* vol. 5, n° 1, p. 80-106.

Vézina, A. et R. Bradet (1990). *Manuel d'utilisation québécoise : Inventaire concernant le bien-être de l'enfant en relation avec l'exercice des responsabilités parentales,* Québec, Centre de recherche sur les services communautaires, p.m.

Walsh, F. (1993). « Conceptualization of normal family processes », dans *Normal Family Processes,* 2ᵉ édition, New York, Guilford Press, p. 3-69.

Wolock, I. et B. Horowitz (1979). « Child maltreatment and material deprivation among AFDC-recipient families », *Social Service Review,* vol. 53, p. 175-194.

Wood, K.M. et L.L. Geismar (1989). *Families at Risk : Treating the Multiproblem Family,* New York, Human Science Press, 221 p.

Zuravin, S.J. (1989). « The ecology of child abuse and neglect : Review of the literature and presentation of data », *Violence and Victims,* vol. 4, n° 2, p. 101-120.

Le développement des enfants de parents homosexuels

État des recherches et prospective

Monique DUBÉ
Danielle JULIEN
Université du Québec à Montréal

Au Québec, l'augmentation des divorces et des séparations, l'augmentation du nombre de familles monoparentales et de familles reconstituées, et, plus récemment, la reconnaissance légale des conjoints de même sexe (loi 32 votée en juin 1999) ont stimulé une ouverture à d'autres réalités familiales. Celle-ci nous permet d'envisager que deux adultes de même sexe se prévalent du droit et des responsabilités d'être parents, réalité invisible et inacceptée socialement il n'y a pas 10 ans.

Quel type d'environnement familial est le plus favorable à la croissance et au développement psychologique des enfants? Les nouvelles réalités familiales exigent de redéfinir des réponses pour le développement optimal de nos enfants. Le développement d'enfants dans une famille homosexuelle fait partie de ces interrogations. Certaines personnes invoqueront leurs craintes face au développement de l'identité sexuelle future de ces enfants, d'autres les préjudices qu'ils subiront par un entourage homophobe et, enfin, d'autres invoqueront les risques d'abus sexuels auxquels ces enfants pourraient être exposés.

Ce texte présente une mise à jour des recherches empiriques sur le développement psychologique, social et sociosexuel des enfants de parents homosexuels. Une première recension des écrits a été publiée par les mêmes auteures dans la *Revue québécoise de psychologie* (Julien, Dubé et Gagnon, 1994). La première partie de cet article continue de fournir des réponses à la question : est-ce que les enfants de parents homosexuels se développent différemment des enfants de parents hétérosexuels ? La deuxième partie examine des avenues de recherche qui pourraient nous faire mieux comprendre la spécificité des familles homosexuelles, leurs problèmes d'adaptation et les facteurs responsables de la variabilité des capacités d'adaptation. Les intervenants en santé et bien-être, tout en ayant des attitudes positives par rapport à l'homosexualité, ont généralement peu de connaissances sur cette population. Des avancées importantes ont été faites par le ministère de la Santé et des Services sociaux (Clermont, 1998). Étant donné la méconnaissance des familles homosexuelles, plus d'information sur le développement des enfants permettra de développer des services mieux adaptés aux parents et à leurs enfants.

DONNÉES SUR LES PARENTS HOMOSEXUELS ET LEURS ENFANTS AU QUÉBEC ET AUX ÉTATS-UNIS

À l'aube de l'an 2000, nous n'avons aucune donnée statistique démographique permettant d'estimer le nombre de parents homosexuels et le nombre de leurs enfants, au Québec comme au Canada. Le rapport de l'enquête Santé Québec, annoncé pour le printemps 2000, devrait nous fournir des indices inédits. Il y a quelques années, Robinson (1993) estimait que 12 à 18 % de la population québécoise (hommes et femmes) était homosexuelle. À la fin des années 1980, on estimait que de 30 000 à 130 000 hommes québécois étaient homosexuels, selon la définition de l'homosexualité (Desjardins, 1991). Récemment, Demczuk (1998) estimait à près d'un demi-million le nombre de personnes homosexuelles au Québec. Quant aux statistiques américaines, depuis les recherches de Kinsey, Pomeroy et Martin (1948) sur les hommes et celles de Kinsey, Pomeroy, Martin et Gebhard (1953) sur les femmes, les estimations se maintiennent aux environs de 10 % de la population, soit environ deux millions et demi de personnes homosexuelles présentement aux États-Unis (Patterson et Redding, 1996).

À partir de ces informations, il est difficile de donner une estimation juste de la population de parents homosexuels tant au Québec qu'aux États-Unis. La peur d'être victime de discrimination, de perdre la garde de leurs enfants ou les droits de visite, fait en sorte qu'encore aujourd'hui plusieurs adultes préfèrent tenir secrète leur orientation sexuelle. Les études à grande échelle rapportent qu'aux États-Unis environ 10 % des hommes gais et 20 % des femmes lesbiennes seraient parents. Il y aurait environ un à cinq millions de mères lesbiennes (Falk, 1989 ; Gottman, 1990 ; Hoeffer, 1981) et un à trois millions de pères gais (Bozett, 1987 ;

Gottman, 1990). Ces parents vivraient seuls, ou avec une personne de même sexe ayant ou non des enfants d'un mariage antérieur, ou maintiendraient une relation de cohabitation légale (mariage) avec une personne de sexe opposé.

En corollaire, le nombre d'enfants de parents homosexuels aux États-Unis atteindrait de 6 à 14 millions (voir entre autres Bozett, 1987 ; Éditeurs de la *Harvard Law Review*, 1990 ; Peterson, 1984). La plupart d'entre eux seraient nés dans le contexte de mariages hétérosexuels, avant que l'un des parents ne s'identifie comme homosexuel. Toutefois, on note un nombre croissant de femmes lesbiennes qui portent des enfants après avoir dévoilé leur orientation homosexuelle (Pies, 1985 ; 1990). Au début des années 1990 aux États-Unis, on dénombrait entre 5 000 et 10 000 femmes et hommes qui seraient devenus parents après avoir dévoilé leur identité sexuelle (Seligmann, 1990).

Bref, quel que soit le nombre réel de parents homosexuels et de leurs enfants au Québec ou ailleurs, et quelle que soit la structure de parentage adoptée par les parents homosexuels, le nombre de tels enfants est important et a retenu l'attention de quelques chercheurs sur la famille.

ASPECTS JURIDIQUES ET SOCIAUX SUR LE DEVENIR DES PARENTS HOMOSEXUELS

Nous n'aborderons pas dans l'espace qui suit les aspects juridiques et sociaux des partenaires de même sexe à vouloir être parent. Depuis l'abrogation de l'article 137 de la *Charte québécoise* ne permettant plus de discriminer les individus en fonction de leur orientation sexuelle et la reconnaissance du ministère québécois de la Justice des conjoints de même sexe, les notions de droit individuel et filial sont en train de changer. Nous préférons vous proposer un texte récent publié par le Conseil du statut de la femme (août 1998) sur la reconnaissance légale des couples gais et lesbiens. Le manuscrit aborde non seulement la reconnaissance des droits statutaires et civils des couples homosexuels, mais aussi leur légitimité à vouloir devenir parent soit par adoption, insémination etc.

SANTÉ MENTALE ET PARENTS HOMOSEXUELS

Bien que les différentes corporations professionnelles d'Amérique du Nord aient, depuis le début des années 1970, rayé de leur manuel diagnostique l'idée que l'homosexualité est une maladie mentale, des professionnels de la santé doutent encore de l'aptitude des personnes homosexuelles à être des parents compétents. Sur une base irrationnelle (c'est-à-dire sans l'appui de démonstration scientifique), on postule qu'un certain déséquilibre existe, que les femmes lesbiennes sont moins maternelles que les femmes hétérosexuelles, que les hommes gais sont moins responsables que les hommes hétérosexuels ou que les activités sexuelles des parents homosexuels leur laissent peu de temps pour interagir avec leurs enfants (Éditeurs de la *Harvard Law Review*, 1990).

Or, les quelques recherches traitant de cette question montrent que les lesbiennes n'ont pas plus de problèmes psychopathologiques que les hétérosexuelles et que les attitudes de ces deux groupes de femmes sont comparables sur le plan de l'éducation des enfants (Kweskin et Cook, 1982 ; Lyons, 1983 ; Miller, Jacobsen et Bigner, 1981 ; Pagelow, 1980 ; Rand, Graham et Rawlings, 1982). De plus, aucune recherche n'a démontré un effet quelconque de l'expérience amoureuse et sexuelle sur la capacité des lesbiennes à prendre soin de leurs enfants (Pagelow, 1980). De même, les recherches sur les pères gais n'ont pas davantage démontré que ces hommes sont des parents incompétents (Barret et Robinson, 1990 ; Bozett, 1980, 1989 ; Patterson et Chan, 1996). Les recherches disponibles révèlent que les personnes homosexuelles possèdent des degrés de compétence comparables à ceux des personnes hétérosexuelles pour s'occuper de leurs enfants. Les peurs relatives aux capacités parentales des individus homosexuels sont donc sans fondement.

IDENTITÉ SEXUELLE DES ENFANTS

Les craintes au sujet de la santé mentale des parents homosexuels recoupent d'autres craintes majeures en ce qui a trait au développement des enfants de parents homosexuels comparés aux enfants de parents hétérosexuels. Patterson (1997, 1992) résume la situation en examinant quatre sphères du développement des enfants où ceux-ci risquent d'être affectés : 1) leur identité sexuelle – on imagine qu'ils éprouvent plus de problèmes d'identité sexuelle que les autres enfants et qu'ils risquent de devenir homosexuels, ce que la Cour juge indésirable ; 2) leur stabilité émotionnelle – on craint qu'ils ne développent une plus grande vulnérabilité psychologique que les autres enfants ; 3) leur adaptation sociale – on redoute divers problèmes sous la forme de victimisation par leurs pairs ; 4) dans les risques d'abus sexuels – on croit que leurs parents ou des amis de leurs parents représentent un plus grand danger à ce chapitre.

Pour un examen détaillé de ces études et du contexte américain où se posent les questions, on se reportera à l'excellente recension présentée par Patterson (1997, 1992). Les grandes lignes de notre argumentation sont tirées de ces ouvrages.

Les recherches présentées portent presque toutes sur des enfants américains. Nous n'avons trouvé qu'une étude francophone sur cette question (Bertrand, 1984). Dans la grande majorité des cas, les enfants étudiés sont de classe moyenne, de race blanche et issus de couples hétérosexuels désunis dont les femmes se sont identifiées lesbiennes. Les enfants ayant été amenés à vivre avec des parents homosexuels par d'autres moyens (adoption, insémination artificielle, etc.) commencent à peine à être évalués (Patterson, 1997). Étant donné que la plupart des recherches visaient à éclairer les décisions juridiques relatives à la garde des enfants en cas de divorces de mères lesbiennes, ces recherches comparent des enfants dont la garde a été confiée à la mère lesbienne à des enfants de parents hétérosexuels divorcés dont la garde a été confiée à la mère hétérosexuelle. De plus, ces études comprennent une plus grande représentation d'enfants et d'adolescents que de nourrissons et d'enfants adultes.

Est-il vrai que les filles et les garçons de parents homosexuels développent des problèmes d'identité sexuelle ? Patterson (1992) structure la réponse à cette question en examinant les recherches relatives à trois concepts associés aux théories de l'identité sexuelle. Le premier ensemble de recherches a trait à l'identité de genre (*gender identity*), c'est-à-dire au fait que l'enfant s'auto-identifie comme fille ou comme garçon. Le deuxième porte sur le rôle sexuel, c'est-à-dire sur le degré d'adoption, par l'enfant, de comportements masculins, féminins ou les deux, tels qu'ils sont définis par les conventions de sa culture. Enfin, le troisième ensemble a trait à l'orientation sexuelle, c'est-à-dire au choix par l'enfant devenu adolescent ou adulte de partenaires sexuels qui le définissent comme hétérosexuel, homosexuel ou bisexuel.

L'identité de genre. Patterson fait état de quatre études comparant l'identité de genre chez des enfants de 5 à 14 ans de mères lesbiennes à celle de groupes comparables d'enfants de mères hétérosexuelles (Green, 1978 ; Green *et al.*, 1986 ; Kirkpatrick, Smith et Roy, 1981).

Dans l'ensemble, les résultats indiquent un développement normal des enfants de mères lesbiennes et un degré de satisfaction élevé de ces enfants concernant leur propre sexe. Par exemple, lors de tests projectifs, la majorité des enfants des deux groupes dessinent d'abord leur propre sexe. Quelques-uns dessinent d'abord l'autre sexe et manifestent un inconfort avec le leur, mais ils appartiennent indifféremment aux deux groupes. Les études utilisant des méthodes plus directes comme les entrevues cliniques montrent des résultats similaires (Golombok, Spencer et Rutter, 1983).

Le rôle sexuel. D'autres études examinent le rôle sexuel adopté par les enfants de mères lesbiennes (Golombok *et al.*, 1983 ; Gottman, 1990 ; Green, 1978 ; Green *et al.*, 1986 ; Kirkpatrick *et al.*, 1981). Certaines comparent la préférence des enfants pour des jouets, des activités, des intérêts et des choix professionnels conventionnellement associés à l'un et l'autre sexe. D'autres portent sur des entrevues cliniques et l'évaluation de choix d'émissions télévisées et des préférences à l'égard de personnages de ces émissions. L'âge des sujets varie de 5 à 44 ans – certaines études évaluent des enfants-adultes de parents hétérosexuels et homosexuels.

Dans l'ensemble, les résultats n'indiquent aucune différence entre les enfants des deux groupes. Toutefois, deux études font état de variations chez les jeunes enfants. D'après les entrevues cliniques de Green *et al.* (1986), les préférences des filles de mères lesbiennes seraient, en effet, moins stéréotypées (selon le sexe), mais on n'enregistrerait pas de différence pour les garçons. Les filles de mères lesbiennes auraient plus d'intérêt pour les jeux physiques et les jouets plus masculins comme les camions alors que les garçons préféreraient des jeux plus en lien avec leur sexe. Dans toutes ces études, le comportement et les préférences des enfants de ces familles non conformistes demeurent dans les limites conventionnelles. En général, les enfants de mères lesbiennes ont des préoccupations et des préférences pour les jeux typiques de leur groupe d'âge (Patterson, 1997).

L'orientation sexuelle. Est-il vrai que les filles et les garçons de parents homosexuels sont proportionnellement plus nombreux à développer une identité homosexuelle que les autres ? Une étude québécoise, le rapport Bertrand (1984), fournit des précisions à ce sujet. Les 148 mères lesbiennes ayant participé à la recherche ont eu au total 139 filles et 141 garçons. De ce nombre, d'après les mères, 3 % des filles en âge d'exprimer leur sexualité seraient lesbiennes et 6 % des garçons seraient homosexuels. De plus, 1,5 % des 1 000 femmes interrogées affirment avoir une mère lesbienne ou un père homosexuel. Comparativement à la variabilité estimée dans la population en général (5 à 18 % de la population québécoise serait homosexuelle d'après Robinson, 1993), les chiffres rapportés par Bertrand sont prudents. On ne compterait donc pas plus d'enfants homosexuels provenant de parents homosexuels que de parents hétérosexuels.

L'ensemble des recherches effectuées sur le territoire américain en arrivent aux mêmes conclusions. Des études auprès de pères gais révèlent que, d'après ceux-ci, leurs enfants adultes sont homosexuels dans une proportion normale (8 à 10 %). Des données comparables sur l'orientation sexuelle des enfants adultes ont été obtenues au moyen de l'entrevue de pères gais (Bozett, 1980, 1982) et de leurs enfants (Bozett, 1987, 1989). De même, des entrevues avec les enfants jeunes adultes de parents homosexuels et bisexuels indiquent que de 15 à 16 % d'entre eux sont homosexuels ou bisexuels, ce qui représente une distribution conforme à la norme estimée pour la population générale (Gottman, 1990 ; Paul, 1986).

Dans le même sens, des adolescents de mères lesbiennes rapportent avoir des fantaisies à caractère hétérosexuel (Green, 1978). De plus, les adolescents et les jeunes adultes de mères lesbiennes en âge de vivre des relations sexuelles ne rapportent pas plus de tendance homosexuelle et ils ne commencent pas à avoir de relations sexuelles plus tôt ni en plus grand nombre que les jeunes de mères hétérosexuelles (Tasker et Golombok, 1997). Ainsi, les comparaisons statistiques entre les intérêts sexuels d'enfants de mères lesbiennes et ceux d'enfants des autres mères ne font ressortir aucune différence significative entre les enfants des deux groupes (Golombok *et al.*, 1983 ; Huggins, 1989). Toutefois, comme la plupart des enfants de mères lesbiennes sont nés dans un foyer hétérosexuel alors que les mères ne s'identifiaient pas encore comme lesbiennes, il est possible que l'orientation hétérosexuelles des adolescents étudiés proviennent du fait d'avoir vécu plusieurs années dans un contexte familial hétérosexuel.

Une étude longitudinale récente où des jeunes enfants ont été suivis pendant plusieurs années dans le contexte d'une famille homosexuelle avec mère lesbienne indique que les enfants devenus jeunes adultes s'identifient pour la plupart comme hétérosexuels (Golombok et Tasker, 1996). Ni l'âge de l'enfant lors de la divulgation du choix sexuel du parent, ni la durée de cohabitation de l'enfant avec un parent homosexuel n'a d'impact sur le choix de l'orientation sexuelle des jeunes adultes (Bailey *et al.*, 1995). Cependant, une étude montre que les filles de mères homosexuelles seraient plus ouvertes que les garçons à envisager des relations sexuelles avec une partenaire de même sexe (Tasker et Golombok, 1997). D'autres études sur le développement d'enfants nés dans le contexte d'une famille homosexuelle permettront de mieux documenter cette question.

En résumé, les études sur l'identité de genre, le rôle et l'orientation sexuelle des enfants de parents homosexuels ne montrent pas de différences dans le développement des enfants de parents homosexuels comparés aux enfants de parents hétérosexuels. Ces résultats ne signifient pas que les enfants de parents homosexuels ne font face à aucun problème d'identité. Mais ces résultats suggèrent que lorsque des problèmes d'identité sexuelle surgissent, ils n'ont rien à voir avec l'orientation sexuelle des parents.

DÉVELOPPEMENT PSYCHOSOCIAL

Comme les études sur le développement psychosocial cherchent principalement à éclairer les décisions des tribunaux concernant la garde des enfants, un certain nombre de ces études portent sur l'évaluation des difficultés possibles des enfants dans leurs relations sociales avec leurs pairs et dans leurs relations avec les adultes dans le réseau social de leurs parents homosexuels.

Relations avec les pairs. Des entrevues auprès d'enfants du primaire au cours desquelles les noms de leurs amis ont été recueillis indiquent que les enfants de mères lesbiennes ont des groupes d'amis majoritairement composés d'enfants de même sexe, comme les enfants de parents hétérosexuels (Green, 1978). Des résultats similaires sont obtenus dans une étude longitudinale où les familles ont été interrogées à 10 ans d'intervalle (Tasker et Golombok, 1997). Les enfants de mères lesbiennes ne sont pas plus souvent que les enfants de familles monoparentales hétérosexuelles victimes de taquineries face à l'orientation sexuelle de la mère et n'ont pas plus de difficultés d'intégration sociale durant l'adolescence. Une étude récente montre aussi que les enfants de mères lesbiennes ne sont pas plus victimisés par leurs pairs que ne le sont les enfants de parents hétérosexuels (Seibert et Rabian, 1999). Les enfants de mères lesbiennes et de mères hétérosexuelles rapportent des degrés comparables de popularité auprès de leurs pairs. Dans le même sens, l'étude de Tasker et Golombok (1997) ne révèle aucune différence quant à la composition de leur groupe de pairs et la qualité de leurs relations avec eux. De plus, la plupart des adolescents de mères lesbiennes intègrent leurs amis proches à la vie de famille. Bref, aucune donnée ne permet de conclure que les enfants de parents homosexuels éprouvent des difficultés sociales avec leurs pairs qui seraient directement attribuables à l'orientation sexuelle de leurs parents.

Relations avec les adultes. Afin d'évaluer les relations d'enfants de parents homosexuels avec des personnes adultes, une étude évalue la composition du réseau social de mères lesbiennes auquel les enfants sont exposés (Golombok *et al.*, 1983). Le tiers des mères ont des réseaux d'amis majoritairement composés de femmes, les deux autres tiers rapportant des proportions comparables d'hommes et de femmes. La majorité affirment également compter des proportions comparables de personnes homosexuelles et hétérosexuelles parmi leurs amis.

Les études sur les relations des enfants avec les hommes adultes indiquent que les mères lesbiennes désirent plus que les hétérosexuelles que leurs enfants développent des relations positives avec des hommes adultes (Kirkpatrick *et al.*, 1981). Les mères lesbiennes de cette étude ont plus d'amis de famille de sexe masculin que n'en rapportent les mères hétérosexuelles, et elles incluent plus souvent de la parenté adulte masculine dans les activités de leurs enfants, surtout lorsqu'elles vivent en couple stable avec une conjointe (Kirkpatrick, 1987).

D'après une autre étude, les enfants de mères lesbiennes sont significativement plus nombreux que ceux des autres mères à avoir des contacts hebdomadaires avec leur père biologique (Golombok *et al.*, 1983). Par ailleurs, des entrevues avec des pères gais, des mères lesbiennes, des mères et des pères hétérosexuels ayant tous eu la garde de leurs enfants lors d'un divorce hétérosexuel indiquent des degrés comparables de qualité de la relation parent-enfant. Toutefois, les visites des enfants chez l'autre parent présentent plus de problèmes pour les parents hétérosexuels que pour les autres (Harris et Turner, 1985 / 1986). Selon les perceptions de la majorité des parents homosexuels de cette étude, les enfants n'ont pas souffert de problèmes psychosociaux en réaction à l'homosexualité de leurs parents. Celle-ci aurait plutôt facilité le développement de l'empathie et de la tolérance chez eux étant donné leur exposition à des points de vue variés.

En ce qui a trait aux partenaires homosexuels des parents, les résultats des études montrent que les jeunes vivant dans une famille de mères lesbiennes rapportent une relation significativement meilleure comme adolescent et comme jeune adulte avec la partenaire de leur mère en comparaison des partenaires mâles des mères hétérosexuelles. Dans cette étude, plus d'enfants de foyers lesbiens voient la partenaire principale de leur mère comme un parent additionnel (Tasker et Golombok, 1997).

L'idée selon laquelle les enfants de parents gais et lesbiens sont plus victimes d'abus sexuels que les autres enfants a été systématiquement examinée dans les recherches sur l'abus sexuel des enfants (Finkelhor et Russell, 1984 ; Jones et MacFarlane, 1980). Étant donné que la grande majorité des personnes qui abusent sexuellement des enfants sont des hommes, les mères lesbiennes représentent une faible probabilité en ce sens. Les recherches montrent des proportions comparables d'abuseurs dans les deux groupes d'hommes (Groth et Birnbaum, 1978). La crainte que les enfants de parents homosexuels soient plus exposés aux abus sexuel que les enfants de parents hétérosexuels apparaît donc sans fondement empirique.

En résumé, les études sur le développement psychosocial des enfants de parents homosexuels montrent que : 1) les enfants sont bien intégrés à leur groupe de pairs et au groupe d'adultes entourant la famille, y compris leur parent biologique absent et les amis adultes de la famille, hommes et femmes, hétérosexuels, gais et lesbiennes ; 2) ils ont un peu plus de contacts avec leur père biologique que les autres enfants gardés par leur mère ; 3) ils ne risquent pas d'être plus victimes d'abus sexuels que les autres enfants.

AUTRES ASPECTS DU DÉVELOPPEMENT

D'autres aspects du développement des enfants de parents homosexuels sont examinés par rapport à celui des autres enfants. Ainsi, une étude traite du développement de l'autonomie chez des enfants nés de mères lesbiennes inséminées artificiellement (Steckel, 1985 ; 1987). Ces mères vivent en couple stable avec une conjointe, et leurs enfants sont comparés à ceux de familles hétérosexuelles intactes. Les résultats révèlent que les enfants de parents hétérosexuels se décrivent comme plus agressifs et moins aimables que ne le font ceux de lesbiennes. Dans le même sens, comparativement aux descriptions des mères lesbiennes et des professeurs de ces enfants, les descriptions des parents hétérosexuels et des professeurs montrent que les enfants d'hétérosexuels sont plus dominateurs, plus négatifs, moins affectueux, moins sensibles et moins protecteurs envers les plus jeunes que les enfants de mères lesbiennes.

Par contre, les enfants nés de mères lesbiennes inséminées artificiellement rapporteraient davantage de réactions de stress et d'anxiété que les enfants de mères hétérosexuelles inséminées artificiellement, mais ils ressentiraient également un plus grand sentiment de bien-être personnel que les enfants de parents hétérosexuels (Patterson, 1997). Selon la chercheure, ces données comparatives indiquent que les enfants de mères lesbiennes vivraient davantage de stresseurs familiaux tout en développant une plus grande ouverture face aux expériences émotionnelles variées, tant positives que négatives.

D'autres comparaisons n'indiquent aucune différence entre les enfants de mères lesbiennes et les autres aux dimensions suivantes : désordres psychiatriques (Golombok *et al.*, 1983 ; Kirkpatrick *et al.*, 1981), problèmes affectifs, d'hyperactivité, de sociabilité et de comportement (Golombok *et al.*, 1983), développement du jugement moral, intelligence (Green *et al.*, 1986), caractéristiques de personnalité (Gottman, 1990) et concept de soi, tant chez les jeunes enfants (Puryear, 1983) que chez les adolescents (Huggins, 1989).

En résumé, l'examen des recherches disponibles sur le développement d'enfants de parents homosexuels révèle que les craintes concernant la plus grande vulnérabilité de ces enfants sont sans fondement empirique. Premièrement, ces enfants n'éprouvent pas plus de problèmes d'identité sexuelle que ceux de parents hétérosexuels, et ils ne sont pas plus nombreux à développer une identité homosexuelle. Deuxièmement, ils ne sont pas plus vulnérables psychologiquement que les enfants d'hétérosexuels et ils n'ont pas plus de problèmes de comportement. Troisièmement, ils ne manifestent pas plus de problèmes d'adaptation sociale sous la forme de victimisation par leurs pairs. Enfin, ils ne sont pas plus souvent victimes d'abus sexuels de la part de leurs parents ou d'amis de leurs parents. Certes, comme toute recherche, ces recherches comportent des failles méthodologiques (p. ex., faible diversité des populations étudiées, diversité des procédures d'évaluation). Des recherches longitudinales seraient souhaitables.

Toutefois, aucune des recherches effectuées à ce jour ne permet de conclure que les enfants de parents homosexuels sont désavantagés sous quelque aspect que ce soit par rapport aux autres. Les résultats convergent tous vers un message clair et sans ambiguïté : lorsque les enfants de parents homosexuels ont des problèmes d'adaptation, d'autres facteurs que la simple orientation sexuelle des parents sont responsables de ces difficultés.

VERS UNE PLUS GRANDE COMPRÉHENSION DE LA RÉALITÉ DES FAMILLES HOMOSEXUELLES

Dire que les enfants de parents homosexuels se comparent en tous points aux autres, c'est dire que leurs capacités d'adaptation sont semblables. Étant donné que l'orientation sexuelle des parents apparaît comme une variable non pertinente pour comprendre les difficultés d'adaptation qui affectent certains de leurs enfants, on doit se pencher sur les facteurs potentiellement associés au développement de problèmes chez certains enfants de parents homosexuels. À ce chapitre, les recherches sur les familles hétérosexuelles indiquent que les aspects contextuels du dévelop-pement (p. ex., la pauvreté) et les aspects fonctionnels des relations familiales (p. ex., la qualité des relations familiales) constituent des variables plus per-tinentes que les aspects structuraux comme la composition de la famille. Par exemple, plusieurs études sur ces familles montrent que les problèmes des enfants associés au divorce des parents sont plutôt provoqués par le conflit entre les parents que par le changement de composition de la famille (O'Leary et Emery, 1984). Toutefois, la plupart des recherches sur les familles homosexuelles se sont centrées sur la comparaison entre les familles hétérosexuelles et homosexuelles (variables structurelles) plutôt que sur les variables contextuelles et la qualité des interactions familiales et leur impact sur le développement des enfants.

Étant donné la grande quantité de recherches montrant que le bien-être de la mère hétérosexuelle est associée positivement à celui de son enfant (Belsky, 1990 ; Collins et Russell, 1991), les recherches à venir sur les familles de parents gais et lesbiennes devront s'attarder davantage aux variables reliées à l'interaction mère-enfant en relation avec le bien-être socioaffectif de l'enfant. Un bon exemple est la théorie de l'attachement (Ainsworth, 1985 ; Bowlby, 1988), utilisée dans plusieurs recherches sur l'adaptation des enfants à leur environnement. Elle met l'accent sur la qualité des premières figures d'attachement pour créer un environnement sécure favorable au développement de l'enfant. Ces études ne font aucu-nement mention de l'orientation sexuelle du parent, mais plutôt de la capacité de l'adulte présent à être sensible aux demandes et aux besoins de l'enfant. L'utilisation d'un tel cadre théorique (et d'autres) à des populations non conventionnelles pourrait nous en apprendre davantage sur la réalité familiale homosexuelle dans les recherches futures.

Par ailleurs, peu d'études ont abordé la diversité de fonctionnement des partenaires au sein des familles homosexuelles et la diversité des réactions de l'entourage proche (p. ex., la famille d'origine). Comment l'expérience d'être parent homosexuel biparental diffère-t-elle de l'expérience d'être parent homosexuel monoparental ? Comment les enfants s'adaptent-ils à ces nouvelles réalités parentales ? Une étude clinique rapporte que les filles de mères lesbiennes cohabitant avec une conjointe de fait présentent un niveau plus élevé d'estime de soi que les filles de mères lesbiennes vivant sans partenaire (Huggins, 1989). Kirkpatrick (1987) apporte un jugement clinique similaire, à savoir qu'une mère lesbienne vivant avec sa conjointe semble créer un environnement familial plus riche, plus ouvert et plus stable que celui des mères lesbiennes vivant sans partenaire. La qualité du lien conjugal jouerait un rôle important aussi : les partenaires de couples lesbiens qui partagent les soins à l'enfant de façon plus égalitaire sont plus satisfaites de leur relation conjugale et leurs enfants présentent une meilleure adaptation psychologique (Patterson, 1997). Enfin, d'autres recherches suggèrent que les enfants dans des familles homosexuelles ont un meilleur équilibre psychologique quand leur père ou d'autres adultes acceptent l'identité sexuelle de leur mère ou quand ils ont des contacts avec d'autres enfants de parents gais ou lesbiens (Huggins, 1989).

Les quelques études qui précèdent ouvrent la voie à des recherches plus spécifiques sur les rôles joués par les partenaires de couple et par leur réseau social dans la dynamique familiale homosexuelle. Les prochaines études devront s'attarder à la qualité de la relation entre les partenaires de couple et le développement des enfants de parents homosexuels. Il ressort de l'une de nos études auprès de couples homosexuels que le bien-être psychologique des gais et des lesbiennes est positivement associé à la qualité de la relation avec leur partenaire de couple (Julien, Chartrand, Pizzamiglio et Bégin, 1994). Dans cette dernière étude, une grande proportion des couples avaient des enfants, mais ni la qualité de la relation parentale ni le bien-être des enfants n'ont été examinés. Sachant que les études sur le développement des enfants et des adolescents ont démontré une relation significative positive entre la satisfaction conjugale des parents et le développement d'une relation harmonieuse avec leurs enfants (Dubé, Julien, Lebeau et Gagnon, 2000), les études sur les couples homosexuels et la satisfaction conjugale pourraient s'élargir en tenant compte de la dynamique relationnelle parent-enfant.

Par ailleurs, aucune étude n'a examiné la nature spécifique du stress vécu par les familles homosexuelles et le soutien qu'elles reçoivent de leur entourage. Quelques études observent que le degré d'ouverture des adultes face à leur homosexualité influence la qualité de leur fonctionnement. Ainsi, le bien-être des mères lesbiennes est positivement relié au degré de divulgation de leur orientation sexuelle à leur employeur, à leur ex-mari et à leurs enfants (Rand *et al.*, 1982). Le bien-être psychologique des gais et lesbiennes est aussi positivement lié au degré de divulgation de leur orientation sexuelle aux membres de la famille d'origine (Chartrand et Julien, 1996), et l'adaptation conjugale des gais et lesbiennes est plus facile quand la famille d'origine de l'un ou l'une des partenaires accueille l'autre partenaire (Julien, Chartrand et Bégin, 1999).

D'autre études révèlent que les enfants informés de l'homosexualité ou de la bisexualité de leur père ou de leur mère durant leur adolescence ont des réactions plus négatives que lorsqu'ils sont informés en bas âge (Bozett, 1980 ; Huggins, 1989 ; Paul, 1986 ; Pennington, 1987). Certains soutiennent que le silence des enfants avec leurs pairs concernant cet aspect de leur vie familiale peut entraîner un sentiment d'isolement ayant des conséquences négatives sur leur bien-être (Lewis, 1980 ; Paul, 1986), mais cette hypothèse n'a pas été confirmée.

En somme, il faut développer nos connaissances sur l'impact de l'environnement social (rejetant ou soutenant) sur la qualité des relations familiales et sa répercussion sur l'adaptation psychologique des enfants. Nous devons examiner les effets pernicieux de l'hétérosexisme et de l'homophobie auxquels les parents homosexuels doivent faire face, examiner leurs stratégies de gestion d'environnements sociaux rejetants et la façon dont les parents homosexuels guident leurs enfants aux milieu de ces contradictions sociales. Il serait intéressant de voir, par exemple, si de grandir dans une famille homosexuelle augmente la tolérance des enfants face à d'autres enfants vivant des formes différentes de marginalité (Rafkin, 1990 ; Tasker et Golombok, 1997).

Tout en ayant des capacités d'adaptation comparables à celles d'enfants de parents hétérosexuels, tout porte à croire que les enfants de parents homosexuels s'épanouiraient mieux dans un entourage social accueillant, dans lequel l'homosexualité de leurs parents est respectée par d'autres adultes importants à leurs yeux, et dans lequel ils auraient des contacts avec d'autres enfants vivant dans des contextes similaires. En investiguant la diversité des nouvelles formes de réalité familiale dont les familles homosexuelles et le développement des enfants qui grandissent dans ces familles, les recherches futures offriront des possibilités d'élargir nos connaissances sur le développement humain. Répondre à de telles questions augmentera la possibilité d'entrevoir des avenues alternatives positives du développement des familles homosexuelles. Les recherches sur les enfants de parents homosexuels auront également des implications sur les politiques gouvernementales touchant non seulement la garde des enfants, mais également les politiques d'adoption.

BIBLIOGRAPHIE

Ainsworth, M. (1989). Attachments beyond infancy, *American Psychologist, 44,* p. 709-716.

Barret, R.L. et B.E. Robinson (1990). *Gay fathers,* Lexington, MA, Lexington Books.

Belsky, J. (1990). Parental and nonparental child care and children's socioemotional development : A decade in review, *Journal of Marriage and the Family, 52,* p. 885-903.

Bertrand, L. (1984). *Le rapport Bertrand sur le vécu de 1000 femmes lesbiennes,* Montréal, Les Éditions Primeurs.

Bowlby, J. (1988). *A secure base : Parent-child attachment and healthy human development,* New York, Basic Books.

Bozett, F.W. (1980). How and why they disclose their homosexuality to their children, *Family Relations, 29,* p. 173-179.

Bozett, F.W. (1982). Heterogeneous couples in heterosexual marriages : Gay men and straight women, *Journal of Marital and Family Therapy, 8,* p. 81-89.

Bozett, F.W. (1987). Children of gay fathers, dans F. W. Bozett (dir.), *Gay and lesbian parents,* New York, Praeger, p. 39-57.

Bozett, F.W. (1989). Gay fathers : A review of the literature, dans F.W. Bozett (dir.), *Homosexuality and the family,* New York, Harrington Park, p. 137-162.

Chartrand, E. et D. Julien (1996). Intégration du couple gai et lesbien dans son réseau social et ajustement conjugal, *Science et Comportement, 25,* p. 39-54.

Clermont, M. (1998). Des orientations ministérielles pour l'adoption des services sociaux et de santé aux réalités homosexuelles, Recueil de textes du séminaire « Famille et qualité de vie des gais et lesbiennes », Association canadienne pour la santé mentale, Université du Québec à Montréal.

Collins, W.A. et Russell (1991). Mother-child and father-child relationships in middle childhood and adolescence : A developmental analysis, *Developmental Review, 11,* p. 1-37.

Conseil du statut de la femme (1998). *Une plus une : Recherche sur la reconnaissance légale des couples de lesbiennes* (recherche et rédaction : Guylaine Bérubé), Gouvernement du Québec.

Demczuk, I. (1998). Pour une nouvelle vision de l'homosexualité : Aperçu et défi d'un programme de formation, Recueil de textes du séminaire « Famille et qualité de vie des gais et lesbiennes », Association canadienne pour la santé mentale, Université du Québec à Montréal.

Desjardins, D. (1991). *SIDA : Le suivi de l'épidémie au Québec,* Ministère de la Santé et des Services sociaux, Québec.

Dubé, M., D. Julien, É. Lebeau et I. Gagnon (2000). La satisfaction conjugale des mères et la qualité perçue des échanges quotidiens avec leur adolescente, *Revue canadienne des sciences du comportement, 32.*

Éditeurs de la *Harvard Law Review* (1990). *Sexual orientation and the law,* Cambridge, M.A., Harvard University Press.

Falk, P.J. (1989). Lesbian mothers : Psychosocial assumptions in family law, *American Psychologist, 44,* p. 941-947.

Finkelhor, D. et D. Russel (1984). Women as perpretrators : Review of the evidence, dans D. Finkelhor (dir.), *Child sexual abuse, New theory and research,* New York, Free Press, p. 171-187.

Golombok, S., A. Spencer et M. Rutter (1983). Children in lesbian and singleparent household : Psychosexual and psychiatric appraisal, *Journal of Child Psychology and Psychiatry, 24,* p. 551-572.

Golombok, S. et F. Tasker (1996). Do parents influence the sexual orientation of their children ? Findings from a longitudinal study of lesbian families, *Developmental Psychology, 32,* p. 3-11.

Gottman, J.S. (1990). Children of gay and lesbian parents, dans F.W. Bozett et M.B. Sussman (dir.), *Homosexuality and family relations,* New York, Harrington Park, p. 177-196.

Green, R. (1978). Sexual identity of 37 children raised by homosexual or transsexual parents, *American Journal of Psychiatry, 135,* p. 692-697.

Green, R., J.B. Mandel, M.E. Hotvedt, J. Gray et L. Smith (1986). Lesbian mothers and their children : A comparison with solo parent heterosexual mothers and their children, *Archives of Sexual Behavior, 7,* p. 167-184.

Groth, A.N. et H.J. Birnbaum (1978). Adult sexual orientation and attraction to under age persons, *Archives of Sexual Behavior, 7,* p. 175-181.

Harris, M.B. et P.H. Turner (1985/1986). Gay and lesbian parents, *Journal of Homosexuality, 12,* p. 101-113.

Hoeffer, B. (1981). Children's acquisition of sex role behavior in lesbian-mother families, *American Journal of Orthopsychiatry, 5,* p. 536-544.

Huggins, S.L. (1989). A comparative study of self-esteem of adolescent children of divorced lesbian mothers and divorced heterosexual mothers, dans F.W. Bozett (dir.), *Homosexuality and the family,* New York, Harrington Park, p. 123-135.

Jones, B.M. et K. MacFarlane (dir.) (1980). *Sexual abuse of children : Selected readings,* Washington, D.C., National Center on Child Abuse and Neglect.

Julien, D., E. Chartrand et J. Bégin (1999). Social networks, structural interdependence, and conjugal adjustment in heterosexual, gay, and lesbian couples, *Journal of Marriage and the Family, 61,* p. 516-530.

Julien, D., E. Chartrand, M.T. Pizzamiglio et J. Bégin (1994). Dyadic adjustment and conflict resolution : An observational study of gay, lesbian and heterosexual couples, Document soumis pour publication.

Julien, D., M. Dubé et I. Gagnon (1994). Le développement des enfants de parents homosexuels. Deuxième partie, *Le Familier,* p. 11-12.

Kinsey, A.C, W.B. Pomeroy et C.E. Martin (1948). *Sexual behavior in the human male,* Philadelphie, Saunders.

Kinsey, A.C., W.B. Pomeroy, C.E. Martin et P.H. Gebhard (1953). *Sexual behavior in the human female,* Philadelphia, Saunders.

Kirkpatrick, M. (1987). Clinical implications of lesbian mother studies, *Journal of Homosexuality, 13,* 201-211.

Kirkpatrick, M., C. Smith et R. Roy (1981). Lesbian mothers and their children : A comparative survey, *American Journal of Orthopsychiatry, 51,* p. 545-551.

Kweskin, S.L. et A.S. Cook (1982). Heterosexual and homosexual mothers' self-described sex role behavior and ideal sex role behavior in children, *Sex Roles, 8,* p. 967-975.

Lewis, K.G. (1980). Children of lesbians : Their point of view, *Social Work, 25,* p. 198-203.

Lyons, T.A. (1983). Lesbian mothers' custody fears, *Women and Therapy, 2,* p. 231-240.

Miller, J.A., R.B. Jacobsen et J.J. Bigner (1981). The child's home environment for lesbian vs. heterosexual mothers : A neglected area of research, *Journal of Homosexuality, 7,* p. 49-56.

O'Leary, K.D. et R.E. Emery (1984). Marital discord and child behavior problems, dans M.D. Levine et P. Satz (dir.), *Middle childhood : Development and dysfunction,* Baltimore, University Park Press, p. 345-364.

Pagelow, M.D. (1980). Heterosexual and lesbian single mothers : A comparison of problems, coping and solutions, *Journal of Homosexuality, 5,* p. 198-204.

Patterson, C.J. (1992). Children of lesbian and gay parents, *Child Development, 63,* p. 1025-1042.

Patterson, C.J. (1997). Children and gay parents, dans T. H. Odlendick et R.J. Printz (dir.), *Advances in Clinical Child Psychology ,* New York, Plenum Press, *19,* p. 235-282.

Patterson, C.J. et R.W. Chan (1996). Gay fathers and their children, dans R.P. Cabaj et S. Stein (dir.), *Homosexuality and mental health : A comprehensive textbook*, Washington, D.C., American Psychiatric Press, p. 371-393.

Patterson, C.J. et R.E. Redding (1996). Lesbian and gay families with children : Implications of social science research for policy, *Journal of Social Issues, 52,* p. 29-50.

Paul, J.P. (1986). Growing up with a gay, lesbian, or bisexual parent : An exploratory study of experiences and perceptions, Thèse de doctorat inédite, Berkeley, University of California.

Pennington, S. (1987). Children of gay and lesbian mother, dans F.W. Bozette (dir.), *Gay and Lesbian Parents*, New York, Praeger, p. 58-74.

Peterson, N. (1984). Coming to term with gay parents, *USA Today*, avril, p. 30.

Pies, C. (1985). *Considering parenthood,* San Francisco, Spinsters/Aunt Lute.

Pies, C. (1990). Lesbians and the choice to parent, dans F.W. Bozett et M.B. Sussman (dir.), *Homosexuality and family relations*, New York, Harrington Park, p. 137-154.

Puryear, D. (1983). A comparison between the children of lesbian mothers and the children of heterosexual mothers, Thèse de doctorat inédite, Berkeley, California School of Professional Psychology.

Rafkin, L. (1990). *Different mothers : Sons and daughters of lesbians talk about their lives,* Pittsburgh, Cleis Press.

Rand, C., D.L.R. Graham et E.I. Rawlings (1982). Psychological health and factors the court seeks to control in lesbian mother custody trials, *Journal of Homosexuality, 8,* p. 27-39.

Robinson, A. (1993). Lesbiennes, mariage et famille, Mémoire présenté à la Commission des droits de la personne du Québec.

Seibert, M.A.K. et B. Rabian (1999). *Is parental sexual orientation related to children's social functioning?* Affiche présentée à la 33ᵉ convention annuelle de l' Association for the Advancement of Behavior Therapy, Toronto, novembre.

Seligmann, J. (1990). Variations on a theme, *Newsweek* (numéro spécial : « The 21st Century Family », hiver-printemps), p. 38-46.

Steckel, A. (1985). Separation-individuation in children of lesbian and heterosexual couples, Thèse de doctorat inédite, Berkeley, CA, Wright Institute Graduate School.

Steckel, A. (1987). Psychosocial development of children of lesbian mothers, dans F. W. Bozett (dir.), *Gay and lesbian parents*, New York, Praeger, p. 75-85.

Tasker, F.L. et S. Golombok (1997). *Growing up in a lesbian family. Effects on child development,* New York, Guilford Press.

TROISIÈME PARTIE

Le soutien social à l'exercice des rôles parentaux

Comment les mères adolescentes se bricolent-elles un avenir ?

Stéphanie GAUDET
Johanne CHARBONNEAU
INRS–Urbanisation

Les mères adolescentes évoluent dans une réalité quotidienne parsemée d'embûches : elles vivent la plupart du temps dans la pauvreté (Musick, 1993) et elles subissent les désagréments d'un choix de vie en marge de la société (Le Van, 1998). La plupart d'entre elles se retrouvent donc dans une situation où elles doivent bricoler, c'est-à-dire échafauder une organisation de vie avec des moyens limités, précaires et souvent sporadiques (Chase-Lansdale *et al.*, 1991, Rochon, 1989 ; Tracy, 1990). Leur bricolage de vie n'a donc pas la particularité d'une construction aux fondements solides qui leur permettrait de penser à l'avenir avec quiétude. Elles s'organisent plutôt au jour le jour et quand leur situation se stabilise, elles peuvent tranquillement penser à demain. Les intervenants connaissent donc cette histoire quotidienne, mais ils se demandent souvent comment ces adolescentes arrivent à se débrouiller plusieurs années après la première naissance, c'est-à-dire au moment où ils les ont perdues de vue. En effet, l'intervention auprès des mères adolescentes est souvent passagère, cette population très mobile résidentiellement se montre généralement peu encline aux interventions. C'est pourquoi il est pertinent de comprendre les cheminements des jeunes mères quelques années après la naissance de leur premier enfant, car ils sont complexes et différents les uns des autres (Le Van, 1997) et chacune de ces différences influence leur bricolage.

Comment ces adolescentes se bricolent-elles un quotidien ? Voilà la question qui motive notre analyse sur la mobilisation des ressources des mères adolescentes. En effet, le bricolage de vie, bien qu'il soit créatif et valorisant, a la caractéristique d'être précaire, voire éphémère pour certaines. Il faut beaucoup d'outils et de temps pour que ce bricolage résiste aux intempéries. C'est pourquoi nous tenterons d'analyser la boîte à outils dont disposent les adolescentes avant et après la naissance. Par l'image de la boîte à outils, nous entendons les ressources personnelles que développent les filles (études, expérience de travail, bénévolat, etc.), aux membres de leur réseau personnel qui forment leur réseau de soutien (la famille, les amis, etc.) et aux personnes-ressources – les services du réseau formel – qu'elles fréquentent.

Dans ce texte, nous répondrons plus précisément à ces deux questions : 1) qu'est-ce que les adolescentes possèdent dans leur coffre à outils au moment de prendre la décision de poursuivre la grossesse ? 2) comment la boîte à outils évolue-t-elle dans les années suivant la naissance ?

PRÉSENTATION DE LA RECHERCHE

La réflexion qui suit provient des résultats d'une enquête[1] sur le réseau des mères adolescentes amorcée en 1996 conjointement avec les centres jeunesse de la Montérégie. Cette étude avait pour objectif de dresser le portrait de la situation des mères adolescentes quelques années après la naissance de leur premier enfant afin d'analyser particulièrement l'état de leur réseau social. En comparaison des travaux en cours sur la grossesse adolescente, cette recherche permet d'observer à long terme les relations qu'établissent les mères avec leur environnement social.

Entre 1996 et 1997, 32 femmes ayant eu un enfant à l'adolescence (19 ans et moins) ont été rencontrées. Les entrevues ont été réalisées à l'aide d'un guide rétrospectif qui permettait de suivre les principaux événements survenus au cours des années, en faisant ressortir le rôle du réseau. Des instruments complémentaires servaient à recueillir l'information sur le réseau actuel et certaines caractéristiques générales sur les personnes rencontrées.

La population d'enquête a été recrutée grâce à la collaboration des CLSC, des organismes communautaires et des CJM. Nous recherchions des jeunes mères ayant eu leur enfant depuis au moins trois ans.

---

1. Cette enquête a été réalisée grâce à l'octroi d'une bourse de chercheur-boursier du Conseil québécois de recherche sociale (1995-1998) et d'une subvention d'aide à la formulation d'un projet de recherche (CQRS, 1996-1997).

Distribution de la population d'enquête selon certains critères (n = 32)

Âge à la naissance du premier enfant	Âge à l'enquête	Nombre d'enfants
14 = 1	– de 20 ans = 3	1 = 6
15 = 3	20 ans = 6	2 = 13
16 = 6	21-22 ans = 4	3 = 6
17 = 11	23-24 ans = 6	4 = 4
18 = 7	25-28 ans = 6	5 = 2
19 = 4	30-34 ans = 6	7 = 1

Nombre de mères ayant eu un ou des événements perturbants dans l'enfance

Séparation des parents = 20
Parent(s) décédé(s) = 7
Abus = 7 (placements à la DPJ= 3)
Placement = 11

Enfants : même père ou pères différents (pour les mères ayant plus d'un enfant)	Épisodes de monoparentalité (depuis la naissance de l'enfant)
Même = 13	Oui = 20
Différent = 13	Non = 12

Scolarité	Source de revenus
Primaire = 1	Aide sociale = 16
1re sec. = 6	Chômage = 2
2e sec. = 6	Aux études = 3
3e sec. = 6	Travail au noir
4e sec. = 6	Travail salarié = 5
5e sec. = 5	Rentes (invalidité ou héritage) = 3
Postsec. ou cégep = 1	Conjoint seul = 3
Université = 1	

Depuis la fin de l'enquête, le travail d'analyse a permis de faire un bilan général de la situation des jeunes mères rencontrées, un travail qui a mené, entre autres, à des analyses particulières sur la question de l'adoption (Charbonneau, 1997), de la relation mère-fille (Charbonneau, 1998) et de la mobilisation de réseaux d'entraide (Gaudet et Charbonneau, 1999).

Dans ce texte, nous voulons établir un bref bilan des ressources dont disposent les mères adolescentes pour comprendre l'impact qu'elles ont eu sur leur cheminement. En d'autres mots, ce sont les décisions et les réactions des jeunes mères à l'égard des événements de leur vie que nous avons voulu comprendre. Nous avons ainsi retenu quatre grandes tendances de bricolage de vie qui seront présentées en fonction des cheminements et des réseaux sociaux des femmes que nous avons rencontrées.

QU'EST-CE QUE LES MÈRES ADOLESCENTES ONT DANS LEUR COFFRE À OUTILS AU MOMENT DE DÉCIDER DE GARDER LEUR ENFANT ?

Au moment de la décision de garder l'enfant, les familles des adolescentes demeurent une source de soutien important. Les réseaux personnels des mères adolescentes sont généralement constitués de membres de la famille d'origine (Buchholz et Korn-Bursztyn, 1993). La théorie des cycles de vie indique de plus que la naissance d'un enfant est souvent un événement mobilisateur au sein du réseau personnel des mères et le réseau de soutien se constitue principalement des membres de la famille (Godbout et Charbonneau, 1996 ; Dandurand et Ouellet, 1992 ; Eggebeen et Hogan, 1990). C'est pourquoi les adolescentes qui disposent d'un tel réseau de soutien familial détiennent un avantage énorme comparativement à celles qui n'en disposent pas. Au moment de l'analyse des données, la distinction entre les deux scénarios, celui où la famille était présente au sein du réseau d'entraide et celui où elle était absente, est vite apparue significative dans les cheminements des jeunes mères. Il est donc pertinent d'analyser les cheminements de vie en distinguant celles qui bénéficient du soutien familial comme outil dans leur coffre de celles qui n'en jouissent pas.

Celles qui bénéficient du soutien familial dans leur coffre à outils au moment de la décision

Parmi les 32 cas que nous avons recueillis, 17 filles disposaient d'un réseau de soutien familial au moment de la décision. Chez ces 17 filles, nous avons cependant observé deux types d'aide familiale qui dépendait de leur situation résidentielle. D'une part, nous constatons que cinq filles vivaient déjà en ménage au moment de la décision. Pour elles, la grossesse se situe dans une suite normale d'événements propres au passage à l'âge adulte : décohabitation parentale / mise en ménage / grossesse (Galland, 1985, 1990). On remarque aussi que ces filles ont toutes laissé l'école deux ou trois ans avant la grossesse pour travailler ou parce qu'elles n'avaient pas besoin de travailler (en effet, une d'entre elles a reçu d'un héritage important).

Pour ces dernières, la grossesse s'inscrit donc par un cheminement précoce de passage à l'âge adulte, c'est-à-dire qu'elles sont mineures, mais elles ont tout de même acquis un statut indépendant de leurs parents à la fois pour l'argent et l'habitat. Pour elles, la grossesse est une heureuse nouvelle et elles ont, quelquefois, clairement exprimé le désir d'avoir un enfant. Leurs parents ne sont donc pas étonnés au moment où elles annoncent la nouvelle, puisque leur fille vit déjà sa vie d'adulte avant sa majorité. L'aide qu'ils accorderont à leur fille ressemblera donc à celle qu'apporte tout parent au moment où ils deviennent grands-parents : des cadeaux, aide de la mère pour les relevailles, garde occasionnelle du petit-enfant, etc. Les amis réagissent de la même façon ; ils offrent de l'aide et des cadeaux bien qu'ils s'impliquent beaucoup moins que la famille.

Le conjoint joue également un rôle important au niveau de l'aide dont ces filles peuvent bénéficier. La littérature souligne d'ailleurs que la présence du conjoint est relié au bien-être général (Thompson, 1986). Puisqu'elles vivent avec leur conjoint bien avant leur grossesse, elles ont une relation de couple assez stable et le conjoint prépare avec elle la venue de l'enfant. Aussi, le soutien émotif et financier qu'il apporte est une source d'aide aussi importante sinon plus que celle de la famille. Considérant l'envergure de ces sources d'aide, ces filles auront peu recours au réseau d'aide formelle pour chercher du soutien financier au moment de faire face à la naissance du bébé. Parmi les jeunes filles en ménage avant la naissance, il n'y a qu'un cas où le conjoint et l'adolescente sont bénéficiaires de l'aide sociale. Pour les autres, le recours au réseau formel se restreint à quelques rencontres prénatales au CLSC ; elles garderont des contacts peu fréquents avec les infirmières. Dans la même veine, on ne remarque aucun contact avec le réseau communautaire au moment de la décision.

Pour les 12 filles qui ne vivent pas en ménage au moment de la décision, l'annonce de la grossesse et la décision de garder l'enfant prennent un tout autre sens. D'une part, la jeune fille ne vit pas une relation de couple très sérieuse ou bien elle ne vit pas du tout de relation de couple. L'absence d'aide d'un conjoint est une ressource importante qui fait défaut dans leur coffre à outils. Comme nous avons pu le voir pour celles qui vivent en ménage, l'aide du conjoint est appréciée, voire indispensable pour certaines. Pour ces jeunes filles vivant avec leurs parents, la naissance n'est pas un événement de la vie de couple, c'est plutôt une situation à laquelle participe toute la famille.

En effet, la grossesse arrive comme un événement non planifié perturbant la trajectoire de l'adolescente qui, jusqu'à ce jour, participait aux activités propres à la majorité des filles de son âge : l'école, la rencontre avec les amis, les débuts de la vie amoureuse (Forsé, 1999). Ajoutons que, pour ces parents, la surprise est la même. Bien qu'ils ne soient pas toujours enthousiastes à l'annonce de cette nouvelle, ils promettent d'aider leur fille. Ainsi le réseau se mobilise pour prendre en charge la mère et son enfant. Lemieux (1996) parlerait ici de vision familialiste de la maternité, plus fréquemment présente lorsqu'il s'agit de maternité précoce.

Le rôle de la famille devient donc primordial, puisque souvent l'adolescente et son enfant cohabiteront pendant quelque temps avec les parents et ils dépendront aussi des parents pour l'aide matérielle et financière. Bref, la famille forme un soutien important. Les parents se sentent souvent responsables de leur petit-enfant ; ils poursuivent leur rôle de parent en intégrant le bébé souvent comme s'il était le leur. Cette situation risque d'ailleurs d'entraîner des conflits entre l'adolescente et sa mère. Malgré la présence de conflits, l'adolescente peut difficilement remettre en question l'aide des parents puisqu'elle dépend d'eux financièrement et résidentiellement. Certaines prendront leur mal en patience et profiteront de cette aide pour finir leurs études ou se dénicher un emploi de façon à ne plus dépendre de l'aide familiale, d'autres quitteront rapidement le nid familial.

Celles qui ne bénéficient pas de soutien familial dans leur coffre à outils au moment de la décision

Celles qui ne disposent d'aucune aide de la famille au moment de la décision de garder leur enfant sont pour la plupart des filles qui ont vécu la majeure partie de leur vie dans des centres ou des familles d'accueil. Nous en avons rencontré sept ayant vécu une telle situation. L'aide dont elles bénéficient provient pour la plupart de professionnels. Au moment de la décision, elles savent donc qu'elles devront déménager dans un centre destiné aux mères adolescentes tel que Rosalie-Jeté ou la Maison Marie-Lucille. Ces filles ne vivent pas en couple, elles font souvent parties de gang de jeunes où se déroulent des activités délinquantes ; un milieu qui n'est jamais perçu comme un lieu de soutien et d'entraide. La nouvelle de la grossesse prend souvent, pour les adolescentes enceintes, le sens d'une délivrance, d'une nouvelle porte qui s'ouvre sur leur avenir d'adulte. La grossesse permet d'accéder à un nouveau statut qui s'actualise d'abord par la sortie des centres jeunesse. Il faut noter la spécificité de cette dynamique pour comprendre qu'elles ne rechercheront pas l'aide de professionnels lors de la grossesse et surtout après, puisqu'elles fuient cette réalité. Soulignons cependant que la plupart des filles qui ont séjourné dans les centres pour mères adolescentes expriment leur gratitude à l'égard des apprentissages qu'elles ont faits au cours de leur séjour. Elles ont effectivement appris beaucoup sur des aspects concrets de la maternité (changer les couches, avoir accès à du linge usagé, apprentissage sur les réalités émotives et physiologiques d'un bébé, etc.) et elles disent qu'elles n'auraient pas eu accès à cette information si elles n'avaient pas séjourné au centre. Elles apprécient donc rétrospectivement les informations et l'aide reçues dans ces centres, car elles avouent ne pas avoir été réceptives à l'ensemble de l'aide offerte au moment où elles ont séjourné au centre.

La boîte à outils de ces filles, bien qu'elle soit largement fournie en aide professionnelle, est paradoxalement très pauvre, car elles veulent se sortir du milieu d'aide des services sociaux et acceptent difficilement l'intervention des professionnels. Ainsi, elles ont un coffre à outils qu'elles ne veulent plus ouvrir. Elles ne peuvent pas, non plus, compter sur leur famille ou même sur un membre de la famille éloignée et, souvent, leur conjoint les entraîne dans des situations qui complexifient leur histoire plutôt que de la simplifier. En effet, le père de l'enfant fait souvent partie de la gang qu'elles fréquentent, il participe donc, lui aussi, à des activités délinquantes. Ces filles n'ont que ce garçon comme source d'aide dans leur coffre à outils, les risques pour qu'une dépendance affective s'établisse sont élevés et, souvent, le garçon est lui-même isolé ; il vit des difficultés d'intégration sociale et professionnelle. L'aide que peut accorder le conjoint de ces adolescentes quittant les centres est donc toute relative pour la jeune mère.

Parmi les filles que nous avons rencontrées qui n'avaient pas d'aide de la famille, il y en a quelques-unes qui n'avaient pas vécu en famille d'accueil à long terme, elles avaient donc un contact avec les membres de leur famille, mais elles ne pouvaient pas compter sur leur aide. Nous en avons rencontré sept qui avaient un profil bien particulier en raison de leur isolement. Ayant déjà décroché de l'école depuis deux ou trois ans avant la grossesse, elles sont déjà en ménage ou elles vivent seules au moment de l'annonce de la grossesse. Elles sont donc isolées, loin des services formels et de l'aide de la famille. Souvent une amie ou un conjoint constitue leur réseau de soutien. Dans ce profil, nous avons par exemple un cas d'inceste : une fille qui vit avec son père dans l'isolement total pour cacher sa situation sans avoir l'aide de ce dernier.

COMMENT LA BOÎTE À OUTILS ÉVOLUE-T-ELLE QUELQUES ANNÉES APRÈS LA NAISSANCE ?

À la lumière de nos dernières observations, nous constatons que toutes ne disposent pas d'une boîte à outils bien garnie au moment de la naissance leur enfant. Aussi, les réactions et les stratégies des unes et des autres pour se bricoler une vie dépendront-elles de ce dont les mères adolescentes bénéficiaient avant la naissance. Pour comprendre l'évolution de la boîte à outils, reprenons les cas que nous avons présentés selon la typologie de la présence ou de l'absence de soutien familial dans la boîte à outils.

Examinons d'abord le cas de celles qui bénéficiaient de soutien familial et qui étaient déjà en ménage au moment de la décision. Chez celles qui résident avec leur conjoint avant la grossesse, l'événement de la naissance a moins d'impacts perturbateurs sur le cours de leur trajectoire que chez les autres. En effet, la naissance n'a pas changé leur trajectoire résidentielle, conjugale et professionnelle. En l'occurrence, si elles travaillaient au moment de prendre la décision de garder l'enfant, elles retournent sur le marché du travail peu de temps après l'accouchement. Certaines restent à la maison, mais elles s'impliquent dans le Club Lions, d'autres se forment un réseau de mères à la maison pour garder les enfants ensemble ou organisent des activités à l'école. En bref, ces mères développent leurs ressources personnelles à travers diverses activités qui peuvent devenir des ressources, voire des outils, dont elles auront peut-être besoin.

La plupart d'entre elles ont eu d'autres enfants par la suite, mais la venue du deuxième bébé a été préparée, c'est-à-dire que le couple a attendu quelque temps pour planifier la venue d'un deuxième enfant ou bien la mère décide d'espacer les naissances pour retourner aux études ou au travail. Puisque ces femmes peuvent compter sur l'aide du conjoint et de la famille, elles sont portées à développer un réseau social de voisinage, d'amitiés et de connaissances qui leur permet de sortir et de discuter. Ces gens, bien qu'ils ne fassent pas nécessairement partie du réseau de soutien de la jeune mère, apportent du soutien émotif occasionnel, des conseils, des informations, etc., qui sont autant de ressources qui gonflent la boîte à outils des jeunes femmes et leur permettent de diversifier les sources d'aide et de conseils.

Leur boîte à outils se développe donc autour d'amitiés. Les moments qui les déstabiliseront au cours des années suivantes seront, pour certaines, les ruptures conjugales. Ces événements seront vécus difficilement, souvent la garde de l'enfant est prise en charge par la mère, mais ces femmes ont toutes pu compter sur la présence de la famille pour les aider à ce moment-là. Depuis la naissance de l'enfant, la famille n'avait pas pu jouer de rôle aussi important que pour celles qui vivaient chez leurs parents au moment de la décision. On note cependant que c'est à la suite des ruptures conjugales que les familles, pour ces filles qui étaient en ménage au moment de la décision, vont jouer un rôle primordial : soutien émotif, aide matérielle et cohabitation. Voici l'histoire de Josée qui illustre bien ce type de cheminement :

Josée, âgée de 14 ans, est amoureuse de l'ami de son frère âgé de 24 ans. Richard travaille dans un garage et prévoit s'acheter une maison l'année suivante. Le couple ne vit donc pas de problèmes financiers et ils aménagent ensemble après l'achat de la maison. Entre-temps, on propose à Josée de travailler à temps plein à la boutique où elle travaillait les fins de semaine. Comme elle a peu d'intérêts pour l'école, elle choisit de travailler à temps plein. Quelques mois plus tard, le couple apprend par surprise qu'il attend un enfant. La famille et les amis sont contents, ils offrent de l'aide et des cadeaux aux nouveaux parents. Après la naissance de l'enfant, Josée reprend son emploi et ils poursuivent leurs activités comme avant la grossesse. Quand le couple se sépare, Josée est désemparée, mais elle peut compter sur sa famille et ses amis qui ont toujours été présents. Pendant quelque temps, Josée va donc cohabiter avec ses parents qui l'aident à garder son enfant.

Contrairement aux cinq filles qui étaient en ménage au moment de la décision, les mères appartenant à la deuxième catégorie de notre typologie – celle des 12 filles qui vivaient chez leurs parents au moment de la décision– vivent un grand bouleversement dans leur trajectoire personnelle à la suite de la naissance de leur premier enfant. Au cours des six mois post-partum, elles quittent majoritairement l'école, elles font une demande d'aide à la sécurité du revenu, elles délaissent le foyer familial et elles emménagent avec leur conjoint. Ce constat appuie d'ailleurs un rapport de recherche du DSC de l'Hôpital Saint-Luc (1984) qui souligne que les six mois post-partum sont le moment clé pour l'abandon scolaire. Ces jeunes mères vivent donc un grand bouleversement dans leur trajec-toire résidentielle, conjugale et professionnelle et ce sont aussi celles qui, la plupart du temps, développent un coffre à outils de plus en plus diversifié au cours des années.

En plus de pouvoir compter sur leurs parents, ces filles continuent à développer des amitiés ou des connaissances qui sont des sources d'informations et de conseils sur des services de garde, d'entraide, etc. Puisque ce sont des filles qui étaient majoritairement à l'école au moment de la décision, elles ont eu beaucoup plus d'informations sur les services qui s'offraient à elles puisqu'elles ont dû rencontrer l'infirmière de l'école. Ainsi, cette infirmière ou l'infirmière du CLSC joue un rôle très important dans les années suivant la grossesse, car elle a les coordonnées de la jeune fille, elle l'appelle périodiquement pour prendre de ses nouvelles, pour lui offrir de l'aide ou pour lui demander de participer à des groupes d'entraide.

Ainsi, certaines filles sont restées en contact avec l'infirmière du CLSC plusieurs années après la première naissance et elles savent pouvoir compter sur elle en cas de besoin. Elles ne se sentent pas menacées par un tel type d'aide. Certaines participent à des groupes de stimulations pour les enfants, certaines deviennent une personne-ressource pour d'autres jeunes mères, etc. Souvent, l'infirmière est la personne clé pour avoir accès à des organismes communautaires comme les comptoirs alimentaires ou bien, par exemple, le groupe d'aide pour les mères adolescentes, très important en Montérégie, qu'est L'Envol. Cet organisme est très apprécié des jeunes mères, car il offre la possibilité aux mères adolescentes de poursuivre leurs études en ayant un service de garde et un soutien pédagogique. Plusieurs activités d'échanges y sont aussi organisées. Nous avons l'histoire d'Isabelle qui illustre très bien la situation décrite ici :

> Isabelle est en 3ᵉ secondaire, elle vit avec sa mère et son frère au moment où elle apprend qu'elle est enceinte. Elle décide, avec sa mère, de garder l'enfant et sa mère lui promet de l'aide. Pour l'accompagner, son « chum » vient habiter à la maison. Quelques semaines après la naissance, la situation entre Isabelle et sa mère est tendue. Son « chum » et elle décident de déménager dans l'appartement du haut appartenant à la mère qui leur offre gratuitement. Plutôt que de retourner à l'école comme elle l'avait prévu, Isabelle décide de rester à la maison. Elle bénéficie de l'aide de la sécurité du revenu et sa mère et son « chum » l'aident matériellement, mais ce sont les seules personnes dans son entourage personnel. Quelques mois passent et Isabelle attend son deuxième enfant, la situation avec son « chum » se détériore à ce moment-là. Peu de temps après la naissance du deuxième enfant, Isabelle se sent isolée et de plus en plus étouffée par la présence de sa mère, elle décide donc d'appeler l'infirmière de l'école qu'elle avait déjà rencontrée. L'infirmière lui propose de se rendre à L'Envol où elle pourra bénéficier de différents services pour elle et ses enfants. Après avoir rencontré les intervenants, elle décide de finir son cours secondaire à l'Envol.

Pour celles qui correspondent au troisième type de cheminement, c'est-à-dire celles qui n'ont pas de soutien familial parce qu'elles ont séjourné la majeure partie de leur enfance en Centres jeunesse, la grossesse crée un impact important dans la trajectoire personnelle des jeunes filles. Dès que leur premier enfant naît, elles font une demande d'aide à la sécurité du revenu et elles emménagent avec leur conjoint. Elles délaissent souvent l'école au moment où elles quittent les centres pour mères adolescentes. Au moment de la naissance, elles sont généralement isolées puisqu'elles n'ont plus de liens avec les gens en centre d'accueil ou très peu ; elles éprouvent aussi de la difficulté à créer des liens personnels et à les conserver. Elles sont donc toujours isolées plusieurs années après la première naissance et, généralement, elles n'ont pas fait de tentatives de retour aux études ni de recherche d'emploi. Elles disent ne pas avoir assez de scolarité pour entrer sur le marché du travail et elles ne veulent pas retourner à l'école. Elles restent donc à la maison, rencontrent peu de nouvelles personnes et ne désirent pas participer à des activités où elles pourraient côtoyer d'autres gens. Elles sont très méfiantes même envers leurs voisins résidant dans leur tour d'habitations.

Leurs difficultés quotidiennes et leur isolement s'accroissent souvent avec des grossesses subséquentes de pères différents et les interventions du réseau de la santé et des services sociaux sont très mal accueillies par elles. Elles fréquenteront cependant les comptoirs d'aide alimentaire ou de vêtements usagés où elles peuvent établir des relations anonymes avec les intervenants. Elles disent craindre les jugements que les autres peuvent porter à leur égard ; elles disent aussi avoir peur de perdre la garde de leur enfant. L'outil qui demeure constant dans leur coffre demeure les prestations d'aide sociale : la seule aide concrète qu'elles ont, puisque le conjoint est souvent absent et qu'elles n'ont pas de contacts avec la famille. L'histoire de Marie-Ève :

> Marie-Ève vit en famille d'accueil au moment où elle apprend qu'elle est enceinte ; la nouvelle ne semble pas la troubler outre mesure, elle rêve plutôt du moment où elle pourra emménager avec son « chum ». La grossesse se présente à elle comme un moyen pour sortir du centre d'accueil où elle a été placée. Elle doit aller au Centre Rosalie-Jeté, mais après ce séjour, rien ne l'oblige à rester au centre et à l'école. Dès qu'elle peut sortir, elle emménage avec son « chum » et ils font une demande de prestation à la sécurité du revenu. Marie-Ève vit dans un petit appartement et elle évite tous contacts avec les infirmières ou les travailleurs sociaux. Le couple déménage dès qu'il manque d'argent pour payer le loyer. Marie-Ève devient de plus en plus isolée, elle a peu de contacts avec ses voisins et ne connaît pas très bien les ressources du quartier quand elle attend son deuxième enfant. Durant la grossesse, le couple se sépare. Après la naissance du deuxième enfant, Marie-Ève déménage avec un ami de son ex-conjoint qui devient son « chum » et elle attend rapidement un troisième enfant de ce dernier. Marie-Ève poursuit donc un cheminement précaire où elle se débrouille avec les moyens dont elle dispose. Elle fréquente les comptoirs alimentaires quand les fins de mois sont difficiles.

Enfin, le dernier type de cheminement qui regroupe les sept filles isolées et sans soutien familial au moment de la décision dénote un faible impact de la première naissance sur la trajectoire de ces filles. En effet, leurs trajectoires résidentielle, conjugale et professionnelle demeurent stables. Notons que c'est à la suite d'une deuxième ou d'une troisième grossesse que la maternité a de l'impact sur leur trajectoire. En effet, les grossesses subséquentes amènent des difficultés financières et personnelles qui ont un plus grand impact sur le quotidien des mères, car elles ne peuvent pas compter sur une famille pour les aider et souvent le conjoint est absent à la suite d'une rupture conjugale. Pour ces dernières, les professionnels du réseau de la santé et des services sociaux jouent souvent un rôle important et ce sont leurs ressources qui vont faire grossir le coffre à outils. Puisque ces mères avaient laissé l'école quelques années avant la naissance, qu'elles n'avaient pas fréquenté de familles d'accueil, bref, qu'elles étaient isolées, les possibilités d'avoir accès à de l'information et à des ressources étaient plutôt faibles pour elles. C'est souvent l'arrivée à l'école du premier enfant qui amène la mère à rencontrer des intervenants. Le cas de Claire illustre bien ce type de cheminement :

> Claire a très peu de contacts avec sa famille. En 2ᵉ secondaire, elle laisse l'école pour travailler « au noir » dans une industrie textile. Elle déménage en appartement seule, elle est isolée. Peu de temps après avoir rencontré son conjoint, elle emménage avec lui, un an après, elle donne naissance à son premier enfant. C'est à la naissance du deuxième enfant qu'elle arrête de travailler. Durant quelques années, la famille bénéficie de l'aide de la sécurité du revenu, ils habitent dans une coopérative de logements et ont très peu de ressources extérieures. Au moment où le premier enfant de Claire fait son entrée en maternelle, les enseignants détectent un retard de langage important. À

la suite de ce signalement, un travailleur social vient la rencontrer à la maison. La venue de ce professionnel ouvre la porte à plusieurs ressources. Par exemple, on envoie les deux autres enfants à la garderie pour éviter les retards de langage et on offre un service de transport et de suivi à l'hôpital Sainte-Justine pour le plus vieux.

Évidemment, cet exemple est une réussite d'intervention, mais il faut comprendre que les boîtes à outils des mères qui sont dans cette situation prennent beaucoup de temps pour se développer. Souvent, c'est quand elles sont acculées au pied du mur qu'elles acceptent l'aide et, une fois que la relation de confiance est établie, elles acceptent de participer à certains programmes d'entraide ou de développement des enfants dans les CLSC.

CONCLUSION

Ainsi, le coffre à outils de plusieurs jeunes femmes se compose du soutien, de la présence, de l'aide et de l'intervention de certaines personnes gravitant dans leur réseau personnel au cours des années qui suivent la première naissance. L'évolution de leur boîte à outils diffère pour chacune selon son histoire, mais nous pouvons peut-être tenter de comprendre certaines tendances. Par exemple, chez les cinq femmes qui vivent en ménage au moment de la décision, le réseau personnel offre assez de ressources pour remplir suffisamment le coffre à outils et l'aide de ce réseau demeure stable plusieurs années après la naissance. En fait, la quantité d'outils demeure souvent la même, mais les personnes qui offrent les ressources varient avec le temps. Notons qu'à travers les années, ces femmes développent davantage leurs ressources personnelles par l'entremise de formation scolaire, d'expérience de travail ou de bénévolat.

En outre, les 12 filles qui vivaient chez leurs parents au moment de la décision de garder leur enfant sont celles qui élargissent le plus leur réseau de soutien de nouvelles ressources. On peut expliquer ce phénomène ainsi : ces filles veulent acquérir une indépendance de l'aide parentale à la suite du grand bouleversement que crée la maternité dans leur trajectoire. La grossesse leur ouvre les portes de l'univers adulte, mais elles sont pourtant incapables de devenir indépendantes de l'aide parentale. Or, on peut comprendre leur attitude de diversifier leurs ressources d'aide comme une tentative de diminuer l'inconfort que crée le fait d'être redevables à leurs parents. Ajoutons que c'est sûrement cette clientèle qui reçoit le plus d'informations sur l'aide et les ressources disponibles pour les adolescentes enceintes, puisqu'elles fréquentent toutes l'école au moment de la décision de garder l'enfant. L'information et l'aide offertes sont d'autant plus significatives, car ces filles ont déjà développé des liens de confiance avec des adultes, elles se sentent donc moins menacées par l'aide offerte contrairement à celles qui proviennent des centres jeunesse.

En effet, pour les sept filles qui proviennent de centres d'accueil, le coffre à outils ne change pas beaucoup avec les années ; il demeure pauvre. Leur bricolage de vie est d'autant plus difficile que la première naissance a un grand impact sur leur trajectoire. Pour comprendre leur isolement et la pauvreté de leur coffre à outils, peut-être faut-il retourner au sens que prenait la première grossesse. Rappelons-nous que la première grossesse leur permet d'accéder à un nouveau statut qui s'actualise entre autres par la sortie du réseau des services sociaux. Nous comprenons mieux maintenant pourquoi elles fuient en quelque sorte les intervenants qui pourraient les aider. À l'inverse, les sept autres personnes qui sont isolées sans aide de la famille acceptent plutôt bien l'aide des professionnels qui outillent leur coffre souvent au moment où l'enfant entre à l'école. On peut comprendre la stabilité du coffre à outils, jusqu'au moment de l'intervention, par un manque d'informations. En effet, ces mères sont isolées d'un réseau social qui pourrait fournir des informations sur l'éducation de jeunes enfants ou sur les ressources disponibles pour les aider à s'occuper du développement de leur enfant.

En bref, le bricolage de vie des mères adolescentes ne dépend pas uniquement des ressources disponibles, il dépend du lien de confiance qu'elles ont été capables d'établir avec des adultes dans leur histoire de vie.

BIBLIOGRAPHIE

Buchholz, E.S. et C. Korn-Bursztyn (1993). « Children of Adolescent Mothers : Are They at Risk for Abuse ? », *Adolescence*, *28*(110), p. 361-382.

Charbonneau, Johanne (1997). Du droit de garde l'enfant à la responsabilité familiale et sociale : la maternité adolescente et la question de l'adoption, Communication présentée au IIIᵉ Congrès international sur l'enfant, Montréal, mai, 15 p.

Charbonneau, Johanne (1998). « La maternité adolescente : une histoire de relations entre mères et filles » (à paraître).

Chase-Lansdale, T.L. *et al.* (1991). Research and Programs for Adolescent Mothers : Missing Links and Future Promises, *Family Relations*, *40*(4), p. 396-403.

Dandurand, R. et R. Ouellet (1992). *Entre autonomie et solidarité*, Rapport de recherche, Institut québécois de recherche sur la culture, 432 p.

Eggebeen, D.J. et D.P. Hogan (1990). « Giving between the Generations in American Families », *Human Nature*, *1*, p. 211-232.

Forsé, Michel (1999). « Âges et sociabilité », *Agora débats/jeunesse*, (17), p. 19-28.

Galland, Olivier (1985). « Formes et transformations de l'entrée dans la vie adulte », *Sociologie de travail*, (1), p. 32-52.

Galland, Olivier (1990). « Un nouvel âge de la vie », *Revue française de sociologie*, XXXI, p. 529-551.

Gaudet, S. et J. Charbonneau (1999). « Mères adolescentes : le passage de l'"enfant-receveur" vers le "parent-donneur" et la circulation entre les générations », Communication présentée au congrès de l'ACSALF, ACFAS, Ottawa, mai, 26 p.

Godbout, J. et J. Charbonneau avec la collaboration de V. Lemieux (1996). *La circulation du don dans la parenté*, Rapport de recherche 17, INRS – Urbanisation, Montréal, 226 p.

Hôpital Saint-Luc, DSC (1984). *Grossesse et adolescence. Revue de la littérature et éléments de problématique* (G. Fillion et M. Thébault), octobre, 58 p.

Lemieux, D. (1996). « L'âge adulte, ses seuils, ses rituels et ses frontières incertaines : récit de vie de femmes dans la trentaine », *Recherches féministes*, 9(2), p. 293-323.

Le Van, Charlotte (1997). « Les grossesses adolescentes : drame réel ou incongruité sociale ? » dans Didier Le Gall, *Approches sociologiques de l'intime*, Revue *Mana*, n° 3, Caen, Université de Caen, p. 139-167.

Le Van, Charlotte (1998). *Les grossesses à l'adolescence : normes sociales et réalité vécues*, Montréal et Paris, L'Harmattan.

Musick, J. (1993). *Young, poor, and pregnant : The psychology of teenage motherhood*, New Haven, Conn., Yale University Press, 271 p.

Rochon, M. (1989). « La fécondité et la grossesse à l'adolescence : une analyse démographique » dans C. Gendron et M. Beauregard (dir.), *L'avenir santé au Québec*, Boucherville, Gaëtan Morin Éditeur, p. 151-178.

Thompson, M.S. (1986). « The Influence of Supportive Relations on the Psychological Well-Being of Teenage Mothers », *Social Forces*, 64(4), p. 1006-1024.

Tracy, E.M. (1990). « Identifying Social Support Resources of At-Risk Families », *Social Work, 35*(3), p. 252-258.

Vécu et perceptions de jeunes mères et d'intervenantes participant à un programme pilote d'appartements supervisés

Anne QUÉNIART
Département de sociologie
Université du Québec à Montréal

INTRODUCTION

Cet article[1] présente les résultats d'une expérience de recherche exploratoire[2] concernant un programme pilote, unique au Québec, d'appartements supervisés pour des jeunes filles enceintes ou mères depuis peu,

1. Nous tenons à remercier Shirley Roy et Lysanne Couture pour leurs commentaires sur le texte de la communication que nous avons présentée lors du symposium et à partir duquel j'ai en partie écrit cet article. Nous remercions également Christiane Lareau pour son aide lors de l'analyse des données auprès des jeunes filles.
2. Recherche dont le premier volet a été subventionné par le Comité de recherche du PAFAC, secteur du service aux collectivités de l'UQAM et dont le second volet fait l'objet d'une subvention du CQRS. L'équipe est composé, du côté recherche, de la chercheure principale (Anne Quéniart), de la cochercheure (Shirley Roy) et d'assistantes de recherche et, du côté intervention, du directeur du Service d'intégration à la collectivité et des intervenants de la clinique jeunesse du CLSC Petite-Patrie.

dans le quartier Petite-Patrie à Montréal. Cette recherche, de type qualitatif, est effectuée en partenariat avec un organisme communautaire, le
Service d'intégration à la collectivité[3], et avec les intervenantes du programme jeunesse du CLSC Petite-Patrie. Dans un premier temps, nous
présenterons la raison d'être, les objectifs et le contenu du programme.
Dans un second temps, nous nous attarderons aux objectifs puis aux
résultats de la recherche dont le premier volet a été mené en 1998-1999,
ainsi qu'aux difficultés éprouvées et aux ajustements effectués dans la mise
en application du programme.

LES ORIGINES DU PROGRAMME : UN BESOIN CRIANT DE RESSOURCES D'HÉBERGEMENT

Le phénomène des jeunes filles ayant un enfant à l'adolescence ou au
tournant de l'âge adulte a fortement augmenté au Québec, comme
d'ailleurs dans la plupart des pays industrialisés, passant au Québec de
2,5 % environ en 1980 à 3,7 % en 1994 chez les 15 à 19 ans (Bureau de la
statistique du Québec, 1996) et atteignant 2,5 % de toutes les naissances
chez les moins de 18 ans, soit à peu près 2 270 naissances par an (Statistique Canada, 1994). En outre, si les naissances chez les mères de milieux
défavorisés ont chuté de 40 % depuis 1981, les naissances chez les adolescentes de milieux défavorisés, elles, auraient augmenté de 9 % (Pageau *et al.*,
1997).

Dans le quartier Petite-Patrie à Montréal, il y a eu de 1993 à 1995,
chez les 13-17 ans, 10 naissances par année en moyenne, ce qui représente
un taux de 1,6 % et chez les 18-19 ans, 27 naissances, soit un taux de 4,3 %.
Selon les données disponibles au CLSC, ces jeunes qui deviennent mères
sont souvent isolées, peu scolarisées, victimes de violence et méfiantes
envers les institutions. Leurs conditions de vie sont précaires : déména-
gements fréquents, absence de ressources, manque de nourriture, conflit
avec le conjoint et/ou la famille, etc. L'annonce de la grossesse vient
accentuer ces difficultés : la jeune fille se voit souvent expulsée de chez elle
et donc sans lieu où vivre décemment. Les besoins exprimés par ces jeunes
mères lors des rencontres au CLSC sont nombreux et d'ordre primaire :

---

3.   Le Service d'intégration à la collectivité est un organisme sans but lucratif œuvrant depuis
     plus de 14 ans dans le domaine de l'hébergement jeunesse et qui a notamment mis sur
     pied la ressource l'Odyssée pour les jeunes de 13-18 ans et l'Avenue, pour le 18-30 ans.
     Le SIC, véritablement implanté dans le quartier la Petite-Patrie, travaille en collaboration
     avec les organismes du milieu au développement de ressources d'aide auprès de jeunes
     en difficulté provenant de milieux défavorisés.

suivi de grossesse, informations et échanges entre elles, aide de personnes-ressources stables, logements accessibles, accès à des services de garde pour le bébé, soutien alimentaire, etc.

Si certains de leurs besoins sont comblés par les services de l'équipe petite-enfance du CLSC sous forme de suivi individuel et de groupe tout au long de la grossesse et suite à l'accouchement, en revanche, il existe très peu de ressources en hébergement. Plusieurs organismes sans but lucratif en offrent aux femmes de 18 ans et plus, particulièrement à celles victimes de violence conjugale. Mais les quelques ressources qui s'occupent des jeunes mineurs subissent des coupures importantes ou ont carrément fermé leurs portes. Pensons au Centre Rosalie-Jetté qui n'offre plus de service d'hébergement. Pourtant, la question du logement de ces jeunes mères semble en être une cruciale. En effet, selon les recherches menées par le SIC et les expériences des intervenantes du CLSC et du Groupe d'entraide maternelle de la Petite Patrie, seul un petit pourcentage, soit 10 % environ des jeunes mères suivies au CLSC du quartier vivent chez leurs parents, où elles y sont souvent exploitées financièrement. Quant à celles qui trouvent à se loger, elles le sont généralement dans des immeubles délabrés, aux limites de la salubrité. C'est ce qui a amené le service d'intégration à la collectivité, le CLSC et le comité logement de la Petite Patrie à mettre sur pied un programme d'appartements supervisés pour jeunes filles enceintes et pour jeunes mères primipares à faible revenu, âgées de 16 à 22 ans, une catégorie d'âge correspondant à celle de la clientèle de la clinique jeunesse du CLSC.

LES OBJECTIFS DU PROGRAMME DES APPARTEMENTS SUPERVISÉS : OFFRIR DE L'HÉBERGEMENT ET BEAUCOUP PLUS ENCORE...

Lors de l'ouverture des appartements, en 1998, six jeunes mères pouvaient être accueillies pour un séjour maximal d'un an à répartir entre la grossesse et les premiers mois avec le bébé[4]. Il s'agit de petits logements (de type « un et demi ») offert à 150 $ par mois à des jeunes filles qui sont volontaires, référées en général par le CLSC, et non placées par une instance juridique. Deux intervenantes doivent se relayer pour assurer une présence six jours par semaine, de 9 heures à 21 heures. De plus, en dehors des heures de travail, les jeunes filles ont toujours la possibilité de rejoindre une inter-venante sur téléavertisseur s'il y a urgence. En ce qui a trait à la vie quoti-dienne aux logements, des conditions ont été établies dès le départ : les

---

4.   Par exemple, les six derniers mois de la grossesse et les six mois suivant l'accouchement ou encore les quatre derniers mois de la grossesse et huit mois avec le bébé.

locataires ne peuvent habiter avec d'autres personnes que leur enfant (sauf juste avant et après l'accouchement où quelqu'un peut vivre avec elles quelque temps pour les aider, notamment avec le bébé) ; leur petit ami ne peut habiter chez elles que les fins de semaine ; les jeunes filles doivent accepter d'ouvrir un compte conjoint avec l'organisme pour payer leur loyer, leurs comptes et leurs dettes s'il y a lieu – mais pas leurs dépenses personnelles, qu'elles gèrent comme elles le veulent ; elles doivent aussi accepter de rencontrer une fois par mois une intervenante pour discuter justement du budget.

Les objectifs généraux du programme, tels qu'ils ont été définis au départ dans le document de présentation, sont les suivants :

1. Favoriser le développement de ressources d'hébergement accessibles et à prix modique, répondant aux besoins des jeunes mères âgées de 16 à 22 ans dans le quartier Petite-Patrie

2. Contribuer à la mise en place d'un continuum de services adaptés aux besoins des jeunes mères en s'appuyant sur une approche réseau de dispensation des services.

3. Offrir un soutien aux jeunes mères en difficultés qui permettra de créer un milieu de vie stable et sécuritaire pour elles et leurs enfants[5].

Pour répondre aux objectifs énoncés, divers services et activités ont été prévus :

1. Services de suivi et de soutien prénataux et à l'accouchement (enseignement sur l'alimentation, sur les soins corporels du bébé, soutien et suivi social et nutritionnel, activités et discussions de groupe, activités préparatoires à l'accouchement).

2. Services de suivi et de soutien postnataux (visite d'une infirmière après l'accouchement et au besoin, pesée au CLSC, suivi social et infirmier, etc.).

3. Réseau de marrainage (services d'accompagnement et de soutien).

4. Services de suivi et d'accompagnement visant l'autonomie (apprentissage relié au budget, à l'épicerie, à l'entretien ménager, etc., soutien à la recherche de revenu, suivi et soutien scolaire, soutien à la recherche d'emploi, atelier de cuisine, soutien à la recherche d'un appartement autonome, etc.).

5. Services de suivi et d'accompagnement dans le milieu naturel (soutien dans la vie du couple ou face à la violence familiale, soutien à la famille de la jeune et au père du bébé).

---

5.   Projet du SIC, septembre 1997.

6. Activités de familiarisation aux ressources existantes (informations sur les ressources, accompagnement lors des démarches).

Nous reviendrons sur ces activités, qui se sont transformées en cours d'expérience au moment de la présentation des résultats de la recherche. Pour l'instant, il nous faut parler des objectifs mêmes de cette recherche, qui a démarré au moment même où était accueillie la première jeune fille enceinte.

LES OBJECTIFS DE LA RECHERCHE : CONTRIBUER À COMPRENDRE LES TRAJECTOIRES DE JEUNES FILLES ENCEINTES EN VOIE DE DÉSINSERTION SOCIALE

Depuis 30 ans, le phénomène de la grossesse à l'adolescence, complexe et multifactoriel, a suscité de nombreuses études, surtout aux États-Unis où il a pris beaucoup d'ampleur[6]. Notre recherche visait cependant à combler certaines lacunes en termes de connaissances sur trois points spécifiques :

1. Connaître les trajectoires de jeunes mères « sans réseau social », en voie de désinsertion sociale pour certaines ainsi que leurs attentes et points de vue face au programme de logements supervisés ;

2. Connaître les trajectoires et attentes des jeunes pères ;

3. Étudier le modèle d'intervention « en construction » ou, plus justement, étudier l'évolution de l'intervention, car, en fait, il n'y avait pas vraiment de modèle de base.

Plus précisément, nos objectifs étaient, en ce qui a trait aux jeunes mères, de saisir le contexte d'apparition de la grossesse, d'établir les ressources économiques et matérielles dont elles disposent ou qui leur font défaut, d'analyser l'importance du réseau social et familial disponible, d'analyser leur cheminement dans le programme des appartements supervisés et le redéploiement ou non des réseaux sociaux nécessaires à leur vie de mère. Pour les jeunes pères, nos objectifs étaient d'analyser leurs réactions à l'annonce de la grossesse, leurs perceptions de la paternité et de leur propre rôle de père et de l'aide qu'ils sont en mesure de donner. Enfin, en ce qui concerne les intervenants, nous voulions analyser leur point de vue quant à l'intervention et aux conditions de réalisation de celle-ci, et l'évolution de ces points de vue en fonction des besoins des jeunes mères.

Sur le plan méthodologique, nous avons opté pour une approche qualitative : réalisation d'entrevues en profondeur, analyses qualitatives de

---

6.   Voir à ce sujet notre récent bilan de la littérature (Quéniart, 2000).

type thématique. Nous espérions obtenir la participation des six jeunes filles accueillies lors de la première année, de quatre jeunes pères et des deux intervenants du SIC devant superviser les jeunes mères hébergées.

DES OBJECTIFS SUR PAPIER
À LA RÉALITÉ DU TERRAIN : LES AJUSTEMENTS
OPÉRÉS EN COURS DE ROUTE...

Comme dans toute recherche-action, et encore plus quand il s'agit d'accompagner un projet pilote qui est en cours d'implantation, nous avons été amenés à opérer des ajustements en fonction de ce qu'on peut appeler « la réalité du terrain ». Tout d'abord, nous n'avons pu rencontrer aucun jeune père, essentiellement parce les relations entre les jeunes filles et leurs « chums » étaient soient inexistantes, soient rompues au moment du terrain. Un seul père avait accepté le principe d'une entrevue mais, ayant reçu un avis d'expulsion dans son pays d'origine, il a finalement refusé. Pour rejoindre des jeunes pères, il aurait fallu s'y prendre tôt et passer par le CLSC plutôt que par les jeunes filles. C'est en tout cas ce que nous tentons actuellement de faire, dans le second volet de la recherche.

En revanche, nous avons rencontré cinq jeunes filles sur les six présentes aux logements lors des premiers mois de l'implantation du programme, ce qui correspond bien à nos intentions. Deux d'entre elles ont été interrogées deux fois, soit pendant la grossesse et après l'accouchement, deux pendant leur grossesse et une après son accouchement. Les entrevues se sont déroulées aux appartements supervisés et ont duré en moyenne une heure. Le guide d'entrevue comportait les thèmes suivants :

Question de départ : qu'est-ce qui t'a amenée aux logements supervisés ?

Thème 1 : le vécu de la grossesse (annonce, réactions premières de l'entourage, du chum, déroulement des premiers mois, présence de réseaux d'amies, etc.).

Thème 2 : la relation conjugale (histoire de la relation, contacts ou non, actuellement, avec le père de l'enfant, etc.).

Thème 3 : le travail et / ou l'école (type d'emploi ou sources des revenus, fréquentation de l'école ou non, etc.).

Thème 4 : les logements supervisés (comment, par qui elle les as connus, impressions premières, relations avec les autres locataires, bilan général).

Thème 5 : les perceptions du rôle de mère (craintes, héritage de sa mère, apport de l'enfant dans sa vie, etc.).

Thème 6 : le vécu ave le bébé (vie aux logements, perception de son rôle de mère, relations avec la famille, avec le père de l'enfant, etc.).

Pour ce qui est des entrevues avec les intervenants, la difficulté est venue du fait qu'au cours des premiers mois de l'implantation du programme, quatre intervenants différents ont été engagés et seulement une de ces personnes est là depuis le début. Nous avons interrogé les deux intervenantes présentes lors de l'étape du terrain consacrée à l'intervention. La première, qui est la seule à être là depuis le début du projet, l'a été deux fois, soit juste après les entrevues avec les jeunes filles et quelques mois après leur départ des logements, c'est-à-dire après un an de mise en application du programme. L'autre intervenante a été interrogée également après un an de mise en application du programme, mais comme elle n'était là elle-même que depuis quelques semaines, elle connaissait peu les jeunes filles interrogées. Les principaux thèmes abordés lors des entrevues étaient les suivants :

Question de départ : qu'est-ce qui vous a amenée à travailler aux logements supervisés ?

Thème 1 : la trajectoire professionnelle (types d'emplois précédents, type de clientèle, etc.).

Thème 2 : les débuts du programme (perception des filles, types d'intervention, services offerts, outils, réactions premières au programme).

Thème 3 : les ajustements (quand, lesquels et pourquoi).

Thème 4 : les logements aujourd'hui (types d'intervention, services offerts, outils, etc., bilan général et perspectives d'avenir).

L'EXPÉRIENCE DE LA MATERNITÉ : « JE PENSAIS QUE CE SERAIT FACILE PARCE QUE J'AI BEAUCOUP GARDÉ DE BÉBÉS. »

« Être enceinte, c'est un cadeau du ciel. »

Confirmant d'abord les informations dont certaines intervenantes de la clinique jeunesse du CLSC nous avaient fait part, on constate que toutes les jeunes filles interrogées proviennent de milieux modestes ou pauvres sauf une dont la famille appartient plutôt à la classe moyenne. Trois d'entre elles ne sont pas nées au Québec : une vient du Chili, une d'Italie et une d'Haïti. Cette diversité dans les origines semble bien correspondre à ce que constate le CLSC quant au quartier Petite-Patrie. Elles sont plutôt « âgées » puisque quatre d'entre elles ont plus de 18 ans. Cependant, leur expérience de vie se rapproche de celles des adolescentes dans la mesure où à l'instar de celles-ci, elles ne se projettent pas dans l'avenir, vivent dans l'immédiat. De plus, aucune n'est déjà engagée sur le marché du travail et seule une d'entre elles a terminé son secondaire. Toutes ont eu des problèmes avec leurs parents, dès l'enfance ou bien à l'adolescence (séparations, violence familiale, négligence) et deux ont été placées en famille d'accueil. Au moment de l'entrevue, une seule était en relation avec le père de son enfant et devait vivre avec lui, les autres ayant choisi de ne plus le voir ou ayant perdu le contact avec lui. Ces pères sont âgés de 20 à 25 ans, étaient sans emploi ou occupaient un emploi temporaire et précaire au moment de l'annonce de la grossesse.

Sur le plan de leurs ressources économiques, leur réalité quotidienne diffère de celle des jeunes filles prises en charge institutionnellement (jeunes en internat par exemple[7]) et de celles recevant du soutien de leur famille ou de réseaux[8]. Nos répondantes vivent toutes de l'aide sociale, n'ont jamais travaillé pour la plupart et ne possèdent rien à elles. Elles sont également démunies sur le plan de l'organisation du quotidien (planification des repas, achat, gestion d'un compte en banque, etc.) et possèdent peu de réseaux. À cet égard, elles sont d'autant plus isolées et dans une situation précaire qu'elles ne pouvaient rester dans leur famille soit en raison de problèmes de violence, soit parce que le logement familial était trop petit et la situation économique des parents elle-même précaire.

Pour ce qui est de la grossesse, elle n'est pas planifiée pour aucune des jeunes rencontrées et elle est parfois carrément accidentelle ou survient, comme le dit Charbonneau, dans un climat d'insouciance :

> On n'a pas mis de protection, et moi je n'y ai pas pensé sur le moment. Tu fais l'amour et tu es en extase et toi tu ne penses pas. il suffit d'une fois pis ça a adonné que c'était mon ovulation[9].

Une seule a envisagé de recourir à un avortement, mais elle semble avoir subi de nombreuses pressions pour l'en dissuader :

> Ma mère est contre l'avortement et c'est sûr que quand je lui ai dit que je pensais me faire avorter, elle m'a dit tu fais ce que tu veux, c'est ta décision. Mais c'est sûr que pour elle c'était important que je ne me fasse pas avorter. [...] Je ne savais pas si j'allais le garder ou pas par rapport au père du bébé aussi. Justement il disait : si tu te fais avorter, je vais te tuer. Ça a été des petites menaces comme ça.

---

7.   Voir à cet égard la recherche qualitative de Manseau (1997).
8.   Voir à cet égard les analyses de Charbonneau (1999).
9.   Nous n'indiquerons aucune donnée sur les jeunes filles ou intervenantes citées afin de préserver leur anonymat, l'échantillon étant très petit.

Lorsqu'elles parlent de leur grossesse, rétrospectivement, elles lui accordent toutes un sens positif : elle est gage d'autonomie et de liberté, au sens où elle leur permet d'échapper à l'emprise parentale, de s'affirmer ; elle correspond à leur désir d'avoir des responsabilités et de nouveaux défis dans la vie, de se rassurer quant à sa capacité d'avoir des enfants, quant à sa fertilité.

Plus précisément, chez certaines, la grossesse semble être là pour réparer quelque chose qui a été brisé, pour panser une souffrance vécue dans l'enfance : une relation mère-fille déficiente, une absence de père et donc de « vraie » famille. Leur discours rejoint à cet égard celui des filles en internat interrogées par Manseau (1997). Pour d'autres, la grossesse est plutôt synonyme de réalisation de soi. Elles voient dans cette maternité un moyen de se valoriser. Pour l'une d'elles, cette expérience lui permet « d'être aussi une femme entière [...] C'est un cadeau du ciel. Je ne sais pas ce que j'aurais fait si je n'avais pas pu avoir d'enfant ». La maternité donne un sens à leur vie et satisfait leur besoin d'affection ; elle leur permet de :

> [...] modifier (leur) position dans le système des relations sociales et familiales », mais aussi, plus généralement, de se « donner une identité par voie subversive [...]. Par un comportement contraire aux normes, elle(s) chercherai(en)t à être reconnue(s) comme sujet(s) responsable(s) investi(s) d'un statut dans le contexte d'une société où la place réservée aux jeunes est de plus en plus réduite. (Cournoyer, 1995, p. 275)

Vivre avec le bébé :
« C'est dur, t'as pu le temps de sortir. »

Trois des jeunes filles interrogées ont accouché lors de leur séjour aux logements supervisés et vécu quelques mois avec leur bébé. Ce qui ressort de leurs témoignages, c'est une sorte de désillusion quant à la maternité : être mère, dit l'une d'elles, « je croyais que ce serait facile parce que j'avais gardé beaucoup d'enfants, mais c'est pas simple ». Elles soulignent toutes la fatigue associée au fait de s'occuper seule nuit et jour d'un bébé, les difficultés de concilier l'école et la vie avec le bébé (garderie, etc.). Elles se sentent prises au piège de ce bébé qui les empêche de sortir comme avant et isolée socialement, ayant un rythme de vie très différent de la plupart de leurs amies adolescentes ou jeunes adultes.

> « Là je suis en secondaire 5. C'est difficile maintenant à cause de lui [le bébé]. Il faut que j'aille à la garderie pis tout. C'est comme difficile des fois je n'ai pas le goût d'y aller parce que je suis fatiguée quand il se réveille la nuit. »

> C'est beaucoup trop de préoccupations, tu es obligée de te lever, tu es obligée de voir à ses besoins. Fait que c'est ça. Ce n'est pas facile parce que je suis une fille qui sortait beaucoup, pis là, je me retrouve à ne plus sortir du tout, pis mes amies ne viennent plus me voir.

Le fait que le père ne soit pas présent ajoute au sentiment d'isolement et l'une d'elles, qui désirait « une vraie famille pour son enfant, avec un père et une mère qui ne se « chicanent » pas et qui s'occupent tous les deux de l'enfant », y voit carrément un échec.

LES LOGEMENTS SUPERVISÉS :
« UN RÉPIT FINANCIER ET DE L'AFFECTION »

Au moment de leur arrivée aux logements supervisés, la plupart des jeunes n'avaient pas vraiment d'attentes sur ce programme. N'ayant rien et étant assez seules, les logements représentaient plutôt une sorte de cadeau pour elles et, ce faisant, elles n'étaient pas en mesure d'en attendre ou d'en désirer quelque chose. Elles étaient contentes d'être acceptées dans ce programme qui leur permettrait, pensaient-elles, de partager leur expérience, de briser leur solitude pour la plupart et en plus de bénéficier d'un loyer peu élevé.

Au bout de quelques mois passés aux appartements, leur appréciation comporte des aspects à la fois positifs et négatifs. Ce qu'elles ont toutes apprécié, c'est globalement, le répit financier qu'elles ont pu avoir ainsi que le soutien psychologique et affectif qu'elles ont reçu. Elles disent également avoir beaucoup appris sur la vie quotidienne : faire un budget, « comment acheter de la nourriture à bon marché mais bonne pour la santé », faire un menu équilibré, etc. Une jeune fille souligne que grâce au programme des appartements supervisés, elle est devenue la mère de son bébé, alors que si elle était rester chez sa propre mère, elle aurait joué plutôt un rôle de grande sœur.

Leurs insatisfactions concernent d'abord la redondance des activités d'information prénatale offertes à l'époque à la fois par le CLSC et par les intervenantes des logements. Elles critiquent aussi, et cela peut paraître étonnant, le fait qu'elles aient établi peu de liens avec les autres filles, notamment en raison des nombreux rendez-vous chez le médecin, au CLSC, etc. Autrement dit, elles se sont senties seules, isolées, même si elles passaient une bonne partie de leurs journées avec d'autres. Enfin, celles qui ont accouché auraient souhaité que les intervenantes des logements leur permettent de sortir autant qu'elles le voulaient, c'est-à-dire qu'elles leur offrent un service de gardiennage pour le bébé !

On va voir maintenant les perceptions des intervenants qui confirment en partie le diagnostic posé par les jeunes filles et les ajustements qui en ont découlé.

LES PERCEPTIONS DES INTERVENANTES DU PROGRAMME : « LE PLUS IMPORTANT, C'EST DE LES ACCOMPAGNER DANS LEUR DÉMARCHE. »

Après quelques semaines passées aux appartements, les intervenantes alors présentes constatent que les jeunes filles ne semblent pas très motivées à participer et qu'aucune vie de groupe n'existe. L'explication alors amenée, qui nous semble juste, est que plutôt que d'un encadrement strict, les jeunes filles enceintes, souvent en révolte contre leur famille, « veulent la paix », comme nous le rapporte une des intervenantes, et ce, d'autant plus qu'elles participent au programme volontairement. En fait, il faut dire que les deux intervenantes du début ont peut-être trop calqué leur approche sur leur expérience passée d'intervenantes en foyer de groupe pour jeunes mineurs, souvent référés par la Direction de la protection de la jeunesse. Un autre constat qui est posé, et qui rejoint celui des jeunes filles, est la redondance des services offerts par le CLSC et par le programme de logements : les jeunes filles sont amenées à rencontrer la travailleuse sociale ou l'infirmière du CLSC et l'intervenante des logements pour parler des mêmes choses, pour recevoir le même type d'information, par exemple quant la grossesse, quant aux soins au bébé etc. C'est cette redondance qui explique alors le peu de motivation des jeunes filles à participer et le peu de liens établis entre elles.

Devant ces constats, divers changements ont été apportés. Tout d'abord, on a décidé de favoriser une intervention plus informelle sous forme de conseils au jour le jour et à la demande des jeunes filles, afin de répondre à leurs besoins au moment même où ils sont exprimés. De plus, les intervenantes ont laissé tombé leur rôle de « spécialiste en grossesse précoce », consistant surtout à passer de l'information, pour favoriser plutôt l'écoute, la disponibilité, la présence constante, l'accompagnement dans leur expérience de mères. Elles semblent donc être passées d'une approche de type expert à une approche qu'on pourrait qualifier de maternante, au sens où elles se définissent maintenant plus comme des « accompagnantes », des mères substituts ou plutôt des grandes sœurs dont le rôle consiste parfois simplement, nous rapporte une intervenante, « à leur flatter le dos, puis que tu leur dises qu'elle sont bonnes, qu'elles sont belles, puis ça les *"boost"* puis, ça va mieux ». Enfin, leur priorité est non plus tant l'acquisition de connaissances formelles sur la grossesse, le développement du bébé, etc. – connaissances qu'elles trouvent ailleurs, notamment au CLSC – que le développement du lien d'attachement mère-enfant et de l'autonomie de la jeune fille comme mère. Pour ce faire, l'accent est mis sur l'apprentissage des choses concrètes de la vie (comment chercher un appartement, comment gérer un budget, où aller chercher l'information pour les garderies, etc.) ; l'accent est mis aussi sur l'échange avec les autres jeunes filles en termes de perceptions de soi comme mères, etc., et ce, par le biais d'activités « de leur âge » comme des sorties, des soupers-discussions, etc.

Ces ajustements se sont formalisés depuis quelques mois, pour devenir des objectifs à atteindre, remplaçant ou s'ajoutant aux objectifs de départ du programme[10] :

1. Préparer l'arrivée du bébé / se concentrer sur sa grossesse / favoriser le lien d'attachement.

2. Briser l'isolement et créer un réseau (résidentes et quartier).

3. Favoriser l'autonomie (mère et femme).

4. Offrir un lieu sain et sécure.

5. Consolidation de la confiance en soi et en l'autre.

6. Préparer l'avenir / orientation.

Les principales activités offertes aujourd'hui pour répondre à ces objectifs sont :

1. Préparer l'appartement et le trousseau (achats, etc.), favoriser le contact entre les résidentes et les bébés.

2. Participer à des activités aux appartements, créer des liens avec les autres résidentes et les intervenantes, connaître les services communautaires et institutionnels existants.

3. Suggérer des outils et des moyens (faire son budget, cuisiner, etc.), favoriser l'*empowerment* et la liberté de choix.

4. S'approprier le lieu et travailler sur les facteurs entourant la qualité de vie (alimentation, sommeil, etc.).

5. Établir un lien de confiance entre jeunes et intervenantes, accepter leur cheminement de vie.

6. Avoir des projets de vie : appartement autonome, retour à l'école, bénévolat.

CONCLUSION

En conclusion, on peut dire que les appartements supervisés représentent pour les jeunes filles un moment leur permettant de se retrouver, de développer un lien avec leur bébé, sans trop avoir à se préoccuper du lendemain. On peut cependant se demander si, une fois parties des

---

10. Voir le dépliant d'information sur les appartements supervisés, renommés « appartements Augustine-Gonzalez » depuis quelques mois.

logements, elles arrivent à effectivement se débrouiller seules, c'est-à-dire à se trouver un appartement autonome, à retourner aux études et à se créer des réseaux.

Sur les cinq filles que nous avons rencontrées, une seule vit avec son bébé dans son appartement. Les autres semblent éprouver plus de difficultés : une d'entre elles s'est vue retirer son bébé qui est placé en famille d'accueil, une autre a des problèmes avec la Direction de la protection de la jeunesse et risque également de perdre la garde temporairement de son bébé, une autre a été renvoyée dans son pays d'origine. Les intervenants n'ont aucune nouvelle de la dernière jeune depuis son départ des logements. Mais peut-être est-il trop tôt pour évaluer. C'est d'ailleurs ce qui nous a amenée à entamer un second volet de recherche dont le but est, d'une part, de retracer ces cinq jeunes filles deux ans après leur passage aux logements afin de savoir ce qu'elles et leur bébé sont devenus, et, d'autre part, d'interroger des femmes devenues mères à l'adolescence cinq ans après la naissance de leur bébé, afin de dégager leurs trajectoires parentale (ont-elles eu un autre enfant, leur enfant a-t-il ou est-il placé, etc. ?), conjugale (ont-elles vécu avec le ou les pères des bébés, etc. ?), scolaire (ont-elles terminé leur secondaire, etc. ?) et pourrait-on dire, économique (occupent-elles un emploi, de quoi vivent-elles ?)[11].

BIBLIOGRAPHIE

Cournoyer, Monique (1995). « Maternité précoce : un passage inédit à l'âge adulte », *PRISME*, été 1995, vol. 5, n°s 2-3, p. 266-287.

Charbonneau, Johanne (1999). « La maternité adolescente », *Réseau*, p. 14-19.

Manseau, Hélène (1997). *La grossesse chez les adolescentes en internat : le syndrome de la conception immaculée*, Recherche qualitative et concertée sur le phénomène de la grossesse en internat, Université du Québec à Montréal, 206 p.

Pageau *et al.* (1997). *Indicateurs sociosanitaires : le Québec et ses régions*, Québec, Ministère de la Santé et des Services sociaux, 218 p.

Quéniart, Anne (2000). « Quand maternité rime avec pauvreté, monoparentalité et quête d'identité. Un bilan des études sur les adolescentes mères », dans R. Mayer et H. Dorvil (dir.), *Nouvelles configurations des problèmes sociaux et intervention*, Presses de l'Université du Québec, sous presse.

---

11. Dans ce second volet, nous voulons aussi rejoindre des jeunes pères.

Famille d'origine et homosexualité

Danielle JULIEN
Université du Québec à Montréal
en collaboration avec
l'Association canadienne pour la santé mentale (Filiale Montréal)
à travers son comité
Famille et qualité de vie des gais et lesbiennes

Au moment où la Loi 32 reconnaît les conjoints de même sexe, les débats sur le droit non reconnu des couples de même sexe au mariage civil et à la parentalité (adoption, insémination artificielle) se multiplient sur la place publique. Force est de réaliser que notre connaissance des réalités familiales en rapport avec l'homosexualité est presque nulle et que les décisions et les débats publics sur la question s'étayent présentement sur une base idéologique. Le thème famille et homosexualité réfère aux réalités familiales des gais et lesbiennes en tant que fils et filles, conjoints et conjointes, pères et mères, devenant une partie du champ de plus en plus diversifié de la famille contemporaine.

En l'absence de données de recensement canadien sur l'homosexualité, nous ne connaissons ni la proportion d'individus homosexuels ou bisexuels dans notre société, ni la proportion de couples de même sexe par rapport aux couples de sexe opposé, ni la proportion de parents homosexuels ou d'enfants ayant au moins un parent homosexuel ou bisexuel. Nous connaissons fort peu les difficultés particulières d'adaptation vécues par les parents d'enfants homosexuels, par les jeunes adultes homosexuels, par les couples homosexuels, par les parents homosexuels et par les enfants de parents homosexuels. Il est urgent de développer des connaissances sur les réalités familiales en relation avec l'homosexualité pour les raisons suivantes.

Premièrement, les jeunes adultes homosexuels vivent dans un environnement familial, scolaire et social souvent hostile à l'homosexualité et développent des problèmes psychologiques découlant directement des attitudes homophobes (p. ex., le suicide). On ne peut ignorer l'existence des jeunes adultes homosexuels, leurs problèmes spécifiques d'adaptation et les difficultés spécifiques vécues dans la formation de leurs premières relations amoureuses (D'Augelli et Dark, 1995).

Deuxièmement, les difficultés particulières des parents hétérosexuels apprenant les préférences homosexuelles de leur enfant est une question sur laquelle nous avons présentement fort peu de données. Vivant dans un environnement social souvent homophobe, ces parents peuvent se sentir honteux, dépassés, isolés et sans recours. D'un point de vue systémique, cette situation risque d'entraîner des rapports difficiles avec leur enfant. Avec ses premières relations amoureuses, le jeune adulte, de son côté, fait face à un dilemme d'allégeance entre les liens d'attachement d'origine et ses nouveaux liens amoureux. La recherche sur les jeunes adultes hétérosexuels montre que la formation, l'harmonie et la stabilité des premières expériences conjugales de jeunes adultes hétérosexuels sont intimement reliés au soutien de leur famille d'origine. Il importe donc d'examiner les difficultés d'adaptation des parents d'enfants homosexuels et l'impact de ces difficultés sur la qualité du lien parental avec les jeunes homosexuels. Il importe aussi d'examiner l'impact de ces difficultés parentales sur le bien-être des jeunes adultes homosexuels et la qualité de leurs premières expériences amoureuses (D'Augelli, Hershberger et Pilkington, sous presse).

Le but de cet article est d'examiner la question famille et homosexualité sous l'angle des rapports entre les jeunes adultes homosexuels et leur famille d'origine. Une attention particulière sera portée aux difficultés spécifiques des parents de jeunes adultes homosexuels et aux difficultés spécifiques des jeunes adultes, gais et lesbiennes. Nous examinerons aussi les effets de la qualité du lien familial sur le bien-être psychologique des jeunes et la qualité de leurs premières relations amoureuses.

Les services sociaux et institutionnels à la communauté homosexuelle ont été, ces dernières années, presque exclusivement structurés par la problématique du sida. La méconnaissance de la question famille et homosexualité, la rareté et la pauvreté d'équipement des services aux jeunes adultes homosexuels (en dehors des services reliés au sida), l'absence complète de services adaptés aux parents d'enfants homosexuels et l'absence de préparation des intervenants concernant les problèmes familiaux et conjugaux des personnes homosexuelles ont stimulé la prise en charge de projets de recherche avec la concertation de chercheurs universitaires et de partenaires communautaires impliqués auprès des jeunes adultes homosexuels et de leurs parents. Cet article est le produit de cette collaboration en développement depuis un an et demi.

HOMOSEXUALITÉ ET FAMILLE : UN OBJET DE CONNAISSANCE EN ÉMERGENCE

Le thème « famille et homosexualité » est relativement nouveau dans l'univers conceptuel des chercheurs sur l'homosexualité et dans celui des chercheurs sur la famille. Une recension des recherches sur l'homosexualité répertoriées dans *Psychological Abstracts* entre 1967 et 1974 montre que près de 80 % des questions étudiées portent soit sur l'évaluation « diagnostique » de l'homosexualité en vue de son traitement, son étiologie, ou sur l'évaluation de l'ajustement psychologique des personnes homosexuelles (Morin, 1977). Cette tendance reflète la croyance héritée des traditions psychanalytique et médicobiologique voulant que l'homosexualité soit une maladie.

Une autre recension des études publiées entre 1979 et 1983 met en évidence des changements dans la nature des questions de recherche psychologique sur l'homosexualité (Watters, 1986). La proportion des études traitant de l'évaluation, de l'étiologie, de la prévention de l'homosexualité et de l'ajustement psychologique passe alors de 80 % à 25 %. En contrepartie, la proportion d'études portant sur des questions nouvelles augmente de 20 % à 56 %. Les nouveaux thèmes traitent entre autres des relations interpersonnelles des individus homosexuels, y compris les relations familiales. Au début des années 1990, les intérêts de recherche pour les relations interpersonnelles des personnes homosexuelles se manifestent autour de trois axes : les relations amoureuses et conjugales (Peplau, 1991), la parentalité homosexuelle (Lewin, 1993) et le développement psychosocial et affectif des enfants de parents homosexuels (Patterson, 1992).

DES RÉALITÉS FAMILIALES ENCORE INCONNUES

Si la nature des questions sur l'homosexualité a changé au cours des dernières décennies, on ne peut en dire autant du nombre de publications sur « famille et homosexualité », comparé au nombre d'études sur les couples et les familles de personnes hétérosexuelles. Des revues spécialisées anglophones ont vu le jour, mais la visibilité des réalités familiales homosexuelles dans l'ensemble courant des recherches sur la famille et le couple demeure inchangée. Au Québec, un simple survol de la banque Famili@

montre que, sur plus de 3 000 fiches bibliographiques sur la famille québécoise publiées en français entre 1980 et 1999, seulement 15 documents portent sur la question homosexuelle, soit 0,05 % des productions répertoriées. De même, une recension de 8 000 articles publiés sur la famille entre 1980 et 1993 dans les meilleures revues scientifiques nord-américaines publiant de la recherche sur la famille montre que moins de 1 % des recherches traitent explicitement du thème famille et homosexualité (Allen et Demo, 1995). Enfin, l'analyse des contenus témoigne aussi de l'hésitation des milieux scientifiques à reconnaître le plein statut de « membre de famille » aux minorités sexuelles. À ce titre, du point de vue des recherches cliniques aux États-Unis, une revue des articles publiés sur les thérapies familiales et conjugales entre 1975 et 1995 révèle que seulement 0,006 % des articles portent sur les problèmes familiaux et conjugaux reliés à l'homosexualité et à la bisexualité (Clark et Serovich, 1997). Dans l'ensemble des publications de recherche sur l'homosexualité, le profil évolutif des publications au cours des deux dernières décennies montre une première étape où l'on recommande d'inclure l'homosexualité comme thème dans des programmes d'éducation, suivi d'une deuxième étape fortement marquée par l'étude des hommes gais en relation avec le sida, puis d'une troisième étape marquée par les hommes gais et les femmes lesbiennes dans des contextes qui dépassent leur vie sexuelle. Ce n'est qu'à l'aube du XXIᵉ siècle qu'émergent des questions spécifiques sur les individus homosexuels comme membres de famille.

Il reste donc un important travail de production et d'intégration des études gaies et lesbiennes aux connaissances sur la famille, tant dans la nature des questions posées, le nombre de productions et leur diffusion permettant d'étayer les pratiques et les débats publics sur d'autres assises que les croyances individuelles et collectives. Quelles sont les réalités familiales des personnes homosexuelles ? Celles des membres de la famille qui les entourent ? À quelles embûches se heurtent ces personnes ? Quelles sont leurs difficultés d'adaptation ? Quelles solutions inventent-elles ?

IDENTITÉ HOMOSEXUELLE ET HÉTÉROSEXISME CULTUREL

Comparée aux autres minorités émergeant dans la société contemporaine, la minorité homosexuelle a cette caractéristique que son droit à l'existence est dénié, à divers degrés selon les cultures et les pays, par les institutions politiques, législatives, religieuses et autres. L'hétérosexisme est défini comme un système idéologique qui dénie, dénigre et stigmatise toute forme non hétérosexuelle de comportement, d'identité, de relation ou de communauté (Herek, 1991). Dans plusieurs pays, la minorité homosexuelle n'est pas reconnue comme minorité légitime et ne peut se prévaloir de protections constitutionnelles contre la discrimination. Des pays criminalisent encore l'homosexualité par la peine de mort ou l'enfermement carcéral (West et Green, 1997). Plus près de nous, aux États-Unis, plus de la moitié des États criminalisent l'activité homosexuelle avec consentement et, dans la presque totalité des États, les relations homosexuelles n'ont pas de statut reconnu par les institutions (p. ex., régulations des assurances, droits d'héritage, droits relatifs aux lois du travail et avantages sociaux liés à la famille ; Herek, 1995). Le Québec fait office de figure de proue en adoptant, en juin 1999, la loi 32 reconnaissant étatiquement le fait conjugal chez les couples de même sexe. Toutefois, les droits au mariage civil et des droits afférents à la parentalité leur sont déniés (garde d'enfant en cas de divorce, adoption, insémination).

IDENTITÉ HOMOSEXUELLE ET VIOLENCE HOMOPHOBIQUE

À côté de l'intolérance ou de la négligence politique et institutionnelle à l'endroit de l'homosexualité, on ne peut ignorer les manifestations comportementales et psychologiques hostiles envers les personnes homosexuelles ou présumées telles (Hershberger et D'Augelli, 1995). Les recherches sur la violence dirigée à l'endroit des minorités (*bias-related violence*) montrent que la violence à l'endroit des personnes homosexuelles est la forme la plus fréquente de violence orientée. Plusieurs études américaines révèlent qu'environ la moitié de la population gaie et lesbienne (adolescente, jeune adulte et adulte) a été victime d'une forme ou l'autre de violence au cours de la vie adulte, violence empruntant tantôt la forme du harcèlement verbal, tantôt la forme d'agressions physiques variables en intensité allant jusqu'au viol (DiPlacido, 1998). Deux des études menées auprès d'adolescents mentionnent que, selon les jeunes participants, la moitié de ces attaques avaient été suscitées par leur orientation sexuelle. Si les manifestations de violence sont généralement rapportées par les individus homosexuels qui s'affichent ouvertement comme homosexuels ou sont présumés tels par l'entourage social, les personnes homosexuelles qui maintiennent leur orientation sexuelle cachée ne souffrent pas moins d'un contexte culturel marqué par les stéréotypes négatifs entourant l'homosexualité. Des cliniciens rapportent des problèmes d'homophobie intériorisée, renvoyant à des attitudes et émotions négatives associées au fait d'être un individu homosexuel, allant du simple doute à la haine de soi (DiPlacido, 1998 ; Gonsiorek, 1993).

HÉTÉROSEXISME, HOMOPHOBIE
ET ADAPTATION INDIVIDUELLE

Comme toute situation de discrimination et de stigmatisation, la discrimination institutionnelle et psychologique entraînée par le statut de minorité sexuelle entraîne des conséquences négatives au niveau du bien-être des personnes homosexuelles. Chez les gais et les lesbiennes victimisées et non victimisées, on observe que des degrés élevés de stress associé à leur statut sont reliés à plus de problèmes de santé mentale (Meyer et Dean, 1998) et de tentatives de suicide (D'Augelli et Dark, 1995). On rapporte également une relation entre, d'une part, l'homophobie intériorisée et, d'autre part, la dépression (Shidlo, 1994), une consommation abusive d'alcool (Finnegan et Cook, 1984), des problèmes de toxicomanie (Glaus, 1988) et des taux élevés de suicides (Hershberger et D'Augelli, 1995). En termes de santé physique, des chercheurs montrent un lien entre le niveau de stress et le niveau et la réponse immunitaire tant chez des gais séronégatifs que chez des gais séropositifs. Chez les jeunes gais et lesbiennes, on rapporte une relation entre l'expérience de violence verbale et physique et l'adoption de conduites sexuelles à risque, des comportements de délinquance, des difficultés scolaires et de la prostitution (Hershberger et D'Augelli, 1995). D'autres études sur la santé des lesbiennes révèlent une prévalence élevée de consommation de tabac et d'alcool, conduites qui augmentent leur vulnérabilité à la maladie.

Soulignons que ce ne sont pas tous les membres des minorités sexuelles qui souffrent des conséquences négatives sur la santé entraînées par leur statut de minorité. Une étude montre que les gais et lesbiennes ne diffèrent pas des hétérosexuels sur des mesures d'adaptation psychologique (Gonsiorek, 1991). Il va de soi que plusieurs gais et lesbiennes développent des stratégies efficaces d'adaptation à leur statut de minorité. Afin de mieux comprendre les problèmes de ceux qui ont des difficultés d'adaptation, il importe de comprendre les facteurs associés tant aux conséquences négatives qu'aux conséquences positives associées au statut de minorité sexuelle.

LE RÉSEAU SOCIAL : FACTEUR DE PROTECTION ?

Le contexte qui précède soulève un ensemble de questions propres aux réalités interpersonnelles et familiales des personnes homosexuelles. Comment les problèmes d'exclusion, d'invisibilité et d'oppression affectent les relations interpersonnelles des individus homosexuels avec leurs amis et amies, leur famille, leurs amants et amantes, leurs enfants ? Comment les sentiments de fierté, de chaleur et de bonheur à l'intérieur de la famille en arrivent-ils à coexister avec les sentiments contradictoires de honte, de culpabilité et de doute engendrés par l'exclusion ? Comment le statut de minorité affecte-t-il le développement des engagements entre les adultes et entre les adultes et les enfants ? leurs modes de soutien et de soin ? leurs modes de décision, la nature de leurs conflits, de leur communication et de leur gestion de stress ? Comment l'invisibilité influence l'expression de leur affection et de leur bien-être, etc. ? D'un côté, en avouant ouvertement son orientation homosexuelle aux membres de son réseau social, un individu encourt le risque de perturber et rompre ses liens avec sa famille d'origine et des amitiés de longue date. D'un autre côté, en maintenant secrète son orientation sexuelle, l'individu crée et maintient une distance interpersonnelle avec des personnes significatives de son entourage, ce qui entraîne d'autres types d'inconfort. Comment les individus homosexuels et leur réseau de proches vivent-ils, au quotidien, ce dilemme entre identité publique et identité privée ?

LA FAMILLE D'ORIGINE
DES PERSONNES HOMOSEXUELLES

Alors que la plupart des jeunes adultes et des adultes de groupes minoritaires trouvent dans leur famille d'origine des ressources les protégeant contre la stigmatisation entraînée par leur statut, les individus homosexuels ne peuvent pas toujours compter sur le soutien familial. Les premières études cliniques sur la « sortie du placard » (*coming-out*) par rapport à la famille d'origine rapportent qu'environ la moitié des gais et lesbiennes maintiennent leur orientation cachée à leur famille. Des études récentes mentionnent les mêmes proportions (Laird, 1993). La peur de la réaction familiale est d'autant plus grande lorsque les jeunes adultes sont dépendants de leur famille pour leur subsistance, ou appartiennent à une autre minorité culturelle, laquelle augmente leur dépendance à leurs liens d'origine. Dans le même sens, les études sur les individus homosexuels vivant dans une relation de couple stable avec cohabitation montrent que les partenaires de couple avouent leur orientation moins librement à la famille qu'aux amis (Blumstein et Schwartz, 1983). Aussi, comparés aux partenaires hétérosexuels, n'est-il pas étonnant que les couples de gais et de lesbiennes rapportent moins de soutien provenant de la famille d'origine et davantage de soutien des amis que de la famille (Julien *et al.*, 1999).

Les hésitations à sortir du placard par rapport à la famille d'origine sont fondées. Les études sur la question révèlent que les parents sont profondément bouleversés par l'homosexualité de leur enfant. Sur la base de cas cliniques, on rapporte des réactions de honte, de colère, de condamnation, de dénégation, de doutes et de rejet. Les études plus récentes auprès de gais et lesbiennes montrent qu'environ 50 % de leurs parents (pères et mères) ont une réaction initiale négative (Strommen, 1989). À l'extrême, des gais et lesbiennes rapportent avoir été reniés par leurs parents et d'autres membres de leur famille et, chez les plus jeunes, avoir été agressés physiquement par un parent ou chassés du foyer familial. La réaction des parents est d'autant plus importante qu'elle bouleverse, à son tour, la relation parent-enfant et entraîne des perturbations émotionnelles chez les jeunes adultes (Ryan, 1998). Une étude révèle que les réactions négatives des parents face à l'homosexualité de leur enfant exacerbent les effets négatifs de la victimisation de jeunes adolescents sur leur santé mentale (Hershberger et D'Augelli, 1995). Toutefois, d'après les jeunes, après une période de deuil où les parent intègrent progressivement la réalité, des parents apporteraient un soutien propre à faciliter l'adaptation des personnes homosexuelles (DiPlacido, 1998). Il importe donc de comprendre comment des familles développent des habiletés d'adaptation à ces difficultés propres alors que d'autres échouent.

AVOIR UN ENFANT HOMOSEXUEL : LA PERSPECTIVE PARENTALE

La plupart des données disponibles sur les réactions de la famille des individus homosexuels sont rapportées par les individus homosexuels eux-mêmes. La tendance à ce jour a été d'analyser la question sous l'angle du parent rejetant et victimisant et fort peu d'attention a été portée à la perspective parentale. Que vivent les parents exactement ? Les recherches sur le développement adulte montrent que, généralement, être parent, c'est avoir des attentes par rapport au futur de son enfant. Voir que son enfant une fois jeune adulte se développe en conformité à ces attentes dans sa vie affective et professionnelle procure aux parents un sens de sécurité et d'accomplissement leur permettant de se recentrer sur leurs propres intérêts de développement personnel. Dans ce contexte, apprendre que son enfant est homosexuel perturbe le cours attendu des événements, balisé par la culture hétérosexuelle. Quels chemins et embûches les parents parcourent-ils ? Deux études (américaines) fournissent des données provenant des parents. Ceux-ci rapportent des réactions de tristesse, de regret, de dépression et de peur pour le bien-être de leur enfant, et ils vivraient un processus de deuil calqué sur les étapes postulées par Kubler-Ross (1969) : choc, déni, culpabilité, colère, puis acceptation (Robinson, Walters et Skeen, 1989). Toutefois, la première étude ne fournit aucune information sur la structure de l'entrevue et son mode d'analyse, alors que la deuxième, utilisant un questionnaire, présume d'un processus emprunté à une autre réalité (la mort d'un proche). D'après l'expérience clinique de Mazer (communication lors des rencontres des partenaires du projet), l'étape de développement du jeune adulte déterminerait des étapes parallèles d'adaptation des parents. La sortie du placard des jeunes adultes, avant qu'ils ne soit engagés dans quelque relation de couple, confronte les parents dans leur relation à leur propre enfant dans le cadre d'un drame qui peut se vivre dans le vase clos du foyer familial. Mais l'engagement des jeunes gais et lesbiennes dans une vie domestique avec un ou une partenaire stable confronte les parents à leur propre sortie de placard, par exemple lors de rituels familiaux où frères, sœurs, parents et amis des parents sont conviés à la fête. En contrepartie, les parents seraient potentiellement exposés à des réactions de rejet social. Comment se vit cette transition ? Quelle est l'impact des réactions parentales et familiales sur le développement des relations conjugales des jeunes adultes ?

HÉTÉROSEXISME, HOMOPHOBIE ET RELATIONS AMOUREUSES

En amont des réactions parentales, on sait que la discrimination des personnes homosexuelles affecte leurs relations interpersonnelles et leurs relations amoureuses. Ainsi, comparés aux hommes gais présentant des niveaux faibles d'homophobie, les hommes gais ayant des niveaux élevés d'homophobie sont moins impliqués dans leur communauté, cachent davantage leur homosexualité à leur entourage, rapportent davantage de problèmes sexuels, ont plus de problèmes conjugaux et pensent plus souvent à la séparation lorsqu'ils vivent en couple (Meyer et Dean, 1998). Les lesbiennes ayant des degrés élevés d'homophobie auraient aussi plus de difficultés sexuelles. Au Québec, l'étude de Ryan (1998) montre que la solitude et l'impuissance à démontrer de l'affection sont les difficultés les plus fréquemment rapportées par les adolescents homosexuels, particulièrement par les jeunes gais.

Le développement des liens d'intimité chez le jeune adulte est d'autant plus important que l'impact de l'intimité sur la santé mentale et physique des populations adultes n'est plus à démontrer. La fameuse étude épidémiologique prospective de Berkman et Breslow (1983) a montré que, sur une période de 9 ans avec prises de données à l'an 1 et 10, la vie conjugale et l'amitié s'avéraient les meilleurs prédicteurs de survie, leur effet de protection se maintenant après avoir contrôlé statistiquement le statut socioéconomique, les pratiques de santé (cigarette, alcool, obésité et exercice), l'utilisation des services préventifs et l'état de santé au début de l'étude. Les études récentes de Malarkey *et al.* (1994) indiquent qu'une détresse conjugale élevée est associée à une diminution des défenses immunitaires, telle qu'elle a été mesurée *in vitro* par des indicateurs neurohormonaux. Plus près de nous, la dernière enquête nationale sur la santé de la population a montré que le manque d'intimité chez les adultes est, parmi cinq dimensions du réseau de soutien, le meilleur prédicteur de dépression chez les Canadiens (Beaudet, 1996). Dans le même sens, les données de recherche indiquent qu'une meilleure qualité des relations conjugales chez les couples gais dans lesquels les partenaires ont des relations sexuelles avec d'autres partenaires que leur conjoint (fait de culture observé chez les hommes gais) est associée à un plus haut degré de conduites sexuelles protégées (sécurisexe ; Julien *et al.*, 1992).

La situation des jeunes gais et lesbiennes vivant en couple est différente de celle des hétérosexuels. D'une part, la visibilité des deux partenaires comme couple augmente les risques de victimisation et peut entraîner des ruptures avec les proches (famille). D'autre part, le maintien d'une vie sociale séparée des deux partenaires de couple (p. ex., visites familiales séparées, *partys* en « célibataires ») pour préserver les liens avec la famille limite par ailleurs le développement d'une identité de couple. À long terme, la fréquentation des proches en « célibataires » implique aussi le secret diluant l'intimité des liens familiaux. En ayant des vies sociales parallèles, les partenaires augmentent la probabilité d'être gratifiés individuellement et de développer des alliances se substituant à l'autre conjoint. Du point de vue d'une analyse systémique, les dilemmes entraînés par le contexte social et politique particulier du développement de l'identité homosexuelle laissent penser que les réalités amoureuses des jeunes gais et lesbiennes seraient plus fragiles comparées aux réalités amoureuses des jeunes hétérosexuels qui, elles, sont spontanément soutenues par l'environnement social.

L'IMPACT DU SOUTIEN FAMILIAL SUR LA QUALITÉ DES PREMIÈRES RELATIONS AMOUREUSES DES JEUNES ADULTES HOMOSEXUELS

On sait que le soutien des familles d'origine aux couples hétérosexuels diminue leur vulnérabilité au conflit conjugal. Le soutien des parents aux fréquentations des jeunes adultes hétérosexuels est associé à la qualité du lien amoureux et sa stabilité (pour une revue, voir Julien *et al.,* 1999). Il assure l'autonomie affective des jeunes en continuité avec les attachements d'origine tout en offrant des ressources indéfectibles de soutien au couple en cas de crise transitoire, de nature matérielle ou affective. Deux études auprès des couples homosexuels de longue durée ont montré que les couples dont les parents n'acceptaient pas les partenaires souffraient davantage de détresse conjugale que les couples ayant des parents acceptants.

En conclusion, des recherches sont nécessaires pour mieux comprendre les réalités familiales en rapport avec l'homosexualité. En particulier, il nous faut mieux comprendre les réalités familiales des jeunes adultes, gais et lesbiennes, et celles de leurs parents. Il nous faut mieux comprendre les difficultés particulières d'intégration à la famille chez les jeunes gais et lesbiennes, les difficultés particulières d'adaptation de leurs parents, l'impact de ces difficultés sur le bien-être des jeunes adultes et de leurs parents, et l'impact de ces difficultés sur la qualité des premiers liens amoureux chez les jeunes.

BIBLIOGRAPHIE

Allen, K. et D.H. Demo (1995). The families of lesbians and gay men : A new frontier in family research, *Journal of Marriage and the Family, 57,* p. 11-127.

Beaudet, M.P. (1996). Dépression, *Rapports sur la santé, 7,* p. 11-25.

Berkman, L.F. et L. Breslow (1983). *Health on the ways of living : The Alameda County Study,* New York, Oxford University Press.

Blumstein, P. et P. Schwartz (1983). *American couple,* New York, Morrow.

Chartrand, E. (1995). *Réseau social et ajustement conjugal chez les couples hétéro-sexuels, gais et lesbiens,* Mémoire de maîtrise inédit, Université du Québec à Montréal.

Clark, W.M. et J.M. Serovich (1997). Twenty years and still in the dark ? Content analysis of articles pertaining to gay, lesbian, and bisexual issues in marriage and family therapy journals, *Journal of Marital and Family Therapy, 23,* p. 239-253.

D'Augelli, A.R. et L.J. Dark (1995). Vulnerable populations : Lesbian, gay, and bisexual youth, dans L.D. Eron, J.H. Gentry et P. Schlegel (dir.), *Reasons to hope : A psychosocial perspective on violence and youth,* Washington, D.C., American Psychological Association, p. 177-196.

D'Augelli, A.R., S.L. Hershberger et N.W. Pilkington (sous presse). Lesbian, gay, and bisexual youths and their families : Disclosure of sexual orientation and its consequences, *American Journal of Orthopsychiatry.*

DiPlacido, J. (1998). Minority stress among lesbians, gay men, and bisexuals : A consequence of heterosexism, homophobia, and stigmatisation, dans G. Herek (dir.), *Stigma and sexual orientation,* Thousand Oaks, Sage, p. 138-159.

Finnegan, D.G. et D. Cook (1984). Special issues affecting the treatment of male and lesbians alcoholics, *Alcoholism Treatment Quarterly, 1,* p. 85-98.

Franke, R. et M.R. Leary (1991). Disclosure of sexual orientation by lesbians and gay men : A comparison of private and public processes, *Journal of Social and Clinical Psychology, 10*(3), p. 262-269.

Glaus, O.K. (1988). Alcoholism, chemical dependency and the lesbian client. *Women and Therapy, 8,* p. 131-144.

Gonsiorek, J.C. (1991). Mental health issues of gay and lesbian adolescents, dans L.D. Garnets et D.C. Kimmel (dir.), *Psychological perspectives on lesbian and gay male experiences,* New York, Columbia University Press, p. 469-485.

Herek, G.M. (1991). Stigma, prejudice, and violence against lesbians and gay men, dans J.C. Gonsiorek et J.D. Weinrich (dir.), *Homosexuality: Research Implications for public policy,* Newbury Park, CA, Sage Publications, p. 60-80.

Herek, G.M. (1995). Psychological heterosexism in the United States, dans A. D'Augelli et C. Patterson (dir.), *Lesbian, gay and bisexual identities over the life span: Psychological perspectives,* New York, Oxford University Press, p. 321-346.

Hershberger, S.L. et A.R. D'Augelli (1995). The impact of victimization on the mental health and suicidality of lesbian, gay and bisexual youths, *Developmental Psychology, 31*(1), p. 65-74.

Julien, D. (1998). Soutien de la famille d'origine à la vie conjugale des couples homosexuels, dans *Qualité de vie des gais et lesbiennes,* Montréal, Association canadienne pour la santé mentale, p. 61-78.

Julien, D., E. Chartrand et J. Bégin (1999). Social networks, structural interdependence and conjugal adjustment in heterosexual, gay, and lesbian couples, *Journal of Marriage and the Family, 61,* p. 516-530.

Julien, D., M.T. Pizzamiglio, S. Léveillé et M. Brault (1992). Qualité relationnelle des couples gais et conduites sexuelles à risque, *Santé mentale au Québec, 17,* p. 217-234.

Kubler-Ross, E. (1969). *On death and dying,* New York, Macmillan.

Kurdek, L.A. (1988). Perceived social support in gays and lesbians in cohabiting relationships, *Journal of Personality and Social Psychology, 54*(3), p. 504-509.

Laird, J. (1993). Lesbian and gay families, dans F. Walsh (dir.), *Normal Family Practices,* New York, Norton.

Lee, G.R. (1979). Effects of social networks on the family, dans W.R. Burr, R. Hill, F.I. Nye et I.L. Reiss (dir.), *Contemporary theories about the family: Research based theories,* New York, Free Press.

Lewin, E. (1993). *Lesbian mothers: Accounts of gender in American culture,* Ithaca, Cornell University Press.

Lewis, R.A. (1973). Social reaction and the formation of dyads: An interactionist approach to mate selection, *Sociometry, 36,* p. 409-418.

Locke, H.J. et K.M. Wallace (1959). Short marital adjustment and prediction test: their reliability and validity, *Marriage and Family Living, 21,* p. 251-255.

Malarkey, W.B. *et al.* (1994). Hostile behavior during marital conflict alters pituitary an adrenal hormones, *Psychosomatic Medicine, 56*, p. 41-51.

Meyer, I.H. et L. Dean (1998). Internalized homophobia, intimacy, and sexual behavior among gay and bisexual men, dans G. Herek (dir.), *Stigma and sexual orientation*, Thousand Oaks, Sage, p. 160-186.

Morin, S. (1997). Heterosexual bias in psychological research on lesbianism and male homosexuality, *American Psychologist, 32*, p. 629-637.

Peplau, A.A. (1991). Lesbian and gay relationships, dans J.C. Gonsiorek et J.D. Weinrich, *Homosexuality: research implications for public policy*, Newbury Park, Sage, p. 177-196.

Patterson, C.J. (1992). Children of lesbian and gay parents, *Child Development, 63*, p. 1025-1042.

Pilkerton, N.W. et A.R. D'Augelli (1995). Victimization of lesbian, gay, and bisexual youth in community settings, *Journal of Community Psychology, 23*, p. 34-56.

Robinson, B.E., L.H. Walters et P. Skeen (1989). Response of parents to learning that their child is homosexual and concern over AIDS : A national study, dans Frederick W. Bozett (dir.), *Homosexuality and the family*. New York, Harrington Park Press.

Rohner, R.P. (1980). Worldwide tests of parental acceptance-rejection theory, *Behavior Science Research, 15*, p. 21.

Rohner, R.P. (1991). *Handbook for the study of parental acceptance and rejection*, University of Connecticut.

Ryan, W. (1998). S'accepter comme gai ou lesbienne pour en finir avec la honte, dans *Qualité de vie des gais et lesbiennes* (p. 95-108), Montréal, Association canadienne pour la santé mentale.

Shildo, A. (1994). Internalized homophobia : Conceptual and empirical issues in measurement, dans B. Green et G.M. Herek (dir.), *Lesbian and gay psychology : Theory, research, and clinical implications*, Thousand Oaks, Sage, p. 176-205.

Stein, C.H., E.G. Bush, R.R. Ross et M. Ward (1992). Mine, yours and ours : A configural analysis of the networks of married couples in relation to marital satisfaction and individual well-being, *Journal of Social and Personal Relationships, 9*, p. 365-383.

Strommen, E.F. (1989). « You are what ? » : Family members reactions to the disclosure of homosexuality, *Journal of Homosexuality, 18*, p. 37-58.

Watters, A.T. (1986). Heterosexual bias in psychological research on lesbianism and homosexuality, *Journal of Gay and Lesbian Psychotherapy, 13*, p. 35-58.

West, D.J. et R. Green (1997). *Sociolegal control of homosexuality : A multi-nation comparison*, New York, Plenum.

L'évolution du réseau de soutien social des familles dont le jeune adulte handicapé participe à un programme d'accompagnement communautaire

Colette Jourdan-Ionescu
Université du Québec à Trois-Rivières

Francine Julien-Gauthier
Centre de services en déficience intellectuelle Mauricie/Centre-du-Québec

Tristan Milot
Université du Québec à Trois-Rivières

L'entrée dans la vie adulte – période importante pour toutes les personnes – a pour principal enjeu la conquête de l'autonomie. Les jeunes adultes handicapés ont les mêmes aspirations que les autres jeunes adultes, c'est-à-dire être plus autonomes, avoir des amis, résoudre leurs difficultés et participer à des activités dans leur communauté (Jourdan-Ionescu, Julien-Gauthier et Tessier, 1997). Les parents et les intervenants ont, quant à eux, une vision plus réaliste des occasions accessibles à ces jeunes dans leur milieu de vie : la plupart des services de jour à l'intention des jeunes adultes handicapés sont ségrégués, suscitent peu le développement de leur autonomie fonctionnelle et offrent peu de chances de participer à la vie de leur communauté (Gallivan-Fenlon, 1994).

De plus, les familles des jeunes adultes handicapés ont une tâche beaucoup plus lourde que celle des autres familles (Bouchard 1994 ;

Barnett et Boyce, 1995) et l'absence de ressources alourdit encore leur fardeau (Conseil de la famille, 1995). Lors de la difficile période de transition de leur enfant vers l'âge adulte, le principal médiateur sur lequel ces familles peuvent s'appuyer est leur réseau de soutien social (Karan, Lambour et Greenspan, 1990). L'analyse du réseau de soutien social de familles vivant avec un jeune adulte handicapé a permis d'identifier les ressources dont elles disposent pour assumer le développement et le bien-être de leurs enfants (Julien-Gauthier et Jourdan-Ionescu, 1997). Cette évaluation des ressources reflète la solidité des liens familiaux et l'implication des membres de la famille pour soutenir la personne qui assume le fardeau parental (la mère dans 95 % des cas). Les pères sont très présents dans la majorité des familles consultées (76,19 %) et occupent une place de premier plan dans le réseau de même que les membres de la fratrie des jeunes adultes (23,80 %). Le soutien familial disponible comporte cependant un important facteur de risque, présent chez toutes les familles rencontrées. Il s'agit du nombre restreint de personnes extérieures au couple parental impliquées sur une base régulière. La minceur de la taille du réseau de soutien social de ces familles, constitué presque exclusivement de membres de la famille immédiate ou élargie, doit donc être compensée par la disponibilité de ressources externes qui offrent un soutien approprié (Marcenko et Meyers, 1991).

Les familles de ces jeunes adultes ont également à composer avec des modifications relatives à leur propre cycle de vie, le départ d'enfants devenus adultes, une réorientation professionnelle ou des modifications dans leurs activités personnelles et familiales liées au mitan de la vie (Marsh, 1992). Plusieurs auteurs mentionnent des états de stress familial élevé pendant cette période de transition vers l'âge adulte de l'adolescent handicapé : c'est une période plus conflictuelle et plus difficile qu'auparavant (Lambert, 1991), c'est même la deuxième période plus stressante pour les familles, après l'annonce du diagnostic de leur enfant handicapé (Wikler, 1981). Ces familles, à qui incombe la responsabilité première de la prise en charge, du développement et de l'éducation de leur jeune adulte (Bouchard, 1995), voient leur tâche augmenter avec l'entrée dans la vie adulte de leur enfant. Les activités réalisées avec des personnes non handicapées, mis à part les activités familiales, sont rares et parfois même inexistantes (Bouchard et Dumont, 1996 ; Perreault, 1997). Ces familles sont donc particulièrement sensibles à l'importance de l'attitude des personnes de l'environnement dans la démarche d'insertion sociale de leur jeune adulte (Grbich et Sykes, 1991), démarche qui ne peut se concrétiser sans l'acceptation et l'appui des personnes de la communauté (Ionescu, 1987, 1992).

Il importe d'offrir à ces familles un soutien adéquat lors de cette étape cruciale de la vie de leur enfant, faute de quoi la détermination et l'espoir qu'elles nourrissent concernant son avenir risque de s'effriter en raison d'un essoufflement et de déceptions multiples (Déry *et al.*, 1993). Un soutien adéquat est défini par Bouchard *et al.* (1994) comme celui qui répond aux besoins réels de la famille et respecte ses particularités, ses valeurs et ses pratiques. Dans cette optique, une recherche-action a été élaborée au Centre-Mauricie, à partir des besoins exprimés par les jeunes adultes et par leur famille pour faciliter leur intégration à la communauté lors de cette étape fondamentale de leur développement (Jourdan-Ionescu *et al.*, 1998). Il s'agit de l'*Intervention dyadique pour l'intégration sociale*[1] ou IDIS, réalisée en partenariat par l'Université du Québec à Trois-Rivières (UQTR), le Centre de service en déficience intellectuelle Mauricie / Centre-du-Québec (CSDI / MCQ) et l'Association pour la déficience intellectuelle (ADI). L'IDIS s'adresse aux jeunes adultes handicapés (groupe d'âge de 17 à 25 ans), qui résident dans leur famille naturelle. Ce programme a pour but de répondre aux besoins exprimés par les jeunes adultes et par leurs familles en vue de favoriser leur maintien à domicile lors du difficile passage à la vie adulte.

Implantée en janvier 1997, cette recherche-action fait appel à la participation de 14 jeunes adultes handicapés et 14 étudiants accompagnateurs au Centre-Mauricie. Chacun des jeunes adultes a été apparié à un étudiant du même groupe d'âge. Chaque dyade jeune adulte/accompagnateur a été jumelée à une autre dyade jeune adulte/accompagnateur et ces quatre personnes avaient pour objectifs de choisir, planifier et réaliser ensemble une activité hebdomadaire dans la communauté.

L'aspect novateur du programme – jumelage de dyades – est illustré dans la figure 1 avec ses effets attendus. En effet, la formule d'accompagnement en double dyade de l'IDIS comporte plusieurs avantages. Ainsi, les étudiants accompagnateurs constituent un **modèle d'identification** pour les jeunes adultes et favorisent le développement de leurs habiletés relationnelles. De plus, cette façon de faire s'apparente à celle généralement adoptée par les adolescents et les jeunes adultes, c'est-à-dire que ceux-ci consolident leur identité en s'appuyant sur leur groupe de pairs (modèle culturellement valorisé). Chaque accompagnateur constitue **pour l'autre accompagnateur un soutien** et réciproquement. Ils mettent à profit leurs connaissances et leur expérience, et s'entraident pour améliorer l'intégration des jeunes adultes à leur communauté. Ils profitent en plus

---

1.   Cette recherche-action a été rendue possible grâce à une subvention de l'Office des personnes handicapées du Québec, dans le cadre des projets de soutien à l'expérimentation.

FIGURE 1

Effets attendus du jumelage de dyades

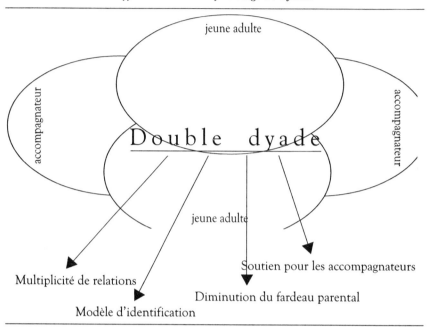

du contact privilégié qu'ils ont avec les jeunes adultes pour découvrir d'autres valeurs que les leurs. Depuis l'implantation de l'IDIS, les membres de chacune des doubles dyades ont développé une belle complicité et les liens amicaux qui les unissent sont favorables au développement de l'estime de soi des jeunes adultes. La multiplicité des partenariats établis autour de l'IDIS a généré une **multiplicité de relations** entre les jeunes adultes handicapés, les étudiants accompagnateurs, leurs familles respectives, les membres de l'équipe de recherche de l'UQTR, les responsables du programme IDIS, les intervenants de l'ADI et du CSDI. L'engagement des jeunes adultes dans le programme IDIS permet également **d'alléger la tâche des parents**. La participation de leur jeune adulte aux activités hebdomadaires offre aux familles un répit occasionnel et leur permet de constater les progrès qu'il accomplit au contact de ses pairs (la réalisation d'activités avec des pairs favorise, entre autres, le développement des stratégies de communication des jeunes adultes et l'utilisation maximale de leur potentiel ; Bolognini, Guidollet, Plancherel et Bettschart, 1988).

Cette étude s'intéresse à l'évolution du réseau de soutien social des familles des jeunes adultes handicapés qui participent à l'IDIS. Les données recueillies lors de l'expérimentation permettent de mesurer les modifications du réseau de soutien social de ces familles, après une première année d'implantation du programme au Centre-Mauricie.

MÉTHODE

Le soutien social est l'inventaire des liens qui existent autour d'une personne, liens qui sont susceptibles de lui offrir différentes formes d'aide pour composer avec les difficultés de la vie (Bozzini et Tessier, 1985). Il existe plusieurs dimensions du soutien social, dont les principales sont la composition du réseau de soutien, les comportements de soutien et l'appréciation subjective du soutien (Beauregard et Dumont, 1996). Cette étude fait appel à la première de ces dimensions, soit la composition du réseau de soutien social des familles de jeunes adultes handicapés.

Les instruments qui mesurent les ressources du réseau identifient les liens qui unissent la personne à sa famille, à ses amis, à ses pairs. Ces liens sont perçus comme un indicateur des ressources sociales qui, lors d'une crise, sont susceptibles d'offrir du soutien (Streeter et Franklin, 1992).

Cette étude a été réalisée à partir de deux instruments : le *Questionnaire socio-démographique* (Jourdan-Ionescu, 1996) et la *Grille d'évaluation du réseau social, version parent* (Desaulniers, Jourdan-Ionescu et Palacio-Quintin, 1995).

Le *Questionnaire socio-démographique* est utilisé pour connaître les caractéristiques et les conditions de vie des jeunes adultes et de leurs familles. La passation de l'instrument permet d'identifier le jeune adulte : âge, sexe, diagnostic, degré de déficit, handicaps associés et difficultés comportementales telles qu'elles sont rapportées par les parents et par les intervenants. L'instrument nous renseigne également sur la composition de la famille du jeune adulte (parents, fratrie et grands-parents) et leurs conditions de vie (situation matrimoniale des parents, âge, scolarité, occupation, état de santé, revenu familial, caractéristiques du lieu de résidence et mobilité de la famille). Après un an d'expérimentation, les données du *Questionnaire socio-démographique* ont été vérifiées avec les familles afin de noter les changements de leurs conditions de vie qui ont eu lieu pendant cette première année d'implantation de l'IDIS. Ces données sont précieuses pour l'analyse de l'évolution du réseau de soutien social des familles. Elles permettent de préciser certains apports de son développement, tels que la naissance de petits-enfants, un déménagement, l'ajout ou le départ d'un membre de la famille ou des modifications dans la situation professionnelle des parents.

La *Grille d'évaluation du réseau social* permet de mesurer la taille et la composition des ressources du réseau de soutien social des familles ainsi que la fréquence des contacts des personnes avec les membres de leur réseau. La passation de l'instrument fait état des ressources dont les familles disposent pour composer avec les événements de leur vie, à partir de six situations classiques associées au vécu quotidien des familles dont un enfant présente des incapacités. Ces six situations traitent du soutien émotif personnel de la personne qui assume le *fardeau parental*[2], de l'aide dont elle peut bénéficier pour son enfant, du soutien financier disponible en cas de besoin, du partage des tâches domestiques, de la réalisation d'activités visant le plaisir et la détente et des possibilités de transport pour le jeune adulte handicapé. Pour chacune de ces situations, le répondant doit évaluer la fréquence avec laquelle le soutien est disponible (jamais, à l'occasion, souvent, tout le temps). La *Grille d'évaluation du réseau social* a été passée aux 14 familles des jeunes adultes avant le début de l'expérimentation et après la première année d'implantation de l'IDIS. Les résultats obtenus à l'aide de cette grille ont une valeur tant quantitative que qualitative.

RÉSULTATS

Avant le début du programme IDIS, la passation de la grille d'évaluation du réseau de soutien social des parents montrait que la famille immédiate (conjoint et enfants) constituait le principal soutien de la mère qui assumait, dans presque tous les cas, le fardeau parental. Il y avait donc peu de variété de ressources pour faire face aux événements stressants qui pouvaient survenir durant la période difficile de transition de l'adolescence à l'âge adulte de leur enfant handicapé.

Le réseau de soutien social des parents des jeunes adultes a été mesuré à nouveau après un an d'activités du programme. Les données ont été obtenues pour 12 des 14 jeunes adultes handicapés, car 2 jeunes adultes ont mis un terme à leur participation au programme après six mois, pour des raisons de santé.

Lorsqu'on compare le réseau social des parents avant la participation de leur enfant dans le programme IDIS et un an après, on constate une augmentation globale de la taille de leur réseau social. Cette augmentation significative ($z = -2,52$; $p = 0,006$), qui fait passer la moyenne de 9,73 personnes avant l'IDIS à 12,18 personnes un an après, est représentée dans la figure 2. On peut noter que pour huit familles le réseau social a augmenté et que cette augmentation peut être aussi importante que de 75 % (réseau qui est passé de 8 à 14 personnes). Pour les trois autres familles, on constate que le réseau social n'a pas changé. Il faut toutefois noter que

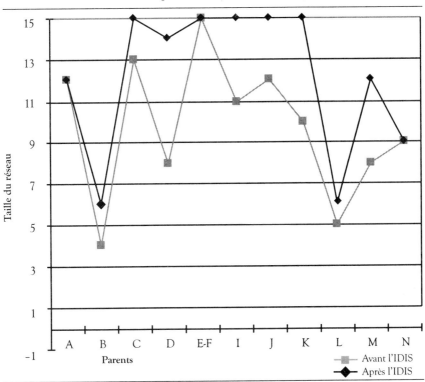

FIGURE 2

Évolution du réseau social des parents des jeunes adultes ayant participé à l'IDIS

les parents de deux personnes de la même famille qui participaient au programme (E et F) avaient déjà un score de réseau social maximal qui n'a donc pas pu augmenter.

Cette augmentation globale mérite d'explorer les changements survenus pour le soutien provenant de la famille immédiate, de la famille élargie et des personnes extérieures à la famille (comme, par exemple, les amis, une gardienne, les voisins, un éducateur ou un intervenant) qui composent le réseau de soutien social.

La figure 3 illustre le réseau social provenant de la famille immédiate des parents avant et après un an de participation de leur jeune adulte à l'IDIS. Le nombre moyen de personnes composant le réseau de la famille immédiate est passé de 2,82 avant l'IDIS à 2,91 après un an de participation. On note donc peu de changements : trois parents pour lesquels on note une augmentation (en relation avec une naissance pour une sœur qui habite à la maison ou avec le fait que maintenant il s'agit d'une famille

FIGURE 3

*Évolution du réseau social des parents des jeunes adultes
ayant participé à l'IDIS : famille immédiate*

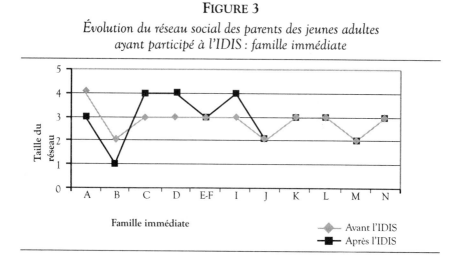

FIGURE 3

*Évolution du réseau social des parents des jeunes adultes
ayant participé à l'IDIS : famille immédiate*

reconstituée), deux pour lesquels on relève une diminution (en raison d'une séparation et du départ d'un enfant qui est allé étudier à l'extérieur, durant le programme) et six familles pour lesquelles il n'y a pas eu de changement. Au total, il n'y a pas de changement significatif du réseau de soutien social provenant de la famille immédiate.

En ce qui concerne la famille élargie (figure 4), on note ici aussi quelques changements mais non significatifs : six augmentations (en raison de déménagement consécutif à un divorce, de reconstitution familiale, etc.), trois diminutions (grands-parents décédés ou demi-frère parti de la maison) et deux familles pour lesquelles il n'y a pas eu de changement. Le nombre moyen de personnes composant le réseau de la famille élargie n'est passé que de 5 personnes avant l'IDIS à 5,27 après un an de participation. Au total, le réseau de soutien social provenant de la famille élargie n'a guère changé.

Par contre, quand on regarde le soutien extrafamilial qui est représenté dans la figure 5, on constate des changements majeurs. Le nombre moyen de personnes a significativement augmenté, passant de 1,91 à 4 après un an de participation à l'IDIS ($z = -2,38$; $p = 0,008$). Il s'agit pour la plupart de ces familles de l'ajout de nouveaux amis, d'anciens amis qui se sont rapprochés, de collègues de travail et de membres du voisinage avec qui ils ont établi des liens d'amitié.

Notons que sur les 11 familles, 5 (dont les parents des jeunes adultes de la même famille) citent comme soutien extrafamilial, après un an de participation à l'IDIS, l'accompagnateur communautaire et 4 familles ajoutent le coaccompagnateur.

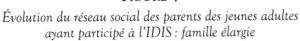

FIGURE 4

*Évolution du réseau social des parents des jeunes adultes
ayant participé à l'IDIS : famille élargie*

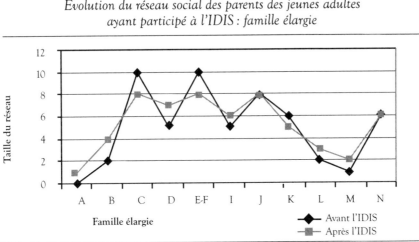

FIGURE 5

*Évolution du réseau social des parents des jeunes adultes
ayant participé à l'IDIS : personnes extérieures à la famille*

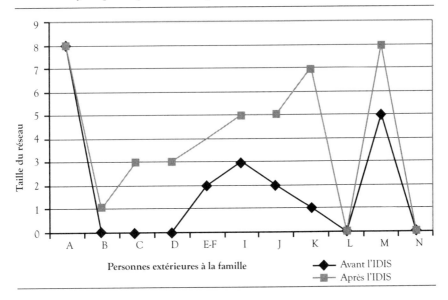

On note donc une augmentation du réseau de soutien social des parents un an après que leur jeune adulte ait commencé des activités au sein de l'IDIS. Cette augmentation est surtout en relation avec l'enrichissement de leur réseau de soutien extrafamilial. Le nombre d'accompagnateurs communautaires cités par les familles met en évidence l'importance pour les parents de l'accompagnement communautaire réalisé par de jeunes adultes pour des jeunes adultes handicapés. Si l'on se reporte au modèle double ABCX (McCubbin et Patterson, 1982), l'intégration de nouvelles ressources a permis d'augmenter les ressources extrafamiliales dont la famille dispose en cas de problèmes pour faire face aux difficultés qu'elle rencontre et pour diminuer sa vulnérabilité familiale en lien avec le handicap de son enfant (Julien-Gauthier, Jourdan-Ionescu et Boucher, 1996). L'augmentation de ressources extrafamiliales montre aussi que les activités de l'IDIS ont permis aux parents des jeunes adultes d'améliorer leur intégration sociale puisque ce sont les contacts avec des personnes extérieures à la famille qui ont principalement augmenté.

CONCLUSION

Le réseau de soutien social d'une famille joue un rôle capital dans le maintien de la santé physique et mentale de ses membres (Bozzini et Tessier, 1985). Il a également un impact sur l'intégration sociale de la famille dans son milieu. Streeter et Franklin (1992) utilisent l'expression *social embeddedness* (qu'on peut traduire par encastrement social) pour désigner les liens ou contacts d'une famille avec les autres personnes significatives de son environnement. Cette forme d'intégration sociale serait associée, toujours selon ces auteurs, au sentiment d'appartenance de la famille à sa communauté. En ce sens, les résultats obtenus après un an d'expérimentation de l'IDIS révèlent une augmentation significative de l'intégration sociale des familles dont le jeune adulte participe à l'IDIS. Il est évident qu'on ne peut prétendre que l'augmentation de la taille du réseau de soutien social des familles ayant participé à l'expérimentation fasse état d'une nécessaire augmentation du soutien disponible pour tous les besoins. Lors de l'évaluation de l'IDIS, les parents ont déclaré dans une proportion de 91,7 % que ce programme contribuait à réduire leur fardeau parental (Jourdan-Ionescu, Julien-Gauthier, Milot, Côté et Kendirgi, 1999). Les principaux éléments mentionnés pour soutenir cette affirmation concernaient l'augmentation du soutien émotif personnel accessible au jeune adulte, l'occasion qui lui était offerte d'expérimenter des activités nouvelles, parfois difficilement réalisables avec ses parents et la possibilité pour les parents de réaliser des activités en couple lorsque leur enfant participait à l'IDIS. Concernant ce dernier élément, certains parents nous ont dit qu'ils avaient pu se rapprocher d'anciens amis de qui ils avaient pris une distance, faute de temps et d'occasions ; d'autres nous ont parlé d'activités qu'ils avaient réalisées avec des collègues de travail ou avec des voisins, ce qui vient accroître leur participation active à la vie communautaire. Finalement, les résultats obtenus après la première année d'implantation du programme laissent présager une amélioration potentielle du soutien social auquel elles peuvent avoir accès. De plus, l'ouverture sur la communauté offerte à ces familles par le biais de personnes non handicapées nous apparaît prometteuse en ce qui concerne les perspectives d'avenir des jeunes adultes qui résident dans leur famille naturelle au Centre-Mauricie. L'augmentation des ressources de soutien extrafamiliales pour les parents et la réalisation d'activités sociales par le jeune adulte dans son milieu contribuent au développement d'une vision positive de l'avenir.

BIBLIOGRAPHIE

Barnet, W.S. et G.C. Boyce (1995). Effects of Children with Down's Syndrome on Parent's Activities, *American Journal on Mental Retardation, 100*, p. 115-127.

Beauregard, L. et S. Dumont (1996). La mesure du soutien social, *Service Social, 45*, 3, p. 55-76.

Bolognini, M., B. Guidollet, B. Plancherel et W. Bettschart (1988). Mentally retarded adolescents : Evaluation of communication strategies in different settings, *International Journal of Rehabilitation Research, 11*, p. 369-378.

Bouchard, C. et M. Dumont (1996). *Où est Phil, comment se porte-t-il et pourquoi ? Une étude sur l'intégration sociale et sur le bien-être des personnes présentant une déficience intellectuelle*, Québec, Ministère de la Santé et des Services sociaux.

Bouchard, J.-M. (1994). Famille et démarginalisation, dans OPHQ (dir.), *Élargir ses horizons : Perspectives scientifiques sur l'intégration sociale*, Sainte-Foy, Éditions Multimondes.

Bouchard, J.-M. (1995). La famille au centre de la formation : ses attentes envers les gestionnaires, les intervenants professionnels et les enseignants, dans S. Ionescu, G. Magerotte, W. Pilon et R. Salbreux (dir.), *L'intégration des personnes présentant une déficience intellectuelle*, Trois-Rivières, Université du Québec à Trois-Rivières, p. 327-333.

Bouchard, J.-M., D. Pelchat, P. Boudreault et M. Lalonde-Graton (1994). *Déficiences, incapacités et handicaps : processus d'adaptation et qualité de vie de la famille*, Montréal, Guérin Universitaire.

Bozzini, L. et R. Tessier (1985). Support social et santé, dans J. Dufresne, F. Dumont et Y. Martin (dir.), *Traité d'anthropologie médicale. L'institution de la santé et de la maladie*, Sainte-Foy, Presses de l'Université du Québec, IQRC ; Lyon, Presses universitaires de Lyon.

Conseil de la famille (1995). *Les familles des personnes handicapées*. Québec, Bibliothèque nationale du Québec.

Déry, M., S. Ionescu et C. Jourdan-Ionescu (1993). Éthique de l'intervention, dans S. Ionescu (dir.), *La déficience intellectuelle. Approches et pratiques de l'intervention, dépistage précoce*, vol. 1, p. 222-240, Paris et Laval, Nathan Université et Éditions Agence d'Arc.

Desaulniers, R., C. Jourdan-Ionescu et E. Palacio-Quintin (1995). *Grille d'évaluation du réseau social*. Trois-Rivières, Université du Québec à Trois-Rivières.

Gallivan-Fenlon, A. (1994). « Their Senior Years » : Family and Service Provider Perspectives on the Transition from School to Adult Life for Young Adults with Disabilities, *Journal of the Association for Persons with Severe Handicaps, 19*, p. 11-23.

Grbich, C. et S. Sykes (1991). Parents Views and Tasks Taught in the Home Environment to Persons with Severe Intellectual Disabilities, *Australian Journal of Marriage and Family, 12*, p. 157-168.

Ionescu, S. (1987). *L'intervention en déficience mentale, vol. 1. Problèmes généraux, méthodes médicales et psychologiques*, Bruxelles, Pierre Mardaga.

Ionescu, S. (1992). L'intervention en déficience mentale : bilan mille neuf cent quatre-vingt-onze, dans J.-C. Grubar, S. Ionescu, G. Magerotte et R. Salbreux (dir.), *L'intervention en déficience mentale : théories et pratiques*. Lille, Presses universitaires de Lille.

Jourdan-Ionescu, C. (1996). *Questionnaire socio-démographique*, Trois-Rivières, Université du Québec à Trois-Rivières.

Jourdan-Ionescu, C., F. Julien-Gauthier, D. Côté et M.-C. Hardy (1998). Choix des objectifs d'accompagnement communautaire de jeunes adultes handicapés grâce à l'évaluation de leur qualité de vie, dans L.S. Éthier et J. Alary (dir.) *Comprendre la* famille, Actes du IVe Symposium québécois de recherche sur la famille, Trois-Rivières, Presses de l'Université du Québec, p. 250-265.

Jourdan-Ionescu, C., F. Julien-Gauthier, T. Milot, D. Côté et M. Kendirgi (1999). *Intervention dyadique pour l'intégration sociale*, Rapport présenté à l'Office des personnes handicapées du Québec, Trois-Rivières, Université du Québec à Trois-Rivières.

Jourdan-Ionescu, C., F. Julien-Gauthier et C. Tessier (mars 1997). Les besoins des jeunes adultes présentant des incapacités qui résident dans leur famille naturelle. Communication présentée au colloque de l'Association de Montréal pour la déficience intellectuelle, Montréal.

Julien-Gauthier, F. et C. Jourdan-Ionescu (1997). Les ressources des parents des jeunes adultes qui présentent une déficience intellectuelle, *Revue francophone de la déficience intellectuelle, 8*, numéro spécial, mai, p. 44-47.

Julien-Gauthier, F., C. Jourdan-Ionescu et C. Boucher (1996). *Consultation auprès de nos experts*, Liaison *(8)* 4, Centre de services en déficience intellectuelle, Mauricie / Centre-du-Québec, Trois-Rivières.

Karan, O.C., G. Lambour et S. Greenspan (1990). Persons in Transition, dans R.L. Schalock (dir.), *Quality of Life : Perspectives and Issues,* Washington, American Association on Mental Retardation.

Krauss, M.W., M.M. Seltzer et S.J. Goodman (1992). Social Support Networks of Adults with Mental Retardation who Live at Home, Special Issue, Social Skills, *American Journal on Mental Retardation, 96,* p. 432-441.

Lambert, J.-L. (1991). *L'organisation des familles d'adultes retardés mentaux : implications pour la recherche et l'éducation,* Communication présentée au IIIᵉ Congrès international de recherche en éducation familiale, Paris, mai.

MacCubbin, H.I. et J.M. Patterson (1982). Family adaptation to crisis, dans H.I. MacCubbin, A.E. Cauble et J.M. Patterson (dir.), *Family, stress, coping and social support,* Springfield, Thomas.

Marcenko, M.O. et J.C. Meyers (1991). Mothers of Children with Developmental Disabilities : Who Shares the Burden ? *Family Relations, 40,* p. 186-190.

Marsh, D.T. (1992). *Families and mental retardation : New directions in professional practice,* New York, Praeger Publishers.

Perreault, K. (1997). *Pour mieux comprendre la différence. Une étude sur les besoins des personnes ayant une déficience intellectuelle et sur ceux de leurs proches,* Gouvernement du Québec, Ministère de la Santé et des Services sociaux.

Streeter, C.L. et C. Franklin (1992). Defining and Measuring Social Support : Guidelines for Social Work Practitioners, *Research in Social Work Practice, 2*(1), p. 81-98.

Wikler, L.M. (1981). Chronic stresses in families of mentally retarded children, *Family Relations,* 30, p. 281-288.

QUATRIÈME PARTIE

Les représentations sociales des enfants, des parents et des intervenants

Les représentations sociales des familles à risque chez des intervenants sociaux

Un paradoxe révélateur*

Geneviève LESSARD
*Centre jeunesse de Québec – Institut universitaire et Centre
de recherche sur les services communautaires, Université Laval*

Daniel TURCOTTE
*École de service social
Université Laval*

Les services sociaux visent habituellement à améliorer la situation psychologique et sociale des individus ou des groupes. Si les stratégies d'intervention utilisées par les intervenants pour atteindre cet objectif s'avèrent fort diversifiées, la relation avec le client constitue un élément clé du processus d'intervention. En effet, plusieurs chercheurs affirment que la qualité de la relation d'aide est un excellent facteur de prédiction des résultats de l'intervention (Beutler, Crago et Arizmendi, 1986 ; Bohart et

---

*   Cette étude a été réalisée dans le cadre des activités du Centre de recherche sur les services communautaires, Université Laval. Les données analysées ont été recueillies grâce à une subvention du gouvernement du Canada accordée à l'évaluation du Programme d'action communautaire pour les enfants (PACE) au Québec.

Ce texte a acquis sa forme finale grâce à une contribution spéciale de Marie-Christine Saint-Jacques (chercheure postdoctorale au Centre jeunesse de Québec – Institut universitaire et Équipe Jeunes et familles en transition, Centre de recherche sur les services communautaires, Université Laval), qui a effectué une relecture et apporté des commentaires judicieux.

Tallman, 1999 ; Coady, 1993 ; Horvath et Luborsky, 1993 ; Kottler, Sexton et Whiston, 1994 ; Marziali et Alexander, 1991 ; Petr, 1988 ; Proctor, 1982 ; Rogers, 1985 ; Russell, 1990 ; Sachs, 1983 ; Saunders, 1999).

Ce texte présente les résultats d'une recherche portant sur l'un des facteurs qui influence la qualité de la relation d'aide, soit la façon dont l'intervenant se représente son client. Dans la première partie, il traite des principaux facteurs identifiés dans les écrits comme ayant une influence sur la qualité de la relation d'aide. Ensuite, il décrit brièvement la métho-dologie privilégiée dans l'étude. Puis, les résultats sont présentés en trois sections, selon qu'ils se rapportent aux représentations qu'ont les inter-venants de la situation des familles à risque, aux difficultés qu'ils rencon-trent dans leur relation avec ces familles ou à la position qu'ils adoptent face à ces clientèles. Finalement, les principaux résultats sont discutés dans la perspective d'identifier quelques orientations à privilégier dans l'inter-vention auprès des familles à risque, afin de favoriser l'établissement d'une véritable alliance intervenant-client.

DES FACTEURS À CONSIDÉRER POUR DÉTERMINER LA QUALITÉ DE LA RELATION D'AIDE

L'étude d'un phénomène comme la relation d'aide comporte des difficultés majeures, dans la mesure où celle-ci peut être influencée par de nombreux facteurs, dont plusieurs sont difficiles à mesurer en raison de leur carac-tère subjectif. C'est peut-être pour cette raison que plusieurs chercheurs ont préféré orienter leurs travaux vers l'étude de données plus objectives, notamment les caractéristiques du client et de l'intervenant. En ce qui concerne les caractéristiques du client, les résultats obtenus s'avèrent plutôt discordants. Alors que certains chercheurs soutiennent que les caractéris-tiques du client influencent la qualité de la relation d'aide (Horvath et Luborsky, 1993 ; Marziali et Alexander, 1991 ; Nelson et Stake, 1994), d'autres concluent à l'absence de lien entre ces deux données (Jones et Gelso, 1988). Cependant, il semble y avoir consensus chez la majorité des chercheurs en ce qui a trait à l'absence d'influence des caractéristiques ou de l'expérience de l'intervenant sur la relation d'aide et, par conséquent, sur les résultats de l'intervention (Beutler et al., 1986 ; Bohart et Tallman, 1999 ; Sachs, 1983). En fait, les caractéristiques de l'intervenant auraient moins d'impact que celles du client (Gelso et Hayes, 1998).

La nature de l'intervention a également été étudiée en tant que facteur d'influence sur la relation d'aide. Plus spécifiquement, c'est l'approche utilisée par l'intervenant et la durée du traitement qui ont retenu l'intérêt des chercheurs. Les résultats de leurs études indiquent l'absence d'influence de ces facteurs sur la qualité de la relation d'aide et, par conséquent, sur les résultats de l'intervention (Beutler *et al.*, 1986 ; Beutler, Clarkin, Crago et Bergen, 1991 ; Gelso et Hayes, 1998 ; Horvath et Luborsky, 1993 ; Kottler *et al.*, 1994 ; Lorion et Felner, 1986 ; Russell, 1990 ; Sachs, 1983). Cependant, les écrits font ressortir la portée limitée des données objectives sur la relation d'aide. Lorsque les caractéristiques personnelles du client et de l'intervenant sont analysées sous l'angle de leurs ressemblances et de leurs différences, les résultats sont nettement plus concluants. En effet, la compatibilité du client et de l'intervenant améliore considérablement la qualité de la relation qui s'établit entre eux (Beutler *et al.*, 1986 ; Beutler *et al.*, 1991 ; Horvath et Luborsky, 1993 ; Kantrowitz, 1995 ; McClure et Teyber, 1996 ; Nelson et Stake, 1994 ; Russell, 1990). La compatibilité ne signifie pas que l'intervenant et le client possèdent des caractéristiques similaires, mais plutôt qu'ils se complètent bien en ce qui a trait à leurs aptitudes, à leur personnalité ainsi qu'à leurs caractéristiques démographiques (Kantrowitz, 1995).

En outre, les chercheurs qui s'intéressent à l'étude de la relation d'aide soulignent la nécessité de tenir compte des facteurs subjectifs, comme les perceptions qu'ont l'intervenant et le client de cette relation ainsi que leurs perceptions par rapport à la réalité du client (Cooley et Lajoy, 1980 ; Horvath et Symonds, 1991 ; Marziali, 1984 ; Nelson et Stake, 1994). Lorsque ces perceptions concordent, la qualité et l'efficacité de l'intervention augmentent (Cooley et Lajoy, 1980 ; Nelson et Stake, 1994). Il importe également de souligner que certains auteurs ont constaté une association positive entre la compatibilité de l'intervenant et du client en ce qui a trait à leurs caractéristiques personnelles et à leurs perceptions respectives de la relation d'aide (Beutler *et al.*, 1991). En outre, la congruence entre la représentation que l'intervenant se fait de la situation du client et les valeurs et croyances de ce dernier améliore la relation d'aide et augmente la motivation du client ; cette congruence influence aussi, de façon favorable, les résultats de l'intervention (Beutler *et al.*, 1991 ; Beutler *et al.*, 1986 ; Claiborn, Ward et Strong, 1981 ; Duncan, 1992 ; Jones et Gelso, 1988 ; McClure et Teyber, 1996).

En contrepartie, lorsque l'intervenant associe la cause du problème à des facteurs sur lesquels le client n'exerce aucun contrôle, par exemple ses antécédents familiaux, la motivation de ce dernier diminue et, conséquemment, l'intervention donne de moins bons résultats (Strong *et al.*, 1979). Mais comme l'intervenant et le client s'appuient sur des cadres de référence différents pour comprendre et analyser les situations, leurs perceptions divergent parfois de façon considérable (Cooley et Lajoy, 1980 ; Latting et Zundel, 1986). La concordance entre le système de valeurs de l'intervenant et celui du client n'est cependant pas une condition essentielle à la qualité de la relation d'aide ; la capacité de l'intervenant d'accepter le système de valeurs de son client et de s'en servir comme outil d'intervention constitue en fait un important facteur de changement (Beutler *et al.*, 1991 ; Beutler *et al.*, 1986 ; Cooley et Lajoy, 1980 ; Duncan, 1992 ; Goldstein, 1986 ; Sachs, 1983)

Dans l'intervention auprès des populations à risque, la concordance entre la vision de l'intervenant et du client devient encore plus significative ; la capacité des intervenants de réduire la distance qui les sépare de ces clientèles, en se montrant respectueux et chaleureux, constitue la variable la plus déterminante de l'atteinte des objectifs (Rothery, 1990). L'intervention auprès de clientèles à risque amène toutefois des difficultés supplémentaires dans l'établissement de la relation d'aide, difficultés attribuables, entre autres, à la façon dont les intervenants perçoivent ces clientèles. En effet, il arrive que les intervenants aient des valeurs et des croyances qui nuisent à l'établissement d'une relation positive et égalitaire avec les populations à risque (Bilodeau, 1980 ; Bohart et Tallman, 1999 ; Franklin, 1986 ; Leclerc, 1997 ; Lorion et Felner, 1986 ; Marziali et Alexander, 1991 ; Rothery, 1990 ; Russell, 1990). Rothery (1990) définit les familles à risque par la présence de plusieurs problèmes à la fois intrafamiliaux, c'est-à-dire dans la famille (p. ex., le dysfonctionnement familial, l'alcoolisme ou la violence conjugale), et extrafamiliaux, c'est-à-dire entre la famille et l'environnement (p. ex., le manque de ressources financières, l'absence d'un réseau de soutien social, la présence de relations conflictuelles avec les organismes d'aide), ainsi que par la chronicité des problèmes. La multiplicité des difficultés auxquelles font face les familles à risque les place dans une position de vulnérabilité qui expliquerait, selon Rothery (1990), leur manque de coopération au processus d'intervention.

Par ailleurs, il existe des stratégies permettant d'établir une meilleure relation d'aide avec ces populations. Parmi ces stratégies, on retrouve notamment : la reconnaissance, l'acceptation et l'empathie face aux sentiments du client ; la consolidation des forces et des réseaux de soutien social ; l'exploration des motifs de résistance, autant ceux du client que ceux de l'intervenant ; la considération des conditions environnementales dans l'évaluation de la situation du client ; le respect du rythme du client ; la mise en place d'objectifs réalistes qui offrent des chances de succès ; l'encouragement de la collaboration et de la participation du client dans l'action (Behroozi, 1992 ; Bohart et Tallman, 1999 ; Breton, 1991 ; Gelso et Hayes, 1998 ; Gerris *et al.*, 1998 ; Horvath et Luborsky, 1993 ; Kottler *et al.*, 1994 ; Leon, 1999 ; McFadden et Downs, 1995 ; McWhirter, 1998 ; Webster-Stratton, 1998). Certains auteurs insistent également sur la nécessité pour les intervenants sociaux de croire au potentiel de changement des individus, malgré leurs carences, en vue de réduire leur méfiance face aux services sociaux (Bohart et Tallman, 1999 ; Renard,

1993). Enfin, étant donné la diversité des difficultés rencontrées chez les familles à risque, l'intervention devrait être « *une aide globale qui tient compte de l'ensemble des caractéristiques et facteurs de la personne et de sa situation* » (De Robertis, 1993, p. 230).

En somme, les écrits mettent en évidence le rôle essentiel que joue la relation intervenant-client dans le processus d'aide. En outre, il appert que l'intervention auprès des clientèles à risque comporte souvent des difficultés importantes dans l'établissement de la relation d'aide. Cette situation est particulièrement préoccupante dans le contexte actuel où les priorités gouvernementales en matière de services sociaux s'orientent de plus en plus vers les réponses à donner aux besoins de ces clientèles. De là l'importance d'explorer les perceptions que les intervenants ont de cette population. Comme le mentionnent Lorion et Felner (1986), les conceptions qu'ont les intervenants des clientèles vulnérables peuvent les empêcher de saisir les besoins réels de ces clientèles et d'y répondre adéquatement. Le but de cette étude est de décrire comment les intervenants qui travaillent dans des organismes offrant des services à des populations à risque se représentent leurs clientèles et de cerner leurs opinions sur la relation d'aide qu'ils établissent avec ces personnes.

MÉTHODOLOGIE

Compte tenu des objectifs visés, la présente recherche est de nature qualitative. Le corpus de données analysées est issu d'une étude évaluative de projets financés par le Programme d'action communautaire pour les enfants (PACE ; Turcotte *et al.*, 1997). Ce programme est une initiative du gouvernement fédéral visant à soutenir les organismes communautaires et les établissements de la santé et des services sociaux pour leur permettre de répondre aux besoins développementaux les plus urgents des enfants vulnérables. Les projets du PACE s'adressent à des familles à risque[1] et ont

---

1. Il existe plusieurs catégories de populations dites « à risque ». Cependant, les familles dont il est question dans cette étude possèdent certaines caractéristiques qui justifient leur participation aux projets PACE. Ces caractéristiques peuvent être : la pauvreté, l'isolement social, le jeune âge des mères, la faible scolarisation des parents, la monoparentalité, la présence de conditions stressantes (chômage, violence conjugale, problèmes de santé mentale, etc.) ou les problèmes de consommation de drogues et d'alcool. De plus, certaines conditions inhérentes à l'enfant et qui augmentent son degré de vulnérabilité sont également prises en considération par le programme PACE. Ces conditions peuvent être par exemple : les nouveau-nés prématurés ou de petit poids, les enfants qui présentent une déficience intellectuelle ou physique, ceux qui ont un tempérament difficile, qui sont isolés ou en retrait. Évidemment, les projets PACE s'adressent d'abord aux familles qui cumulent plusieurs facteurs de risque (Gouvernement du Canada, 1994).

comme objectif principal de favoriser le développement des enfants qui proviennent de ces familles, en augmentant les compétences parentales ou en intervenant directement auprès des enfants. Dans le cadre de l'étude réalisée par Turcotte et ses collaborateurs (1997), des entrevues semi-dirigées ont été réalisées auprès d'intervenants sociaux dont l'action s'insère dans des projets du PACE. Lors de ces rencontres, les intervenants étaient entre autres invités à décrire les familles qui participent à leur projet.

La présente recherche porte sur les propos de 51 intervenants, qui sont majoritairement des femmes. Certaines ont une formation collégiale ou universitaire, soit en éducation spécialisée, en éducation de service de garde, en psychoéducation, en psychologie, en travail social ou en enseignement préscolaire et primaire. Elles ont généralement moins de cinq ans d'expérience. D'autres ne possèdent pas de formation académique mais ont été sélectionnées par les responsables de projets pour leur connaissance de la clientèle, de l'organisme ou pour leurs habiletés particulières dans l'intervention auprès des enfants et des familles à risque.

Afin d'étudier les informations portant sur les clientèles des projets du PACE, le traitement du matériel a été effectué à l'aide du logiciel QSR NUDIST et la méthode d'analyse de contenu (L'Écuyer, 1987) a été privilégiée. Cette démarche a conduit à dégager les thèmes centraux autour desquels s'organisent les représentations sociales de la clientèle à risque et les opinions des intervenants sur leur relation avec cette clientèle, à un moment précis et dans un contexte donné.

LA SITUATION DES FAMILLES À RISQUE TELLE QUE DÉCRITE PAR LES INTERVENANTS

L'analyse a consisté, dans un premier temps, à identifier les caractéristiques attribuées par les intervenants aux familles participantes à leur projet. Ces caractéristiques traduisent en réalité les représentations sociales que les intervenants sociaux ont des clientèles à risque. Les résultats de cette première opération mettent en évidence à la fois la multiplicité et la diversité des aspects soulevés par les intervenants pour décrire ces clientèles. Pour structurer cette information, le modèle écologique (Bouchard, 1987 ; Bronfenbrenner, 1986) a été retenu comme cadre d'analyse. Ce modèle comporte plusieurs niveaux d'analyse, permettant ainsi de tenir compte de la complexité des situations. Il met l'accent sur l'interaction entre l'individu et son environnement ainsi que sur l'influence qu'ils exercent l'un sur l'autre. L'environnement se divise en six niveaux de système : l'onto-, le micro-, le méso-, l'exo-, le macro-[2] et le chronosystème.

L'ontosystème englobe tout ce qui se rapporte à l'individu. Sur ce plan, les capacités parentales sont perçues par les intervenants comme étant très limitées, et ce, pour différentes raisons : le jeune âge de la majorité des parents qui composent la clientèle des projets du PACE, leur manque d'expérience et leurs connaissances limitées des principes éducatifs ; le faible degré de scolarisation de plusieurs parents ; l'histoire de vie marquée par l'absence d'un modèle parental positif, par des carences affectives ou par des abus. En outre, les intervenants soulèvent des éléments du vécu des parents, comme leurs sentiments d'incompétence parentale et leur manque de confiance en leurs capacités, qui contribuent à alourdir leur situation. De plus, les contextes difficiles dans lesquels ils se trouvent entraînent chez certains des problèmes d'alcoolisme ou de toxicomanie, des habiletés sociales limitées ainsi que des problèmes de dépendance affective qui perturbent leur relation avec l'enfant. Le tableau 1 illustre les caractéristiques et le vécu des parents, tels que se les représentent les intervenants.

Au niveau du microsystème, lequel correspond dans le cas présent aux rôles parentaux ainsi qu'aux interactions familiales, les intervenants insistent sur les difficultés du parent à éduquer son enfant et à établir des règles adéquates de fonctionnement dans la famille, à cause de la lourdeur du rôle parental, souvent assumé par des femmes monoparentales qui ont plusieurs enfants sous leur responsabilité. Lorsque les parents vivent en couple, le plus souvent, l'homme n'offre pas un soutien adéquat. En outre, les difficultés dans la relation de couple et la violence conjugale affectent également la qualité de la relation parent-enfant et contribuent à augmenter le stress familial.

> Les femmes chefs de familles monoparentales présentant des difficultés à assumer seule l'encadrement et l'éducation d'enfants qui démontrent des signes évidents de perturbation comme le refus de l'autorité, l'hyperactivité, etc. (n° 38[3])

> Ce sont toutes des familles de quatre, cinq ou six [...] le conjoint n'est pas souvent dans le décor et quand il est dans le décor il nuit plus que d'autre chose (n° 12)

> Souvent, ces mères ont trop surprotégé leurs enfants, elles ont pardonné à leurs enfants parce qu'elles avaient un homme violent et ont donc de la difficulté à se faire respecter de leurs enfants. [...] Ils ont vu pendant des années le père manquer de respect et être violent envers leur mère. Il y a une atmosphère de violence réelle dans la maison. (n° 23)

---

2. Le macrosystème réfère aux valeurs et aux idéologies sociales. Le discours des intervenants sur la situation des familles à risque ne soulève toutefois aucune information faisant partie de ce niveau de système.

3. Afin de préserver la confidentialité, un numéro a été attribué au hasard à chaque répondant.

TABLEAU 1

Éléments d'ordre ontosystémique qui limitent les compétences parentales

Caractéristiques des parents	
Jeune âge	*J'ai beaucoup de jeunes filles dans mon « case load » de moins de 18 ans. [...] Les problèmes commencent quand le bébé a autour de deux ans, qu'il est exigeant, qu'il dit non, qu'il n'aime pas ce qu'elle lui a fait à manger, là, ça ne marche plus parce que c'est là que ça demande de la maturité. (n° 37)*
Expérience et connaissances limitées	*Ils ne savent pas comment prendre les enfants, comment les faire grandir, ils ne savent comment répondre aux besoins de leur enfant. (n° 2)*
Faible scolarisation	*La majorité ont moins d'une 5ᵉ secondaire. (n° 49)*
Histoire de vie – Absence de modèle positif	*Les mères négligentes sont souvent des mères qui ont été élevées par des mères négligentes. [...] Elle ne donne pas les soins de base à son enfant parce qu'elle ne les voit pas et que les siens n'ont jamais été comblés. (n° 37)*
– Carences affectives	*Je me mets à la place d'une petite fille qui n'a personne qui l'aime, elle se dit en quelque part, mon enfant va m'aimer, c'est inconditionnel [...] elles ne veulent pas lâcher leur petit bébé, il ne faut pas que personne le garde, c'est à moi ce bébé-là, peu importe ce que je vais faire, lui, il va m'aimer. (n° 12)*
– Abus	*Une bonne partie de ces femmes ont aussi vécu des abus sexuels. (n° 37)*
Vécu des parents	
Sentiments d'incompétence	*Ils se culpabilisent beaucoup. Ils ont l'impression que les problèmes de leurs enfants sont leurs problèmes, parce qu'ils ne sont pas de bons parents. (n° 49)*
Manque de confiance en soi	*Ce sont des personnes qui n'ont pas beaucoup confiance en elles, elles ont peu d'estime d'elles-mêmes. (n° 28)*
Dépression	*J'ai beaucoup de dossier où les mères sont dépressives. (n° 37)*
Toxicomanie, alcoolisme	*Le problème de dépendance aux psychotropes et aux médicaments est aussi très important. (n° 37)*
Difficultés dans les relations interpersonnelles	*[...] des parents qui ont peu d'habiletés sociales, [...] de la difficulté à communiquer. (n° 14)*
	Les jeunes mères vivent aussi beaucoup de problèmes de dépendance affective. [...] Beaucoup de mères séparées éprouvent des difficultés à couper les liens définitivement avec l'ex-chum. (n° 37)

Au-delà des interactions inhérentes à la famille, d'autres interactions existent habituellement entre la famille et les microsystèmes environnants (les amis, le milieu de travail des parents, les activités du PACE, etc). Ces interactions correspondent au mésosystème, qui se définit en fait par la quantité et la qualité des relations entre les microsystèmes. Selon les intervenants, dans le cas des familles à risque, ces relations sont conflictuelles, peu fréquentes ou totalement inexistantes, ce qui provoque une situation d'isolement social.

> Elles vivent aussi de l'isolement. Lorsqu'on leur demande si elles ont des amis : elles cherchent ; de la famille : elles cherchent. Leur réseau est donc très pauvre. (n° 37)

L'exosystème se rapporte à l'ensemble des institutions sociales dont les décisions ont un impact sur le fonctionnement des individus dans leurs microsystèmes. Les politiques sociales actuelles et leur effet sur la pauvreté constituent une préoccupation majeure pour les intervenants qui travaillent auprès des familles à risque, dans le cadre des projets du PACE. Selon ces intervenants, les personnes qu'ils rejoignent, c'est-à-dire principalement des femmes chefs de familles monoparentales et leurs enfants, vivent généralement une grande précarité financière. L'insuffisance des ressources a des répercussions dans plusieurs domaines, notamment en ce qui a trait aux besoins de base à combler (nourriture, logement, hygiène), aux ressources diponibles pour l'éducation des enfants et à l'accès aux services de transport et de garderie. Certains intervenants situent d'ailleurs la pauvreté à la source de plusieurs des problèmes rencontrés chez les familles à risque.

> [...] 66 % des enfants de zéro à six ans ici sont au seuil de la pauvreté. [...] Ce sont presque toutes des femmes qui sont sur le bien-être social, en assurance-chômage. Travailler au salaire minimum aujourd'hui, tu es au seuil de la pauvreté. (n° 10)

> Ce sont des gens qui ont à se préoccuper beaucoup des besoins physiques : avoir un toit, pouvoir se nourrir. Ils vivent beaucoup de stress. (n° 31)

> Quand il y a des problèmes financiers dans la famille, c'est automatique, il y a des problèmes dans tout. Ça engendre des problèmes au niveau du couple et des problèmes au niveau de la relation avec les enfants. Les soins de base ne sont pas donnés adéquatement. (n° 11)

Enfin, le chronosystème permet de prendre en considération le caractère évolutif et changeant des situations. À cet égard, les intervenants rapportent les transformations fréquentes de la structure familiale et la mobilité géographique, deux éléments qui contribuent au contexte d'instabilité dans lequel se trouvent les familles à risque.

> À la garderie, on le voit, la maman a un chum, l'enfant est tout déboussolé. Il faut recommencer à zéro. Bon, ça va bien. Elle laisse son chum et on recommence. [...] Ce sont des enfants qui vivent beaucoup de choses. (n° 16)

Bref, les intervenants présentent les familles à risque comme un groupe hétérogène, caractérisé par la diversité et la pluralité des problématiques rencontrées. Ils situent néanmoins les difficultés d'encadrement et l'inadéquacité des soins donnés aux enfants au cœur de cette problématique. Trois facteurs principaux semblent contribuer aux difficultés dans la relation parent-enfant : 1) les connaissances limitées des parents et leur manque de maturité, 2) la présence de stress importants liés, d'une part, à la pauvreté et, d'autre part, à la violence ou aux conflits conjugaux et 3) l'absence de soutien, l'isolement social et l'instabilité des familles. Les représentations qu'ont les intervenants des familles à risque font en outre ressortir la souffrance provoquée par l'ampleur des difficultés éprouvées par ces familles.

> C'est de la clientèle qui souffre, [...] c'est une souffrance silencieuse. (n° 45)

> Pour qu'elles communiquent autant qu'elles le font à la deuxième ou à la troisième rencontre, c'est qu'elles ont un trop-plein et qu'elles ne sont plus capables. Que ce soit pour l'isolement ou la violence psychologique. (n° 40)

En somme, l'analyse du discours des intervenants sur les familles à risque révèle que les problèmes auxquels elles font face proviennent surtout du contexte difficile dans lequel elles se trouvent.

LES DIFFICULTÉS RENCONTRÉES PAR LES INTERVENANTS DANS LEURS RELATIONS AVEC LES FAMILLES À RISQUE

L'analyse du discours des intervenants sur leurs relations avec les familles à risque fait ressortir que les caractéristiques et les comportements de ces clientèles exercent un effet négatif sur trois aspects de l'intervention : le recrutement, l'établissement de la relation d'aide et l'efficacité de l'intervention. Premièrement, différentes raisons sont invoquées pour expliquer la difficulté qu'éprouvent les intervenants à rejoindre cette clientèle. Parmi ces raisons, on retrouve, d'une part, le fait que certaines familles, inconscientes de leurs problèmes, refusent l'aide qui leur est offerte et, d'autre part, leur méfiance par rapport aux services sociaux. Cette méfiance traduit leur inquiétude quant à la nature de l'intervention et au rôle de l'intervenant. En fait, ils ont peur que les intervenants s'immiscent dans leur intimité pour les juger et pour modifier leurs méthodes éducatives ; ils craignent d'être jugés négativement.

> Ce sont des gens très difficiles à aborder. Ils ne demandent pas de services. Il faut beaucoup de stimulation pour leur dire : vous avez besoin d'aide, vous avez un problème. (n° 36)

> Ce que je trouve difficile, c'est de faire tomber la méfiance des familles. [...] Cette situation est particulièrement vraie pour les familles référées par la DPJ. (n° 48)

> Ils n'aiment pas beaucoup que les gens se mêlent de leurs affaires. Ils ont l'impression qu'on va leur nuire, leur montrer à être parent, [...] Il faut apprivoiser. (n° 13)

> Moi, je pense que c'est un peu ça, ce qui les rendait méfiants ; c'est de se faire juger ; qu'est-ce qu'ils vont dire de nous autres ? (n° 15)

La méfiance des familles à risque par rapport aux organismes dispensateurs de services se répercute sur la difficulté qu'éprouvent les intervenants à établir une relation de confiance avec elles, bien que, pour certains intervenants, cette méfiance ne constitue pas un obstacle infranchissable. Ces intervenants soulèvent la normalité de cette attitude chez leurs clients, étant donné la lourdeur de leur situation et les efforts qu'exige leur participation aux activités offertes dans le cadre des projets du PACE.

> Il y a tellement de méfiance, c'est une catégorie de personnes qui ont tellement à rendre des comptes à tous et chacun qu'ils sont toujours un peu comme aux aguets quand on leur propose quelque chose : bon, encore quelque chose qui va m'obliger à rendre compte de ma vie comme mère. (n° 44)

Si les intervenants se montrent compréhensifs relativement à la méfiance à laquelle ils se butent dans leurs tentatives de rejoindre les clientèles à risque, ils maintiennent toutefois qu'il est très difficile d'intervenir auprès de cette catégorie de population, entre autres, à cause de la lourdeur des problématiques, de la lenteur des progrès et du manque de collaboration.

> Beaucoup aussi de familles « *borderline* », plus ça va, plus les familles sont lourdes, très lourdes. [...] Les gens ont beaucoup de besoins. (n° 11)

> En raison de la violence à la maison, cela n'arrête pas du jour au lendemain parce qu'ils sont sur le programme. [...] C'est un éternel recommencement. (n° 16)

> Je travaille la majorité du temps avec la DPJ et ce sont souvent des ordonnances. Les mères, à ce moment-là, ne sont pas contentes de nous voir et elles ne vont pas collaborer à l'intervention. [...] Elles acceptent les mesures souvent pour éviter d'aller en cour. Elles sont souvent très nerveuses, elles craignent que notre intervention ait pour but de leur enlever leur enfant. (n° 37)

LA POSITION DES INTERVENANTS FACE AUX FAMILLES À RISQUE

L'une des croyances des répondants à l'égard des familles à risque concerne la difficulté d'intervenir auprès de ces clientèles. L'étiquette de « clientèles difficiles » accolée à cette catégorie de population contribue à créer chez plusieurs intervenants des appréhensions avant même leur premier contact avec ces clientèles, comme le mentionne cette intervenante : « On savait que ce serait une clientèle difficile à aider. [...] Je n'avais pas une expertise en négligence, mais je savais que ce n'était pas une clientèle facile » (n° 36). Pour surmonter cette difficulté, les intervenants accordent beaucoup d'importance à l'établissement d'une bonne relation de confiance avec leurs clients, une relation basée sur un rapport égalitaire. Ils croient, en fait, qu'il s'agit d'une stratégie d'intervention efficace pour faire tomber plusieurs barrières.

> Il ne faut pas être supérieur au parent, égal à égal avec le parent. Des fois, ce n'est pas toujours évident parce qu'il y a des choses que le parent pense et tu ne penses pas comme lui, il faut que tu apprennes à vivre avec ; tu ne pourras le changer du jour au lendemain non plus. En y allant doucement, en se sentant partenaire avec lui, on devient un ami, un confident. Je trouve ça très très important avec le parent parce que si on n'a pas une bonne relation de confiance, ça ne pourra pas marcher. (n° 15)

Un autre aspect de leur stratégie d'intervention s'appuie sur la croyance en l'importance de développer l'autonomie des clientèles, celles-ci étant considérées par les intervenants comme responsables de la résolution de leurs problèmes.

> [Nous amenons le parent] à s'organiser, à améliorer ses conditions de vie, à améliorer ses compétences ; c'est ça notre objectif. C'est ça un peu le principe : de développer un réseau, des capacités de fonctionner sans l'organisme à côté. (n° 39)

Malgré ces croyances axées sur la mobilisation des clientèles, certains intervenants ne sont pas certains que la situation des familles à risque s'améliorera éventuellement. Si certains demeurent sceptiques, d'autres, par contre, ont une attitude plus optimiste, en soulignant que l'intervention peut s'avérer une réussite à condition qu'ils adoptent eux-mêmes des attitudes favorables au changement. Ces attitudes sont : le non-jugement, le respect du rythme des parents, l'écoute active, la simplicité et l'authenticité.

> Avec les familles négligentes, tu pourrais intervenir cinq ans et tu interviendrais encore. [...] Aussitôt que tu relâches ta surveillance, ils vont relâcher aussi leurs méthodes éducatives. [...] C'est une clientèle qui peut avancer très tranquillement. [...] Le tableau est donc assez sombre et l'espoir pour ces femmes de s'en sortir est très mince. (n° 37)

> Ne les juge surtout pas en rentrant, parce que c'est l'attitude du départ qui fait que ça réussit ou que ça ne réussit pas. [...] C'est vraiment d'être simple, d'être à l'écoute des autres, d'y aller selon leur rythme à eux. (n° 11)

Si les répondants comprennent le contexte difficile dans lequel se retrouvent les familles à risque, s'ils ressentent la souffrance chez les parents et les enfants, s'ils se montrent sensibles aux besoins de chacun d'eux, ils éprouvent cependant des difficultés importantes dans leur rôle d'intervenant. En effet, les intervenants sont partagés entre les nombreux besoins des clientèles à risque et leurs propres déceptions en tant qu'intervenants. Ils ont sans doute l'impression de donner beaucoup, mais de retirer peu de bénéfices en ce qui a trait aux résultats. De là, des sentiments d'incompétence et de frustration. En fait, ils attribuent au client le contrôle sur l'amélioration de sa situation.

> Il y en a d'autres qui ne veulent pas te voir, que tu dois toujours harceler pour avoir un rendez-vous. (n° 37)

> Ils ont quatre TV dans la maison, mais les enfants n'ont pas de bottes d'hiver, c'est quelque chose qui nous agresse beaucoup. Puis moi, il faut que je les responsabilise : ils sont durs à aller chercher. [...] Je suis certaine que si on leur dit : « si vous venez à la rencontre de parents, vous allez avoir deux jours de frais de garde gratuits », ils vont tous être là. Tout est relié à ça : tu m'en donnes, je t'en donne, mais je ne fais rien pour rien. [...] Ils nous laissent les enfants le plus possible. Ça nous frustre un petit peu en dedans, mais on se dit l'enfant en a besoin. [...] C'est une clientèle qui a besoin de nous autres mais qui n'est pas très reconnaissante. (n° 16)

Ces données traduisent donc un paradoxe chez les intervenants qui travaillent auprès de clientèles à risque. Lorsqu'ils décrivent ces familles, c'est-à-dire leurs caractéristiques et leurs problèmes, ils maintiennent qu'il s'agit d'une population n'ayant pas de contrôle sur plusieurs des facteurs qui concourent à leurs difficultés à assumer adéquatement l'éducation de leurs enfants. Pour les intervenants, les familles à risque évoluent dans un contexte qui leur apporte toutes sortes de stress, auxquels il leur est difficile d'échapper. La souffrance provoquée par cette situation difficile contribue à aggraver les limites. Quelle que soit la nature des problèmes auxquels font face les familles à risque, les intervenants se représentent ces dernières comme étant victimes des conditions environnementales et, par conséquent, non totalement responsables de la situation dans laquelle elles se trouvent.

Cependant, si les intervenants n'attribuent pas aux familles à risque la responsabilité de leurs problèmes, ils considèrent par ailleurs qu'elles seraient capables d'effectuer ce qui est nécessaire pour améliorer leur situation : c'est-à-dire accepter de s'associer aux services qui leur sont proposés, se montrer moins méfiantes face aux services offerts et collaborer davantage au processus d'intervention. La figure 1, inspirée du schéma de Sue (1978), illustre ces deux dimensions du paradoxe. La première fait référence à la responsabilité des familles face à leur situation ; la seconde, au contrôle qu'elles peuvent exercer pour s'en sortir.

FIGURE 1

Site de contrôle et site de responsabilité des individus face à leur situation

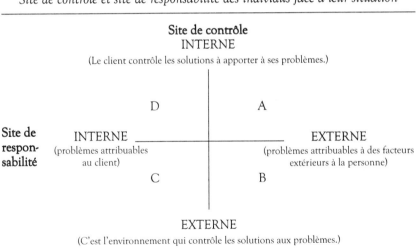

Chacun des axes de ce schéma représente un aspect du système de croyances d'un individu : le site de responsabilité témoigne des croyances reliées aux causes des situations et le site de contrôle fait référence aux croyances concernant les solutions qui peuvent être mises en place

(Anderson, 1997). Les intervenants attribuent une responsabilité externe à la situation des familles à risque, puisqu'ils expliquent les problèmes qu'elles rencontrent par le contexte difficile dans lequel elles se trouvent. Toutefois, dans leurs relations avec ces familles, ils croient qu'elles peuvent faire des choix et poser des actions pour modifier leur situation et que, par conséquent, elles ont un certain pouvoir sur la réussite de l'intervention. La position des intervenants rencontrés dans cette étude se situe donc dans le cadran A du schéma. Cette donnée est particulièrement préoccupante lorsque mise en relation avec les résultats de Latting et Zundel (1986) qui indiquent que les clientèles à faible revenu se perçoivent elles-mêmes comme étant à la fois responsables de leur situation et impuissantes à résoudre leurs problèmes. Une telle vision correspond à celle représentée dans le cadran C du schéma. Les intervenants et les clientèles auraient donc des croyances diamétralement opposées quant à la responsabilité des populations à risque de la situation dans laquelle elles se trouvent et quant à leurs capacités de contrôler ces situations.

DISCUSSION

D'un point de vue théorique, les résultats de la présente étude corroborent l'idée soulevée par d'autres auteurs (Lorion et Felner, 1986 ; Rothery, 1990 ; Russell, 1990) selon laquelle les familles à problèmes multiples sont confrontées à plusieurs sources de stress et disposent de peu de ressources. De plus, ils traduisent l'importance que les intervenants accordent aux facteurs contextuels et environnementaux pour expliquer les problèmes sociaux. Le fait que ces résultats ne soulèvent que des facteurs de risque, sans aborder les facteurs de protection, est dû à la nature des données analysées. En effet, le plan d'entrevue n'était pas construit de manière à aller chercher, de façon systématique, les forces de ces familles, mais il visait plutôt à identifier les raisons de leur participation aux projets du PACE. Autrement dit, les données ont été recueillies avec la préoccupation d'identifier les problèmes et les besoins particuliers des familles à risque ciblées par les projets du PACE. Cependant, nous croyons, tout comme Breton (1997), à l'importance de « reconnaître les forces des individus [et] des familles » (p. 14). Ainsi, les chercheurs qui s'intéressent aux représentations sociales des clientèles à risque chez des intervenants sociaux auraient intérêt non seulement à considérer autant les facteurs de protection que les facteurs de risque, mais également à porter une attention particulière à la nature des données recueillies. Bien que les intervenants aient énuméré une quantité importante de problèmes chez les familles à risque, ils ont également souligné le fait que ces familles n'affrontent pas les mêmes difficultés. Dans le même ordre d'idées, certains auteurs font remarquer le caractère erroné d'une conception selon laquelle les clientèles à risque formeraient un groupe homogène (Lorion et Felner, 1986 ; Wilson et St-Pierre, 1990 ; Russell, 1990).

Les résultats de cette recherche mettent en évidence le discours paradoxal tenu par les intervenants : d'une part, ils attribuent aux familles à risque une faible responsabilité quant à l'origine de leurs problèmes et, d'autre part, ils considèrent qu'elles possèdent suffisamment de capacités pour y apporter des solutions. Bien que la logique sous-jacente à cette position soit difficile à saisir, elle indique que le degré de contrôle attribué à un individu devant une situation quelconque se situe sur une toute autre dimension que celle de la responsabilité qui lui est conférée. Ce type de paradoxe émerge également de l'étude menée par Latting et Zundel (1986), qui conclut que les clientèles en service social évaluent très faiblement leurs capacités de résoudre leurs problèmes tout en s'attribuant une responsabilité importante quant à l'origine de ces problèmes. La combinaison des résultats de la présente étude avec ceux de Latting et Zundel (1986) soulève l'hypothèse suivante : les difficultés à établir une bonne relation avec les clientèles à risque et la lenteur des progrès pourraient être liées au fait que les intervenants et les clients possèdent des croyances différentes par rapport à la situation de ces derniers. En effet, la congruence entre la représentation que l'intervenant se fait de la situation du client et les croyances de celui-ci est reconnue comme un élément qui favorise l'établissement de la relation d'aide, augmente la motivation du client et influence favorablement les résultats de l'intervention (Beutler *et al.*, 1991 ; Beutler *et al.*, 1986 ; Claiborn *et al.*, 1981 ; Duncan, 1992 ; Jones et Gelso, 1988 ; McClure et Teyber, 1996). Ainsi, lorsque l'intervenant et le client fonctionnent avec des cadres de référence différents, il est plus difficile d'établir une relation d'aide, faisant ainsi obstacle à l'amélioration de la situation du client.

S'il est reconnu que la concordance des perceptions de l'intervenant et du client contribue à augmenter la qualité et l'efficacité de l'intervention (Cooley et Lajoy, 1980 ; Nelson et Stake, 1994), les intervenants et les clients ne possèdent pas toujours des croyances similaires par rapport à la situation de ces derniers (Latting et Zundel, 1986). C'est pourquoi plusieurs auteurs insistent sur l'importance, pour les intervenants, de développer une relation d'aide caractérisée par la chaleur humaine, l'authenticité, l'acceptation inconditionnelle, l'empathie, la préoccupation du bien-être personnel et social du client et la capacité de placer le client dans le rôle d'expert par rapport à ce qui est bien pour lui, en lui laissant une place importante dans le processus d'intervention (Bohart et Tallman, 1999 ; Forget, 1990 ; Kilborn, 1993 ; Kottler *et al.*, 1994 ; McClure et

Teyber, 1996 ; Rogers, 1985 ; Russell, 1990). En ce sens, le fait que les intervenants rencontrés dans cette étude considèrent que les familles à risque possèdent un certain contrôle sur les résultats de l'intervention indique la présence d'une pratique axée sur l'*empowerment*. En effet, reconnaître le pouvoir d'un individu de changer sa situation constitue l'essence même d'une intervention visant l'*empowerment* (Anderson, 1997 ; Cohen, 1998 ; Dickerson, 1998).

Dans les écrits sur les facteurs qui influencent la qualité de la relation d'aide, il ressort que cette dernière de même que l'efficacité de l'intervention reposent en partie sur la capacité de l'intervenant d'accepter le système de valeurs de son client et de s'en servir comme outil d'intervention (Beutler *et al.*, 1991 ; Beutler *et al.*, 1986 ; Cooley et Lajoy, 1980 ; Duncan, 1992 ; Goldstein, 1986 ; Sachs, 1983). Cependant, dans l'intervention auprès des populations à risque, cette tâche peut s'avérer plus lourde pour les intervenants, parce que leurs propres croyances quant à la situation de leurs clients et à leurs possibilités de changement divergent trop des croyances des clients eux-mêmes, ce qui nuit à la fois à l'établissement d'une relation d'aide positive et égalitaire et aux résultats de l'intervention (Bilodeau, 1980 ; Bohart et Tallman, 1999 ; Franklin, 1986 ; Leclerc, 1997 ; Lorion et Felner, 1986 ; Marziali et Alexander, 1991 ; Rothery, 1990 ; Russell, 1990).

Puisque les intervenants croient aux capacités des clients de produire un changement, ils sont d'autant plus déçus des faibles résultats de leurs interventions. C'est pourquoi, comme d'autres l'ont aussi fait ressortir, ils peuvent être tentés de blâmer leurs clientèles en les définissant par exemple comme non motivées, difficiles à rejoindre, non collaboratrices lors de l'intervention, etc. (Breton, 1997 ; Rothery, 1990). De même, cette étude appuie l'idée récemment soulevée par Breton (1997) selon laquelle la tendance des intervenants à blâmer leurs clients proviendrait surtout du sentiment d'impuissance des premiers d'améliorer la situation des seconds. En effet, c'est peut-être la crainte d'être tenu responsable de l'absence de changement qui incite les intervenants à attribuer au client un degré de contrôle important dans l'amélioration de sa situation et, ainsi, se décharger d'un poids qui leur semble trop lourd à porter.

Outre les sentiments d'impuissance, les résultats de cette étude font ressortir d'autres difficultés éprouvées par les intervenants qui travaillent avec des clientèles à risque, notamment les difficultés liées à la méfiance des clientèles ainsi que les sentiments d'incompétence et de frustration face à la lenteur des progrès. Rothery (1990) apporte une explication à la présence de tels sentiments chez les intervenants. Selon lui, il est moins valorisant pour les intervenants de travailler avec des clientèles défavorisées financièrement, parce qu'il faut alors s'attaquer au changement des comportements et des circonstances, ce qui est plus difficile que de modifier tout simplement les règles de fonctionnement familial.

À la lumière des résultats présentés ci-dessus, nous proposons quelques pistes d'intervention susceptibles d'améliorer la relation établie entre les intervenants et les familles à risque. À l'instar de Bilodeau (1980) et de Rothery (1990), nous croyons qu'au lieu d'insister seulement sur les caractéristiques personnelles des individus pour comprendre les problèmes de compétences parentales et les retards de développement des enfants, il faut plutôt voir ces difficultés comme l'aboutissement d'une situation marquée par la présence de nombreux stress « socio-économico-politiques » qui désorganisent la famille et l'empêchent de répondre aux besoins de base de ses membres. Cela ne signifie pas pour autant qu'il faille nier l'influence des caractéristiques personnelles, puisque c'est la combinaison des facteurs individuels et environnementaux qui provoque l'apparition des problèmes sociaux (Lorion et Felner, 1986). Cela implique d'adapter les stratégies d'intervention à la complexité des problématiques rencontrées par ces familles (Breton, 1991, 1997 ; Rothery, 1990).

> Si nous acceptons que les problèmes auxquels ces populations font face sont complexes et le résultat de causes multiples, il nous faut conclure que les réponses à ces situations doivent aussi être complexes et s'adresser à ces multiples causes. (Breton, 1991, p. 204)

Le fait de tenir compte autant des facteurs environnementaux que des facteurs individuels permet d'avoir une vision plus globale de la situation des familles à risque et de travailler davantage sur les aspects qui peuvent être changés. Dès lors, l'intervenant peut se montrer plus optimiste quant aux possibilités d'amélioration de la situation du client. D'ailleurs, lorsque les intervenants possèdent des attentes à la fois élevées et flexibles face aux changements à apporter dans la situation de leurs clients, lorsqu'ils croient à leur potentiel de changement et qu'ils mettent l'accent sur les aspects concrètement modifiables, la motivation des clients s'accroît, leur méfiance diminue et l'intervention donne de meilleurs résultats (Behroozi, 1992 ; Beutler *et al.*, 1986 ; Breton, 1991 ; Lorion et Felner, 1986 ; Renard, 1993 ; Russell, 1990 ; Strong *et al.*, 1979).

En conclusion, l'une des questions soulevées par cette étude est la suivante : Jusqu'à quel point la façon dont les intervenants se représentent les clientèles à risque influence-t-elle leurs attitudes et leur manière d'entrer en relation avec ces clientèles ? Puisqu'il est reconnu que la qualité de la relation d'aide constitue un très bon facteur de prédiction des résultats de l'intervention, il est primordial que chercheurs et intervenants s'appliquent à augmenter les connaissances dans ce domaine d'étude, afin d'améliorer la qualité des services offerts aux populations les plus vulnérables.

BIBLIOGRAPHIE

Anderson, J. (1997). *Social work with groups : A process model*, New York, Longman.

Behroozi, C.S. (1992). Groupwork with involuntary clients : remotivating strategies, *Groupwork*, *5*(2), p. 31-41.

Beutler, L.E., J. Clarkin, M. Crago et J. Bergen (1991). Client-Therapist matching, dans C.R. Snyder et D.R. Forsyth, *Handbook of social and clinical psychology : The health perspective*, New York, Pergamon Press, p. 699-716.

Beutler, L.E., M. Crago et T.G. Arizmendi (1986). Therapists variables in psychotherapy process and outcome, dans S.L. Garfield et A.E. Bergin, *Handbook of psychotherapy and behavior change*, New York, John Wiley & Sons, p. 257-310.

Bilodeau, G. (1980). Pour une réelle relation d'alliance entre travailleur social et client, *Service social*, *29*(3), p. 438-457.

Bohart, A.C. et K. Tallman (1999). *How clients make therapy work : The process of active self-healing*, Washington, D.C., American Psychological Association.

Bouchard, C. (1987). Intervenir à partir de l'approche écologique : au centre, l'intervenante, *Service social*, *36*(2 et 3), p. 454-477.

Breton, M. (1991). Ouvrir la pratique du service social de groupe sur la communauté : vers un modèle de partenariat, dans D. Turcotte, *Recueil de textes pour le cours Groupes de développement personnel et social*, automne 1996, École de service social, Faculté des sciences sociales, Université Laval, p. 204-210.

Breton, M. (1997). Simone Paré et une vision inclusive du service social de groupe, *Intervention*, 102, p. 10-19.

Bronfenbrenner, U. (1986). Ecology of the family as a context for human development, *Developmental Psychology*, *22*(6), p. 723-742.

Claiborn, C.D., S.R. Ward, et S.R. Strong (1981). Effects of congruence between counselor interpretations and client beliefs, *Journal of Counseling Psychology*, *28*(2), p. 101-109.

Coady, N.F. (1993). The worker-client relationship revisited. *Families in Society*, *74*(5), p. 291-298.

Cohen, M. B. (1998). Perceptions of power in client/worker relationship. *Families in Society*, *79*(4), p. 433-442.

Cooley, E.J. et R. Lajoy (1980). Therapeutic relationship and improvement as perceived by clients and therapists, *Journal of Clinical Psychology*, *36*(2), p. 562-570.

De Robertis, C. (1993). La relation d'aide en travail social, dans A. Gouhier, *La relation d'aide* (p. 221-232), Actes du colloque organisé par l'Institut de formation et de recherche en action sociale de Nancy et l'Université de Nancy II en France.

Dickerson, F.B. (1998). Strategies that foster empowerment, *Cognitive and Behavioral Practice*, *5*, p. 255-275.

Duncan, B.L. (1992). Strategic therapy, eclecticism, and the therapeutic relationship, *Journal of Marital and Family Therapy*, *18*(1), p. 18-24.

Forget, J. (1990). *La relation d'aide*, Montréal, Les Éditions Logiques.

Franklin, D.L. (1986). Does client social class affect clinical judgment? *Social Casework*, *67*, p. 424-432.

Gelso, C.J. et J.A. Hayes (1998). *The Psychotherapy relationship : Theory, research, and practice*, New York, John Wiley & Sons.

Gerris, J.R.M., M.M.C. Van As, P.M.A. Wels et J.M.A.M. Janssens (1998). From parent education to family empowerment programs, dans J.R. Lutzker, *Handbook of Child abuse research and treatment*, New York, Plenum Press, p. 410-426.

Goldstein, H. (1986). Toward the integration of theory and practice : A humanistic approach, *Social Work*, *31*, p. 352-357.

Gouvernement du Canada (1994). *Grandir Ensemble. Programme d'action communautaire pour les enfants : Guide du requérant.*

Horvath, A.O. et L. Luborsky (1993). The role of the therapeutic alliance in psychotherapy, *Journal of Consulting and Clinical Psychology*, *61*(4), p. 561-573.

Horvath, A.O. et B.D. Symonds (1991). Relation between working alliance and outcome in psychotherapy : A meta-analysis, *Journal of Counseling Psychology*, *38*(2), p. 139-149.

Jones, A.S. et C.J. Gelso (1988). Differential effects of style of interpretation : Another look, *Journal of Counseling Psychology*, *35*(4), p. 363-369.

Kantrowitz, J.L. (1995). The beneficial aspects of the patient-analyst match, *International Journal of Psycho-Analysis*, *76*(2), p. 299-313.

Kilborn, M. (1993). Une approche centrée sur la personne, dans A. Gouhier, *La relation d'aide. Actes du colloque organisé par l'Institut de formation et de recherche en action sociale*, Nancy, France, Presses universitaires de Nancy, p. 31-41.

Kottler, J.A., T.L. Sexton et S.C. Whiston (1994). *The heart of healing : Relationships in therapy*, San Francisco, Jossey-Bass Publishers.

Latting, J.E. et C. Zundel (1986). World view differences between clients and counselors, *Social Casework*, *67*, p. 533-541.

L'Écuyer, R. (1987). L'analyse de contenu : notion et étapes, dans J.-P. Deslauriers, *Les méthodes de la recherche qualitative*, Sainte-Foy, Presses de l'Université du Québec p. 49-65.

Leclerc, C. (1997). Le pouvoir du thérapeute dans la relation d'aide, Essai de maîtrise, Département d'orientation, d'administration et d'évaluation en éducation, Faculté des sciences de l'éducation, Université Laval.

Leon, A.M. (1999). Family support model : Integrating service delivery in the twenty-first century, *Families in Society, 80*, p. 14-24.

Lessard, G. (1998). Les représentations sociales des clientèles à risque chez des intervenants sociaux, *Mémoire de maîtrise, École de service social, Faculté des sciences sociales, Université Laval.

Lorion, R.P. et R.D. Felner (1986). Research on mental health interventions with the disavantaged, dans S.L. Garfield et A.E. Bergin, *Handbook of psychotherapy and behavior change*, New York, John Wiley & Sons, p. 739-775.

MacClure, F.H. et E. Teyber. (1996). The multicultural-relational approach, dans F.H. McClure et E. Teyber, *Child and adolescent therapy : A multicultural-relational approach*, Montréal, Harcourt Brace College Publishers, p. 1-32.

MacFadden, E.J. et S.W. Downs (1995). Family Continuity : The new paradigm in permanence planning, *Community Alternatives, 7*(1), p. 39-60.

MacWhirter, E.H. (1998). An empowerment model of counsellor education. *Revue canadienne de counselling, 32*(1), p. 12-26.

Marziali, E. (1984). Three viewpoints on the therapeutic alliance, *The Journal of Nervous and Mental Disease, 172*(7), p. 417-423.

Marziali, E. et L. Alexander (1991). The power of the therapeutic relationship, *American Journal of Orthopsychiatry, 61*(3), p. 383-391.

Nelson, B.A. et J.E. Stake (1994). The Myers-Briggs Type Indicator (MBTI) personality dimensions and perceptions of quality of therapy relationships, *Psychotherapy, 31*(3), p. 449-455.

Petr, C.G. (1988). The worker-client relationship : A general systems perspective, *Social Casework, 69*, p. 620-626.

Proctor, E.K. (1982). Defining the worker-client relationship, *Social Work, 27*(5), p. 430-435.

Quivy, R. et L. Van Campenhoudt (1995). *Manuel de recherche en sciences sociales* (nouvelle édition), Paris, Dunod.

Renard, G. (1993). Relation d'aide en travail social, dans A. Gouhier, *La relation d'aide*, Actes du colloque organisé par l'Institut de formation et de recherche en action sociale de Nancy et l'Université de Nancy II en France, p. 139-147.

Rogers, C. (1985). *La relation d'aide et la psychothérapie* (traduction française de *Counseling and psychotherapy* par J.P. Zigliara), Paris, Éditions ESF.

Rothery, M. (1990). Family therapy with multiproblem families, dans M. Rothery et G. Cameron, *Child maltreatment : Expending our concept of helping*, New Jersey, Lawrence Erlbaum Associates, p. 13-32.

Russell, M.N. (1990). *Clinical social work. Research and practice*, Newbury Park, Californie, Sage Publications.

Sachs, J.S. (1983). Negative factors in brief psychotherapy : An empirical assessment, *Journal of Counseling and Clinical Psychology*, *51*(4), p. 557-564.

Saunders, S.M. (1999). Client's Assessment of the affective environment of the psychotherapy session : Relationship to session quality and treatment effectiveness, *Journal of Clinical Psychology*, *55*(5), p. 597-605.

Strong, S. R., C.A. Wambach, F.G. Lopez et R.K. Cooper (1979). Motivational and equiping functions of interpretation in counseling, *Journal of Counseling Psychology*, *26*(2), p. 98-107.

Sue, D.W. (1978). Eliminating cultural oppression in counseling : Toward a general theory, *Journal of Counseling Psychology*, *25*(5), p. 419-426.

Turcotte, D., C. Samson, G. Lessard et A. Beaudoin (1997). *Évaluation des projets du PACE au Québec (volume 2). De l'intention à l'évaluation : la dynamique de réalisation des projets d'action communautaire*, Université Laval, Centre de recherche sur les services communautaires.

Webster-Stratton, C. (1998). Parent training with low-income families : Promoting parental engagement through a collaborative approach, dans J.R. Lutzker, *Handbook of Child abuse research and treatment*, New York, Plenum Press, p. 183-210.

Wilson, S.K. et J. St-Pierre (1990). Interventions in child abuse and neglect : Parent-child models, dans M. Rothery et G. Cameron, *Child maltreatment : Expending our concept of helping*, New Jersey, Lawrence Erlbaum Associates, p. 79-89.

Étude des représentations et des relations entre parents et intervenants d'un quartier défavorisé

Catherine SELLENET
Maître de conférences en psychosociologie à Nantes, France
Chercheur au GREF, Paris X, Nanterre

Les représentations sociales se présentent sous des formes variées, plus ou moins complexes : « images qui condensent un ensemble de significations ; systèmes de référence qui nous permettent d'interpréter ce qui nous arrive, voire de donner un sens à l'inattendu, catégories qui servent à classer les circonstances, les individus auxquels nous avons affaire ; théories qui permettent de statuer sur eux » (Jodelet, 1992). C'est dire combien les représentations sont au cœur des interventions sociales, combien elles sont actives, guidant les politiques d'intervention, suscitant des interprétations et des pratiques quotidiennes. Et pourtant rares sont les études qui décryptent les représentations sociales des intervenants auprès des familles, encore moins celles des parents eux-mêmes tant ceux-ci restent muets. « Parle qui sait dire ce qu'il veut dire, quand il a le sentiment qu'il peut le dire, ou mieux encore qu'il le doit. Si de tous temps on lui a dit qu'il doit se taire, s'il doute qu'il y ait à dire, de savoir le dire ou d'être entendu, que fait-il d'abord ? il se tait... » (Verret, 1998). Les parents défavorisés se taisent, ne nous laissant que peu accès à leurs représentations du monde, des interventions dont ils sont l'objet, interventions censées les aider mais qui parfois leur pèsent et les contraignent.

C'est pour rompre avec ce double point aveugle que l'étude présentée ci-dessous centre son objet sur les idées et les pratiques qui prévalent en milieu défavorisé, tant au niveau des professionnels que des usagers. La recherche-action, menée dans un quartier défavorisé de la région nantaise (département Loire Atlantique, France), a pour origine un triple constat :

- L'existence sur le quartier d'une multitude d'interventions ciblées mais non articulées entre elles ;
- Un désintérêt de la population concernée pour les structures proposées, ou à l'inverse une « attitude consommatrice » regrettée par les professionnels de ces services ;
- Un face-à-face problématique, quand il existe entre parents et intervenants, ou le plus souvent des stratégies d'évitement et de fermeture des familles.

Ces problèmes ne sont certes pas nouveaux, mais ils prennent, semble-t-il, une tonalité particulière dans un temps où les notions de partenariat et de coopération ont le vent en poupe. La municipalité elle-même, dès 1990, dans son programme de développement social urbain prônait : « de mettre en œuvre dans les quartiers d'habitat social, une forme nouvelle d'action publique. L'ambition était de substituer le partenariat au repli sur soi, l'ouverture au cloisonnement, de privilégier la concertation aux décisions autoritaires, de donner la primauté du qualitatif au tout quantitatif ». Le message avait été entendu mais neuf ans plus tard, les effets de cette nouvelle politique ne sont guère au rendez-vous. Du côté des professionnels, la désillusion est dès lors plus grande, le sentiment d'échec plus aigu et plus intense le questionnement sur le sens des missions. Dès lors, les professionnels développent des « théories spontanées » pour expliquer et donner sens aux problèmes rencontrés. Parmi ces savoirs constitués sur la cité, on trouve notamment :

- L'hypothèse de la dilution du lien social dont, plus que d'autres, ces familles souffriraient. Le repli sur la famille, l'absence de convivialité et de sociabilité dans la cité en seraient les signes. Cette théorie vient expliquer les difficultés des intervenants, justifier la désaffection pour les structures proposées.

- La deuxième théorie utilisée massivement est celle de la « démission parentale » et de la perte des valeurs, constitutives des modifications de la société et de la famille. Les parents de la cité seraient « démissionnaires », « peu mobilisables », « dépassés » par les exigences de notre société.

- Enfin, et à contrario, on assisterait à une « parentalisation » des enfants. Ceux-ci se verraient conférer les attributs de l'adulte : pouvoir de décision, pouvoir de s'opposer, pouvoir de se déplacer dans la cité au gré de leur fantaisie, augmentant le sentiment d'insécurité... L'enfant ne serait plus à sa place d'enfant mais en position parentale, dans une inversion des rôles préjudiciable à son développement.

Force est de constater que, dans un premier temps, ce système explicatif empêche toute interrogation sur les pratiques mêmes des acteurs sociaux, sur le poids de leurs représentations dans les actions envisagées. Le recours aux théories de la dilution du lien social ou à la démission parentale assure une fonction conservatrice du système, il protège les intervenants en renvoyant exclusivement sur l'extérieur l'origine des problèmes. La recherche-action est censée venir bousculer ce bel ordonnancement des choses, soumettre à l'épreuve de la réalité ces théories spontanées, en interrogeant les pratiques et les représentations des habitants et intervenants sur deux objets centraux :

- La vie et la sociabilité dans la cité, les perceptions du quartier ;
- Les conceptions et les pratiques éducatives, les valeurs soutenant l'intervention parentale ou professionnelle.

Cet article présentera quelques résultats d'analyse sur ces deux axes.

MÉTHODOLOGIE

La méthodologie choisie utilise trois types d'approche : des questionnaires diffusés aux parents d'enfants de moins de 11 ans (250 questionnaires constituant un échantillon représentatif) ; des entretiens semi-directifs menés auprès d'une cinquantaine de parents ; des séances pluri-institutionnelles d'analyse des pratiques (à partir de situations concrètes) des professionnels présents sur le quartier. Ceux-ci appartiennent au champ de la protection maternelle et infantile (médecins et puéricultrices), de la santé scolaire, des services de garde (crèche d'urgence et halte-garderie), de la thérapie (hôpital de jour, centre médico-psychologique), de l'aide sociale à l'enfance et services sociaux (éducateurs et assistantes sociales), au champ scolaire (écoles maternelles et primaires), au secteur de développement du quartier (agent de développement, coordonnatrice ZEP) et des loisirs (ludothèque...).

Chaque institution ayant sa « propre culture », ses grilles de lecture, ses logiques d'intervention, il appartient à la recherche-action de créer dans un second temps les conditions d'articulation entre des intervenants présents sur le quartier, au mieux voisins, au pire en concurrence ou en conflit pour certaines familles.

SOCIOLOGIE DU QUARTIER : MALAKOFF
OU LES VULNÉRABILITÉS RASSEMBLÉES

Les représentations des acteurs sociaux s'enracinent et s'alimentent à l'aune des statistiques ou des histoires contées sur le quartier. Se développe ainsi une « connaissance pratique » faite d'informations, de savoirs, mais aussi de tout un imaginaire collectif sur la vie de la cité. Malakoff, c'est par excellence la « cité à problèmes », celle qui concentre : 3 647 personnes, 27 % de personnes seules dont 17 % en situation de monoparentalité (contre 6,8 % pour le département), un taux de chômage de 20,3 % contre 11 % pour le département dont 45 % depuis plus d'un an, une population en situation de précarité estimée à 53 %, en dessous du seuil de pauvreté à 40 %, une sous-scolarisation inquiétante des adultes (29 % n'ont aucun diplôme, 20 % seulement un certificat d'études primaires), enfin, une présence étrangère de l'ordre de 20 % (contre 1,7 % dans le département), chiffre qui, dans les fantasmes des habitants, devient 80 %... C'est aussi une cité où prolifèrent les structures d'aide où, derrière l'apparente globalisation des problèmes, apparaissent des différences fondamentales de positionnement et de perceptions, pour peu qu'on veuille bien les écouter.

REPRÉSENTATIONS ET ATTRIBUTIONS

Au moment où ils élaborent leurs représentations de la cité, les habitants comme les intervenants donnent des explications aux événements. Rares sont les explications en termes économiques faisant allusion à la crise, au chômage, à la concentration des difficultés dans un même espace. Le plus souvent, les interviewés privilégient une lecture en internalité, attribuant à la personne, à certaines sous-catégories de population les causes de la mauvaise renommée de la cité. Les « coupables » sont toujours les « autres », les immigrés, les assistés, les grandes familles, les familles éclatées, celles qui sont situées dans un autre immeuble, voire dans une autre cage d'escalier... S'établit ainsi au sein de la cité une sorte de hiérarchie des immeubles et des rues, visant à préserver chacun du risque de stigmatisation.

> Il y a des problèmes de saleté, mais c'est moins aigu que rue d'Angleterre. Les numéros 13 et 15 de chaque immeuble, ce sont les grands appartements donc c'est plus problématique. Il y a beaucoup d'immigrés donc des problèmes de culture. On m'avait dit de ne pas aller n'importe où, de faire attention... il faut pas trop se mélanger.

« Le préjugé en action » comme le nomme Doise (1981) sert à restaurer l'estime de soi, à projeter sur « l'autre » l'origine des difficultés. Serge Paugam dans son livre *La disqualification sociale* (1997) faisait un constat identique : « lorsque dans une cité la plupart des ménages ont un statut comparable, la vie sociale consiste à recréer des différences ». « Dès lors chacun essaie de se désolidariser de l'ensemble, d'échapper au nivellement. Pour sauvegarder son identité, son moi, menacés, chacun se débat pour son propre compte, et de peur d'être confondu, adopte une attitude de défense » (Pétonnet, 1968).

Pour autant, la protection face au processus d'attribution n'est pas totalement efficace, et à l'évidence certains habitants intériorisent plus que d'autres le sentiment de stigmatisation. Globalement, les habitants de la cité savent que leur cité a mauvaise renommée (27 % des citations), que le regard extérieur porté sur eux est négatif, et que la cité est mal connue (18,8 %) dans sa réalité quotidienne. Ainsi, 74 % des personnes interrogées espèrent un déménagement à plus ou moins long terme.

Si, pour certains habitants, la cité reste agréable (19,3 % des citations), pour d'autres, elle est difficile à vivre (14,9 %) et à problèmes (11 %). Cette perception différentielle est due aux conditions objectives de vie comme le montre une lecture des réponses par catégorie professionnelle. On peut en effet distinguer trois sous-groupes, différemment positionnés à l'égard de Malakoff : les positifs, les négatifs et un groupe mixte partagé dans ses représentations. Le groupe qualifiant positivement Malakoff (« c'est une cité tranquille », « c'est une cité agréable ») est constitué des fractions aisées (en petit nombre) de la population (professions libérales et cadres moyens). Pour avoir choisi d'habiter dans la cité, en pouvant la quitter à tout moment, en étant peu présents sur le site, ces habitants perçoivent principalement les aspects positifs de la cité, dont son emplacement géographique et son environnement en bord de Loire. Conscients de la mauvaise renommée de la cité, ils n'en sont toutefois pas atteints sur le plan narcissique et n'intériorisent pas le phénomène de stigmatisation qui en résulte.

> La mauvaise réputation du quartier, cela me fait rire, on a systématiquement droit à des exclamations quand on dit habiter Malakoff... je leur dis qu'ils n'ont pas à porter un jugement comme cela sans connaître, que c'est certes un quartier « chaud » avec des dégradations mais que c'est aussi un quartier qui vit beaucoup, très associatif... Il faudrait modifier le regard des gens (femme, un enfant, profession libérale).

À l'inverse, les catégories intermédiaires, ouvriers qualifiés et employés, choisissent uniquement les qualificatifs négatifs pour évoquer la cité. Celle-ci est décrite comme « difficile à vivre », « une cité à problèmes », « de mauvaise renommée ». Vivre dans une telle cité, c'est risquer d'être assimilé à ses habitants les plus démunis, les plus problématiques. Tous les propos tenus expriment dès lors la volonté de se différencier « des autres, les cas sociaux », de mettre à distance une possible confusion des populations. Très sensibles « à la mauvaise renommée de la cité » (citée en premier), espérant une promotion sociale par le haut, ces habitants espèrent un départ, redoutent une marginalisation toujours possible.

> Ce qui m'énerve, c'est la réputation du quartier... En percevant des aides financières, on se sent assistés par la société. J'ai un peu peur des réflexions désagréables vis-à-vis de moi et surtout des enfants, j'ai souhaité conserver l'anonymat pour éviter le regard des autres et des phrases du style, ça ne travaille pas (mère célibataire, trois enfants, au chômage depuis peu, ex-comptable).

Le troisième groupe est constitué des ouvriers spécialisés, des inactifs et personnes au chômage. Pour la plupart, le temps passé dans la cité est prégnant, les revenus disponibles ne permettent pas d'envisager avec réalisme le départ souhaité. Par là même, la vision de la cité est mitigée, la « mauvaise renommée » du quartier n'est pas le facteur premier retenu même si ses habitants en sont conscients, mais ils expriment plus volontiers deux sentiments apparemment contradictoires : « c'est une cité agréable » et « c'est une cité difficile à vivre et à problèmes ». Pour comprendre cette vision contrastée sans doute faut-il entendre que la cité n'est en soi pas en cause, mais que les conditions objectives de vie de certains habitants durcissent le rapport au quotidien.

Ce bref exemple montre combien les perceptions sur la cité sont différentielles en fonction des positions sociales occupées, des perspectives réelles ou illusoires de départ, de l'intériorisation plus ou moins prononcée de la stigmatisation qui découle du fait d'y habiter. Ces nuances de fond, méconnues des professionnels nuisent à la compréhension des stratégies développées par les usagers. Ainsi, la désaffection constatée à l'égard de certaines structures est moins le signe d'une absence de sociabilité que le refus d'être assimilé « aux cas sociaux », d'être figé dans une catégorie dite problématique. L'exemple le plus parlant est celui de la structure d'aide proposée aux familles monoparentales, totalement désertée par les intéressées. Pour les travailleurs sociaux, qui dit « monoparentalité » dit ipso facto : risques de marginalisation, problèmes d'autorité vis-à-vis des enfants, isolement des mères... des représentations qui s'appuient sur des études menées dans les années 1970-1980 par maints psychologues (Wallerstein et Kelly, 1980). Très controversées aujourd'hui sur « leurs imputations causales hasardeuses » (Capron, 1988), ces études ont marqué les mémoires et légitiment l'implantation de structures ciblées sur le quartier. On assiste à un éclatement de l'action sociale en autant de dispositifs institutionnels qu'il y a de problèmes perçus sur le terrain. Or du côté des usagers, les résistances se mettent en place, les femmes en situation de monoparentalité refusent d'être réduites à cette seule variable constitutive de leur identité sociale. La monoparentalité est vécue comme temporaire ne justifiant pas une inscription dans des structures qui risqueraient de fixer la situation ou d'augmenter les problèmes :

> L'Association des familles monoparentales, je connais, mais cela ne m'intéresse pas, je n'ai pas envie... déjà, j'espère que le père des enfants va prendre la bonne décision... et revenir » (femme, 24 ans, quatre enfants).

> Non, cela ne me tente pas, j'aime bien le contact avec des gens, mais si c'est pour se retrouver avec les problèmes des autres, ça non ! Pour moi de toute façon, c'est temporaire, j'ai un copain... (femme, 35 ans, divorcée, quatre enfants).

L'évitement est la règle, elle traduit un besoin réel de distanciation par rapport à un milieu auquel on ne veut pas être assimilé.

Quant à la convivialité dont doutent les intervenants, elle existe cependant, s'exprimant par des échanges de services (57 % des réponses) notamment pour la garde ponctuelle des enfants (50 % des réponses), mais elle s'exerce de manière diffuse au gré des affinités, ou par le biais de la solidarité intrafamiliale (un tiers des interviewés ont leur famille dans le quartier)... en dehors des structures prévues, loin de toute visibilité, dans l'espace de « l'entre soi ».

LA THÉORIE DE LA « DÉMISSION PARENTALE »

Cet « espace de l'entre soi » est le lieu privilégié où se transmettent des valeurs, où se joue l'éducation des enfants pour laquelle de nombreux professionnels interviennent : écoles, éducateurs, puéricultrices... C'est donc un lieu sensible, objet d'enjeux.

Alors que les travailleurs sociaux développent une « théorie de la démission parentale », la majorité des familles apparaît très préoccupée par la bonne marche scolaire de sa progéniture et en même temps par son épanouissement. Plus du tiers des parents interrogés envisage l'inscription de leur enfant dans une école primaire extérieure au quartier. À la question, « Comment envisagez-vous l'avenir de votre enfant », les parents sont prolixes montrant tout l'intérêt concentré sur ce dernier. Leurs réponses montrent une focalisation sur la réussite scolaire, seul espoir d'échapper à la marginalisation sociale dont de nombreux parents sont déjà victimes.

UNE DÉLÉGATION MAL COMPRISE

La lecture de cette projection dans le futur est pleine d'enseignements et rejoint les conclusions émises par le sociologue François de Singly sur le rapport des parents à l'école : « Les familles ne démissionnent pas. Au contraire, nous serions plutôt dans une logique obsessionnelle par rapport à l'école (et la logique du marché y pousse de toute façon)... ». Les parents interviewés citent en première ligne de leurs espoirs et préoccupations « la réussite scolaire » et la « poursuite des études le plus loin possible », même si ce but à atteindre prend parfois, faute de connaissance des filières scolaires, des contours un peu flous (« la meilleure réussite scolaire qui soit ») et incertains (« qu'elle réussisse le plus loin possible, même si c'est pas sûr »).

Plus les difficultés rencontrées au quotidien sont grandes, plus les parents espèrent en l'école et mettent l'accent sur l'acquisition d'un métier. Lorsque les parents bénéficient d'une situation sociale et d'un revenu favorables, les notions de bonheur et d'épanouissement sont plus présentes, le rêve d'avenir vise moins la réussite scolaire censée être accessible que l'acquisition d'un bagage relationnel et d'un équilibre psychique (« être épanoui », « se sentir bien »).

Pour que cet imaginaire prenne forme, certains parents ont recours à la délégation. Le paradoxe est que cette confiance mise en l'école, ce « plus » de scolarité demandé à travers la présence de l'enfant aux études du soir, est parfois entendu par les enseignants comme « une démission », comme un « abandon des enfants à l'école ». Or si l'on prend en compte le capital scolaire des parents, leur distance à l'école, force est de constater que pour certains parents il n'existe pas d'autres choix que de « s'en remettre » à l'école pour les apprentissages scolaires de leur enfant. En effet, 15,7 % des parents de notre échantillon disent avoir quitté l'école avant 16 ans et 14,5 % à l'âge de 16 ans, ce qui montre qu'un tiers des interviewés n'est pas en mesure de soutenir la scolarité des enfants :

> Moi, ils restent à l'étude tous les soirs, je ne surveille jamais parce que je pars du prin-cipe qu'une maîtresse est là pour les aider, le travail doit être fait... et puis mes enfants savent que je leur fais confiance pour les devoirs... si c'est pas fait, ça chauffe !... moi, j'ai seulement fait une première année de BEP, puis j'ai séché les cours et j'ai été virée. C'est le grand regret, si c'était à refaire, je ferai des études...

> Au cours préparatoire cela va être dur !... Moi, j'ai un niveau à peine sixième alors... les divisions, bon, je sais peut-être un petit peu, mais les tables de multiplication, j'ai oublié... quand il me demandera « Maman tu m'aides... » ben moi ce sera l'étude directe... le père, je ne sais pas ce qu'il sait... mais, moi, je n'ai aucun diplôme.

La délégation est évidente, obligée, incontournable, mais elle est mal comprise par les intervenants extérieurs. La délégation n'est pas pour autant totale, car, pour les parents interrogés, il existe des domaines où elle n'est pas pensable et où l'idée d'une délégation à l'école est refusée.

ÉCOLE, PARENTS : LES DOMAINES RÉSERVÉS OU PARTAGÉS, CONFRONTATION DES REPRÉSENTATIONS

Toute école remplit trois fonctions essentielles : la distribution des compé-tences (elle répartit les élèves dans le marché des qualifications), l'inté-gration sociale (elle intègre les enfants dans une culture commune) et l'éducation (elle participe à la formation de la personnalité des élèves). Mais par rapport à ces trois fonctions remplies par l'école, les parents se positionnent précisément sur l'axe éducatif qu'il considère être un domaine réservé aux parents. Ainsi, dans leurs attentes à l'égard de l'école, la grande majorité des familles populaires fait jouer encore assez fortement la distinction entre *instruction* et *éducation*. Ce qui relève de l'école, à leurs yeux, ce qu'ils veulent bien déléguer, c'est avant tout l'instruction, pour laquelle de nombreux parents ne se reconnaissent pas de compétences et, en ce domaine, ils acceptent de faire confiance aux enseignants. Par contre, les parents considèrent que la socialisation ou mieux l'éducation de leur enfant dépend d'abord de la famille, comme le montre la longue liste ci-dessous de domaines réservés où ils ne souhaitent pas que l'école intervienne :

Le partage de l'éducation vu par des parents

Domaines réservés aux parents	Domaines communs	Domaines attribués à l'école

- La morale, le savoir-vivre
- Les représailles physiques
  ou morales
- L'éducation religieuse
- La vie de famille
- Les rythmes familiaux
- L'éducation, la propreté,
  l'hygiène de vie
- Le domaine
  financier, politique
- Les choix éducatifs
- Les problèmes familiaux
- La transmission de valeurs
	le respect des autres,
	la politesse,
	le civisme.
		- Les programmes scolaires
		  l'éveil de l'enfant.
		- Les apprentissages de base
		  et l'acquisition
		  de connaissances.
		- La surveillance des devoirs
		  et dans la cour
		  la surveillance
		  de la violence,
		  l'apprentissage de la vie
		  en groupe,
		  l'instruction, le civisme
		  la lecture, la discipline.

Ce panel de réponses montre que « l'éducation » appartient aux parents, notamment dans la transmission des valeurs religieuses, morales et politiques, mais aussi dans tout ce qui concerne la vie familiale avec ses rythmes, ses habitudes alimentaires, ses codes de bonne conduite, son système de punition. Les parents des milieux populaires font confiance à l'école, ils délèguent et ne discutent pas les programmes, mais en échange ils ne veulent pas que l'école se mêle de leur vie personnelle et familiale. Nous retrouvons à nouveau l'idée du « chacun chez soi » si chère aux milieux populaires. Ils ne sont pas démissionnaires, loin s'en faut, mais confient à l'école la partie « instruction » pour laquelle beaucoup se jugent incompétents, dépassés. Les parents de Malakoff proposent finalement une division du travail.

Dans cette division imaginaire des rôles, la transmission et la surveillance des acquisitions scolaires, l'inculcation du respect de la discipline entre enfants, seraient les domaines privilégiés d'intervention de l'école. Et par là même serait également dévolu à l'école et aux enseignants l'exercice de la contrainte autoritaire dans le rapport à l'enfant (« L'autorité, la surveillance... ») , une fonction que les enseignants, pour leur part, voudraient voir plus exercée par les parents.

L'impact de la position sociale sur le choix des valeurs éducatives

Alors que les professionnels parlent de « perte des valeurs », les parents évoquent un attachement à des valeurs classiques, presque trans-historiques.

Une première lecture globale des réponses parentales montre que deux valeurs apparaissent essentielles à inculquer aux enfants, à savoir le respect avec 65,1 % des citations et la politesse avec 55,4 %. En seconde position, nous trouvons un trio composé de l'honnêteté (34,9 %), bien travailler (33,7 %) et la propreté (30 %). En queue de peloton et ne faisant plus recette se trouvent « la bonté » (2,4 %), « la débrouillardise » (3,6 %) qui n'est pas reconnue comme une valeur, et plus interrogeant « le sens de l'effort » (4,8 %) et « l'esprit critique » (7,2 %).

Valeurs/enfant	Nbre cit. (rang 1)	Fréq.	Nbre cit. (rang 2)	Fréq.	Nbre cit. (rang 3)	Fréq.	Nbre cit. (somme)	Fréq.
Non-réponse	2	2,4 %	0	0,0 %	0	0,0 %	2	2,4 %
Politesse	29	34,9 %	13	15,7 %	4	4,8 %	46	55,4 %
Propreté	4	4,8 %	16	19,3 %	5	6,0 %	25	30,1 %
Bonté	0	0,0 %	1	1,2 %	1	1,2 %	2	2,4 %
Bien travailler	9	10,8 %	8	9,6 %	11	13,3 %	28	33,7 %
Respect	27	32,5 %	15	18,1 %	12	14,5 %	54	65,1 %
Esprit critique	0	0,0 %	2	2,4 %	4	4,8 %	6	7,2 %
Honnêteté	3	3,6 %	11	13,3 %	15	18,1 %	29	34,9 %
Autonomie	1	1,2 %	9	10,8 %	11	13,3 %	21	25,3 %
Débrouillardise	1	1,2 %	1	1,2 %	1	1,2 %	3	3,6 %
Sens de l'effort	0	0,0 %	0	0,0 %	4	4,8 %	4	4,8 %
Curiosité	4	4,8 %	3	3,6 %	4	4,8 %	11	13,3 %
Obéissance	3	3,6 %	2	2,4 %	9	10,8 %	14	16,9 %
TOTAL OBS.	83		83		83		83	

Mais ce consensus parental sur l'essentiel peut être nuancé lorsque l'on observe les réponses en fonction de la profession des parents et du sexe de l'enfant. En ne prenant en compte que les trois premières valeurs plébiscitées par les parents, nous obtenons le palmarès suivant (par ordre de citation) :

- Professions libérales : respect, honnêteté, **curiosité** ;
- Cadres moyens : **autonomie, esprit critique, curiosité** ;
- Employés : respect, politesse, **autonomie** ;
- Ouvriers qualifiés : politesse, propreté, bien travailler ;
- Ouvriers spécialisés : respect, politesse, **obéissance** ;
- Chômeurs et inactifs : respect, politesse, bien travailler et honnêteté ;
- Étudiants : politesse et **autonomie**.

À l'évidence, les conditions objectives d'existence et d'exercice de la profession structurent la vision parentale au sujet des qualités à promouvoir chez leur enfant. Les ouvriers spécialisés, les plus aliénés sur le plan professionnel (rendement, monotonie des gestes, absence d'initiative) valorisent des qualités adaptatives à leurs conditions de vie : le respect, la politesse et l'obéissance. Les représentations de l'enfance varient selon les groupes sociaux, chaque groupe définit l'enfant selon les normes qui sont utiles au groupe (Devereux 1970). Il serait dès lors intéressant de repérer l'impact de ces représentations sur le développement de l'enfant, comment certaines représentations et attentes parentales entrent en concordance ou en contradiction avec les représentations et les attentes de l'école.

Les principes éducatifs

Pour parvenir à transmettre ces valeurs aux enfants, les parents vont adopter des « styles d'intervention » plus ou moins coercitifs, plus ou moins stricts, plus ou moins modulables selon la personnalité de l'enfant. Ces modèles éducatifs ne sont pas entièrement dépendants de ce que chaque parent a hérité de sa propre famille, mais aussi des discours psychopédagogiques officiels.

Les parents de Malakoff, souvent qualifiés de « démissionnaires », ne semblent pas renoncer à leur responsabilité ni la déléguer.

Alors que les intervenants sociaux parlent de « parentalisation des aînés », « d'absence de surveillance parentale », les parents disent ne pas « laisser beaucoup de liberté » aux enfants ni leur « confier beaucoup de responsabilités ». Pour autant, « la discipline stricte » ne fait plus recette (8,4 % des réponses), l'image des parents autoritaires, sévères, campés sur leurs principes éducatifs, a vieilli. Dolto et d'autres sont passés par là, avec la conception de l'enfant unique auquel il faut une réponse unique, dans une incessante et toujours renouvelable adaptation parentale.

Et s'adapter suppose parfois de savoir concilier des principes qui, à première vue, peuvent paraître contradictoires : « faire confiance » (60,2 % des réponses) à l'enfant et « le préserver des mauvaises fréquentations » (43,4 %) ; « s'adapter » (39,8 %) et « lui donner l'exemple » (38,6 %) voire le sanctionner en « le récompensant quand il fait bien et en le punissant quand il fait mal » »(38,6 %).

Plus les milieux sociaux sont à l'aise avec la socialisation de leur enfant et son intégration future dans la société, plus est recherchée l'émergence de qualités individuelles, plus est valorisée l'image de parents jouant le rôle de « passeur » vers l'extérieur, accompagnant plus que dirigeant l'évolution de l'enfant (professions libérales, cadres moyens, à un moindre degré, les employés). Les contacts avec l'extérieur apparaissent comme le

Principes d'éducation	Nb. cit. (rang 1)	Fréq.	Nb. cit. (rang 2)	Fréq.	Nb. cit. (rang 3)	Fréq.	Nb. cit. (somme)	Fréq.
Non-réponse	6	7,2 %	1	1,2 %	1	1,2 %	6	7,2 %
Lui faire confiance.	24	28,9 %	15	18,1 %	11	13,3 %	50	60,2 %
Récompenser ou punir.	9	10,8 %	14	16,9 %	9	10,8 %	32	38,6 %
L'encadrer avec souplesse.	6	7,2 %	8	9,6 %	8	9,6 %	22	26,5 %
Avoir une discipline stricte.	4	4,8 %	2	2,4 %	1	1,2 %	7	8,4 %
Lui laisser beaucoup de liberté.	0	0,0 %	0	0,0 %	0	0,0 %	0	0,0 %
Lui donner l'exemple.	12	14,5 %	10	12,0 %	10	12,0 %	32	38,6 %
Surveiller le plus possible ce qu'il fait.	6	7,2 %	5	6,0 %	4	4,8 %	15	18,1 %
Lui laisser beaucoup de responsabilités.	0	0,0 %	1	1,2 %	0	0,0 %	1	1,2 %
Le faire surveiller par ses aînés.	0	0,0 %	0	0,0 %	0	0,0 %	0	0,0 %
Le préserver des mauvaises fréquentations.	5	6,0 %	13	15,7 %	18	21,7 %	36	43,4 %
S'adapter en fonction de chaque enfant.	11	13,3 %	8	9,6 %	14	16,9 %	33	39,8 %
TOTAL OBS.	83		83		83			

Note : Cette grille s'appuie sur les travaux de Paul Durning.

moyen (recherche d'autonomie, curiosité) de s'adapter, de s'épanouir. La régulation interpersonnelle est principalement communicationnelle (communiquer avec l'enfant pour s'adapter à ses besoins).

À l'inverse, le deuxième groupe constitué des ouvriers qualifiés, spécialisés et des chômeurs ou inactifs valorisent des qualités groupales, permettant une vie de groupe harmonieuse (la politesse, le respect, l'obéissance, la propreté). Ces qualités s'obtiennent principalement par un mode de régulation normatif, la récompense ou la punition conforte la règle énoncée. Et surtout, le groupe familial contrôle le rapport à l'extérieur, les parents jouent davantage un rôle de « gardien » et non de « passeur ». De l'extérieur peuvent venir les « mauvaises rencontres ». Le rôle des parents est fondamentalement de protéger, la clôture du groupe est donc assez forte.

Nous le voyons, la profession, la place dans la société, les revenus, l'héritage culturel modulent les représentations et les repères des parents. Ces représentations vont entrer en confrontation parfois brutale avec la conception du rôle parental développé par les institutions. Un seul exemple suffira à le montrer : celui du projet élaboré par le centre de loisirs du quartier.

UN EXEMPLE DE CONCEPTION DU RÔLE PARENTAL PAR DES INTERVENANTS SOCIAUX

Le centre de loisirs du quartier propose dans ses objectifs annuels de :

- Travailler sur la relation parent-enfant par le biais du jeu ;
- D'éduquer les parents sur le choix du « bon jouet » ;
- De sensibiliser les autres institutions à ce support qu'est le jouet (notamment les écoles) ;
- De contractualiser avec les parents la présence de leur enfant au centre de loisirs. Pour que l'enfant soit inscrit, le parent doit s'engager à participer au centre en étant lui-même présent pour une certaine durée.

Outre le fait que ce système de fonctionnement risque d'exclure un certain nombre d'enfants du centre de loisirs, se pose le problème des représentations à l'œuvre dans ce projet. Pour le centre de loisirs, un « bon parent » est un parent qui sait jouer avec son enfant, qui lui consacre du temps. C'est aussi un « parent éclairé », un consommateur averti qui achète des jouets en fonction de choix raisonnés sinon raisonnables. C'est enfin un parent capable de s'engager sur un contrat de type associatif, à l'instar de la politique des crèches familiales. Le centre de loisirs, par ce projet, dénonce l'utilisation qui est faite aujourd'hui de cette structure, les animateurs ont le sentiment d'être « une garderie », d'être un « espace de services », images dévalorisées de leur fonction. À la logique de consommation, ils opposent une logique « forcée » de coopération dans un lieu où les parents viendraient acquérir de nouveaux modèles participatifs et éducatifs. Par le biais de cet exemple, on voit bien combien le jeu n'est qu'un support à un projet beaucoup plus ambitieux de « modélisation parentale ». L'enfant n'est pas le seul axe d'intervention, son parent est associé dans une même dyade au projet pédagogique. Il va sans dire que cette représentation du rôle parental se heurte à quelques résistances, aux revendications parentales en termes de « temps pour soi », dissocié du temps et des besoins des enfants.

CONCLUSION

Au terme de ce bref exposé de quelques représentations à l'œuvre sur un quartier défavorisé, il convient de noter combien il serait urgent de comprendre avant d'intervenir. Le champ des représentations des acteurs sociaux, dans ce contexte, fait encore l'objet de trop peu d'investigations. Leur méconnaissance peut faire obstacle à la compréhension des familles susceptibles d'être aidées. Derrière l'apparente homogénéité des habitants de la cité se révèle l'hétérogénéité des situations, entravant la mobilisation collective souhaitée par les professionnels. Alors que ceux-ci valorisent les structures collectives (associations, crèches...), les habitants pratiquent des stratégies d'évitement dans une logique de différenciation toujours fragile par rapport aux « cas sociaux ». « Quand on sait comment se constituent les réputations familiales sur le quartier, tout incite à se taire et à rendre le moins visible possible les inquiétudes ou les malheurs de la vie quotidienne » (Paugam, 1997). Ces résistances des habitants ne sont pas les seules au changement, les professionnels développent aussi des mécanismes de défense visant à maintenir le cadre de leurs représentations. Ainsi, lorsque certaines données de la recherche ont été connues, lorsqu'elles sont venues heurter les cadres mentaux existants, elles ont été ignorées ou déniées tel le fait que ce ne soit pas les enfants des familles monoparentales qui présentent le plus des problèmes de sommeil. Cette donnée a été immédiatement interprétée comme étant le signe « que les enfants dormant avec les mères, celles-ci omettaient seulement de signaler le problème ». Nous approchons là une autre spécificité de la représentation sociale, à savoir sa résistance au changement. La représentation n'a pas seulement une fonction cognitive, elle a aussi une fonction de protection et de légitimation des pratiques, ce par quoi elle s'apparente à l'idéologie.

BIBLIOGRAPHIE

Capro, C. (1988). « Psychologie et divorce : par delà le mal et le bien », dans *L'enfant et ses parents séparés*, Actes du colloque de Paris d'octobre 1985, IDEF, édition Candot Bomgery, p. 102-113.

De Singly, F. (1997). « La mobilisation familiale pour le capital scolaire », dans F. Dubet (dir.), *École, familles, le malentendu*, Textuel, p. 45-59.

Doise, W. (1990). « Les représentations sociales » dans C. Bonnet et R. Ghiglione, *Traité de psychologie cognitive*, Paris, Dunod.

Jodelet, D. (1992). *Les représentations sociales*, Paris, Presses universitaires de France.

Paugam, S. (1997). *La disqualification sociale*, Paris, Presses universitaires de France.

Petonnet, C. (1968). *Ces gens là*, Paris, Maspero.

Verret, V. (1998). *La culture ouvrière*, Paris, Presses universitaires de France.

Wallerstein, J. et J. Kelly (1980). *Surviving the break-up. How children and parents cope with divorce*, New York, Basic Brooks Publishers.

L'axe mère-enfant de la réussite scolaire au primaire en milieu populaire

Pierrette BOUCHARD
Université Laval

Jean-Claude SAINT-AMANT
Université Laval

INTRODUCTION

La recherche[1] dont nous présentons quelques résultats s'est terminée au début de 1999. L'équipe comprend Monique Gauvin, éducatrice spécialisée auprès d'une clientèle majoritairement composée de garçons en troubles de comportement du Centre jeunesse de Québec, Richard Carrier, consultant clinique dans le même organisme, Madeleine Quintal, psychologue à l'école primaire, Jean-Claude Saint-Amant, professionnel de recherche au Centre de recherche et d'intervention sur la réussite scolaire (CRIRES) de l'Université Laval, Claudette Gagnon, jeune chercheuse et enseignante à la Commission scolaire de Charlesbourg, et Pierrette Bouchard, professeure à la Faculté des sciences de l'éducation de l'Université Laval.

Le présent texte comprend deux parties. La première fera brièvement un retour sur la problématique, sur la revue de la documentation et sur la méthodologie. La deuxième donnera la synthèse des résultats sur les dynamiques scolaires des familles à partir de quelques cas types.

---

1. Cette recherche a bénéficié de l'appui financier du Fonds Richelieu de recherche sur l'enfance et de l'Institut sur les jeunes en difficulté.

LA PROBLÉMATIQUE DE RECHERCHE

L'objectif général de la recherche est de faire ressortir les caractéristiques des élèves du primaire qui connaissent du succès scolaire dans les milieux défavorisés sur le plan socioéconomique. Nous nous sommes intéressés à la réussite scolaire en milieu ouvrier et populaire parce que, suivant les théories de la reproduction sociale, les jeunes qui en sont issus sont plus susceptibles d'éprouver des difficultés scolaires et de connaître des échecs que ceux en provenance des autres classes sociales. Au Canada, ces théories trouvent leur justification dans des données qui montrent que le taux de non-obtention de diplôme d'études secondaires, avant 20 ans, est de 2,2 fois plus élevé dans les milieux socioéconomiques faibles (Statistique Canada, 1993); aux États-Unis, les statistiques sont encore plus révélatrices : le taux est 2,4 fois plus élevé que celui des élèves en provenance des classes moyennes et 10,5 fois plus élevé que celui des classes à hauts revenus (National Center for Education Statistics, 1993).

Les difficultés – ou les succès scolaires – ne se présentent donc pas de façon indifférenciée sur le plan de l'origine sociale. Mais ce facteur n'est pas le seul à exercer une influence sur la scolarisation. On peut également observer la présence de liens sensibles entre le sexe, l'origine sociale et la réussite à l'école (CSE, 1995, p. 24). Le taux de non-obtention de diplôme selon le sexe, en 1997 au Québec, chez les moins de 20 ans (de 30 %), est de 24,8 % chez les filles contre 35,7 % chez les garçons, donc plus élevé chez ce dernier groupe (MEQ, 1999, p. 59). À la fin du primaire, en 1996-1997, il existe déjà 9,2 points d'écart entre les garçons et les filles, en termes de retard scolaire, en faveur de ces dernières (26,6 % contre 17,4 % ; CSE, 1999, p. 22).

Les performances dans les premières années à l'école ont une incidence considérable sur la persévérance aux études. Si l'on n'intervient pas assez rapidement, les échecs scolaires tendent à se répéter, car « plus l'élève a redoublé tôt [au primaire], plus il risque d'abandonner ses études » (Brais, 1991, p. 14). Bien que l'accès à l'école primaire et secondaire ne constitue plus un défi pour l'école québécoise, l'accès à la réussite scolaire confirmée par un diplôme représente toujours un enjeu, tout particulièrement pour les enfants des milieux populaires.

Les garçons, et plus spécifiquement ceux issus de milieux socio-économiques faibles, sont les plus susceptibles d'adopter des comportements d'opposition scolaire, notamment parce qu'étudier ou bien travailler vient en contradiction avec la perception qu'ils ont des caractéristiques de la « masculinité ». Ces comportements, et ceux qui y sont associés, tels que l'absentéisme à l'école ou l'indiscipline, sont souvent le reflet d'un environnement familial qui laisse à désirer (Wehlage et Rutter, 1986). Cette particularité a amené les collaboratrices du milieu à s'impliquer dans la recherche, car il s'agit des populations auprès de qui elles interviennent quotidiennement.

Dans ce contexte, par les liens que nous établissons entre « la socialisation familiale et l'échec scolaire au primaire », nous nous sommes donnés comme objectif de comprendre les dynamiques familiales qui contribuent à une meilleure réussite scolaire en milieux populaires, en tenant compte du sexe de l'enfant et du parent.

LA REVUE DE LA DOCUMENTATION

Brièvement, trois constats se dégagent de la revue de la documentation sur la thématique école-famille. Ils ont servi de toile de fond à la démarche théorique.

L'influence des parents sur la performance scolaire

De toutes les personnes qui interviennent auprès de l'enfant, les parents exercent la plus grande influence sur la performance scolaire (Manscill et Rollins, 1990 ; Duru-Bellat et Janrousse, 1996). Les recherches dans le domaine montrent qu'un environnement positif à la maison, des attitudes positives face à l'éducation et face à l'école et des attentes élevées de réussite scolaire ont un effet notable, et ce, dans les différents milieux socio-économiques (Snow *et al.*, 1991 ; Terrill et Ducharme, 1994 ; Holden, 1993). Les recherches ne mentionnent pas, toutefois, si cet effet est identique pour les deux sexes. L'expression d'éloges, l'aide, l'approbation, l'encouragement, la coopération, l'expression de tendresse, l'affection physique (Manscill et Rollins, 1990)[2] et la rétroaction verbale des parents ont une influence positive sur la motivation scolaire des enfants (Deci et Ryan, 1985).

---

2. Ce sont là divers renforcements positifs provenant des parents qu'on ne peut transposer automatiquement au personnel enseignant en suggérant qu'ils auraient le même impact chez les jeunes. Chez certains d'entre ceux et celles connaissant des difficultés scolaires, par exemple, les renforcements positifs peuvent provoquer un comportement d'annulation de la valorisation dans le but de faire valider le jugement de la personne en autorité. Dans ces cas, il semble qu'une stratégie qui utilise l'auto-évaluation suivie d'une intervention par la personne en autorité risque d'être plus efficace, tout en conservant une bonne relation entre les deux personnes. Ce constat amène une question plus large : est-ce que les interventions associées à la réussite scolaire chez certains sont transposables à ceux et celles qui connaissent des difficultés, ou faut-il tenter de générer des interventions à partir des caractéristiques spécifiques de ceux et celles en difficulté ? Cette piste de recherche demanderait à être poursuivie.

Dans l'ensemble des facteurs familiaux liés à la réussite scolaire (revenu, structure, taille de la famille, etc.), la scolarité des parents reste celui qui est associé le plus largement à la performance scolaire (Dornbush *et al.*, 1990), notamment à l'école élémentaire (Epstein, 1988).

Au Québec, lors d'une recherche antérieure portant sur des jeunes du secondaire, nous avons pu établir statistiquement le lien entre la scolarité des parents et les résultats scolaires : 1) « l'effet de promotion par le milieu familial est sensiblement le même chez les garçons et chez les filles », 2) « les filles profitent plus que les garçons d'un changement dans la scolarité parentale de "faible" à "moyenne", ce qui signifie que comme groupe, elles bénéficient en plus grand nombre d'une scolarité parentale qui irait en s'améliorant », 3) l'effet de promotion « est plus important chez les garçons que chez les filles en français, chez les filles plus que chez les garçons en mathématiques » (Bouchard et Saint-Amant, 1996a, p. 35).

Les styles parentaux

Certaines études ont été consacrées aux styles parentaux, c'est-à-dire au type d'autorité utilisé par les parents dans leurs rapports avec leurs enfants, et à son incidence sur la réussite scolaire. Ce sont les parents démocratiques – plutôt que permissifs ou autoritaires – qui ont les meilleures relations avec leurs enfants parce qu'ils encouragent la participation et développent leur autonomie (Dornbush, 1988). À la lumière des résultats de recherche actuels, il faut cependant prendre garde d'associer un style parental à une classe sociale particulière, par exemple rigorisme ou laxisme avec milieu populaire, alors que de telles correspondances ne se vérifient pas (Schwartz, 1990, cité dans Danic, 1998). De plus, dans certaines familles biparentales, ne risque-t-on pas de retrouver deux styles parentaux plutôt qu'un ?

Le suivi scolaire et le sexe des parents

Les recherches montrent une division du suivi scolaire entre les parents. Les interventions de la mère seraient quatre fois plus fréquentes que celles du père pour ce qui est du suivi quotidien (Kellerhals et Montandon, 1991, dans Terrail, 1992 ; voir aussi Saint-Amant *et al.*, 1998). De même, les mères passent un plus grand nombre d'heures que les pères à la vérification des devoirs (Montandon, 1991).

Si ces données valent d'abord pour les familles biparentales, nous savons par ailleurs qu'en situation de monoparentalité, quand les pères ont charge de famille, les mères continuent de s'impliquer, ce qui n'est pas fréquent en situation inverse (Vézina, 2000).

Les participations respectives des parents au soutien scolaire varient-elles suivant les milieux socioéconomiques ? Une recherche indique que la participation du père au soutien scolaire augmente progressivement, en même temps que sa scolarité. Toutefois, elle n'atteint jamais plus de 50 % de celle de la mère (François de Singly, 1989, dans Terrail, 1992).

Réflexions

La revue de la documentation laisse bien souvent dans l'ombre une composante du rapport à l'école qui nous semble fondamentale, soit la contribution propre des élèves à leur réussite. En plus d'ignorer, dans une majorité d'études, l'apport individuel de chacun des parents à forger la proximité ou la distance scolaire, la socialisation est conçue comme une entité extérieure à l'enfant, c'est-à-dire qu'il ou elle ne serait que le « bénéficiaire » passif de pratiques déterminant son rendement scolaire. Nous pensons plutôt qu'il faut repenser cette relation et concevoir les dynamiques familiales comme le produit des interactions entre deux pôles : les parents et les enfants. Ainsi, pour revenir sur le thème de l'implication parentale, celle-ci ne sera véritablement efficace que dans la mesure où y correspondra chez l'enfant une volonté affichée de s'intéresser et de s'investir dans son devenir scolaire.

D'autres questions demeurent également sans réponse. Les pratiques parentales sont-elles les mêmes de mère à fille, de père à fils, de parents à enfants de sexe différent ? Quelles conclusions tirer du fait que chacun des parents n'entretiendrait pas les mêmes ambitions scolaires pour les garçons et pour les filles, par exemple (Duru-Bellat et Janrousse, 1996) ? Compte tenu de l'implication différenciée des hommes et des femmes dans le suivi scolaire, le niveau de scolarité atteint par la mère a-t-il un impact spécifique ? Selon les études, « moins le niveau d'instruction atteint par la mère est élevé, moins elle s'occupe des devoirs » (Montandon, 1991, p. 61-64). Qu'en est-il dans les milieux populaires où l'on risque de retrouver une plus forte proportion de mères moins scolarisées ? Autant de réponses qui risquent de jouer dans la transmission d'attitudes envers l'école, notamment au plan de la motivation à la réussite scolaire.

LES OBJECTIFS SPÉCIFIQUES DE LA RECHERCHE

Les questions soulevées par la revue de la documentation nous ont amenés à emprunter les avenues spécifiques suivantes sont empruntées pour mettre en évidence les caractéristiques des élèves (et de leurs familles) qui réussissent à l'école en milieu populaire. Il s'agit de : 1) tenir compte de l'incidence de la scolarité maternelle et de la catégorie socioprofessionnelle sur la réussite scolaire en milieu populaire ; 2) comparer les représentations de l'école, de l'identité sociosexuelle et de l'avenir chez des garçons et des filles du primaire avec celles de leurs parents ; 3) de faire émerger de cette comparaison des dynamiques familiales selon que les jeunes sont en réussite ou en difficulté scolaire ; 4) de vérifier si ces dynamiques se particularisent selon le sexe de l'enfant ; 5) de recueillir des données sur la division du suivi scolaire entre les parents ; 6) de mettre en évidence, s'il y a lieu, la présence d'axes favorables à la réussite scolaire entre parents et enfants : mère/fille, père/fils ou axes croisés.

Voici quelques points de repère quant à la méthodologie que nous avons suivie.

LA MÉTHODOLOGIE

Nous avons opté pour une méthode de recherche qualitative (Comeau, 1994) qui repose sur la technique de l'entrevue semi-dirigée. Cette technique est particulièrement bien adaptée à des jeunes de 10 à 12 ans dans la mesure où ceux-ci sont amenés à développer leur pensée dans leurs propres mots, ce qui leur a laissé tout le loisir de déborder un thème particulier pour faire part de leurs expériences propres.

L'échantillonnage visait la représentation d'autant de filles que de garçons de cinquième année, en réussite ou en difficulté scolaires, pour un total de 24 jeunes. Pour obtenir ce nombre, il fallait suréchantillonner en prévision des refus de participation. Ont été considérés en difficulté ceux et celles dont les résultats en français, en anglais[3] et en mathématiques se situaient en deçà de 70 % et, en réussite, ceux et celles dont les résultats dépassaient les 80 %. Le bassin de recrutement de cinquième année n'a pas donné un nombre suffisant d'élèves suivant ces critères. Nous avons décidé de puiser dans tout le deuxième cycle du primaire, ce qui a donné 13 filles et autant de garçons performants, 9 filles et 26 garçons en difficulté. Treize familles[4] ont accepté de participer à la recherche : 13 jeunes inscrits au deuxième cycle du primaire, soit 7 filles et 6 garçons, tous et toutes volontaires. Neuf sont considérés en situation de réussite scolaire (six filles et trois garçons suivant l'absence de redoublement, les résultats

---

3. Nous rapportons dans *Familles, école et milieu populaire* (2000). Études et recherches. Québec, CRIRES, vol. 5, nº 1, p. 190-191, les décisions prises lors du recrutement compte tenu des difficultés rencontrées.

4. Ces difficultés font partie des contraintes de la recherche en milieu populaire.

élevés et une évaluation positive du personnel enseignant), alors que quatre sont en difficulté (trois garçons et une fille). Les rencontres ont duré en moyenne une heure[5].

L'invitation lancée aux parents de ces élèves a permis de rencontrer toutes les femmes des familles, soit 13 personnes (mère, conjointe du père et grand-mère) ainsi que 7 hommes membres de ces mêmes familles (conjoint de la mère ou père). Les familles biparentales ou dites « intactes » sont au nombre de six, les familles monoparentales au nombre de cinq (quatre avec la mère, une avec le père). Deux familles recomposées complètent l'échantillon (une mère et un nouveau conjoint, un père et une nouvelle conjointe). Nous avons rencontré les parents lors d'entretiens de 90 minutes environ. Les mères et les pères ont été vus séparément. Le consentement libre et éclairé des personnes a été consigné par écrit. Celui des parents s'est ajouté pour permettre la participation de leurs enfants. De même a été garantie la confidentialité. Les entretiens ont été réalisés par des enquêteurs ou enquêteuses du même sexe que les personnes rencontrées afin de faciliter la communication.

Le guide d'entretien[6]

Le guide d'entretien destiné aux jeunes comprend six regroupements de thèmes :

1) les perceptions et la représentation de l'école ;

2) la relation au travail scolaire ;

3) la relation à la sociabilité primaire ;

4) la représentation des rapports sociaux entre les sexes ;

5) les relations dans le groupe de pairs ;

6) la représentation de l'avenir.

En ce qui concerne les mères et les pères, le canevas d'entretien[7] comprend, en plus des données sociodémographiques, cinq thèmes permettant d'appréhender les représentations et les pratiques sociales :

---

5.   Voir le tableau comparatif 1 en annexe.

6.   Ce guide d'entretien a été validé auprès des jeunes du secondaire lors de recherches antérieures (Bouchard *et al.*, 1997). Il a été soumis en prétest à des jeunes du primaire et évalué par des enseignantes et des intervenantes du Centre jeunesse.

7.   L'outil a été conçu spécifiquement pour cette recherche afin, d'une part, d'inclure l'histoire scolaire des parents au cas où un passé scolaire difficile aurait une incidence négative sur la représentation de l'école et, d'autre part, de permettre le croisement avec les catégories du guide d'entretien des enfants. Il a été prétesté auprès de familles ne faisant pas partie de l'échantillon.

1) l'attitude de leurs propres parents face à l'éducation des enfants ;

2) plus jeunes, leurs attitudes et comportements personnels face à l'école et aux travaux scolaires ;

3) leur évaluation du rôle des hommes et des femmes dans la famille et dans la société ;

4) leur vision de l'éducation pour leur fille ou pour leur garçon et leurs aspirations ;

5) leur implication dans le suivi scolaire de leur enfant, à l'école et à la maison.

L'école

La recherche s'est déroulée dans une école de la région urbaine de Québec construite au début des années 1920 et rénové tout récemment (au moment où se déroulait l'enquête). Le critère décisif qui a présidé au choix de l'école est sa situation en milieu défavorisé confirmée par les indicateurs du ministère de l'Éducation. On y voit que sur le plan du revenu moyen des familles, l'école se classe au dixième rang décile, de même pour son taux de réussite.

Elle compte une clientèle régulière issue du quartier (environ 175 élèves issus d'un douzaine de communautés culturelles différentes, de la maternelle à la sixième année) et une autre manifestant des problèmes majeurs de comportement en provenance de différents quartiers de la ville (environ 70 élèves). Le personnel enseignant comprend 15 titulaires (8 au secteur régulier, 7 en adaptation scolaire) et 4 spécialistes. C'est le lieu de travail de la psychologue scolaire rattachée à l'équipe de recherche et le lieu d'intervention des deux cochercheuses du Centre jeunesse de Québec qui y rencontrent des enfants en difficulté ou en troubles de comportement. Une culture de concertation entre les différents intervenants impliqués auprès des enfants (éducation, santé, services sociaux) s'est accrue au fil des ans, ce qui s'est traduit par une approche globalisante, nettement intersectorielle.

La méthode d'analyse

Les transcriptions des entrevues d'une même famille ont été regroupées afin de procéder à des analyses « verticales » permettant de faire émerger les dynamiques familiales. Il s'est agi de comparer les réponses données par les parents et les enfants aux questions touchant un même thème. L'analyse tient compte d'un éventuel « effet miroir » entre les représentations des parents et des enfants et scrute l'unité de point de vue entre les parents. Nous avons ensuite procédé à une analyse « horizontale », c'est-à-dire à l'analyse des données rassemblées sous un même thème, pour un groupe (filles, garçons, en difficulté, en réussite), afin de faire ressortir des similitudes et des dissemblances, pour ensuite le comparer aux autres groupes. L'analyse s'est faite suivant le principe de l'accord interjuges et avec les notes de terrain prises lors des entrevues.

Dans ce texte, nous utiliserons les renseignements sociobiographiques recueillis et les données tirées de l'analyse horizontale regroupées sous des thèmes généraux. Ces derniers constituent des noyaux de sens, c'est-à-dire des sous-ensembles relevant d'un même principe de compréhension qui composent une matrice de perception. Les résultats présentés se rapportent donc aux thèmes généraux suivants : 1) la représentation de l'école, 2) la sociabilité primaire (la relation aux parents et aux camarades) et 3) la représentation des rapports sociaux entre les sexes. Il sera également question de la division du suivi scolaire entre les parents.

LA PRÉSENTATION DES RÉSULTATS

Disons tout d'abord quelques mots des données sociodémographiques sur les familles à l'étude.

Renseignements sur la scolarité et le travail des parents

Fait particulièrement intéressant, 9 femmes sur 12 familles (sans la famille monoparentale paternelle) sont retournées aux études, soit à l'éducation des adultes, soit au cégep ou à l'université (voir tableau 1 à la fin). Toutes les femmes des familles monoparentales sont dans cette situation, en plus de cinq parmi les autres types de famille. Les hommes, quant à eux, sont retournés aux études dans la proportion de quatre sur neuf (excluant les quatre familles monoparentales maternelles).

Le tableau 1 montre aussi que 7 femmes sur 12 (sans la famille monoparentale paternelle) travaillent à la maison. Comme la mère de Ruth ne travaille à l'extérieur de la maison qu'à l'occasion, on pourrait dire que c'est la situation de 8 femmes sur 12.

Le tableau nous apprend également que le fait de vivre dans une famille monoparentale de père ou de mère, ou encore dans une famille recomposée, a peu de lien direct avec le succès ou l'échec scolaires. Nous retrouvons ces types de familles dans les deux groupes. La seule exception concerne les familles biparentales qui se retrouvent uniquement dans le groupe des jeunes qui vont bien à l'école.

Tableau comparatif 1

Enfant en entrevue	Mère en entrevue	Père en entrevue	Conjoint/conjointe en entrevue	Autre en entrevue	Type de famille	Scolarité du père	Travail du père	Scolarité de la mère	Travail de la mère	Réussite/Difficulté scolaire	Retour aux études de la mère	Retour aux études du père	Total des entrevues
Martin	oui				Biparentale	5e sec.	Mécanicien	Collégiale	À la maison	Réussite	X		
Frédérique	oui	oui			Biparentale	Cours universitaire	Politicien	Baccalauréat	Enseignante	Réussite	X		
Élise	oui	oui			Mono mère			Universitaire	Infirmière	Réussite	X		
Marie-Ève	oui	oui			Biparentale	Baccalauréat	Préposé	Baccalauréat	Enseignante	Réussite	X		
Raoul	oui				Biparentale	5e sec.	Ferblantier	12e année	À la maison	Réussite		X	
Tommy	oui				Biparentale	?	?	Diplôme en droit	À la maison	Réussite			
Ruth	oui	oui			Biparentale	5e sec. et cours	Technicien en informatique	5e sec. restaurant	T.P.	Réussite	X	X	
Régine	oui				Mono mère			Maîtrise	Intervenante sociale	Réussite	X		
Ariane	oui		oui		Recomposée	Conjoint 5e sec.	Étudiant	2 ans université	À la maison	Réussite		X	
Yannick		oui	oui		Recomposée	5e sec.	Représentant	Conjoint 3e sec.		Difficulté	X	X	
Viviane	oui				Mono mère			DEC Tech. Lab.	À la maison	Difficulté	X		
Joël	oui				Mono père			3e sec.	À la maison	Difficulté	X		
Pierre-Luc				Grand-mère	Mono père	Pas fini secondaire	Mécanicien	Grand-mère, 11e année	À la maison	Difficulté			
6G/7F	11 mères	5 pères	2 conjoints	1 grand-mère	7Bi/4M/2Re					9R/4D			
13 entrevues	11 entrevues	5 entrevues	2 entrevues	1 entrevue						R = 6F/3G			
										D = 3G/1F			32 entrevues

Sur une toile de fond de milieu populaire, les familles se différencient par des écarts sur le plan des ressources financières. Dans certaines, les parents occupent tous les deux des emplois rémunérés et, dans d'autres, un seul est inséré sur le marché du travail. La nature des emplois occupés varie également, par exemple de serveuse à temps partiel dans la restauration à infirmière ou enseignante, de ferblantier à conseiller politique ou écrivain. Ces variations dans l'emploi des parents semblent cependant avoir peu d'effet décelable sur le succès scolaire des enfants que nous avons rencontrés.

En ce qui concerne les scolarités des parents, on remarque qu'elles composent un éventail assez large, passant du secondaire non terminé à l'universitaire, avec une moyenne plutôt élevée dans le groupe des jeunes qui vont bien à l'école, plus aussi chez les femmes que chez les hommes. Logées au cœur du même quartier populaire, les familles des enfants en difficulté scolaire sont par contre nettement moins scolarisées.

Les thèmes généraux de l'analyse

Toutes les catégories du guide d'entretien n'ont pas montré de liens avec la réussite scolaire, ce qui, en soi, était prévisible, mais il ne fallait pas les négliger dans la recherche de combinaisons de facteurs. Par exemple, l'histoire scolaire des parents – qui varie entre la mauvaise expérience, l'échec, l'abandon, la réussite et l'obtention d'un diplôme – n'a pas révélé de lien avec la valorisation accordée au développement éducatif des enfants. Chez le groupe des enfants en réussite scolaire, les parents – surtout les mères – accordent une grande importance au développement personnel de leur enfant et à l'éducation, et ce, malgré certains parcours scolaires difficiles. Le phénomène du propre retour aux études de plusieurs mères est sans doute informatif à ce sujet.

La représentation de l'école

La catégorie portant sur « la représentation de l'école » réunit des renseignements sur l'amour de l'école, la relation au savoir, la relation au personnel enseignant, le jugement sur la réglementation scolaire, les points à améliorer à l'école, la satisfaction face à ses résultats scolaires, l'utilité des matières scolaires, les aspirations scolaires et professionnelles, le projet d'avenir et les contraintes qui pourraient le contrecarrer[8].

---

8.   Toutes ces catégories correspondent aux items du guide d'entretien.

Ceux et celles qui connaissent du succès scolaire partagent une vision positive de l'école, du personnel enseignant et de l'apprentissage. Ils et elles acceptent relativement facilement la réglementation scolaire et leurs aspirations scolaires sont en général très élevées, allant parfois au-delà de celles exprimées à leur sujet par leurs parents. Ce sont des élèves qui éprouvent généralement de l'aisance scolaire, sont plutôt satisfaits de leurs résultats et savent comment les améliorer si le besoin se fait sentir. Leurs parents expriment tous des aspirations élevées quant à leur développement intégral, à leur réussite éducative et sociale. En voici deux exemples :

> Je n'ai pas de plan de carrière pour les enfants [...] J'espère seulement qu'ils réussissent à se bâtir une vie qui soit intéressante pour eux. Qu'ils aient un métier, car, dans la société actuelle, c'est une nécessité d'être autonome pour gagner sa vie. Je sais que Marie-Ève[9] est capable de faire des études et, oui, je souhaite qu'elle en fasse, dans l'absolu, parce que je crois aux études. Je crois que c'est un enrichissement, une culture, une ouverture d'esprit (mère de Marie-Ève).

> Qu'elle fasse un [travail] qu'elle va aimer. Pas n'importe quoi parce qu'il lui faut un emploi. On va leur offrir un toit tant qu'ils n'auront pas trouvé quelque chose. [...] Je la vois très indépendante, leader, organisatrice, aussi bien secrétaire comme avocate en train de plaider à la cour. Je ne serai pas inquiète pour elle. Rien ne me surprendrait parce qu'elle a beaucoup d'ambition (père de Ruth).

Chez le groupe des élèves en difficulté scolaire de l'échantillon, la représentation de l'école est plutôt négative. Trois enfants sur quatre utilisent le mot « plate » pour qualifier leur rapport à l'école. Ils souhaitent aussi « passer leur année » et l'un ajoute de son côté qu'il ne voit pas la nécessité de faire des efforts, car il va aller au secondaire de toutes façons (à cause de son âge). On observe une concordance de visions négatives de l'école entre les parents et les enfants. Par exemple, Viviane qui envisage la possibilité d'être une « mère de famille qui reste à la maison ». Même si elle parle aussi de poursuivre ses études après le secondaire, son propos reste peu convaincant :

> Après le secondaire, ça dépend si j'aime ça. Peut-être que je vais faire le cégep, l'université, je ne sais pas. Ce que je sais, c'est que je ne reprendrai pas mes études comme ma mère. Parce que je trouve que les études, c'est plate et que ça sert à rien. Quand je vais avoir passé à travers ça, ça va être un soulagement (Viviane).

> Des enfants comme Viviane [...] ont des difficultés à trouver leur place. De par la façon dont c'est organisé à l'école [...] Je trouve que c'est un peu trop structuré [...] Des fois, je la comprends qu'elle n'allume pas, c'est plate, comme certains volumes de géographie. Je les lis et je ne trouve pas ça intéressant moi-même. Donc, pour une enfant pas motivée comme ma fille, ça ne la touche pas (mère de Viviane).

---

9.   Il s'agit de prénoms fictifs dans tous les cas.

La sociabilité primaire

Le deuxième thème, « la sociabilité primaire », réunit les données concernant la relation aux parents, l'autonomie de l'enfant, le sentiment de liberté ou de contrôle, l'acceptation des amis et amies, le suivi scolaire, les rôles de chacun des parents, les aspirations scolaires et la perception de l'éducation[10].

Les enfants en situation de réussite scolaire témoignent d'un climat de liberté et d'autonomie à la maison. Confiance, indépendance, efforts et encadrement font partie de la dynamique familiale. Qui plus est, pour la moitié d'entre eux, l'autonomie et la responsabilité sont des notions étroitement associées à leur identité sociosexuelle, par exemple devenir un homme veut dire être responsable, devenir une femme veut dire être autonome. Ces jeunes grandissent dans un climat de liberté et d'autonomie qui favorise leur développement. Ils ont le droit de choisir leurs amis et ces derniers sont bien acceptés à la maison. Dans toutes leurs familles, le climat repose sur des échanges plutôt que sur le contrôle. Cette bonne communication ne signifie pas cependant que les parents laissent aller.

On découvre aussi un axe mère-enfant bien particulier qui se manifeste dans des complicités, des confidences, des discussions sur des sujets sociaux et des échanges sur les expériences passées et les projets à venir. Il favorise la proximité scolaire et renforce positivement le rapport aux savoirs scolaires. Finalement, la lecture fait partie de la vie de huit des neuf enfants et l'on connaît son incidence positive sur le succès scolaire (Snow *et al.*, 1991). Le goût de lire, présent chez la majorité des enfants du groupe, est dans la majorité des cas transmis par la mère.

Dans les familles où les enfants sont en difficulté scolaire, le climat familial est décelable autour des interactions concernant les travaux scolaires à réaliser à la maison. Les jeunes sont très démotivés face à cette partie de leur tâche scolaire. C'est l'occasion, plus souvent qu'autrement, de conflits et de tensions entre les parents et les enfants. De plus, quelques jeunes manifestent des problèmes de comportement à la maison et dans leur vie sociale, notamment par le recours à la violence. Il en résulte souvent du découragement chez les parents et l'expression d'une certaine amertume envers l'école. Il y a perte de confiance et renforcement du contrôle. En ce qui concerne la lecture, c'est tout le contraire du groupe en situation de réussite : il y a très peu d'intérêt.

---

10. Même remarque qu'à la note 8.

La représentation des rapports sociaux entre les sexes

Sous le troisième thème, « la représentation des rapports sociaux entre les sexes », nous avons classé les informations se rapportant à la différenciation entre les sexes à l'école, les relations entre garçons et filles, les matières associées à des sexes, l'égalité entre les sexes, la perception d'une division sexuelle des rôles par les parents et l'évaluation de la contribution du mouvement des femmes à la société[11].

La représentation des rapports sociaux entre les sexes chez les jeunes en situation de réussite scolaire repose sur une conscience des inégalités entre les hommes et les femmes et se manifeste par de l'ouverture envers des pratiques égalitaires. Dans la plupart des cas, ces jeunes refusent d'entériner des différenciations sociosexuelles, mais reconnaissent qu'elles ont cours dans la société actuelle. Ils et elles sont conscients du système de deux poids deux mesures qui prévaut sur le marché du travail.

Leurs mères reconnaissent toutes une contribution importante au mouvement des femmes ; elles parlent de l'acquisition du droit de vote, de l'ouverture vers les métiers non traditionnels, de la possibilité de prendre sa place, de l'accès à la contraception, de la possibilité d'étudier, etc. Certaines font également référence aux situations qui obligent les femmes à être plus performantes dans les domaines masculins. Elles appliquent un principe d'égalité, tout particulièrement dans le cas du travail domestique, à leur propre situation. Toutes se disent convaincues qu'il reste beaucoup à faire, notamment dans le domaine de l'accès à l'emploi, du type d'emploi occupé, des salaires, du partage des tâches et de l'éducation.

La moitié des pères ou conjoint (soit quatre sur sept) émettent de sérieuses réserves quant à la contribution du mouvement des femmes à la société. Leur réticence concerne surtout la question de l'emploi. L'un se demande, par exemple, ce que veut dire avoir un meilleur emploi et si une femme doit faire le même travail qu'un homme. Un autre croit que la meilleure « job » est celle pour laquelle tu es content d'aller travailler et il associe le travail des femmes au chômage croissant. Cependant, sur le plan personnel, il ne voudrait pas que plus tard, sa propre fille soit dépendante d'un homme.

Les autres hommes manifestent, par contre, de l'ouverture face au mouvement des femmes. L'un souligne les retombées positives de la scolarisation des femmes et un autre critique les pères qui ne prennent pas leurs responsabilités.

---

11. Même remarque.

Chez le groupe de jeunes en difficulté scolaire, la représentation des rapports sociaux entre les sexes est peu élaborée. Leur vision des inégalités entre les hommes et les femmes est assez sommaire et leurs descriptions empruntent aux préjugés et aux stéréotypes. Deux des garçons font d'ailleurs des associations entre la séduction, attribut qu'ils accordent aux femmes (danseuse, sexy) et la facilité à se trouver un emploi. Ils ont souvent une vision traditionnelle des rôles sociosexuels. On remarque également une tendance à expliquer les inégalités sociales par des caractéristiques individuelles, autant chez les parents que chez les enfants. Le mouvement des femmes est jugé plutôt négativement, sauf pour une mère, et plusieurs ont une perception faussée quant à l'atteinte de l'égalité entre les hommes et les femmes. Sur ce thème, ce groupe contraste fortement avec le précédent.

Nos résultats de recherche font aussi voir une différenciation dans la division du suivi scolaire entre les parents.

La division du suivi scolaire entre les parents

Le tableau 2 présente une des formes que prend la division du suivi scolaire entre les parents. Les catégories retenues sont : Qui s'informe de l'école ? Qui aide aux devoirs et aux leçons ? Qui lit le carnet et les directives ? Qui vérifie le bulletin et suit les résultats scolaires ? Qui participe aux réunions et rencontre le personnel enseignant ?

Dans le cas des familles où deux parents ont participé à la recherche, on remarque un seul lieu de contradiction entre la réponse donnée par le père et par la mère (ou la conjointe) ; il s'agit de qui s'informe de l'école (familles de Yannick, Ruth et Marie-Ève). La mère attribue un rôle moins grand à son compagnon que celui qu'il s'accorde puisqu'il répond « les deux » et qu'elle dit de son côté « moi ». Ces différences de perception peuvent être dues au fait que nos questions ne précisaient pas le degré d'implication. Par ailleurs, il faut noter la concordance des visions entre hommes et femmes dans cinq familles (Yannick, Ruth, Ariane, Frédérique et Marie-Ève)[12] que ce soit pour signifier que c'est la mère – d'un commun accord – ou les deux parents.

Le tableau indique également que le père de Frédérique est le seul homme à revendiquer une implication qu'il serait seul à faire ; elle concerne la vérification des bulletins et le suivi des résultats. Sa conjointe dit toutefois de son côté qu'ils sont les deux à le faire. Tous les autres hommes s'attribuent une participation conjointe avec leur épouse lorsqu'ils

---

12. Une précision s'impose dans le cas de la famille d'Élise. Nous ne disposons pas du témoignage de la mère pour cette partie de l'entrevue à cause de difficultés techniques lors de l'enregistrement.

Tableau comparatif 2

Parent/enfant	S'informe de l'école	Aide aux devoirs et leçons	Lecture du carnet et directives	Vérifier le bulletin et suivre les résultats	Participer aux réunions, voir les professeurs
Père de Yannick	les deux	ma conjointe	ma conjointe	les deux	les deux
Conjointe	moi	les deux	les		
deux	les deux	les deux			
Grand-mère de Pierre-Luc	moi	personne	personne	son père	son père
Mère de Viviane	moi	moi	les deux	les deux	les deux
Mère de Joël	les deux	moi ou son frère	moi	moi	moi
Mère de Rommy	moi	moi	moi	les deux	moi
Mère de Ruth	moi	moi	les deux	les deux	moi
Père de Ruth	les deux	mon épouse	les deux	les deux	mon épouse
Mère de Marie-Ève	moi	moi	moi	les deux	moi
Père de Marie-Ève	les deux	mon épouse	les deux	les deux	les deux
Mère de Martin	les deux	moi	moi	les deux	les deux
Mère de Régine	moi	moi	moi	les deux	moi
Mère de Raoul	moi	les deux	autonome	les deux	moi
Père d'Ariane	les deux	les deux	autonome	les deux	les deux
Mère d'Ariane	les deux	les deux	les deux	les deux	les deux
Père d'Élise	mon épouse	mon épouse	mon épouse	les deux	mon épouse
Mère d'Élise	moi	–	–	–	–
Père de Frédérique	les deux	les deux	autonome	moi	les deux
Mère de Frédérique	les deux	autonome	les deux	les deux	les deux

le font. Les femmes indiquent à 26 occasions (sur 55 possibilités – en excluant la grand-mère de Pierre-Luc qui constitue un cas particulier et la mère d'Élise dont les propos ont été effacés) qu'elles sont les seules à s'occuper du suivi scolaire dans les catégories concernant l'information scolaire, l'aide aux devoirs et aux leçons, la lecture du carnet et des directives et la participation aux réunions de même que la rencontre avec le personnel enseignant. Dans la catégorie concernant la vérification des bulletins et le suivi des résultats, on remarque plutôt que ce sont les deux parents qui sont impliqués. En effet, 14 parents (sur une possibilité de 17 en excluant la grand-mère de Pierre-Luc et la mère d'Élise) s'entendent pour dire que ce sont les deux, et ce, même dans les familles monoparentales maternelles.

Au bilan, les femmes sont identifiées comme présentes dans 79 situations (25 « moi », 44 « les deux » et 10 « mon épouse ou ma conjointe » sur une possibilité de 81)[13]. Les hommes, quant à eux, le sont dans 45 situations (1 moi, 44 les deux). Ces données quantitatives illustrent la division du suivi scolaire entre les parents et mettent en évidence un fort investissement maternel. Ces résultats vont dans le sens des travaux de Kellerhals et Montandon (1991), de Saint-Amant *et al.* (1998) et de Terrail (1992) qui indiquent une fréquence plus élevée des interventions quotidiennes de la mère.

CONCLUSION

L'objectif principal de cette recherche était de faire ressortir les caractéristiques des élèves (et de leurs familles) qui connaissent du succès à l'école, dans un milieu socioéconomiquement faible.

Il ressort nettement de l'analyse que les enfants en situation de réussite scolaire accordent de l'importance à l'école autant pour se développer personnellement que pour apprendre et assurer leur avenir. Ces enfants sont relativement à l'aise dans le milieu scolaire et, bien qu'ils et elles aient des critiques et des améliorations à apporter, reconnaissent la pertinence d'une réglementation scolaire. En général, ces jeunes ont de la facilité scolaire et éprouvent de la satisfaction face à leurs résultats. Si des difficultés scolaires surgissent, la plupart d'entre eux savent quels moyens prendre pour y remédier. Ils et elles ont des aspirations scolaires élevées.

Un des objectifs spécifiques de notre recherche était l'identification des dynamiques familiales favorables à la réussite scolaire. Dans les familles où les jeunes sont en réussite, les enfants bénéficient d'un climat démocratique – avec encadrement – qui leur permet d'expérimenter de façon autonome la gestion de leur temps. Ils et elles se sentent soutenus et font l'expérience de moments de liberté. Comme bon nombre d'autres études sur les styles parentaux (Dornbush, 1988 ; Deslandes, 1996 ; Steinberg, Lamborn, Dornbush et Darling, 1992), notre recherche montre que les parents démocratiques ont un effet positif sur le développement de leurs enfants parce qu'ils encouragent la participation et l'autonomie.

Cette reconnaissance de l'enfant et de sa place dans la famille crée un climat de confiance. Les encouragements maternels (la constante dans le groupe en situation de réussite scolaire) et paternels (dans certaines familles biparentales du même groupe) sont reçus avec plus d'ouverture. Ces jeunes sont capables de se projeter dans l'avenir, conséquence certaine de la vision positive de l'école qu'a la mère. Notre étude va dans le sens

---

13.   85 moins quatre fois la mention autonomie.

des recherches dans le domaine : un environnement positif à la maison, des attitudes positives face à l'éducation et face à l'école et des attentes élevées de réussite scolaire ont un effet notable sur la réussite scolaire dans les différents milieux socioéconomiques (Snow, Barnes, Chandler, Goodmann et Hemphill, 1991 ; Terrill et Ducharme, 1994 ; Holden, 1993). Elle montre de plus que les mères sont les principales actrices de la dynamique familiale favorable à la réussite scolaire en milieu populaire.

Notre étude posait aussi la question de l'incidence de la scolarité maternelle ou de la catégorie socioprofessionnelle sur la réussite scolaire dans ce milieu. La scolarisation des mères semble plus liée à la représentation positive de l'éducation que l'emploi occupé ; la majorité de ces femmes sont hors du marché du travail rémunéré. L'emploi des parents, quand ceux-ci en ont un, ne semble pas avoir d'effet notable sur le succès scolaire des enfants que nous avons rencontrés. De plus, l'histoire scolaire des parents ne nous a pas permis d'établir de lien avec la valorisation accordée à l'éducation.

Un autre des objectifs spécifiques de la recherche concernait une différenciation éventuelle dans le soutien parental à la réussite scolaire selon le sexe de l'enfant. Nous disposons de suffisamment d'information en ce qui concerne la mère pour invalider cette pratique dans notre échantillon. La recherche montre l'existence d'un axe mère-enfant (autant garçon que fille) de soutien à la réussite scolaire. Dans toutes les familles où l'enfant connait du succès à l'école, on retrouve cet axe qui favorise la proximité scolaire et renforce les liens avec l'école. Les mères n'hésitent pas à se servir de leurs propres expériences (scolaires ou autres, bonnes ou mauvaises) pour motiver les enfants. Elles transmettent l'importance des efforts en vue de la réussite, la responsabilisation face aux études et à la préparation de l'avenir. L'axe mère-enfant passe également par l'incitation à la lecture. Tous les enfants en situation de réussite scolaire lisent régulièrement, au-delà de ce qui est exigé à l'école. On connaît l'incidence positive de la lecture sur la réussite scolaire qui développe l'imaginaire et le sens critique.

L'investissement maternel inclut, mais aussi dépasse le cadre scolaire. Il s'articule étroitement à une vision de la société qui accorde de grandes significations à l'émancipation sociale[14] et, par le fait même, à l'égalité entre les hommes et les femmes (Bouchard et Saint-Amant, 1996b). Cette lecture des voies de promotions individuelles et collectives, et les aspirations qu'elle engendre, sont traduites dans des interventions pour que les enfants se développent et se réalisent pleinement, de façon autonome et

---

14. En termes de classe sociale, ce désir d'émancipation est une résistance.

responsable, notamment par le biais de l'éducation. Les jeunes garçons et les jeunes filles en situation de réussite scolaire ont conscience des iné-galités sociales entre les femmes et les hommes et le manifestent par une ouverture vers des pratiques plus égalitaires. Très largement, ils et elles sont très critiques à l'égard des étiquettes reliées à chacun des sexes, particuliè-rement les filles. Les mères sont loin d'être étrangères aux attitudes non sexistes observées chez les enfants. Elles valorisent, elles aussi, des prin-cipes d'égalité entre les sexes et reconnaissent toutes au mouvement des femmes une contribution importante au développement de notre société. Au-delà de la description des comportements, on pourrait y voir une clé du succès scolaire en milieu populaire. Notre analyse soulève la question de l'apport spécifique des mères dans un milieu donné. Dans ce cas particulier, il s'agit d'un milieu populaire où les conditions économiques à elles seules sont peu garantes de la proximité scolaire. Il y a fort à parier que l'investissement maternel change bien des choses.

BIBLIOGRAPHIE

Bouchard, P., J.C. Saint-Amant et J. Tondreau (1998). « Effets de sexe et de classe sociale dans l'expérience scolaire de jeunes de quinze ans », *Cahiers québécois de démographie, 27*(1), p. 95-120.

Bouchard, P., J.-C. Saint-Amant, N. Bouchard et J. Tondreau (1997). *De l'amour de l'école. Points de vue de jeunes de quinze ans,* Montréal, Éditions du Remue-ménage.

Bouchard, P. et J.C. Saint-Amant (1996a). *Garçons et filles : Stéréotypes et réussite scolaire,* Montréal, Éditions du Remue-ménage.

Bouchard, P. et J.C. Saint-Amant (1996b). « Réussite scolaire des filles et émancipation des rôles sociaux de sexe », *Apprentissage et socialisation,* numéro thématique « La famille au centre de l'intervention », *17*(1-2), p. 35-49.

Brais, Y. (1991). *Retard scolaire au primaire et poursuite des études,* Direction de la recherche, Québec, Ministère de l'éducation du Québec.

Comeau, Y. (1994). *L'analyse des données qualitatives,* Québec, Cahiers du CRISES.

Conseil supérieur de l'éduation (1995). *Des conditions de réussite au collégial Réflexion à partir de points de vue étudiants,* Sainte-Foy, Conseil supérieur de l'éducation.

Conseil supérieur de l'éducation (1999). Pour une meilleure réussite scolaire des garçons et des filles, Sainte-Foy, Conseil supérieur de l'éducation.

Danic, I. (1998). « Aspects de la socialisation familiale et scolaire du jeune enfant en France : Révision d'une évidence », Communication à l'ACFAS.

Deci, E.L. et R. Ryan (1985). *Intrinsic motivation and sef-determination in human behavior*, New York, Plenum Press.

Deslandes, R. (1996). *Collaboration entre l'école et les familles : Influence du style parental et de la participation parentale sur la réussite scolaire au secondaire*, thèse de doctorat, Québec, Université Laval.

Dornbush, S. (1988). « Helping Your Kid Make the Grade », *Educational Research Service, Parent Involvement and Student Achievement*, Washington, Educational Research Service, p. 26-27.

Dornbush, S.M., P.L. Ritter, R. Mont-Reynaud et Z.Y. Chen (1990). « Family Decision-Making and Academic Performance in a Diverse High School Population », *Journal of Adolescent Research, 5*(2), p. 143-160.

Duru-Bellat, M. et J.P. Janrousse (1996). « Le masculin et le féminin dans les modèles éducatifs des parents », *Économie et statistique, 293*(3), p. 77-93.

Epstein, Joyce L. (1988). « School Policy and Parent Involvement : Research Results », *Educational Research Service, Parent Involvement and Student Achievement*, Washington, Educational Research Service, p. 12-13.

Holden, C. (1993). The Making of a (Female) Scientist, *Science, 262*, p. 1815.

Manscill, C.K. et B.C. Rollins (1990). « Adolescent self-esteem as an intervening variable in the parental behavior and academic achievement relationship », B.K. Barber et B.C. Rollins (dir.), *Parent-adolescent relationships*, New York, University Press of America, p. 95-119.

Ministère de l'Éducation du Québec (1999). *Indicateurs de l'éducation*, Québec, Direction générale des services à la gestion.

Montandon, C. (1991). *L'école dans la vie des familles. Ce qu'en pensent les parents des élèves du primaire genevois*, Cahier n° 32, Service de la recherche sociologique, Genève, Département de l'instruction publique.

National Center for Education Statistics (1993). *Dropout rates in the United States*, Washington, U.S. Departement of Statistics.

Rumberger, R.W., R. Ghatak, G. Poulos, P.L. Ritter, et S.M. Dornbush (1990). « Family Influences on Dropout Behavior in one California High School », *Sociology of Education, 63* (octobre), p. 283-299.

Saint-Amant, J.C., C. Gagnon et P. Bouchard (1998). « La division du suivi scolaire entre les parents Un axe mère-fille ? », *Les cahiers de la femme / Canadian Woman studies, 18*(2-3), p. 30-35.

Snow, C.E, W.S. Barnes, J. Chandler, I.F. Goodman et L. Hemphill (1991). *Unfulfilled Expectations : Home & School Influences on Literacy*, Massachusetts, Harvard University Press.

Statistique Canada (1993). *Après l'école*, Ottawa, Statistique Canada.

Steinberg, L., S.D. Lamborn, S.M. Dornbush et N. Darling (1992). « Impact of Parenting Practices on Adolescent Achievement : Authoritative Parenting, Psychological Maturity and Academic Success among Adolescents », *Child Development*, 60, p. 1424-1436.

Terrail, J.-P. (1992). « Parents, filles et garçons, face à l'enjeu scolaire », *Éducation et Formations*, 3, p. 3-11.

Terrill, R. et R. Ducharme (1994). *Passage secondaire-collégial : caractéristiques étudiantes et rendement scolaire*, 2ᵉ édition, Montréal, Sram.

Vézina, G. (2000). *Le suivi scolaire – une réalité féminine (en gynéparentalité et en biparentalité)*, essai, Québec, Faculté des sciences de l'éducation, Université Laval.

Whelage, G.G. et R.A. Rutter (1986). « Dropping out : How much do Schools contribute to the problem ? », dans G. Natrielleo (dir.), *School Dropouts, Patterns and Policies*, New York, Teachers College Press, p. 70-88.

CINQUIÈME PARTIE

L'évaluation des pratiques d'intervention

Le point de vue des parents et des intervenants sur la collaboration dans le cadre des services en pédopsychiatrie

Carl LACHARITÉ
Département de psychologie, Université du Québec à Trois-Rivières

Jocelyne MOREAU
Département de psychoéducation, Université du Québec à Trois-Rivières

Marie-Louise MOREAU
Assistante de recherche au GREDEF, Université du Québec à Trois-Rivières

PROBLÉMATIQUE

Depuis une dizaine d'années, plusieurs études se penchent sur le phéno-mène du partenariat et de la collaboration entre les professionnels (de la santé, des services sociaux, des services éducatifs) et les parents. Ces études s'inscrivent dans la foulée de l'idéologie de l'empowerment des familles (Beaupré et Tremblay, 1990, 1992 ; Bergeron et Laflamme, 1996 ; Bertrand, 1996 ; Bhérer, 1993 ; Bouchard, 1992 ; Boudreault, Kalubi, Sorel, Beaupré et Bouchard, 1998 ; Ducharme, 1992 ; Elizur, 1996 ; Gendreau, Baillargeon et Bouchard, 1993 ; Gendreau, Brisson, Delorme-Bertrand, Labelle, Lemay et Ouellet, 1995 ; Gendreau, Cormier, Lemay et Perreault, 1995 ; Jutras, 1992 ; Lavigueur et Laurendeau, 1990 ; Moreau, 1997 ; Palacio-Quintin, Éthier, Jourdan-Ionescu et Lacharité, 1994 ; Riesser et Schorske, 1994 ; Saint-Laurent, Royer, Hébert et Tardif, 1994 ; Saint-Onge, Lavoie et Cormier, 1995 ; Thériault, 1992 ; Vatz Laaroussi, 1996).

Afin de maximiser le potentiel des familles pour jouer adéquatement leur rôle, cinq facteurs importants devraient soutenir la relation parent-professionnel, soit : l'acceptation des parents comme membres à part entière de l'équipe de traitement ; la capacité des professionnels à partager toute information pertinente avec ceux-ci ; la communication à double sens avec absence de jargon ; la concentration sur la planification du traitement, sur les forces et les caractéristiques de l'enfant et de la famille aussi bien que sur leurs besoins ; et la prise de décision commune entre parents et professionnels (Bogrov et Crowel, 1996).

Selon Hatfield (1996), le terme *collaboration* est fréquemment utilisé pour décrire les relations entre les familles et les professionnels, mais ce terme n'a pas toujours la même signification et il est nécessaire avant tout de bien le définir. Pour cette auteure, la collaboration est basée sur un principe démocratique fondamental selon lequel chaque personne touchée par une décision devrait avoir une part dans le processus de prise de décision. La collaboration signifie le partage de la définition du problème, le partage de la prise de décision et le partage des responsabilités concernant la décision finale, reflétant un équilibre entre les besoins de toutes les personnes impliquées dans cette décision. La collaboration signifie donc de travailler avec les gens plutôt que de faire les choses à leur place. L'idée de la collaboration nécessite l'abolition de la relation hiérarchique dans laquelle les professionnels détiennent le pouvoir et les familles jouent un rôle plus passif. La collaboration requiert donc le changement de modèles thérapeutiques, qui auparavant concevaient les familles en termes de pathologies et de déficits, pour maintenant les concevoir selon un modèle de compétence qui se concentre sur leurs forces et leurs habiletés. Finalement, l'idée de la collaboration, autant pour les professionnels que pour les familles, fait appel à de nouvelles habiletés pour la communication, la résolution de problème et l'établissement de consensus.

S'intéressant aux barrières faisant obstacle aux relations parents-professionnels, Elizur (1996) propose un modèle du processus permettant la formation d'alliances de travail entre les professionnels et les familles. Selon l'auteur, chaque étape est définie par des objectifs qui lui sont propres et qui doivent être respectés dans le temps. Ainsi, l'étape de *l'engagement* se caractérise par l'établissement d'un lien de confiance et la mise en place de voies de communication efficaces, principe soutenu par Lavoie et Kaplowitz (1996), selon lesquels des voies et des habiletés de communication efficaces et bien établies sont essentielles pour une collaboration efficace. L'étape de *la collaboration* se distingue par l'établissement d'un partenariat basé sur la reconnaissance de buts, de méthodes et de traitements communs aux partenaires impliqués. Finalement, l'étape de *l'appropriation* se reconnaît par le partage du pouvoir et des responsabilités par chacun des partenaires.

Chacune des étapes s'inscrit dans un processus longitudinal dans lequel le temps doit être respecté, car tout changement prématuré peut générer de la résistance de la part des partenaires et risque de conduire à une impasse dans les relations parents-professionnels. Le processus d'appropriation arrive à son point culminant lorsque la philosophie d'approche centrée sur la famille cesse d'être « un projet » et est devenue une partie intégrale de la routine des professionnels. Cette idée est soutenue par Hunter et Friesen (1996) lorsqu'ils affirment que les services centrés sur la famille exigent un changement fondamental dans la nature de la relation entre les professionnels et les familles desservies, changement d'un mode de relation basé sur l'interaction « thérapeute » et « client » à un mode de relation basé sur un partenariat et une collaboration mutuelle des habiletés, connaissances et expériences de chacun. Soulevant aussi l'idée selon laquelle la collaboration demeure un processus évolutif, pour Boudreault, Kalubi, Sorel, Beaupré et Bouchard (1998), il est nécessaire de concevoir la collaboration professionnels-parents comme un cheminement interactif fondé sur les efforts de chacun à expliciter ses réalités afin que chacun puisse en faire une appropriation. Pour eux, la collaboration nécessite l'entraide mutuelle, une gestion partagée des activités et une prise de décisions en commun.

Ainsi, l'idéologie de l'*empowerment* vise à mettre en place des conditions qui favorisent l'exercice des compétences des parents (Dunst, Trivette et Deal, 1994). Ces conditions peuvent toucher le *contexte institutionnel* et se traduire, par exemple, par la mise en place des mesures et procédures qui facilitent et encouragent la participation et l'implication des parents dans les services que reçoit leur enfant. Ces conditions peuvent également toucher la *dimension interpersonnelle* et faire en sorte, par exemple, que les contacts avec les intervenants procurent une reconnaissance et une validation des compétences des parents.

C'est sur cette dimension interpersonnelle que se concentre la présente étude. Il existe un certain nombre de barrières ou obstacles qui interfèrent avec cette reconnaissance et validation par l'intervenant en santé mentale infantile des compétences des parents (Heflinger et Bickman, 1996) :

- Le parent est vu par l'intervenant comme une des sources des problèmes de l'enfant, il porte donc ici plus attention à ses failles, à ses incompétences, à ses défaillances ;

- Le parent est vu par l'intervenant comme ne possédant pas les savoirs pertinents qui permettent de comprendre adéquatement la situation de l'enfant et de l'améliorer ;

- L'intervenant porte attention aux besoins et au point de vue de l'enfant et néglige de considérer le point de vue et les besoins des parents.

Peu d'études ont examiné la collaboration parent-intervenant sous l'angle des « conditions subjectives » qui entourent leurs échanges. Par « conditions subjectives », nous entendons les perceptions réciproques de chaque partenaire à propos de l'autre.

OBJECTIF DE LA RECHERCHE

Cette étude vise à examiner les conditions subjectives de la relation entre un parent et un intervenant dans le contexte de services et de soins pédopsychiatriques. Elle cherche donc à répondre à la question suivante : Est-ce que le fait qu'un intervenant a une perception nuancée et positive des compétences du parent et de la qualité de la relation avec lui est associé à des indices de collaboration positive telle qu'elle est perçue par le parent ?

L'hypothèse mise à l'épreuve est la suivante : il est possible d'expliquer la perception du parent concernant la qualité de la relation avec l'intervenant, la qualité de ses pratiques d'aide et son sentiment de contrôle face à l'intervenant en tenant compte de la perception que ce dernier a des compétences du parent et de la qualité de la relation avec lui.

MÉTHODE

Participants[1]

L'échantillon est composé de 84 dyades parent-intervenant provenant d'un échantillon de 93 familles dont l'enfant, âgé de moins de 10 ans, reçoit des services en pédopsychiatrie. L'âge moyen des enfants cibles est de 6,4 ans (écart type = 1,7 ans). Les enfants sont des garçons dans une proportion de 76,3 % et les parents sont des mères dans une proportion de 64,3 %. Environ la moitié (52,8 %) des parents ont fait des études secondaires ou collégiales. Tous les enfants de l'échantillon ont au moins un diagnostic primaire et certains ont un ou plusieurs diagnostics secondaires. Les intervenants, au nombre de 12, proviennent de différentes disciplines professionnelles : psychiatrie, psychologie, psychoéducation, orthophonie, travail social.

La durée de la relation dans les dyades parent-intervenant est en moyenne de 12,9 mois (écart type = 11,7 mois) et varie entre 2 et 72 mois ;

---

1.   Cette étude découle d'une recherche plus vaste de Lacharité, Moreau et Moreau (1999). Nous tenons à remercier tous les parents et intervenants du Pavillon Arc-en-Ciel du Centre hospitalier régional de Trois-Rivières qui ont participé cette recherche.

27,4 % sont en relation depuis moins de 6 mois, 34,5 % sont en relation depuis 6 à 11 mois et 38,1 % sont en relation depuis 12 mois ou plus. La quantité médiane d'heures par mois consacrée (depuis les trois derniers mois) aux contacts entre le parent et l'intervenant est de deux heures. 20,2 % sont en contact moins d'une heure par mois, 54,8 % sont en contact une à deux heures par mois, 15,5 % sont en contact trois à quatre heures par mois et 9,5 % sont en contact cinq heures ou plus par mois.

Instruments de mesure

Inventaire sur la collaboration parent-intervenant (Lacharité et al., 1999)

Ce questionnaire est composé de 15 items qui permettent au parent de décrire la relation qu'il entretient avec un intervenant de l'équipe clinique avec lequel il a des contacts « significatifs ». Dans le cadre de cette étude, « significatif » pouvait signifier une des trois options suivantes : 1) celui avec lequel j'ai des contacts positifs, 2) celui avec lequel j'ai des contacts négatifs ou 3) celui que je côtoie le plus souvent. Ce questionnaire a été élaboré à partir de deux instruments déjà validés : les 12 items du *Questionnaire sur le lien institution-famille* (McGrew et Gilman, 1991) qui permet au parent de décrire le degré de confort ressenti et de collaboration perçue dans la relation avec un intervenant ainsi que le lieu de contrôle parental et trois items provenant du *Fear-of-Intimacy Scale* (Descutner et Thelen, 1991) portant sur le degré de confiance du parent envers l'intervenant. Plus la cote obtenue à ce questionnaire de 15 items est élevée, plus le parent perçoit positivement la relation qu'il entretient avec un intervenant donné.

Échelle des pratiques d'aides (Dunst, Trivette et Hamby, 1995)

Ce questionnaire est composé de 16 items qui permettent au parent de donner son avis sur les façons employées par les intervenants pour lui apporter de l'aide. Une échelle de type Likert en cinq points permet au parent de donner son opinion sur le sujet. Plus la cote totale est élevée, plus le parent perçoit positivement les pratiques d'aide de l'intervenant.

Échelle de perception de contrôle (Affleck, Tennen et Rowe, 1991)

Le sentiment d'avoir du contrôle sur les interventions est évalué à l'aide d'un item qui demande au parent d'indiquer jusqu'à quel point il a l'impression de pouvoir influencer la nature des services que son enfant et lui reçoivent. Une échelle de type Likert en 10 points permet au parent de fournir son opinion sur le sujet. Plus cette cote est élevée, plus le parent sent qu'il peut avoir une influence sur les services et les interactions qu'il a avec l'intervenant.

Inventaire des habiletés psychologiques (Lacharité et al., 1999)

Ce questionnaire est rempli par l'intervenant et lui permet de donner son opinion sur tous les parents de ses dossiers actifs. Ce questionnaire a été adapté de l'inventaire sur les habiletés psychologiques (Strayhorn, 1988). L'intervenant indique, à l'aide d'une échelle de type Likert en cinq points, dans quelle mesure il pense qu'un parent donné possède chacune des 22 habiletés psychologiques mentionnées dans le questionnaire. On obtient ainsi une cote totale qui, plus elle est élevée, plus elle indique une perception positive du parent par l'intervenant. De plus, l'intervenant peut mentionner s'il connaît insuffisamment le parent pour donner son opinion sur lui à chacun des items. On peut ainsi obtenir une autre cote qui décrit jusqu'à quel point l'intervenant rapporte connaître le parent.

Échelle de la qualité de la relation intervenant-parent (Lacharité et al., 1999)

Un item permet à l'intervenant d'évaluer la qualité de la relation qu'il entretient avec le parent à l'aide d'une échelle allant de 1 (relation très difficile) à 9 (relation très facile). L'intervenant peut également indiquer s'il connaît insuffisamment le parent pour évaluer la qualité de la relation avec lui.

Déroulement

Toutes les informations recueillies auprès des parents et des intervenants ont été tenues strictement confidentielles. Chaque participant était préalablement informé de cette procédure avant de remplir les questionnaires. Les intervenants ne savaient pas si les parents les avaient sélectionnés comme intervenant significatifs. Un parent pouvait sélectionner deux intervenants significatifs. Dans ce cas, il remplissait pour chaque intervenant tous les questionnaires requis. Les intervenants qui ont participé à l'étude ont rempli les questionnaires qui leur étaient adressés pour tous les parents dans leur « caseload ». C'est à l'aide de cette procédure que les 84 dyades parent-intervenant ont pu être constituées à partir des informations recueillies de manière indépendante.

Description des variables

Même si cette étude est de type corrélationnelle, nous avons décidé d'examiner les données dans une direction particulière : dans quelle mesure les informations fournies par les parents varient-elles en fonction des informations fournies par les intervenants ? Cette décision ne signifie pas que notre étude permet d'examiner les effets des perceptions des intervenants sur celles des parents, mais plutôt qu'il existe une cohérence interpersonnelle au sein de la relation parent-intervenant, cohérence qui permet, dans une certaine mesure, de « prédire » la conduite de l'un en connaissant celle de l'autre. Cette décision est également motivée par le fait que nous souhaitons que cette étude ait des retombées sur la formation des intervenants en pédopsychiatrie.

Ainsi, les variables dépendantes sont celles fournies par les parents : la qualité de la relation avec l'intervenant, la qualité des pratiques d'aide et le sentiment de contrôle. Les variables indépendantes sont celles fournies par l'intervenant : la qualité de la relation avec le parent, la perception des compétences psychosociales du parent et le degré de connaissance du parent.

RÉSULTATS

Liens avec la durée de la relation et la fréquence des contacts

Le tableau 1 présente les corrélations non paramétriques[2] (Spearman) entre les variables à l'étude et les variables contrôles. La durée de la relation parent-intervenant ne semble pas associée à une perception plus positive de celle-ci autant par le parent que par l'intervenant. Par contre, la fréquence de contacts mensuels semble positivement associée aux perceptions de la relation parent-intervenant. Plus les contacts entre eux sont fréquents, plus le parent perçoit la relation avec l'intervenant et ses pratiques d'aide de manière positive et plus il rapporte sentir un contrôle sur les services que lui et son enfant reçoivent. En outre, plus les contacts sont fréquents, plus l'intervenant perçoit positivement la relation entre lui et le parent.

Analyses bivariées

Cette section présente les résultats des analyses bivariées entre les variables dépendantes (parent) et chacune des variables indépendantes (intervenant). La figure 1 montre que la qualité de la relation perçue par le

---

2. Des corrélations non paramétriques ont été utilisées parce que les distributions de plusieurs variables ne respectaient pas le postulat de la normalité.

TABLEAU 1

Corrélations entre les variables (parent et intervenant)
à l'étude et la quantité de contacts mensuels et la durée de la relation

	Quantité de contacts	Durée de la relation
Relation (parent)	0,40 ***	–0,03
Pratiques d'aide (parent)	0,40 ***	0,01
Contrôle (parent)	0,36 ***	–0,09
Relation (intervenant)	0,25 *	–0,04
Compétences (intervenant)	0,12	0,15
Connaissances (intervenant)	0,21	0,06

* $p < 0,05$ ** $p > 0,01$ *** $p < 0,001$

parent (F = 4,3, $p < 0,05$; r = 0,32, $p < 0,01$), la perception des pratiques d'aide (F = 4,7, $p < 0,01$; r = 0,34, $p < 0,01$) et le sentiment de contrôle chez le parent (F = 3,4, $p < 0,05$; r = 0,24, $p < 0,05$) varient en fonction de la qualité de relation perçue par l'intervenant. Les données de la figure 1 sont exprimées en cote Z et montrent que lorsque les intervenants perçoivent la relation avec le parent comme étant facile et aisée, les parents qui sont en contact avec ces intervenants sont ceux qui ont des opinions les plus positives de l'ensemble de l'échantillon.

La figure 2 montre que la qualité de la relation perçue par le parent (F = 8,2, $p < 0,001$; r = 0,46, $p < 0,001$), la perception des pratiques d'aide (F = 3,2, $p < 0,05$; r = 0,36, $p < 0,001$) et le sentiment de contrôle chez le parent (F = 1,2, $p < 0,05$; r = 0,24, $p < 0,01$) varient en fonction de la perception des compétences du parent par l'intervenant. Les données de la figure 2 montrent que lorsque les intervenants perçoivent le parent comme ayant des compétences personnelles multiples et variées, les parents qui sont en contact avec ces intervenants sont ceux qui ont des opinions les plus positives de l'ensemble de l'échantillon.

Il n'existe aucun lien significatif entre les variables dépendantes (parent) et le degré de connaissance du parent par l'intervenant.

Analyses multivariées

La figure 3 présente les résultats d'analyses de régression multiple hiérarchique avec la variable « Qualité de la relation perçue par le parent » comme variable dépendante. Les variables prédictives ont été entrées en deux blocs : la durée de la relation et la quantité de contacts mensuels ont été entrées en premier lieu, les variables fournies par l'intervenant ont été

FIGURE 1

*Qualité de la relation, pratiques d'aide et sentiment de contrôle perçu
(exprimés en cote Z) par le parent en fonction de la perception de la qualité
de la relation (Plutôt difficile, Facile-difficile, Plutôt facile) par l'intervenant*

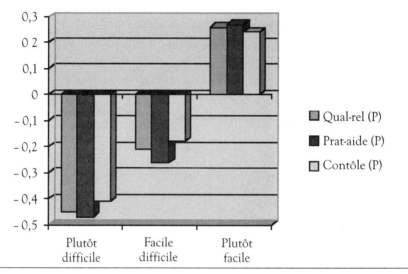

FIGURE 2

*Qualité de la relation, pratiques d'aide et sentiment de contrôle
(exprimés en cote Z) perçu par le parent en fonction de la perception
des compétences (Faible, Moyen, Fort) du parent par l'intervenant*

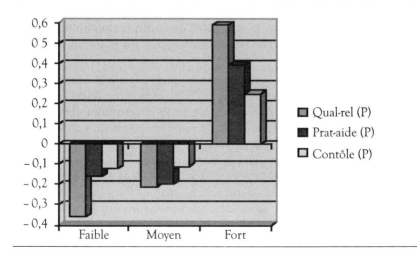

FIGURE 3

FIGURE 3

*Résultats de l'analyse de régression multiple hiérarchique (coefficients beta)
avec la qualité de la relation avec l'intervenant (parent) comme variable prédite*

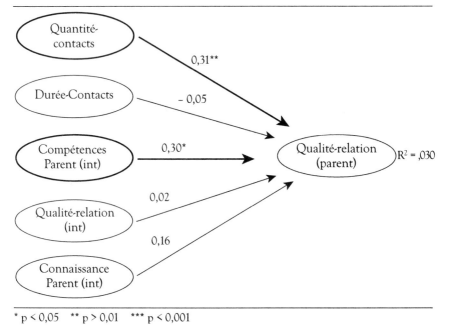

* p < 0,05   ** p > 0,01   *** p < 0,001

entrées en second lieu. Cette procédure permet d'examiner les liens entre les variables prédictives et prédites après avoir contrôlé pour la contribution des variables du premier bloc.

Le même type d'analyse a été effectuée avec la qualité des pratiques d'aide perçue par le parent et le sentiment de contrôle du parent comme variable dépendante. Les résultats obtenus vont dans le même sens que ceux présentés à la figure 3.

Les résultats de ces analyses montrent que 30 % de la variance de la qualité de relation perçue par le parent, 28 % de la variance de la perception des pratiques d'aide et 25 % de la variance du sentiment de contrôle du parent est significativement expliqué par l'ensemble de variables prédictives. Parmi cet ensemble, deux variables contribuent spécifiquement à prédire les variables parentales : la fréquence des contacts mensuels et la perception des compétences personnelles du parent par l'intervenant. Ainsi, plus le parent et l'intervenant se rencontrent fréquemment et plus ce dernier perçoit le parent de manière positive, plus le parent rapporte des indices de collaboration positive (qualité de la relation, pratiques d'aide et sentiment de contrôle).

CONCLUSION

L'objectif de cette étude était de montrer empiriquement qu'il existe une cohérence interpersonnelle au sein de la relation parent-intervenant vue comme un engagement mutuel. Cette cohérence a des répercussions sur la qualité de la collaboration entre le parent et l'intervenant.

Les résultats autorisent à penser que, au-delà de la fréquence des contacts entre eux, le parent et l'intervenant mettent en place des conditions subjectives qui amènent chacun d'eux à construire une réciprocité dans leurs perceptions interpersonnelles. Il faut noter ici la prépondérance de la perception que l'intervenant a des compétence et habiletés personnelles du parent. En se sentant reconnus dans leurs compétences, les parents développent et maintiennent un sentiment de contrôle ; ils apprécient la relation avec l'intervenant ainsi que ses pratiques d'aide parce que celles-ci facilitent l'atteinte des buts qu'ils se fixent pour eux-mêmes et leur enfant.

Il faut ici mentionner qu'il est impossible de distinguer entre la perception que l'intervenant a des compétences personnelles du parent et la manifestation objective de ces compétences. Est-ce parce que l'intervenant perçoit positivement le parent que celui-ci rapporte des indices positifs de collaboration ? Ou est-ce le fait que le parent manifeste effectivement de telles compétences qui lui permet de s'engager efficacement dans une démarche de collaboration avec l'intervenant ? Comme un certain nombre de parents[3] ont été évalués par plus d'un intervenant dans le cadre de cette étude, il est possible de vérifier indirectement la nature de cette variable en examinant jusqu'à quel point plusieurs intervenants s'entendent pour décrire de manière similaire un même parent. Cet examen révèle qu'il existe des différences statistiquement significatives dans les perceptions que les intervenants ont d'un parent, donnant ainsi à penser que les informations rapportées par l'intervenant concernant le parent ne constitue pas une évaluation « objective » du fonctionnement de ce dernier, mais plutôt une impression subjective qui se dégage des liens qu'il entretient avec lui. Le même parent peut créer une impression différente sur un autre intervenant et cette différence se répercute, comme le montrent nos résultats, sur l'opinion que le parent se fait de la collaboration avec ce dernier.

Nous émettons donc l'hypothèse que lorsqu'un intervenant s'efforce de percevoir le parent comme une personne compétente sous de multiples aspects, il ne se conduit pas de la même façon avec ce dernier et, par

---

3. Cinquante parents ont été évalués par deux intervenants indépendants, 24 parents ont été évalués par trois intervenants indépendants et 7 parents ont été évalués par quatre intervenants indépendants.

conséquent, la relation s'élabore dans des conditions subjectives plus favorables au développement de la collaboration. Nos résultats ne permettent pas de vérifier une telle hypothèse, mais seulement de la suggérer. D'autres études à l'intérieur desquelles la perception que les intervenants ont des parents est expérimentalement manipulée permettrait de confirmer si le fait de percevoir positivement le parent a un impact sur la qualité de la relation. Il serait intéressant de procéder à une recension des écrits scientifiques pour vérifier s'il existe des recherches ayant abordé directement cette thématique.

Comme la pratique attend rarement que la recherche l'informe en long et en large sur un sujet avant de passer à l'action et de développer de nouvelles initiatives, notre étude comporte suffisamment d'éléments pour faire certaines suggestions pour l'intervention.

Premièrement, lorsque des intervenants en pédopsychiatrie souhaitent faire le point sur la qualité de l'engagement et de la collaboration entre eux et les parents, il est probablement plus fiable de mettre en place des conditions qui permettent aux parents de donner leur opinion sur le sujet de manière libre et éclairée que de se baser sur leurs impressions personnelles. La relation parent-intervenant est, à maints égards, une relation inégale à l'intérieur de laquelle l'intervenant est vu (par lui-même et par le parent) comme possédant plus de savoirs et de ressources. Dans un tel contexte, c'est chez l'acteur « qui possède le moins » que l'on retrouve le maximum d'informations pertinentes sur le confort et l'aisance ressentis dans la relation. C'est en examinant comment se portent les petits poissons d'un lac qu'on mesure sa « santé » et non pas en regardant comment se portent les gros.

Deuxièmement, notre étude vient appuyer les efforts des intervenants qui portent attention aux besoins des parents, leur transmettent une validation de leurs savoirs et leur permettent de s'impliquer activement dans la démarche de compréhension de la situation de leur enfant et de recherche de solutions. Notre étude montre que, même s'ils sont en contact avec plusieurs intervenants, c'est avec ce type d'intervenants que les parents rapportent se sentir le plus soutenu et le plus à l'aise.

Troisièmement, les intervenants en pédopsychiatrie ont intérêt 1) à considérer dans leurs évaluations et leurs interventions les forces et les habiletés des parents et des familles et 2) à créer des conditions qui leur permettent de communiquer leurs perceptions des compétences des parents et des familles qu'ils côtoient.

BIBLIOGRAPHIE

Affleck, G., H. Tennen et J. Rowe (1991). *Infants in Crisis : How parents cope with newborn intensive care and their aftermath*, New York, Springer-Verlag.

Ahmann, E. (1994). Family-Centered Care : Shifting Orientation, *Pediatric Nursing, 20*(2), p. 113-117.

Beaupré, P. et C. Tremblay (1990). L'implication des parents au niveau du programme de réadaptation de leur enfant présentant une déficience motrice, Québec, Centre Cardinal-Villeneuve.

Beaupré, P. et C. Tremblay (1992). Les parents habitant en région périphérique de Québec et leur implication dans le processus de réadaptation de leur enfant, Québec, Conseil québécois de la recherche sociale.

Bergeron, H. et M.K. Laflamme (1996). Le programme « Soutien aux mères en difficulté ayant de jeunes enfants » : une histoire de collaboration et de partenariat, Lévis, Centre jeunesse Chaudière-Appalaches.

Bertrand, M.-H. (1996). La collaboration entre les parents et les éducatrices de services de garde et sa relation avec le développement de l'estime de soi de l'enfant, Mémoire de maîtrise, Sainte-Foy, Université Laval, Faculté des sciences de l'éducation.

Bhérer, M. (1993). *La collaboration parents-intervenants : un guide d'intervention en réadaptation*, Boucherville, Gaëtan Morin Éditeur et Institut des sourds de Charlesbourg inc.

Bogrov, M. et R.L. Crowel (1996). Community Service Systems for Children and Adolescents, dans W.R. Breakey, *Integrated Mental Health Services*, New York, Oxford University Press.

Bouchard, J.-M. (1992). L'intervention précoce dans la famille : un partenariat pas toujours évident. L'intervention précoce auprès de l'enfant ayant une déficience et de la famille. Sherbrooke, Université de Sherbrooke, Faculté d'éducation, Groupe de recherche en intervention précoce (GRIP), p. 103-122.

Boudreault, P., J.-C. Kalubi, L. Sorel, P. Beaupré et J.-M. Bouchard (1998). Recherches sur l'appropriation des savoirs et des savoir-faire, dans J. Alary et L. Éthier. *Comprendre la famille, Tome 4*, Sainte-Foy, Presses de l'Université du Québec.

Descutner, C.J. et M.H. Thelen (1991). Development and Validation of a Fear-of-Intimacy Scale, *Psychological Assessment : A Journal of Consulting and Clinical Psychology, 3*(2), p. 218-225.

Ducharme, F. (1992). *Implication de la famille : condition préalable à une continuité de l'intervention. Aider ses parents vieillissants. Un défi : personnel, familial, politique, communautaire*, Montréal, Association québécoise de gérontologie.

Dunst, C., C. Trivette et A. Deal (1994). *Supporting and Strenghtening families, Volume 1: Methods, Strategies and Practices*, Cambridge, Mass., Brookline.

Dunst, C., C. Trivette et D.W. Hamby (1995). Measuring the helpgiving practices of human services program practitioners, *Human Relations, 49*, p. 815-835.

Elizur, Y. (1996). Involvement, Collaboration, and Empowerment: A Model for Consultation with Human-Service Agencies and the Development of Family-Oriented Care, *Family Process, 35*, p. 191-210.

Gendreau, G., P. Brisson, L. Delorme-Bertrand, R. Labelle, L. Lemay et O. Ouellet (1995). *Partager ses compétences entre parents, jeunes en difficulté et éducateurs: Un projet à découvrir. Tome 2*, Montréal, Sciences et Culture.

Gendreau, G., L. Baillargeon et P. Bouchard (1993). Comprendre la collaboration éducateur(s)-parents(s) dans un contexte de placement, *PRISME, 3*(4), p. 542-554.

Gendreau, G., J.-P. Cormier, L. Lemay et P. Perreault (1995). *Partager ses compétences entre parents, jeune en difficulté et éducateurs: Un projet à découvrir. Tome 1*, Montréal, Sciences et Culture.

Hatfield, A.B. (1996). The family's role in caregiving and service delivery, dans H.P. Lefley et M. Masow, *Helping families cope with mental illness*, Chur, Suisse, Harwood Academic Publishers.

Heflinger, C.A., et L. Bickman (1996). Family empowerment: A conceptual model for promoting parent-professional partnership, dans C.A. Heflinger et C.T. Nixon, *Families and the mental health system for children and adolescents: Policy, Services and Research*, Thousand Oaks, Californie, Sage Publication.

Hunter, R.W. et B.J. Friesen (1996). Family-Centered Services for Children with Emotional, Behavioral, and Mental Disorders, dans C.A. Heflinger et C.T. Nixon, *Families and the mental health system for children and adolescents: Policy, Services and Research*, Thousand Oaks, Californie, Sage Publication.

Jutras, S. (1992). *Le partenariat entre les familles et l'État: utopie ou nécessité? Aider ses parents vieillissants. Un défi: personnel, familial, politique, communautaire*, Montréal, Association québécoise de gérontologie, p. 147-160.

Lacharité, C., J. Moreau et M.L. Moreau (1999). *Agir ensemble: le point de vue des parents sur la collaboration avec l'équipe professionnelle en pédopsychiatrie*, Rapport de recherche déposé à la Régie régionale de la santé et des services sociaux de la Mauricie et du Centre-du-Québec.

Lavigueur, S. et R. Laurendeau (1990). L'actualisation d'un modèle de collaboration avec les familles d'enfants handicapés, dans P. Durning, *Éducation familiale et intervention précoce*, Montréal, Éditions Agence d'Arc.

Lavoie, S.R. et L.G. Kaplowitz (1996). Family-Centered HIV/AIDS Care, *The AIDS Reader, 6*(4), p. 117-121, 137.

McGrew, K.S. et C.J. Gilman (1991). Measuring the perceived degree of parent empowerment in home-school relationships through a home-school survey, *Journal of Psychoeducational Assessment, 9*, p. 353-362.

Moreau, M.-L. (1997). Variables familiales et stratégies de coping comme prédicteurs de la participation des parents au programme de réadaptation de leur enfant, Mémoire de maîtrise, Trois-Rivières, Université du Québec à Trois-Rivières, Département de psychologie.

Palacio-Quintin, E., S. Éthier, C. Jourdan-Ionescu et C. Lacharité (1994). Programme d'intervention auprès des familles négligentes : l'expérience de collaboration d'une équipe universitaire et d'un milieu d'intervention, dans J. Alary, *Comprendre la famille, Tome 2*, Québec, Presses de l'Université du Québec.

Riesser, G.G. et B.J. Schorske (1994). Relationships between family caregivers and mental health professionals : The American experience, dans H.P. Lefley et M. Masow, *Helping families cope with mental illness*, Chur, Suisse, Harwood Academic Publishers.

Saint-Laurent, L., É. Royer, M. Hébert et L. Tardif (1994). Enquête sur la collaboration famille-école, *Revue canadienne de l'éducation, 13*(3), p. 270-280.

Saint-Onge, M., F. Lavoie et H. Cormier (1995). Les difficultés perçues par des mères de personnes atteintes de troubles psychotiques face au système de soins professionnels, *Santé mentale au Québec, XX*(1), p. 89-118.

Strayhorn, J. (1988). *The Competent Child*, New York, Guilford Press.

Thériault, Y. (1992). Le partenariat à travers le processus de prises en charge des bénéficiaires : le point de vue des familles d'accueil, dans J. Pronovost, *Comprendre la famille, Tome 1*, Sainte-Foy, Presses de l'Université du Québec.

Vatz Laaroussi, M. (1996). Les nouveaux partenariats famille-école au Québec : l'extériorité comme stratégie de survie des familles défavorisées ? *Lien social et politiques – RIAC, 35*(75), p. 87-98.

Les pratiques entourant la prise en compte de l'intérêt de l'enfant dont la garde est contestée devant le tribunal

Contexte historique et réflexions découlant de l'étude de dossiers judiciaires récents

Anne QUÉNIART
Département de sociologie, Université du Québec à Montréal

Renée JOYAL
Département des sciences juridiques, Université du Québec à Montréal

INTRODUCTION

Depuis les années 1970 au Québec, un peu avant en Europe, on remarque une augmentation importante du nombre de séparations et de divorces. Ainsi, alors que seulement 10 % des mariages se terminaient par un divorce en 1969, année où fut promulguée la première *Loi sur le divorce* au Canada, aujourd'hui, ce taux est autour de 50 % (Valois 1993). Dans le cas de couples avec enfants, ces séparations vont entraîner des changements dans la relation de ces enfants avec chacun de leurs parents en fonction, notamment, du type d'arrangement conclu quant à la garde et aux droits d'accès. En fait, dans la majorité des cas de divorce, la garde de l'enfant fait l'objet d'un consentement entre les parents. Cependant, dans un certain nombre de cas, variant autour de 10 %, la garde de l'enfant fait l'objet d'un litige, d'une contestation, et il y a alors déploiement de l'arsenal légal afin que le conflit parental se règle, et ce, en respectant l'intérêt de l'enfant. En fait, cet intérêt de l'enfant constitue le fondement même de toute décision judiciaire en matière de garde et d'accès, le critère primordial d'attribution de la garde des enfants mineurs, comme le montrent les articles suivants de la *Loi sur le divorce* (Canada) et du *Code civil* du Québec :

> En rendant une ordonnance conformément au présent article (ordonnance de garde), le tribunal ne tient compte que de l'intérêt de l'enfant à charge, défini en fonction de ses ressources, de ses besoins et, d'une façon générale, de sa situation (*Loi sur le divorce* : L.R.C., c. D-3.4, 1985, 2ᵉ supp., art. 16, par. 8.)

> Les décisions concernant l'enfant doivent être prises dans son intérêt et dans le respect de ses droits. Sont pris en considération, outre les besoins moraux, intellectuels, affectifs et physiques de l'enfant, son âge, sa santé, son caractère, son milieu familial et les autres aspects de sa situation. [...] Au moment où il prononce la séparation de corps ou postérieurement, le tribunal statue sur la garde, l'entretien et l'éducation des enfants, dans l'intérêt de ceux-ci et le respect de leurs droits, en tenant compte, s'il y a lieu, des accords conclus entre les époux (Code civil du Québec : L.Q. 1991, c. 64, art. 33 et 514).

Pour s'assurer de tenir compte de l'intérêt de l'enfant, au sens large de respect de ses besoins, les parties ont parfois recours, au Québec, à des dispositifs juridiques comme l'expertise psychosociale, le témoignage de l'enfant et la représentation de celui-ci par avocat. L'expertise psychosociale consiste en l'évaluation, par un expert – psychologue ou travailleur social – du contexte familial qui prévaut au moment du litige : vécu des parents dans leur propre famille d'origine, histoire du couple et de la naissance des enfants, partage des tâches, accords et désaccords dans le couple, relations avec les enfants au moment du litige, etc. Le témoignage de l'enfant, quant à lui, est un dispositif prévu dans le *Code civil* du Québec donnant à l'enfant l'opportunité d'être entendu par la cour dans un litige quant à sa garde[1]. En contrepartie de ce droit à être entendu, il y a la contrainte d'être appelé à témoigner si l'avocat de l'une des parties le juge nécessaire. La représentation de l'enfant par avocat renvoie à l'article 34 de la *Charte des droits et libertés de la personne* (Québec), accordant à chaque personne, y compris les personnes mineures, le droit d'être représenté par un avocat en cour. Le *Code de procédure civile* prévoit par ailleurs que si l'intérêt de l'enfant est en jeu dans un litige en matière familiale, le juge peut ajourner l'audience jusqu'à ce qu'un avocat soit désigné à l'enfant.

Bien que plusieurs travaux aient soulevé des questions importantes ou fait état d'observations de première main quant à l'un ou l'autre des dispositifs (Gélinas et Knoppers, 1993 ; Van Gijseghem, 1992 ; Lamontagne,

---

1. Il est précisé que selon son âge, il pourra être amené à témoigner sous serment ou non, en présence ou hors de la présence des parties selon son intérêt (art. 34 C.c.Q. et art. 394.1 à 394.5 C.p.c.).

1990 ; Roy, Gélinas et Knoppers, 1994), aucune étude au Québec n'a tenté de dresser un tableau complet de la situation. C'est une telle recherche[2] que nous avons entreprise il y a deux ans et dont nous présentons ici une partie seulement des résultats. Sa visée générale est de déterminer si les règles et pratiques observées à l'égard de ces trois dispositifs juridiques sont appropriées et garantes du respect des droits des enfants.

OBJECTIFS SPÉCIFIQUES DE LA RECHERCHE ET MÉTHODOLOGIE

Les enjeux soulevés par ces nouveaux modes de régulation du divorce, fondés notamment sur les savoirs de sciences humaines, sont multiples et à la fois sociologiques (conception de la famille et des rapports familiaux), juridiques (transformations du cadre légal et procédural) et psychologiques (développement et socialisation de l'enfant). C'est pourquoi nous avons opté pour une approche pluridisciplinaire du phénomène. Nous visons un triple objectif. En premier lieu, nous voulons recueillir des informations sur les pratiques actuellement en cours, c'est-à-dire estimer leur fréquence d'utilisation, décrire les variables citées pour les justifier (âge des enfants, compétence parentale, types d'ordonnance, etc.), dégager les caractéristiques des familles concernées (âge des parents, nombre d'enfants, etc.), etc. En deuxième lieu, nous nous proposons d'analyser les perceptions des différents acteurs impliqués soit les juges, les avocats, les experts et les parents, quant aux forces, faiblesses et modalités d'application de ces dispositifs. En troisième lieu , nous voulons dégager le sens et le contenu précis que les juges, les avocats et les experts donnent, dans leur pratique, au critère de l'intérêt de l'enfant dont on a vu qu'il était associé, dans la loi, à la notion très large de besoins.

Pour atteindre le premier objectif, nous avons privilégié, sur le plan méthodologique, l'analyse de contenu d'un échantillon de dossiers judiciaires de la Cour supérieure à Montréal et à Québec dans lesquels un jugement a été rendu quant à la garde d'enfants mineurs. Une grille de compilation des données a été construite, permettant un traitement informatisé des informations recueillies et une analyse comparative. Cette grille comportait les principaux éléments suivants : le nombre d'enfants mineurs concernés, leur âge et leur sexe ; la date du jugement et sa nature

---

2.   Recherche subventionnée par le CRSH (1998-2000) et dont l'équipe est composée de Renée Joyal (dir.), Anne Quéniart, Hubert Van Gijseghem et Richard Cloutier. Trois assistantes de recherche ont participé à la collecte des données du premier volet soit Suzanne Jobin, Luce Leclerc et Christiane Lareau.

(ordonnance intérimaire, c'est-à-dire avant que le jugement ne soit rendu, accessoire au jugement ou de révision à la suite du jugement) ; la nature de la décision rendue (de consentement ou par arbitrage judiciaire) ; la teneur de la décision (formule de garde retenue, principales modalités) ; la durée du mariage ou de la cohabitation des parents ; la présence ou l'absence d'une expertise, le témoignage ou non de l'enfant et la représentation ou non de celui-ci par avocat[3].

Pour ce qui est des deuxième et troisième objectifs de recherche, c'est une autre méthodologie qui a été privilégiée, soit la réalisation d'entrevues semi-directives. Les entrevues avec les juges et les avocats, que nous avons déjà réalisées[4] et celles avec les experts qui le seront bientôt, portent sur les principaux thèmes suivants : perception de la place de l'enfant dans l'expertise, le témoignage et la représentation par avocat ; perception de l'opportunité, des forces et faiblesses de chacun des dispositifs ; perception du contenu de la notion d'intérêt de l'enfant et définition ; importance à donner aux divers intervenants ; importance à donner à diverses variables dans la décision à prendre ; combinaison de variables vues comme importantes ou essentielles ; suffisance des dispositions pertinentes de la loi ; suffisance des normes déontologiques actuelles ; opportunité d'une approche et d'une formation particulières, étant donné que l'intervention concerne des enfants. Quant aux entrevues auprès de parents ayant expérimenté ce dispositif, elles viseront à recueillir essentiellement leurs perceptions des motifs d'utilisation et du fonctionnement du dispositif ; ses forces et faiblesses ; l'utilité ou non du dispositif dans leur propre cas ; les modifications à y apporter, leurs perceptions et définition de la notion d'intérêt de l'enfant.

L'objet de cet article est, d'une part, d'exposer le contexte socio-historique qui a conduit à l'usage de ces dispositifs et, d'autre part, de présenter certains des résultats du premier volet de la recherche, soit l'étude de dossiers judiciaires de la Cour supérieure de Montréal.

---

3. De plus, les dossiers comportant au moins un rapport d'expertise seront analysés de façon spécifique. Les informations suivantes seront notamment colligées : appartenance professionnelle de l'expert ; origine du mandat (cour, enfant, autre partie) ; enfant(s) concerné(s) ; objet de l'expertise ; moment de l'expertise ; personnes rencontrées par l'expert ; recommandations ; témoignage ou non de l'expert.

4. Les grilles d'entrevues ont été construites après une première enquête par questionnaire auprès d'une cinquantaine de juges de la Cour supérieure du Québec.

CONTEXTE HISTORIQUE DE L'USAGE DES DISPOSITIFS JURIDIQUES DESTINÉS À PROTÉGER L'INTÉRÊT DE L'ENFANT DONT LA GARDE EST CONTESTÉE

Depuis le milieu du XIXe siècle, les représentations de l'enfant et de la famille ont évolué sensiblement de la même manière dans la plupart des pays occidentaux, dont le Québec. On peut rappeler à cet égard que dans les sociétés traditionnelles, la famille constituait une unité de production et de consommation, au sein de laquelle les époux étaient unis sur la base d'une sorte de partenariat économique. Le mariage, quant à lui, était fondé sur la préservation et la transmission du patrimoine. Les enfants, garants de la survie de la lignée, représentaient la richesse même de la famille ; ils étaient, dans les faits, une force de travail que l'on exploitait dès leur jeune âge et une sorte d'assurance-vieillesse pour leurs parents. Dans ce type de société, le tout petit enfant était assimilé à l'animal, l'enfant à un « pré-adulte » ou à un adulte virtuel, sans besoins propres. C'est ce qui fait dire à plusieurs historiens que le sentiment de l'enfance n'existait pas, au sens où l'enfant, défini comme un être en soi, n'existait pas (Ariès, 1973). Les premières décisions connues en matière de garde contestée illustrent bien cette perception. Elles s'appuyaient sur des dispositions d'application quasi automatique : la garde provisoire de l'enfant était confiée au père à titre de titulaire de la puissance paternelle. Une fois le divorce ou la séparation de corps prononcé, la garde de l'enfant était attribuée à celui des deux époux en faveur duquel le jugement avait été rendu ; à moins de circonstances exceptionnelles, l'époux ou l'épouse coupable d'une « faute conjugale » ne pouvait donc pas obtenir la garde. Le souci de l'enfant n'était pas prioritaire dans la prise de décision ; celle-ci s'appuyait plutôt sur les règles de la morale conjugale.

Avec l'industrialisation et la migration vers les villes, les sociétés traditionnelles ont changé peu à peu, passant d'une économie familiale à une économie salariale. Il s'est amorcé alors une séparation entre la sphère de la famille, assignée aux femmes, et celle du travail, qui est revenue aux hommes. La famille a pris un nouveau sens : elle est devenue le refuge, le « *home sweet home* » où il fait bon se reposer. Tous ces changements – le salariat des pères puis celui de leurs enfants devenus adultes, le repli de la famille sur elle-même – ont modifié le rôle et la place de l'enfant : celui-ci n'était plus un enjeu patrimonial. Étant perçu dorénavant comme le seul fruit de l'amour de ses parents, il est devenu l'objet d'un important investissement affectif (Badinter, 1980). Il s'est alors dessiné un champ de l'enfance : des médecins d'abord, puis des éducateurs, des psychologues et des juristes ont mis sur pied toutes sortes d'interventions visant à soigner, éduquer, socialiser, encadrer, réformer cet enfant. Comme le montre bien Irène Théry, c'est « au nom de l'enfance et au-delà d'elle en référence aux intérêts de la société, que la famille comme lieu de la toute-puissance paternelle perd (alors) sa compétence exclusive sur le développement et l'éducation de l'enfant » (1985, p. 36).

Au Québec, où cette évolution a été un peu plus tardive qu'ailleurs, on a assisté, dans la seconde moitié du XIXe siècle, à l'adoption des premières lois visant les enfants délinquants ou laissés à eux-mêmes, puis de celles destinées à contrer les abus les plus criants des débuts de l'ère industrielle à l'égard des enfants ouvriers : *Acte concernant les écoles d'industrie* de 1869, *Acte concernant les écoles de Réforme* également de 1869, *Acte des manufactures* de 1885. C'est vers la même époque que s'est développée, en matière d'attribution de la garde, la théorie des « *tender years* », selon laquelle, à moins d'indignité ou d'incapacité, la mère se voit confier la garde des enfants en bas âge. Elle est présumée plus apte à en assumer la responsabilité quotidienne, le père étant confiné à son rôle de pourvoyeur. Bien que fondée sur une image toute faite des relations familiales, cette théorie a ouvert la porte à la prise en compte de l'« avantage » ou du « bien » de l'enfant dans l'attribution de la garde. Ce souci de l'enfant a occupé bientôt l'avant-scène et s'est cristallisé sous le vocable « intérêt » de l'enfant. Les conduites conjugales vont désormais être appréciées dans la perspective des aptitudes parentales (Blondin *et al.*, 1986). Malgré cette préoccupation nouvelle, les décisions arbitraires n'ont pas manqué. Une certaine « objectivation scientifique » a donc été recherchée. Dans les cas difficiles, médecins, psychologues et travailleurs sociaux vont être appelés à éclairer le tribunal. Se sont développés alors le « modèle médical » et sa variante « psychologique » de l'enfance (Rollet, 1993 ; Turmel, 1997) dont on retrouve certains des principes aujourd'hui dans l'expertise psychosociale.

Au cours du XXe siècle, notamment après la Seconde Guerre mondiale, cette centration sur l'enfant s'est poursuivie et s'est même accentuée : non seulement a-t-on pris en compte son intérêt dans les lois, mais encore lui a-t-on donné une place dans les décisions judiciaires en matière de protection et aussi en cas de litiges quant à la garde lors de divorces (Joyal, 1994). Les Déclarations universelles de 1924, 1948 et 1959 sont venues reconnaître de plus en plus de droits aux enfants, parallèlement à l'émergence d'une véritable culture des jeunes, axée sur des besoins de consommation et une affirmation d'autonomie accrus. Autrement dit, le législateur s'est vu amené à « dépasser » en quelque sorte le stade de la prise en compte de l'intérêt de l'enfant et à lui aménager, sur la base de ses droits, une place bien à lui dans le processus d'adjudication lui-même[5]. L'article 12 de la *Convention des Nations Unies relative aux droits de l'enfant* de 1989, ratifiée en 1991 par le Canada, a consacré d'ailleurs explicitement cette norme, que traduisent on ne peut mieux les trois dispositifs juridiques analysés dans notre recherche et notamment le témoignage de l'enfant et sa représentation par avocat : « On donnera notamment à l'enfant la possibilité d'être entendu dans toute procédure administrative ou judiciaire l'intéressant, soit directement, soit par l'intermédiaire d'un représentant ou d'un organisme approprié, de façon compatible avec les règles de procédure de la législation nationale. »

En moins de deux siècles, on est donc passé de l'enfant adulte virtuel et propriété de ses parents à l'enfant sujet et acteur social. Plus encore, aujourd'hui, le concept de l'enfant comme être vulnérable, hérité de la tradition de la protection élaborée au Siècle des lumières, est de plus en plus battu en brèche par celui de l'enfant comme être autonome juridiquement. Dans cette perspective, les droits de l'enfant, loin d'être spécifiques, sont les droits d'une citoyenneté pleine et entière. En matière de garde contestée, ces représentations antinomiques de l'enfant trouvent un écho dans nos questions de recherche, lesquelles peuvent se ramener à celles-ci : qu'est-ce que l'autonomie de parole de l'enfant dans le divorce de ses parents ? Ne va-t-on pas, en lui demandant son avis, l'obliger à choisir entre sa mère et son père ? Et que doit être l'avocat de l'enfant : le porte-parole de ses désirs ou le juge de son intérêt supérieur ? C'est à de telles interrogations que nous tenterons de répondre à la suite de nos entrevues avec les acteurs concernés.

LES RÉSULTATS DE L'ANALYSE DES DOSSIERS JUDICIAIRES
Justification du choix des dossiers retenus

Pour notre première analyse des dossiers judiciaires, nous avons exclu les dossiers relatifs aux unions de fait puisqu'ils nous semblaient moins représentatifs de l'ensemble des familles concernées. En effet, les couples en unions de fait ne sont pas obligés de recourir au tribunal pour faire sanctionner leur séparation contrairement aux couples mariés que la loi oblige à porter leur demande devant la cour. Nous nous sommes donc centrées sur les seuls dossiers de divorce comportant une demande en matière de garde, de droits d'accès ou de révision et dans lesquels un

---

5. Soulignons cependant qu'au Canada, la première *Loi sur le divorce* (1968, art. 11 et 12), faisait de la conduite des parents l'un des éléments pris en considération dans l'attribution de la garde.

jugement avait été rendu en 1998. Cette démarche nous a amenées à étudier des dossiers ouverts entre 1995 et 1998 puisqu'il peut arriver qu'un jugement intérimaire ait été rendu trois ans avant que le jugement final soit prononcé.

Voulant retenir, pour une première analyse, quelque 300 dossiers comportant une demande de garde ou de droits d'accès[6], nous avons dû consulter en tout 1497 dossiers. Les 1197 dossiers rejetés l'ont été soit parce qu'il n'y avait aucun enfant (696), soit parce que les enfants étaient majeurs et autonomes (496), et donc, dans les deux cas, il n'y avait pas de demande de garde ou de droits d'accès, soit encore parce que le jugement final n'avait pas été rendu (5).

DESCRIPTION GÉNÉRALE
DES FAMILLES CONCERNÉES

Dans les dossiers que nous avons étudiés, les couples concernés ont été mariés entre 1969 et 1995. La durée de leur mariage varie donc d'à peine une année à 20 ans et plus. En fait, plus de la moitié de ces mariages ont duré moins de 9 ans, ce qui confirme la tendance observée depuis quelques années : alors qu'en 1969, les mariages qui finissaient par un divorce avaient duré en moyenne près de 15 ans, en 1986, cette durée était de 9,1 ans (Valois, 1993). Aujourd'hui, la majorité des divorces surviennent dans les premières années du mariage. Pour la plupart des sociologues, cette durée de vie plus courte des mariages récents s'explique historiquement. Avec l'entrée dans la modernité, l'amour a pris place dans le mariage et en a changé le sens : se marier est devenu un pacte privé entre deux personnes qui s'aiment et, ce faisant, il comporte, par sa nature même, la possibilité d'être résilié. Autrement dit, c'est parce que le sens du mariage lui-même a changé que le sens du divorce aussi s'est transformé : il est devenu non plus une forme de déviance, mais un acte courant et banal. Il est passé d'un statut de recours ultime à celui de solution normale et donc de procédure rare à celui de démarche banale. Or, comme le dit Commaille (1993), dans la mesure où sa probabilité est grande, sa représentation sociale se modifie et il vient s'inscrire dans le mariage lui-même, dans la logique nouvelle du mariage, et ce, qu'il y ait des enfants ou non.

À cet égard, le nombre d'enfants de ces couples se répartissent presque également entre les familles de deux enfants et les familles à enfant unique (autour de 40 % chacune), ce qui rejoint les données du Secrétariat

---

6.   Il s'agit, selon l'expérience des chercheurs dans le domaine, d'un nombre jugé suffisamment représentatif.

à la famille (1995 : 4) selon lesquelles en 1995, 85 % des familles comptaient un ou deux enfants, et une famille sur sept (15 %) comptait trois enfants ou plus. En fait, au Québec, les familles de deux enfants représentent 41 % des familles et constituent la majorité des familles qui ont plus d'un enfant. Elles sont concurrencées par des familles à enfant unique dont l'augmentation est constante.

L'âge des enfants présents dans nos dossiers au moment du divorce de leur parent est, pour plus de la moitié d'entre eux, de moins de 10 ans et pour environ 10 %, de moins de 4 ans. Plusieurs enquêtes récentes ont fait ressortir à cet égard l'âge de plus en plus précoce des enfants au moment de la rupture de leurs parents. Ainsi, les données de 1994-1995 de l'enquête longitudinale nationale sur les enfants et les jeunes montrent que les enfants nés en 1983-1984 ont vécu la séparation de leurs parents dès l'âge de 10 ans pour 25 % d'entre eux, et que 23 % de ceux nés en 1987-1988 en avaient fait l'expérience dès l'âge de 6 ans (Marcil-Gratton et LeBourdais, 1999). C'est probablement un effet du hasard – non statistique – dû à un échantillon restreint qui peut expliquer le résultat surprenant de la moitié des enfants ayant moins de 10 ans au moment du divorce de leurs parents dans nos dossiers. Cependant, nos résultats sont peut-être aussi un indice de l'accentuation de la tendance générale observée. Enfin, on peut émettre l'idée qu'au Québec les parents sont amenés à divorcer plus vite, à régulariser plus vite une séparation, en raison des règles du partage du patrimoine familial, et notamment de celle qui prévoit que, sauf exception, la valeur du patrimoine est établie à la date d'introduction de l'instance en divorce.

TYPE DE JUGEMENT ET DÉCISION RENDUE

Lorsqu'un seul jugement est prononcé, soit dans 260 dossiers, près des trois quarts le sont par consentement, les autres l'étant par arbitrage judiciaire, par défaut du père et par défaut de la mère, c'est-à-dire que le père ou la mère n'a pas pu contester la demande en cour, le plus souvent parce qu'il est retourné vivre dans son pays d'origine. Dans le cas des dossiers à jugements multiples, soit 40 dossiers, le jugement final prononcé est pour la moitié d'entre eux par consentement, pour plus du tiers par arbitrage judiciaire, les autres l'étant par défaut du père et défaut de la mère. Autrement dit, même dans les cas de jugements multiples, une majorité des dossiers se règle par consentement. Il serait intéressant d'analyser plus avant ces dossiers et de rencontrer des parents afin de déterminer les logiques qui ont mené à ce consentement et d'examiner quelles ont été les procédures utilisées pour tenir compte de l'intérêt de l'enfant.

En ce qui a trait à la garde des enfants, elle est confiée[7] à la mère dans plus de 70 % des cas, au père dans 10 % des cas environ, elle est partagée[8] entre les deux parents également dans autour de 10 % des cas[9]. Au Canada, c'est près de 80 % des enfants de moins de 12 ans qui sont confiés à la mère, 7 % au père et 12 % en garde partagée, toujours selon l'enquête nationale de 1994-1995 (Marcil-Gratton et Le Bourdais, 1999, p. 20). Au Québec, avant 6 ans, c'est plus de 90 % des enfants qui sont confiés à la mère et avant 12 ans, c'est environ 75 % des enfants. Les données des dossiers de divorce confirment donc la tendance observée dans les enquêtes. Tout se passe comme si la théorie des *tender years* était encore le principe dominant dans l'attribution de la garde et c'est ce que nous tenterons de vérifier auprès des juges de la Cour supérieure. En plus de l'attribution prépondérante de la garde à la mère, il semble que la majorité des enfants (69 %) pour lesquels une ordonnance de la cour a prévu une garde partagée vivent en fait avec leur mère seulement (Marcil-Gratton et LeBourdais, 1999, p. 22). C'est donc dire qu'avec la séparation, le père passe, bien plus que la mère, d'une situation de continuité du point de vue du rapport à l'enfant à une situation de discontinuité. À cet égard, à la lumière de nos recherches précédentes sur l'exercice de la paternité et sur le désengagement paternel (Quéniart, 1999a, 1999b) et de celles d'autres chercheurs (Furstenberg et Cherlin,1991 ; Kruk, 1993), nous pensons que le modèle de garde dominant, qui résulte le plus souvent d'un consentement entre les parents eux-mêmes et, dans quelques cas, d'une ordonnance du juge, ne semble pas toujours tenir compte du type d'engagement paternel antérieur à la séparation : ainsi, si certains pères s'accommodent très bien de ce type de garde et y trouvent même l'occasion de construire une relation personnelle avec l'enfant, d'autres, très engagés dès le départ, ne peuvent concevoir qu'ils réussiront à maintenir une relation significative avec cet enfant en ne le voyant que quelques jours par mois.

---

7. Il s'agit ici de ce qu'on nomme, en droit, la garde exclusive à l'un des parents avec droits d'accès à l'autre parent, dit parent non gardien.

8. Rappelons que l'expression « garde partagée » désigne ici le partage, en alternance entre les deux parents, de la garde de l'enfant selon des périodes préalablement définies : une semaine au père, une semaine à la mère, un mois au père, un mois à la mère, par exemple.

9. Parmi les autres possibilités (environ 7 % des cas), la plus courante est celle où il y a répartition des enfants entre le père et la mère, par exemple en fonction du sexe de l'enfant (la fille à la mère, le garçon au père) ou en fonction de l'âge des enfants (le plus jeune à la mère, le plus vieux au père), ou encore selon une combinaison de ces deux caractéristiques.

LE RECOURS À L'UN DES TROIS DISPOSITIFS

Qu'en est-il, maintenant, du recours aux trois dispositifs juridiques prévus par la loi ? Il est un peu trop tôt encore pour répondre à cette question puisque l'analyse détaillée des dossiers comportant le recours à ces dispositifs est en cours. On constate cependant déjà qu'une majorité de dossiers ne comportent ni expertise, ni témoignage de l'enfant ni représentation de celui-ci par un avocat. En effet, sur 148 dossiers analysés de façon détaillée, seuls 19 font état d'une expertise, 9 d'un témoignage et 3 d'une représentation de l'enfant par avocat. En revanche, si l'on tient compte du fait que c'est surtout dans les dossiers contestés, soit environ 10 % des cas, que le recours à l'expertise et au témoignage de l'enfant est le plus fréquent, la présence de ces dispositifs devient significative.

Si l'on compare nos données avec celles d'une recherche effectuée il y a six ans concernant l'expertise , il y aurait une assez forte augmentation du recours à celle-ci ; cette étude a retracé des expertises dans environ 3 % des dossiers, alors que la nôtre, qui porte toutefois sur un échantillon plus restreint, fait état, jusqu'à présent, de plus de 10 % de dossiers comportant au moins une expertise. Ce qu'il faut ajouter, c'est qu'un grand nombre d'expertises sont effectuées mais non produites en cour : c'est ce qui se dégage de discussions avec des experts et c'est également l'hypothèse posée par l'étude que nous avons mentionnée plus haut.

Quant au témoignage de l'enfant, il ressort de l'analyse détaillée des 148 dossiers que certains sont faits en Chambre, c'est-à-dire dans le bureau du juge, parfois en présence de la greffière ou du greffier, d'autres, en salle d'audience, en présence des avocats des parties, de la greffière ou du greffier et parfois des parents, d'autres encore, dans le cas d'adolescents surtout, sont faits par écrit au moyen d'une déclaration assermentée. Nous sommes par ailleurs à vérifier si, comme nous l'ont rapporté la majorité des juges interrogés dans le cadre de l'autre volet de notre recherche, il existe une tendance de plus en plus grande à recevoir le témoignage de l'enfant en salle d'audience plutôt qu'en Chambre, et ce, principalement pour des raisons de transparence (enregistrement du témoignage, interrogatoire, etc.).

Enfin, la représentation par avocat est la pratique la moins utilisée et semble réservée à des cas soit de manipulation de l'enfant par un des parents, soit encore de contexte familial particulièrement lourd (violence, etc.).

CONCLUSION

Tous ces résultats doivent être interprétés avec prudence, notre échantillon étant somme toute restreint. Plusieurs des données seront réajustées une fois l'analyse détaillée de tous les dossiers complétée et à la lumière des entrevues auprès des juges, des avocats et des experts. En ce qui a trait aux dispositifs destinés à protéger les droits et l'intérêt des enfants, on constate déjà que c'est surtout dans les dossiers contestés que le recours à l'expertise, au témoignage de l'enfant et à la représentation de celui-ci par avocat est le plus fréquent.

Le premier volet de notre étude nous permet aussi d'affirmer que, même dans les cas où les parties se présentent plus d'une fois devant le tribunal, la majorité des dossiers se règlent par consentement et, par ailleurs, que la plupart des expertises sont produites en cour dans les cas où les parties semblent vraiment dans une impasse. Notons cependant que des expertises sont aussi produites dans des dossiers se réglant par consentement. On peut donc penser qu'une expertise peut parfois aider à résoudre un conflit potentiel en matière de garde.

En ce qui a trait justement aux modalités d'attribution de la garde, en majorité en faveur de la mère avec des droits d'accès de quelques jours par mois au père, nous pouvons conclure en soulignant que le système juridique véhicule une représentation du divorce comme rupture du continuum familial. Il fonctionne dans une « logique de substitution » (Théry, 1985) : à la famille « intacte » disparue devrait se substituer la nouvelle cellule familiale reconstituée par le parent gardien, la mère généralement. La rupture conjugale implique la dissolution de l'unité familiale et amène l'enfant à rompre avec une partie de sa propre histoire familiale. C'est donc dire que « le divorce est assumé comme produisant un effet important sur les liens de filiation afin de permettre la mise en place, sans conflit, d'une insertion familiale nouvelle minimisant les effets du divorce sur le mode de vie quotidien de l'enfant[10] ».

Une autre logique, celle dite « de pérennité », pourrait être favorisée dans certains cas. Elle suppose que la rupture conjugale, si elle entraîne la dissociation en deux foyers, maternel et paternel, n'équivaut pas nécessairement à une désagrégation de la famille. Le divorce est plutôt perçu comme une transition entre l'organisation familiale initiale et la réorganisation de ce qui demeure une entité, désormais bipolaire. Il est « assumé comme produisant un effet important sur le mode de vie de l'enfant afin de minimiser son effet sur les liens de filiation[11] ». Dans cette logique, ce

---

10. Irène Théry (1993), *Le démariage*, Paris, Odile Jacob, p. 153-154.
11. *Ibid.*, p. 155.

qui importe, c'est de préserver l'unicité de la famille initiale de l'enfant et la continuité de son histoire familiale, du lien filial, notamment avec le père. Sur le plan juridique, cela peut se traduire par l'attribution d'une garde partagée ou encore par l'établissement de droits d'accès plus étendus pour le parent non gardien.

BIBLIOGRAPHIE

Ariès, Philippe (1973). *L'enfant et la vie familiale sous l'Ancien Régime*, Paris, Seuil.

Badinter, Élizabeth (1980). *L'amour en plus. Histoire de l'amour maternel. XVIIIᵉ-XXᵉ siècle*, Paris, Flammarion.

Blondin, M.-J. *et al.* (1986). « Évolution jurisprudentielle (1950-1983) du critère de la conduite des conjoints dans l'attribution de la garde des enfants », *Revue du Barreau*, *46*, p. 105.

Commaille, Jacques (1993). « Sociographie du divorce et divorcialité », *Population*, *4*, p. 919-938.

Furstenberg, F.F. et A.J. Cherlin (1991). *Divided families. What happens to children When Parents Part*, Cambridge, Mass., Harvard University Press, 142 p.

Gélinas, Louis et Bartha Maria Knoppers (1993). « Le rôle des experts en droit québécois en matière de garde, d'accès et de protection », *Revue du Barreau*, *53*, p. 3.

Kruk, E. (1993). *Divorce and Disengagement. Patterns of Fatherhood Within and Beyond Marriage*, Halifax, Fernwood Publishing, 138 p.

Joyal, Renée (1994). « L'enfant et les lois : à la recherche d'un statut », *Cahiers québécois de démographie*, *23*(2), automne, p. 243-256.

Joyal, Renée (1996). « L'enfant dont la garde est contestée : sa place dans le processus de décision, *Les cahiers de droit*, *37*, p. 51.

Lamontagne, Paule (1990). « L'expertise psycho-légale au tribunal de la famille », *Les enfants devant la justice*, sous la direction d'Andrée Ruffo, Montréal, éd. Y. Blais, p. 257-271.

Marcil-Gratton, Nicole et Céline Le Bourdais (1999). *Garde des enfants, droits de visite et pension alimentaire : résultats tirés de l'Enquête longitudinale nationale sur les enfants et les jeunes*, Rapport de recherche, Ministère de la Justice, Canada, juin, 38 p.

Quéniart, Anne (1999a). « Émancipation ou désancrage social : deux représentations de la rupture parentale chez des pères n'ayant plus de contact avec leur enfant », *Déviance et société*, *23*(1), p. 91-104.

Quéniart, Anne (1999b). Les formes contemporaines de la paternité au Québec, dans *La paternité aujourd'hui : bilan et nouvelles recherches*, Actes du colloque de l'ACFAS 1998, sous la direction de J.F. Saucier et N. Dyke, Collectif du Centre de recherche et de formation (CRF), Montréal, p. 13-27.

Rollet, Catherine (1993). « Parents, enfants : une histoire à plusieurs voix », *Parents-enfants. Droits et devoirs*, Actes du colloque de la Fédération internationale pour l'éducation des parents, Sèvres, mars, p. 33-44.

Roy, Nicole, Louis Gélinas et Bartha Maria Knoppers (1994). « Étude empirique du processus d'expertise en droit québécois en matière de garde, d'accès et de protection de la jeunesse », *Revue de droit d'Ottawa, 26*(3), p. 579-627.

Secrétariat à la famille (1995). « La composition des familles québécoises », *Carnet de famille, 3*(2), hiver-printemps, p. 4.

Théry, Irène (1985). « La référence à l'intérêt de l'enfant, usages judiciaires et ambiguïtés », *Du divorce et des enfants*, sous la direction de O. Bourguignon, I. Théry et J.L. Rallu, Paris, Presses universitaires de France, p. 33-114.

Théry, Irène (1993). *Le démariage*, Paris, Odile Jacob.

Turmel, André (1997). « Absence d'amour et présence des microbes. Sur les modèles culturels de l'enfance », *Recherches sociographiques, 37*, p. 89.

Valois, Jocelyne (1993). *Sociologie de la famille au Québec*, Montréal, CEC.

Van Gijseghem, Hubert, dir. (1992). *L'enfant mis à nu*, Montréal, Méridien.

Le programme « Partenaires »

Évaluation de l'expérimentation d'une intervention préventive auprès de jeunes couples

Serge TREMBLAY[1]
Département de sexologie
Université du Québec à Montréal

La communication actuelle présente un résumé des données recueillies lors de l'expérimentation du programme « Partenaires ». Ce nouveau programme est issu d'un projet de la Maison de la famille des Maskoutains de Saint-Hyacinthe. Depuis son ouverture en septembre 1993, cet organisme communautaire a œuvré auprès des familles dans une perspective de prévention primaire. Dans le cadre plus spécifique des activités offertes aux jeunes familles (« Parents-atout », programme « Y'app ! », halte-répit, etc.), les intervenantes de cet organisme ont observé que les jeunes parents, tout particulièrement les jeunes mères, étaient nombreux à aborder de façon spontanée avec elles les difficultés ou même les problèmes qu'ils vivaient dans leur couple. Elles ont aussi cru voir que ces difficultés relationnelles apparaissaient ou étaient exacerbées par l'arrivée des enfants. Comme les conflits récurrents des couples (Grych et Fincham, 1990) ou leur rupture (Kitson et Morgan, 1990) ont des conséquences importantes tant sur la vie des parents eux-mêmes que sur la vie et le développement de leurs enfants, ces intervenantes en sont arrivées à la conclusion qu'il

1. Toute correspondance devrait être adressée à Serge Tremblay, Département de sexologie, Université du Québec à Montréal, C.P. 8888, Succursale Centre-ville, Montréal (Québec), H3C 3P8.
   Cette recherche a été réalisée grâce à une subvention accordée à la Maison de la famille des Maskoutains de Saint-Hyacinthe par la Régie régionale de la santé et des services sociaux de la Montérégie.

serait préférable d'intervenir auprès des couples avant même la naissance des enfants. C'est dans ce contexte qu'a été élaboré le projet de concevoir un nouveau programme de prévention qui s'adresserait spécifiquement aux jeunes couples en projet d'enfants.

Recension des programmes québécois pour jeunes couples

La décision de concevoir un tel programme a été prise à la suite d'une recension des ressources disponibles pour cette clientèle. Cette recension (Tremblay, 2000) a d'abord révélé que la quasi-totalité des programmes québécois de prévention s'adressant aux jeunes couples sont destinés aux couples qui se préparent à se marier religieusement. Parmi la douzaine de programmes que nous avons répertoriés, un seul est destiné à des couples se mariant civilement. Un autre de ces programmes s'adresse à des couples mariés religieusement depuis moins de deux ans. Par ailleurs, il n'existe aucun programme qui vise de manière plus spécifique à préparer les jeunes couples à l'arrivée de leur premier enfant. Ailleurs dans le monde, Cowan et Cowan (1995) n'ont repéré que deux programmes, un aux États-Unis et un autre en Grande-Bretagne, conçu expressément pour enrichir la relation des couples qui attendent la naissance d'un premier enfant.

Une analyse plus en profondeur de sept de ces programmes (Tremblay, 2000) montre que leur contenu est axé sur cinq grands thèmes, soit la communication, la résolution des conflits, la sexualité, les questions de personnalité et le sens religieux du mariage. Dans une recension très récente des programmes américains de préparation au mariage, Silliman et Schumm (1999) ont identifié quatre de ces thèmes, le sens chrétien du mariage n'ayant toutefois pas été retenu. Par ailleurs, l'arrivée des enfants est abordée dans quelques-uns de ces sept programmes, mais habituellement de façon extrêmement sommaire et souvent sous l'angle de la contraception ou de l'atteinte d'un but spécifique du mariage chrétien. Pourtant, la venue des enfants constitue un thème que les jeunes adultes privilégient pour ce genre de programmes (Boisvert et al., 1995 ; Silliman et Schumm, 1989). D'autres contenus sont aussi abordés, comme la gestion des finances, les relations avec les familles d'origine, l'engagement, les modèles de couple ou la prévention de la violence conjugale, mais seulement dans une minorité de ces programmes.

L'analyse des activités qui sont proposées dans ces programmes a permis de dégager six grandes modalités pédagogiques. La quasi-totalité de ces programmes utilise ainsi les exposés, les exercices individuels papier-crayon, les exercices de type expérientiel en couple, les échanges en couple ainsi que des discussions en petite équipe. L'entraînement pratique à des habiletés de communication ne se retrouve que dans un seul des

programmes alors que quatre des sept programmes proposent un entraînement à la négociation des conflits. Le temps accordé à ces entraînements
est cependant très restreint par rapport à la durée totale de ces programmes.
Pour l'essentiel, ces six modalités pédagogiques se retrouvent aussi dans
les programmes américains de préparation au mariage (Silliman et
Schumm, 1999).

La comparaison de ces sept programmes permet d'autres constatations
générales. Tout d'abord, les sept programmes se ressemblent beaucoup,
tant au niveau de leur contenu que de leur déroulement. Deuxièmement,
tous ces programmes impliquent un modèle de l'ajustement dyadique plus
axé sur la compatibilité des partenaires que sur leur processus relationnel.
Il se dégage en effet du contenu de ces programmes qu'on vise d'abord à
faire prendre conscience (cf. savoir-être) aux jeunes couples de leur niveau
d'entente par rapport à certaines dimensions de leur vie à deux. Dans cette
perspective, la communication et la négociation des conflits sont d'abord
considérées comme des moyens pour les deux partenaires de partager leurs
points de vue et d'examiner leurs divergences en rapport avec des contenus
particuliers (caractéristiques de personnalité, sexualité, sens chrétien du
mariage, finances, etc.). Enfin, un seul de ces programmes a été l'objet d'une
évaluation empirique de son rendement à très court terme (Tremblay, 1996).

Étapes du projet « Être jeunes et vivre en couple »

Le but principal du projet « Être jeunes et vivre en couple » mis en œuvre
par la Maison de la famille des Maskoutains visait donc à concevoir un
nouveau programme s'adressant aux jeunes couples pour les aider à se
préparer à la naissance de leur premier enfant. Ce projet comprenait trois
phases, soit la phase préparatoire, la phase d'élaboration du programme
et la dernière étape, celle de son expérimentation. La phase préparatoire
du projet (de janvier à juin 1997) consistait à cerner les besoins et les
intérêts des jeunes adultes vivant en couple. Différents auteurs (Boisvert
et al., 1995 ; Markman et al., 1986 ; Tremblay, 1992) reconnaissent en effet
le peu de motivation des jeunes couples à participer à un programme de
prévention conjugale ou préconjugale. Boisvert et al. (1995) croient ainsi
que les programmes actuels ne correspondent pas aux intérêts des jeunes
couples. Le but visé par cette première étape était par conséquent de
recueillir des informations provenant de sources diverses (cf. recension des
recherches sur les besoins et les intérêts des jeunes couples, analyse des
programmes québécois de prévention s'adressant aux jeunes couples et
groupes focus avec de jeunes adultes québécois vivant en couple) qui
permettraient de concevoir un programme qui puisse susciter la motivation des jeunes couples. De manière plus spécifique, ces données

(Tremblay, 2000) ont servi à définir l'orientation, les buts et les objectifs du nouveau programme, à en établir les modalités ainsi que le format et à élaborer le contenu des activités de chacune des rencontres.

Le programme « Partenaires » a été élaboré à l'automne 1997 par l'équipe des ressources humaines du diocèse de Saint-Hyacinthe. Il s'inspire des principes de l'approche expérientielle issue du courant personnaliste en éducation (Bertrand, 1990). Selon Bernard, Cyr et Fontaine (1981), cette approche fait appel à une démarche d'apprentissage qui implique, comme étapes, de vivre d'abord une situation d'expérience (*cf.* étape de l'expérience concrète), de réfléchir aux observations faites sur l'expérience vécue (*cf.* étape de l'observation réflexive), de formuler des généralisations intégrant ces observations (*cf.* étape de la conceptualisation abstraite) et, enfin, d'appliquer ces apprentissages dans des situations nouvelles (*cf.* étape de l'expérimentation active). Cette approche nous est apparue nettement plus appropriée à la clientèle des jeunes couples qu'une approche traditionnelle ou même qu'une approche systématique (Bertrand, 1990). D'une part, elle risque de susciter davantage l'intérêt des participants puisqu'elle leur permet de percevoir par eux-mêmes, à travers des expériences vécues dans l'ici et maintenant, la pertinence des apprentissages à faire. D'autre part, elle permet des apprentissages non seulement au plan des savoirs théoriques (nouvelles connaissances), mais aussi au plan des savoir-être (perceptions, attributions et attitudes) et des savoir-faire (habiletés).

Dans la perspective que l'arrivée des enfants peut entraîner chez les jeunes couples une détérioration marquée, voire une rupture de leur relation, les buts du programme « Partenaires » ont été définis de la façon suivante : 1) accroître la capacité des jeunes adultes de s'adapter aux différentes situations inhérentes à la vie en couple, dont particulièrement celle de la venue des enfants, 2) développer chez eux une plus grande cohésion pour faire face à ces différentes situations et 3) leur permettre d'échanger avec d'autres couples ainsi que de s'enrichir mutuellement de leurs expériences de vie en couple.

Le programme « Partenaires » vise par ailleurs les trois objectifs généraux suivants :

1. Permettre aux jeunes couples d'acquérir des connaissances théoriques par rapport à différents contenus (*cf.* les types de couple, les habiletés de communication, le processus de résolution d'un problème, les étapes de la vie en couple et leur impact sur la relation) ;

2. Favoriser chez les participants des prises de conscience sur eux-mêmes, sur leur partenaire et sur leur relation (*cf.* le mode de fonctionnement des deux partenaires, leur modèle de communication

comme couple ; leur manière habituelle de résoudre leurs conflits, les différentes dimensions de leur relation de couple, le futur de leur couple) ;

3. Les aider à développer des habiletés particulières (*cf.* prise de conscience, communication et résolution d'un problème).

Enfin, le format et les modalités de ce programme ont été établis en fonction de son orientation et des objectifs généraux visés. À l'étape de la conception du programme, il était ainsi prévu que chaque groupe serait composé de cinq à sept couples de jeunes adultes. Pour assurer l'homogénéité du groupe, les participants devaient avoir 25 ans ou moins, vivre dans la même région et planifier ou attendre l'arrivée d'un premier enfant. Afin de favoriser l'identification des jeunes adultes aux deux animateurs du groupe, ceux-ci auraient moins de 35 ans, feraient partie du même couple et auraient déjà, si possible, de jeunes enfants. Il était aussi prévu que les animateurs ne seraient pas nécessairement des professionnels ; cependant, au moins un des deux animateurs devait déjà avoir une formation et une expérience minimales dans l'animation de petits groupes. Le programme a été conçu pour se dérouler en six rencontres en soirée d'une durée moyenne de deux heures et demie. Comme les jeunes adultes ont actuellement des horaires très changeants, il avait été convenu que les couples avec les deux animateurs décideraient eux-mêmes de la journée et de l'heure de chaque rencontre. La structure générale de chaque rencontre était conçue pour inclure une activité expérientielle, un partage dans le couple, un échange entre les couples et un très bref résumé théorique sur le thème de la rencontre. Enfin, pour répondre à la demande formulée de façon très claire par les jeunes adultes des groupes focus, les activités expérientielles devaient inclure autant que possible un caractère ludique[2].

Une fois le programme « Partenaires » élaboré, comme il s'agissait d'un nouveau programme, il s'est avéré nécessaire de l'expérimenter avant de l'implanter sur une plus large échelle. La troisième phase du projet – celle qui est l'objet de la recherche actuelle – consiste donc à évaluer si le programme tel qu'il a été élaboré peut être implanté à l'échelle québécoise. De manière plus précise, cette évaluation doit permettre d'identifier les

---

2. Le jeu *Partenaires*, qui a été construit sur le modèle du jeu *Clue*, illustre bien le caractère ludique des activités expérientielles de ce programme. La planche du jeu représente ainsi un plan de maison ; les joueurs doivent parcourir le plus rapidement possible les sept pièces de la maison en répondant pour chacune des pièces à deux questions qui portent sur un aspect de leur vie en couple (tâches ménagères, loisirs, sexualité, etc.). Dans l'échange en couple qui suit, les participants reprennent chacune des questions pour en discuter avec leur partenaire.

améliorations qui pourront être apportées au programme, tant au niveau des contenus abordés pour chacune des rencontres, de leur déroulement et des conditions d'animation. Elle servira aussi à établir dans quelle mesure le programme répond aux trois objectifs généraux fixés préalablement. Il sera enfin possible d'en dégager des recommandations pour l'implantation future du programme.

MÉTHODOLOGIE

Le modèle général qui est retenu pour évaluer le programme « Partenaires » est celui de l'évaluation formative qui permet de fournir « une rétroaction continue sur le fonctionnement d'un programme pendant qu'il est en cours, de sorte qu'il puisse être modifié ou amélioré en cours de route » (Ellis, 1998). Les informations produites par l'expérimentation du programme ont ainsi été transmises à l'équipe responsable de la conception du programme pour que les ajustements nécessaires y soient apportés au fur et à mesure. L'évaluation du programme telle qu'elle a été réalisée inclut des données qualitatives ainsi que des données quantitatives. Pour réaliser une évaluation en profondeur de ce programme, il a fallu en effet recueillir des données de natures diverses. De plus, les données obtenues proviennent de sources variées et par l'intermédiaire de différents moyens. Cette diversité des sources et des moyens est nécessaire entre autres pour s'assurer de la validité des résultats de l'évaluation et pour combler la limite du petit nombre de répondants.

Avant le programme, chaque participant a rempli un questionnaire pour établir son profil sociodémographique et pour connaître ses attentes face au programme. Certaines questions portaient aussi sur la façon dont les participants ont connu le programme.

Une partie des données proviennent des participants en cours d'expérimentation. À la fin de chacune des rencontres, chaque participant indiquait son niveau d'appréciation par rapport à six dimensions de l'atelier (*cf.* durée des échanges, activités proposées, partage à deux, échange de groupe, exposés et animation) au moyen d'une échelle de type Likert en cinq points (1 = pas du tout ; 2 = un peu ; 3 = moyennement ; 4 = beaucoup ; 5 = énormément). Il devait aussi décrire en quelques mots ce qu'il avait le plus aimé et ce qu'il avait le moins aimé. Par la suite, les animateurs invitaient les participants à échanger sur la rencontre à partir de trois questions (Comment vous sentez-vous après cette rencontre ? Que retenez-vous de cette rencontre ? Avez-vous des commentaires, des suggestions ?). D'autres données d'évaluation ont été obtenues à partir des réponses à un questionnaire qui a été administré en post-test et qui portait sur les apprentissages faits par les participants durant le programme, sur leur satisfaction par rapport à l'ensemble du programme et, enfin, sur la satisfaction de leurs attentes.

Une autre partie des données proviennent des couples qui ont animé le programme. Une feuille de temps a été remplie pour vérifier le temps consacré à la préparation et à l'animation des rencontres. À chaque rencontre, les animateurs ont rempli une feuille des présences. Enfin, des données étaient colligées dans un journal de bord rempli par les animateurs après chacune des rencontres. Ils y notaient leurs observations et leurs commentaires sur la rencontre et sur la participation des jeunes couples.

À partir des critères suggérés par Schreirer (1987), quatre catégories de données ont été analysées, soit les données concernant :

- les couples animateurs : leurs caractéristiques personnelles (scolarité, formation, expériences en animation de groupe, etc.) et leur formation à l'animation du programme (participation au programme, suivi, etc.) ;

- les couples participants : leur recrutement et leurs caractéristiques sociodémographiques et personnelles (attentes) ;

- l'expérimentation du programme : les conditions d'animation, le déroulement du programme (activités, participation des couples, dynamique des groupes, relations entre les participants, etc.), les contenus privilégiés et le matériel ;

- l'évaluation du programme : l'atteinte des objectifs par les participants du programme, la réalisation des attentes des participants, leurs satisfactions et leurs insatisfactions.

Les données recueillies ont été ensuite compilées et leur contenu analysé en fonction de chacune de ces différentes catégories.

CONSTATATIONS ET RECOMMANDATIONS
La formation des couples animateurs

Six couples recrutés par la formatrice ont reçu une formation (mai et juin 1998) pour animer le programme. L'âge moyen des animateurs se situe à 28 ans. Ils sont tous sur le marché du travail. La durée moyenne de leur relation de couple est de 7,9 ans. Ils cohabitent en moyenne depuis 5,3 ans. Quatre des six couples ont deux jeunes enfants, les deux autres n'en ayant pas. Trois femmes et trois hommes affirment ne pas avoir été formés à l'animation de groupe. Un seul homme n'a aucune expérience en animation de groupe. Tous les autres ont déjà animé soit des groupes de jeunes (*cf.* scouts, R^3, JEC, Jeunes optimistes, etc.), soit des groupes de partage avec des adultes. Deux femmes et un homme ont acquis une expérience d'animation dans le cadre de leur travail.

La participation des couples animateurs aux six ateliers du programme a constitué la base de leur formation. Comme tous les couples possédaient déjà une certaine expérience dans l'animation de groupe, l'accent a été mis sur la formation au contenu du programme. Une fois formés, deux des six couples ont décidé d'enlever leur nom sur la liste des futurs animateurs du programme ; il s'agissait des deux couples ayant le moins d'expérience en animation de groupe.

La suite de la formation a pris la forme d'une supervision donnée par la formatrice aux deux couples qui ont animé le programme lors de son expérimentation. Elle a répondu à leurs questions lorsqu'ils préparaient les rencontres, les a prévenus de certains aspects importants dans l'animation des rencontres, leur a indiqué les modifications apportées en cours de route au programme, leur a donné du feedback sur leur animation et les a aidés à régler certains problèmes qu'ils rencontraient avec leur groupe.

Un des couples n'a pu être présent lors de l'évaluation de la formation. Les deux animateurs présents révèlent un degré de satisfaction très élevé face à la formation reçue (*cf.* le couple formateur, les contenus de formation, la supervision par la formatrice, le groupe de formation, etc.). Ils insistent sur la nécessité d'une supervision par la formatrice pour se rassurer dans leur démarche d'apprentissage à l'animation du programme. Comme ils ont animé le programme à deux reprises, ils notent que leur expérience avec le second groupe était déjà plus facile. Une question importante demeure toutefois sans réponse, autant pour les couples qui ont vécu l'expérience d'avoir animé le programme que pour les autres couples qui ont reçu la formation de base : que faire avec les couples participants qui manifestent de graves difficultés durant les rencontres ou qui, par leurs interventions, en viennent à nuire au fonctionnement du groupe ?

Recommandations

- que le programme « Partenaires » soit animé uniquement par des couples qui ont reçu une formation à cet effet ;
- que soient choisis des couples animateurs qui possèdent déjà une bonne expérience de l'animation de groupe, qui sont bien implantés dans leur milieu et qui ont le goût de s'investir dans l'animation de groupes de jeunes couples ;

- que la formation des couples animateurs soit assumée par la formatrice actuelle de façon à profiter de son expertise dans l'élaboration et la formation à l'animation du programme et pour favoriser aussi une certaine continuité dans la formation des couples animateurs et dans l'implantation du programme ;
- que les couples intéressés à animer le programme reçoivent, avant de s'inscrire à la session de formation, des informations claires et détaillées sur la nature du programme, sur la formation requise et sur les exigences reliées à l'animation du programme ;
- que la participation des couples intéressés aux six ateliers du programme constitue la première étape de leur formation ;
- que la formation de base puisse se donner à l'intérieur d'une fin de semaine intensive ;
- qu'un suivi avec les couples animateurs puisse être assuré par la formatrice afin de leur fournir le matériel nécessaire à l'animation du programme, de les superviser dans leurs expériences d'animation et de les informer des développements futurs du programme ;
- qu'une formation complémentaire en relation d'aide avec les couples soit conçue et offerte aux couples animateurs pour les aider à faire face aux situations difficiles d'animation et à assurer aux couples en difficulté un certain suivi en parallèle à leur participation au groupe.

Le recrutement des couples participants

Le recrutement des trois groupes de jeunes couples a demandé huit mois, soit de septembre 1998 à avril 1999. En fait, les deux premiers groupes de couples ont été recrutés assez rapidement. Au tout début de la période de recrutement, la formatrice a investi une vingtaine d'heures qui lui ont permis de recruter 14 couples dès septembre 1998 et de former ainsi deux groupes. Mais faute de temps, il n'y a pas eu de sa part un pareil investissement pour procéder à la formation du troisième groupe. Le couple qui avait animé le premier groupe a pu toutefois recruter par la suite des jeunes couples provenant de leur localité.

Les moyens pris pour recruter les jeunes couples comprennent le dépliant de programmation des activités de la Maison de la famille des Maskoutains, des annonces dans la presse locale, des annonces à la radio locale, un court article dans un journal de Saint-Hyacinthe, des affiches et des visites dans des milieux fréquentés par des jeunes adultes (*cf.* cégep, centre professionnel, palais de justice, centres d'achat) et, enfin, des contacts avec des personnes (*cf.* agents de pastorale, prêtres de paroisse, intervenants psychosociaux, parents des jeunes adultes, etc.) qui pouvaient référer des jeunes couples pour le programme. Selon la formatrice et les couples animateurs, les moyens qui semblent avoir été les plus efficaces pour recruter les couples sont de faire appel à un réseau déjà constitué de jeunes adultes ou de se rendre dans les milieux qu'ils fréquentent pour les rencontrer directement, pour leur présenter le programme et pour les y inviter. Ces observations faites par les animateurs et par la formatrice sont par ailleurs confirmées par les participants eux-mêmes qui disent avoir été recrutés dans 83,3 % des cas par contact direct, tous les autres ayant répondu à une annonce dans un journal local.

Recommandations

- que le recrutement soit confié aux couples animateurs ;
- que les animateurs soient formés aux stratégies de recrutement des jeunes couples ;
- que les stratégies de recrutement soient d'abord axées sur l'identification des milieux fréquentés par les jeunes couples de la région ainsi que sur la visite de ces milieux pour rencontrer les jeunes adultes et pour leur présenter directement le programme ;
- que les animateurs s'assurent aussi de la collaboration des intervenants psychosociaux et des autres organismes communautaires de leur région ;
- que du nouveau matériel (*cf.* dépliants, affiches, etc.) et que certains éléments du matériel créés pour le programme (*cf.* vidéo, jeu *Partenaires*, etc.) puissent être utilisés pour le recrutement des jeunes couples.

Jeunes couples participants

La clientèle visée était les jeunes adultes ayant 25 ans ou moins qui vivent en couple. Vingt et un couples divisés en trois groupes ont participé au programme « Partenaires ». Les participants des deux premiers groupes vivent à Saint-Hyacinthe même alors que ceux du troisième groupe proviennent de Cowansville. Le tableau 1 présente la distribution des participants par sexe selon différentes variables sociodémographiques. Globalement, leur âge varie entre 17 et 30 ans. L'âge moyen des femmes est de 21,8 ans tandis que celui des hommes se situe à 24,1 ans. Les sept participants les plus âgés (26-30 ans) se sont tous retrouvés dans le troisième groupe avec des participants ayant moins de 25 ans. Les animateurs ont noté cependant que ces participants avaient des préoccupations quelque peu différentes de celles des participants plus jeunes et qu'ils avaient d'ailleurs tendance à se retrouver entre eux durant les pauses.

TABLEAU 1

Profil sociodémographique des participants

	Femmes		Hommes	
	N	**%**	**N**	**%**
ÂGE				
moins de 21 ans	6	28,6 %	3	14,3 %
21-25 ans	13	61,9 %	13	61,9 %
plus de 25 ans	2	9,5 %	5	23,8 %
SCOLARITÉ				
secondaire	4	19,0 %	10	47,6 %
collégial	9	42,9 %	8	38,1 %
universitaire	8	38,1 %	3	14,3 %
STATUT OCCUPATIONNEL				
aux études	4	19,0 %	2	9,5 %
sur le marché du travail	15	71,5 %	16	76,2 %
aux études et au travail	2	9,5 %	3	14,3 %
OCCUPATION				
étudiant(e)	6	28,6 %	4	19,0 %
professionnel(le)	5	23,8 %	1	4,8 %
technicien(ne)	2	9,5 %	4	19,0 %
travail de bureau	6	28,6 %	0	0,0 %
travailleur(se) semi- ou non spécialisé(e)	2	9,5 %	12	57,2 %
REVENU				
moins de 10 000 $	11	52,4 %	6	28,6 %
10 000 $ – 20 000 $	6	28,6 %	5	23,8 %
20 000 $ – 30 000 $	4	19,0 %	4	19,0 %
plus de 30 000 $	0	0,0 %	6	28,6 %

Le niveau moyen de scolarité des femmes est de 13,7 ans alors que celui des hommes est de 12 ans. On peut noter que 47,6 % des hommes ont terminé leurs études à la fin de la 5e secondaire (14,3 %) ou même avant (33,3 %). Quant à leur situation actuelle, la très grande majorité des femmes (71,5 %) et des hommes (76,2 %) travaillent à temps plein ou à temps partiel. Par ailleurs, on retrouve plus de femmes qui sont professionnelles (23,8 %) ou qui travaillent dans un bureau (28,6 %) que d'hommes (respectivement 4,8 % et 0 %). À l'inverse, il y a nettement plus de travailleurs semi-spécialisés ou non spécialisés chez les hommes (57,2 %) que chez les femmes (9,5 %). Enfin, le revenu brut moyen des hommes se situe entre 20 000 $ et 30 000 $ comparativement à celui des femmes qui se situe entre 10 000 $ et 20 000 $.

Les participants connaissent leur partenaire actuel en moyenne depuis trois ans et huit mois. La durée moyenne de leur cohabitation est d'un an et huit mois. Seulement deux couples sont mariés et ils le sont religieusement. Par ailleurs, 30 % des participants se sont quittés ou laissés temporairement depuis le début de leur relation. Mentionnons enfin que, pour 90 % des participants, avoir des enfants fait partie de leur plan d'avenir. Quatre des 21 couples attendent d'ailleurs un bébé.

Recommandations

- que soit examinée la possibilité d'ouvrir le programme « Partenaires » à des jeunes couples ayant déjà un jeune enfant (moins de deux ans) pour élargir ainsi le bassin des couples participants ;

- que soit examinée la possibilité d'utiliser un questionnaire évaluant l'ajustement relationnel des couples afin de dépister les couples en difficulté et de les diriger vers des ressources disponibles pour de l'aide thérapeutique ;

- que la composition du groupe soit homogène quant à l'âge (un écart de moins de sept ans entre les participants) et au milieu de provenance.

Expérimentation du programme et son évaluation

L'expérimentation du programme s'est déroulée en deux temps, soit d'abord avec le groupe des couples de futurs animateurs et, ensuite, avec les trois groupes de jeunes couples. Suivant le mode de l'évaluation formative, des modifications ont été apportées au programme en cours d'expérimentation. Ces modifications ont été suggérées à la suite des évaluations faites à la fin de chaque rencontre ou aussi aux commentaires des participants et des animateurs. Le tableau 2 présente la fréquence des modifications qui ont été effectuées au programme tout au long de son expérimentation, tant avec le groupe des animateurs (CA) qu'avec les trois groupes de jeunes couples (JC).

Le tableau 2 révèle que les modifications effectuées ont porté davantage sur les trois premiers ateliers et sur les activités expérientielles. Un changement important n'apparaît cependant pas au tableau 2. Il s'agit de l'ajout d'une prérencontre pour donner aux jeunes couples, avant de s'y inscrire, des informations sur le programme (thèmes et objectifs de chaque atelier, règles de fonctionnement du groupe, etc.) et pour diminuer d'autant la durée du premier atelier. Enfin, l'analyse des commentaires des participants à la fin de chaque rencontre et à la fin du programme (Tremblay, 2000) incite à penser que d'autres modifications, peu nombreuses cependant et

TABLEAU 2

Fréquence des modifications apportées en cours d'expérimentation

	1		2		3		4		5		6	
	CA	JC	CA	JC	CA	JC	CA	JC	CA	JC	CA	JC
Durée de l'atelier												
– allonger	1								1		1	
– diminuer			1		1	1						
Activités expérientielles												
– éliminer un élément	1											
– modifier un élément			1									
– modifier les consignes	2		1				2			1		
– modifier le matériel								1				1
– allonger la durée	2											1
Tête-à-tête												
– ajouter un tête-à-tête	1											
– préciser les consignes			1			1						
– modifier le contenu					1							
– diminuer la durée					1							
Retour en groupe												
– ajouter un retour									1			
– modifier les questions	1					1						
– allonger la durée			1									
– diminuer la durée	1					1						
Synthèse théorique												
– éliminer du contenu	1		1						1			
– diminuer la durée			1									

Note : CA = expérimentation avec les couples d'animateurs ; JC = expérimentation avec les jeunes couples

vraiment mineures, devraient être effectuées avant que le programme soit implanté sur une échelle plus vaste, comme d'ajuster à la hausse la durée des cinquième et sixième ateliers ou de préciser à nouveau le but et les consignes de l'activité principale du troisième atelier.

L'évaluation globale du programme « Partenaires » par les participants montre qu'il a obtenu un franc succès. Ainsi, 97 % des jeunes adultes ayant suivi le programme se disent beaucoup ou énormément satisfaits du programme dans son ensemble. Dix-neuf autres questions ont été posées pour vérifier la satisfaction des participants par rapport aux différentes modalités du programme (*cf.* durée, animation, activités, échanges en couple, ambiance dans le groupe, etc.). Pour 16 de ces 19 questions, de 80 % à 100 % des participants indiquent qu'ils sont beaucoup ou énormément satisfaits. On retrouve cependant trois sujets de moins grande satisfaction. Ainsi, 36 % des participants auraient aimé que la durée totale du programme soit plus longue. Le tiers des participants trouvent que la documentation écrite sur les thèmes abordés durant les ateliers est insuffisante. Enfin, 53 % des participants ont peu ou pas du tout apprécié d'évaluer chacune des rencontres.

Un autre indice de la satisfaction des jeunes adultes par rapport à ce nouveau programme est relatif aux apprentissages réalisés à la suite de leur participation. En lien avec les objectifs généraux du programme, trois types d'apprentissage ont été évalués par le questionnaire rempli par les participants à la fin du dernier atelier, soit l'acquisition de connaissances théoriques (4 questions), les prises de conscience faites sur eux-mêmes, sur leur partenaire et sur leur relation (9 questions) et le développement d'habiletés relationnelles (18 questions). De 55 à 85 % des participants prétendent avoir appris beaucoup ou énormément sur des contenus théoriques comme, par exemple, les étapes du processus de résolution de problème. De même, de 52 à 70 % des participants disent avoir appris beaucoup ou énormément sur eux-mêmes, sur leur partenaire ou sur leur relation. Enfin, de 44 à 79 % des participants affirment réussir beaucoup ou énormément mieux à mettre en pratique certaines habiletés relationnelles.

Ces données indiquent donc qu'une majorité des jeunes adultes ayant participé au programme « Partenaires » ont l'impression d'avoir appris beaucoup ou énormément. Mais on ne peut conclure pour l'instant que ce programme favorise un meilleur ajustement relationnel des couples participants et qu'il les aide à préparer efficacement à l'arrivée d'un premier enfant. Des études longitudinales devront par conséquent être menées dans une phase ultérieure pour s'assurer du rendement réel de ce programme à plus long terme.

Recommandations

- que, malgré une certaine insatisfaction de la part des participants, l'évaluation à la fin de chaque rencontre soit maintenue, mais qu'elle soit allégée ;
- que les documents écrits laissés aux participants sur des thèmes associés au contenu du programme soient plus nombreux ;
- qu'après avoir subi quelques modifications mineures, le programme « Partenaires » soit offert dans le futur tel qu'il apparaît à la fin de son expérimentation ;
- que le coût assumé par les jeunes couples pour suivre le programme soit le plus bas possible et qu'il soit fixé par l'organisme offrant le programme, en fonction de la capacité de payer de chaque couple participant ;

- que des ressources financières soient trouvées pour fournir gratuitement le matériel pédagogique aux couples participants ;
- enfin, qu'un second programme soit conçu comme un complément du programme « Partenaires » et qu'il soit axé sur un entraînement systématique aux habiletés de communication et de résolution des conflits.

CONCLUSION

Au terme de cette expérimentation, nous pouvons conclure que le programme « Partenaires » est une réussite. Les participants indiquent en effet des niveaux de satisfaction très élevés par rapport au programme en même temps qu'ils affirment en retirer des bénéfices pour eux et pour leur relation. Ce nouveau programme, tel qu'il a été conçu, semble donc avoir réussi à susciter l'intérêt et la participation des jeunes adultes l'ayant suivi, ce qui était à l'origine le souci principal des responsables de ce projet. Il est probable que le caractère inédit et original des activités expérientielles de chaque atelier explique en partie l'enthousiasme des participants face au programme et qu'il facilite du même coup leur engagement dans cette démarche de prévention. Par ailleurs, le rendement du programme à très court terme peut être considéré comme excellent, puisque les objectifs généraux sont, de l'avis des participants, atteints de façon très satisfaisante. Mais l'évaluation des effets du programme étant basée uniquement sur les impressions des participants, des études devront donc être menées pour en évaluer plus objectivement l'efficacité à plus long terme. Les résultats de l'évaluation révèlent enfin que la formation des couples animateurs apparaît globalement comme adéquate et que, comme prévu, le recrutement des jeunes couples constitue l'étape la plus difficile de ce programme.

Étant donné les résultats positifs de cette évaluation, nous croyons que le programme « Partenaires » peut maintenant être implanté à l'échelle du Québec. Son expérimentation a d'ailleurs permis de dégager des recommandations en vue de faciliter et de maximiser son implantation future. Il faut espérer ici que cette initiative d'un organisme communautaire, appuyée par la Régie régionale de la santé et des services sociaux de la Montérégie, ait les suites positives qu'elle mérite, soit que des organismes des différentes régions du Québec puissent l'offrir aux jeunes couples et que ces derniers puissent en tirer profit pour consolider leur relation et pour être ainsi mieux préparés à la naissance de leur premier enfant.

BIBLIOGRAPHIE

Bernard, H., J.M. Cyr et F. Fontaine (1981). *L'apprentissage expérientiel*, Montréal, Service pédagogique, Université de Montréal.

Bertrand, Y. (1990). *Théories contemporaines de l'éducation*, Ottawa, Agences D'Arc.

Boisvert, J.M., R. Ladouceur, M. Beaudry, M.H. Freeston, L. Turgeon, C. Tardif, A. Roussy et M. Loranger (1995). Perception of marital problems and of their prevention by Quebec young adults, *The Journal of Genetics Psychology, 156*, p. 33-44.

Cowan, C.P. et P.A. Cowan (1995). Interventions to ease the transition to parenthood – Why they are needed and what they can do, *Family Relations, 44*, p. 412-424.

Ellis, D. (1998). *Pour s'y retrouver : une méthode d'évaluation participative pour les programmes de ressources pour la famille*, Ottawa, Association canadienne des programmes de ressources pour la famille.

Grych, J.H. et F.D. Fincham (1990). Marital conflict and children's adjustment : A cognitive-contextual framework, *Psychological Bulletin, 108*, p. 267-290.

Kitson, G.C. et L.A. Morgan (1990). The multiple consequences of divorce : A decade review, *Journal of Marriage and the Family, 56*, p. 913-924.

Markman, H.J., F.J. Floyd, S.M. Stanley et H.C. Lewis (1986). Prevention dans N.S. Jacobson et A.S. Gurman (dir.), *Clinical handbook of marital therapy*, New York, Guilford Press, p. 173-195.

Schreirer, M.A. (1987). Program theory and implantation theory : Implication for evaluators, dans L. Bickman (dir.), *Using program theory in evaluation*, San Francisco, Jossey-Bass, p. 98-114.

Silliman B. et W.R. Schumm (1989). Topics of interest in premarital counseling : clients views, *Journal of Sex and Marital Therapy, 15*, p. 199-206.

Silliman B. et W.R. Schumm (1999). Improving practice in marriage preparation, *Journal of Sex and Marital Therapy, 25*, p. 23-43,

Tremblay, S. (1992). Le counseling prénuptial : une invitation à intervenir, *Revue québécoise de psychologie, 13*(1), p. 43-57.

Tremblay, S (1996). Évaluation d'un programme québécois de prévention préconjugale, *Science et comportement, 25*, p. 131-143

Tremblay S. (2000). *Le programme « Partenaires » pour jeunes couples en projet d'enfants. Rapport d'évaluation*, Montréal, Université du Québec à Montréal, Département de sexologie.

La concertation avec les parents en intervention jeunesse

Étude des facteurs d'influence[1]

Gaby CARRIER, Richard CLOUTIER, Sylvain LAVERTU,
Rachel LÉPINE, Dominique TREMBLAY et Laurie TREMBLAY
Institut universitaire sur les jeunes en difficulté
Centre jeunesse de Québec[2]

INTRODUCTION

La planification de l'intervention fait partie des composantes reconnues comme essentielles dans l'intervention professionnelle auprès des jeunes, que celle-ci s'inscrive en éducation, en réadaptation physique ou en protection de la jeunesse. L'importance d'impliquer les parents dans l'intervention représente un autre objet de consensus clinique (Meisels, 1992 ; Bailey *et al.*, 1992 ; Goupil et Archambault, 1986 ; Goupil, 1997 ; 1999).

---

1. Cette étude a été réalisée alors que l'équipe bénéficiait d'une subvention du Fonds pour l'adaptation des services de santé, Santé Canada.
2. Gaby Carrier est chercheuse et coordonnatrice du groupe scientifique, Institut universitaire sur les jeunes en difficulté, Centre jeunesse de Québec ; Richard Cloutier est directeur scientifique de l'Institut universitaire sur les jeunes en difficulté, Centre jeunesse de Québec ; Rachel Lépine est professionnelle de recherche dans le cadre du projet de recherche sur « Les soins aux jeunes en difficulté », Laurie Tremblay est étudiante au doctorat en psychologie, Sylvain Lavertu et Dominique Tremblay sont respectivement éducateur et intervenante sociale au Centre jeunesse de Québec, Institut universitaire.

La logique d'une intervention explicitement planifiée donnant une place au jeune et à sa famille repose sur le fait que le changement ne peut survenir qu'en impliquant les premiers acteurs concernés dans une démarche où les buts et les rôles sont clairs pour tous. Bref, la pertinence d'une planification concertée avec le jeune et ses parents ne fait plus de doute.

Toutefois, la reconnaissance du principe ne suffit pas à faire changer les pratiques, si bien que, malgré les inscriptions dans les lois et les règlements de l'obligation de faire un plan d'intervention impliquant le jeune et ses parents, les professionnels résistent trop souvent à intégrer ces façons de faire ; un écart a fréquemment été constaté entre les principes et les pratiques (Cloutier, 1998 ; Goupil, 1997 ; Murphy *et al.*, 1995 ; Pearson, 1998 ; Bailey, Palsha et Simeonsson, 1992 ; Burton, 1992 ; Dunst *et al.*, 1991). Toutes sortes de raisons sont invoquées pour expliquer cet écart, depuis la confidentialité de certaines informations, jusqu'à la non-disponibilité des acteurs, en passant par la crainte de provoquer des confrontations inappropriées.

Les travaux destinés à mesurer empiriquement la place faite aux parents dans les décisions relatives à l'intervention auprès du jeune sont principalement issus du domaine de l'éducation (Murphy *et al.*, 1995 ; Hagner, Helm et Butterworth, 1996) et ils sont plutôt rares dans le domaine de la protection de la jeunesse (Cloutier, 1998 ; Pearson, 1998). Pourtant la compréhension de la dynamique qui explique l'écart entre les principes et les pratiques requiert des données fiables. La présente démarche a pour objectif de contribuer à combler ce besoin de connaissances.

Deux aspects caractérisent la participation des parents en protection de la jeunesse : une intervention réalisée en contexte d'autorité défini par la *Loi sur la protection de la jeunesse* et le fait d'une population vulnérable souvent aux prises avec des problèmes personnels multiples affectant l'actualisation des rôles parentaux auprès de l'enfant.

Cet article pose le problème de la place des parents dans la concertation des efforts mis en œuvre pour venir en aide aux besoins de leur enfant. Deux questions sont à l'étude : 1) dans quelle mesure les parents participent à l'orientation de l'intervention en protection de la jeunesse ? et 2) quels sont les facteurs qui influencent cette participation ?

À partir de données empiriques issues d'une recherche portant sur « L'intersectorialité dans la réponse aux besoins des enfants[3] », la présente démarche a pour but de mesurer le degré de participation des parents dans l'orientation de l'intervention en protection de la jeunesse et les facteurs

---

3.   Ce projet de recherche est dirigé par Richard Cloutier, Ph.D., et Gaby Carrier, maîtrise en service social.

qui l'influencent. Les données présentées permettent d'apporter un éclairage nouveau à partir de l'observation de nouvelles situations d'enfants suivis pendant les six premiers mois de prise en charge et ainsi de saisir le déploiement des services depuis leur montage initial.

Objectifs de la recherche

La recherche sur les processus d'intersectorialité dans la prestation des services aux jeunes en difficulté s'inscrit à l'intérieur d'un vaste chantier de recherche sur « Les soins aux jeunes en difficulté » réalisé dans quatre sites : les centres jeunesse de la Côte-Nord, de l'Estrie, de Montréal et de Québec. À partir d'indicateurs inscrits dans la pratique clinique auprès des clientèles, l'objectif général de cette recherche est de décrire les processus intersectoriels utilisés par les intervenants dans la prestation des services aux jeunes en difficulté et à leurs familles. Cinq sous-objectifs sont poursuivis : 1) l'identification du réseau d'acteurs impliqués dans le soutien des jeunes et de leur famille ; 2) la mesure du degré d'implication des intervenants concernés ; 3) l'identification des stratégies de concertation entre les acteurs ; 4) la description des obstacles rencontrés dans la concertation ; 5) l'évaluation de la satisfaction des intervenants au regard de la quantité et de la qualité des services offerts, de leurs relations avec les usagers et partenaires et de l'accessibilité des ressources.

Mesure de la participation des parents
aux événements de concertation

La place faite aux parents dans les décisions qui concernent l'intervention a été mesurée à partir de leur présence ou de leur absence au cours de rencontres visant spécifiquement l'orientation de l'intervention sur la situation de leur enfant que nous avons nommées *événements de concertation*. On entend ici par événement de concertation le moment privilégié que se donnent deux intervenants ou plus (acteurs) en vue d'orienter ou de réorienter les services pour un enfant en particulier. Ces rencontres formalisées sont généralement provoquées par une situation nouvelle, comme par exemple une situation de crise à l'école ou un événement qui change les données d'un problème, par les étapes inscrites dans le processus d'intervention, comme l'établissement du plan d'intervention ou la révision ou encore par le souci de favoriser la continuité des services.

Deux aspects caractérisent les *événements de concertation* ; ce sont des rencontres portant sur la situation d'un enfant en particulier (et non pas d'un groupe) et ces rencontres sont *formalisées* (c'est-à-dire qu'elles sont prévues et planifiées par opposition à des rencontres informelles qui ne sont pas organisées, sans ordre du jour). Elles excluent donc les échanges d'informations ou les discussions de cas qui surviennent entre deux acteurs ou plus dans le cours de l'intervention quotidienne, mais qui ne sont pas réellement planifiées et où il serait difficile de prévoir la présence du parent. Elles excluent également les réunions de concertation dont l'objet porte sur l'organisation locale ou régionale des services ou sur des groupes de clientèles.

Les variables que nous avons privilégiées pour l'analyse sont les suivantes : le nombre de situations d'enfants où l'on retrouve la présence d'un ou de plusieurs événements sur une période de six mois, les acteurs qui sont présents, la représentation sectorielle, les objectifs des rencontres et la participation des parents.

Méthode

Répondants

Les répondants pour cette recherche sont des intervenants sociaux et des éducateurs qui ont été identifiés comme responsables des dossiers des jeunes à l'application des mesures.

Au total, 162 intervenants ont participé à la recherche pour un total de 140 situations d'enfants. Seize d'entre eux ont participé à deux reprises pour des dossiers d'enfants différents. Au cours de la démarche, 40 nouveaux intervenants se sont ajoutés à un moment ou à un autre dans le temps. Dans un peu plus du quart des situations (26 %), le jeune a changé d'intervenant : 22 % à une reprise et 4 % à deux reprises au cours de la période de suivi.

La majorité des répondants sont des femmes (68 %) et, à l'exception du dernier diplôme obtenu, toutes les variables analysées démontrent des différences significatives selon le genre de l'intervenant (*données non illustrées*). Dans l'ensemble, les caractéristiques personnelles et professionnelles des intervenants interrogés sont les suivantes :

- 65 % sont âgés de plus de 36 ans.
- 82 % des femmes occupent un poste d'intervenante sociale.
- 48 % des hommes sont des éducateurs.
- 76 % ont un statut d'emploi régulier, soit à temps plein (69 %) ou à temps partiel (7 %).
- 69 % ont un baccalauréat en service social ou en psychoéducation.
- 62 % travaillent depuis plus de 10 ans en centre jeunesse (moyenne, 12,6 ans).

- 67 % ont plus de 10 années d'expérience en intervention (moyenne, 13,8 ans).
- 38 % travaillent auprès d'une clientèle de jeunes suivis pour troubles de comportement, comparativement à 27 % qui travaillent auprès de jeunes dont les situations sont reliées à de la négligence parentale.

Procédure de recueil des données

La collecte des données a été effectuée principalement par entrevue téléphonique entre octobre 1998 et juillet 1999. Les données ont été colligées à l'aide d'un questionnaire administré à l'intervenant une fois par mois durant six mois ou jusqu'au moment de la fermeture du dossier. Un seuil minimal de trois mois avait été fixé pour pouvoir considérer un suivi complété. Au total, 745 entrevues ont été menées auprès des intervenants.

Instrument : le questionnaire

Le questionnaire permettait d'identifier l'ensemble des personnes constituant le réseau des acteurs impliqués dans la recherche de solutions aux problèmes du jeune en cause, de saisir la nature de leur rôle dans la vie du jeune, de mesurer leur degré d'implication, de même que le type de relation qui existait entre ces personnes et l'intervenant répondant. Une partie de l'entrevue était également consacrée à identifier et à décrire les événements associés à la concertation. Une dernière entrevue téléphonique a été réalisée avec l'intervenant entre trois et six mois après la fin du suivi afin de connaître les obstacles à la concertation ainsi que sa satisfaction générale au regard des soins et des services offerts au jeune et à sa famille.

Outil développé : la carte de réseau

Le suivi de l'évolution du réseau d'acteurs a été réalisé au moyen d'une *carte de réseau*. Cet outil permet de représenter graphiquement l'ensemble des acteurs impliqués dans la recherche de solutions dans chaque secteur potentiel : familial, social, santé physique et mentale, justice et sécurité publique, scolaire, loisir et communautaire. Sur cette carte de réseau, on identifiait également les acteurs qui intervenaient auprès d'autres membres de la famille (médecin de la mère, praticien social du grand frère, etc.). La première carte de réseau complétée était envoyée à l'intervenant et validée par celui-ci. Cet outil servait de référent lors du contact téléphonique suivant.

RÉSULTATS ET DISCUSSION

Description des jeunes et de leur famille

Un échantillon de 140 nouvelles situations d'enfants suivis à l'application des mesures, dans le cadre de la *Loi sur les services de santé et les services sociaux* (LSSSS), la *Loi sur la protection de la jeunesse* (LPJ) ou la *Loi sur les jeunes contrevenants* (LJC) a été retenu. Il se répartit comme suit dans les quatre centres jeunesse : Côte-Nord (*n* = 14), Estrie (*n* = 28), Montréal (*n* = 56) et Québec (*n* = 42).

Les situations retenues se rapportent à 63 % de garçons et à 37 % de filles (tableau 1). La moitié des jeunes échantillonnés avaient entre 12 et 17 ans, l'autre 50 % étant partagé entre les groupes des 0-5 ans et des 6 à 11 ans. La majorité des jeunes (71 %) fréquentaient l'école au moment de la collecte des données[4]. La proportion de jeunes du primaire (incluant la maternelle) représente 48 % de l'échantillon et celle des jeunes du secondaire 52 %.

La majorité des situations des jeunes de l'échantillon sont sous le couvert de la *Loi sur la protection de la jeunesse* (68 %) : 58 % de ces situations sont reliées à de la négligence parentale et 33 % à des troubles de comportement. Le suivi est volontaire dans un cas sur deux[5].

Sur le plan de la situation familiale des jeunes de l'étude, la majorité (66 %) vivaient en milieu naturel (famille d'origine ou avec l'un de leurs parents légaux) au moment du premier contact avec l'intervenant ; un peu plus du tiers des enfants étaient placés. Dans l'ensemble, 52 % des enfants vivent habituellement dans une famille monoparentale, 26 % dans une famille biparentale et 22 % dans une famille recomposée. Ces données sur la situation familiale des jeunes ne se différencient pas du portrait réalisé au cours des dernières années dans les centres jeunesse. Dans l'ensemble, le nombre moyen d'enfants par famille (incluant le jeune suivi) est de 2,89 enfants, ce qui se situe au-dessus de la moyenne provinciale[6].

---

4. Chez les jeunes âgés de 6 à 17 ans, le taux de fréquentation scolaire est de 90,7 %.
5. En protection de la jeunesse, il y a deux types de mesures : les mesures volontaires ou les mesures ordonnées par le tribunal. Elles définissent le mandat, déterminent les orientations à suivre et le temps nécessaire pour les réaliser. (*Loi sur la protection de la jeunesse*. Québec, Éditeur officiel du Québec, 1998).
6. Au Québec, en 1996, le nombre moyen d'enfants par famille se situait à 1,75 enfants. (Statistique Canada, Recensement 1996. Compilation : Bureau de la statistique du Québec.)

TABLEAU 1

Caractéristiques des jeunes et de leur famille

Caractéristiques des jeunes	N = 140	
SEXE		
Féminin	37,1 %	
Masculin	62,9 %	
GROUPE D'ÂGE		
0-5 ans	23,6 %	
6-11 ans	26,4 %	
12-17 ans	50,0 %	
NIVEAU SCOLAIRE		
Ne fréquente pas l'école	28,6 %	
Maternelle ou primaire	34,9 %	
Secondaire	36,4 %	
CONTEXTE LÉGAL		
LSSS	15,7 %	
LPJ	67,9 %	
LJC	16,4 %	
PROBLÉMATIQUE RETENUE AU SIGNALEMENT (N = 95)		
Négligence	57,9 %	
Troubles de comportement	33,7 %	
Autres	8,4 %	
TYPE DE MESURES		
Volontaires	51,6 %	
Ordonnées	48,4 %	
SITUATION FAMILIALE		
Placé au moment du premier contact	33,6 %	
Vivant en milieu naturel	66,4 %	
MILIEU FAMILIAL LORSQUE NON PLACÉ (N = 134)		
Famille intacte	26,1 %	
Famille monoparentale	52,2 %	
Famille recomposée	21,6 %	
ACTIVITÉ PRINCIPALE DES PARENTS	MÈRE (N = 135)	PÈRE (N = 93)
À domicile	71,1 %	36,6 %
Travail (plein ou partiel)	28,9 %	63,4 %

Sur le plan occupationnel, les données sur les pères, quoique plus difficiles à obtenir en raison d'absence d'information à leur sujet[7], indiquent que près des trois quarts ont un emploi à temps plein ou à temps partiel comparativement au tiers chez les mères.

---

7.   Dans cet étude, on retrouve 20 % des situations pour lesquelles il y avait une absence d'information au sujet du père.

Portrait des événements de concertation

Au total, les intervenants interrogés ont participé à 556 événements de concertation au cours de la période de suivi. Le nombre de situations d'enfants où l'on retrouve la présence d'au moins un événement de concertation est de 133 sur 140, soit 95 % tandis que le nombre d'événements par situation varie de 1 à 13, toutes étapes confondues. Les événements de concertation notés sont surtout des discussions de cas entre intervenants sociaux, famille et jeune (58 %), des tables d'accès, des rencontres de révision ou des réunions multisectorielles : social, scolaire, communautaire, santé. Le nombre d'acteurs présents au cours de ces rencontres varie, en moyenne, entre deux acteurs (26 % des cas) à plus de six acteurs (14 % des cas) ; (*données non illustrées*).

Nombre d'événements de concertation et présence des parents

La figure 1 montre l'évolution sur une période de six mois du nombre d'événements de concertation ainsi que la proportion d'événements où les parents étaient présents.

FIGURE 1

Évolution du nombre d'événements et de la présence des parents sur six mois

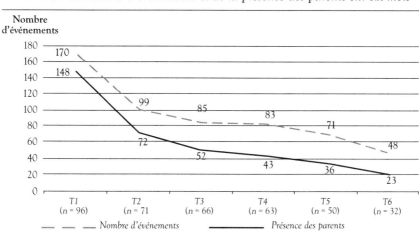

Près de la moitié des événements de concertation auxquels les intervenants ont participé (48,4 %) se produisent au temps 1 et au temps 2 (269 sur 556 au total). Toutes proportions gardées, la présence des parents est aussi plus fréquente aux rencontres des deux premiers mois. Par la suite, le nombre d'événements diminue avec le temps tout comme la présence des parents. Entre le temps 1 et le temps 6, le taux de participation des parents aux événements diminue de près de la moitié (de 82,3 % au temps 1 à 43,8 % au temps 6). On observe aussi une diminution du nombre de situations d'enfants pour lesquelles des événements de concertation ont eu lieu, et ce, même au cours des trois premiers mois (de 96 à 66) alors que 140 dossiers étaient encore ouverts.

Les acteurs et les secteurs représentés

Les groupes d'acteurs le plus fréquemment représentés aux événements de concertation sont les intervenants sociaux (24 %), les éducateurs (22 %), les parents (17 %) et le jeune (9 %). Les conseillers cliniques, les psychologues, les réviseurs, les familles d'accueil, les enseignants ou les directeurs d'école comptent pour 3 % ou moins de la représentation totale (tableau 2).

TABLEAU 2

Répartition des acteurs et des secteurs représentés sur six mois

Catégories d'acteurs	%	Secteurs	%
Intervenant social	24,0	Centre jeunesse	54,5
Éducateur	21,7	Famille	29,8
Parent	17,3	Milieu scolaire	9,6
Jeune	9,0	CLSC	2,4
Enseignant	3,2	Santé physique et mentale	2,0
Chef de service	2,7	Organismes communautaires	0,9
Directeur	2,5	Autre (secteur privé, justice	0,7
Réviseur	2,4	et sécurité publique)	
Psychologue	2,3		
Responsable de famille d'accueil	1,8		
Conseiller clinique	1,3		
Intervenant ressource	0,5		
Autre	11,3		
Total	100,0		100,0

Note : Conjoint de la mère ou conjointe du père (environ 50 %), intervenant du communautaire, conseiller à l'accès, agent de probation, avocat, policier.

Quant à la provenance de ces acteurs, ils sont surtout du centre jeunesse (54 %), de la famille (30 %) et du milieu scolaire (10 %). On peut donc dire que le portrait général de la représentation à un événement de concertation est le suivant : l'intervenant de la prise en charge et/ou l'éducateur du centre jeunesse, un ou des membres de la famille et, une fois sur dix environ, un représentant du milieu scolaire (éducateur, enseignant, directeur d'école ou autre). On constate aussi que le secteur de la santé physique ou mentale (milieu hospitalier et professionnels de la santé), les organismes communautaires ou encore le CLSC participent peu aux événements de ce genre. La concertation dans le suivi des jeunes en difficulté semble donc davantage se faire dans des rencontres intra-établissement (à l'intérieur du centre jeunesse) qu'entre établissements du réseau socio-sanitaire ou entre secteurs différents, à l'exception du milieu scolaire dont la représentativité est, somme toute, relativement importante (10 %). En excluant la clientèle préscolaire de l'analyse, la présence du milieu scolaire dans les événements de concertation reste assez stable (12 %).

Buts des rencontres de concertation

Les intervenants ont identifié six catégories d'objectifs poursuivis lors des événements de concertation : développer une vision commune ou élaborer un plan d'intervention (38 %), discuter ou échanger de l'information sur la situation du jeune (29 %), prendre une décision concernant l'orientation du jeune ou l'organisation des services (13 %), évaluer les services offerts (10 %), clarifier les rôles (6 %) et, enfin, planifier une activité ponctuelle (4 %). Pour les fins de l'analyse et pour illustrer la place donnée aux parents dans les décisions relatives à l'intervention auprès du jeune, nous avons retenu les trois premiers buts (vision commune, discussion/échange d'information et prise de décision) qui regroupent 80 % des événements. De même, nous avons choisi d'illustrer leur présence sur trois temps : au début de l'application des mesures (temps 1), après trois mois d'intervention (temps 3) et après six mois (temps 6, fréquemment le moment de la révision).

On voit dans le tableau 3 qu'au temps 1 la majorité des événements de concertation ont pour objectif l'élaboration d'un plan d'intervention ou d'une vision commune de la situation (50,6 %), ce qui s'explique par l'obligation d'élaborer un plan d'intervention en présence du jeune et de ses parents[8]. De façon générale, cette démarche se réalise dès les premières rencontres avec le jeune et sa famille. À cet égard, la participation des parents à la définition et à la planification des activités relatives au plan d'intervention est relativement élevée (taux de participation de l'ordre de 88,4 % au temps 1 pour ce type de rencontre).

---

8. Le plan d'intervention constitue un *acte clinique* qui officialise les objectifs d'intervention à atteindre et clarifie les activités qui doivent être poursuivies auprès du jeune et de sa famille (*Tenue des dossiers, Module pédagogique*, Centre jeunesse de Québec–Institut universitaire, à paraître).

Tableau 3

Participation des parents selon les objectifs des rencontres et selon le temps de suivi

	Vision commune/élaboration/ réorientation du PI			Discussion/échange d'information			Prise de décision		
	Parents absents	Parents présents	Total	Parents absents	Parents présents	Total	Parents absents	Parents présents	Total
Temps 1 (*n* = 170)	11,6	88,4	50,6	9,1	90,9	25,9	16,7	83,3	7,1
Temps 3 (*n* = 85)	33,3	66,7	24,7	44,1	55,9	40,0	63,6	36,4	12,9
Temps 6 (*n* = 48)	63,6	36,4	22,9	33,3	66,7	31,3	80,0	20,0	31,3
Total Tl au T6 (*n* = 556)	28,6	71,4	100	32,3	67,7	100	52,1	47,9	100

Note : *n* = nombre d'événements de concertation.

En outre, le quart des rencontres (26 %) a pour but la discussion et l'échange d'information sur la situation du jeune, qui peuvent aussi contribuer à l'élaboration d'une compréhension commune de la situation et 7 % ont pour but une prise de décision. Au temps 1, on observe aussi que dans plus de 80 % des situations, les parents sont présents aux événements peu importe les objectifs ou les buts visés au cours de ces rencontres.

Entre le temps 1 et le temps 3, le nombre d'événements total passe de 170 à 85, une diminution de l'ordre de 50 %. Les réunions servent moins à définir un plan d'action, à cette étape, qu'à échanger de l'information. On note une légère augmentation des rencontres visant à décider d'une orientation (de 7,1 % au temps 1 à 12,9 % au temps 3 %). Sur le plan de la participation parentale, on l'observe davantage lorsque les rencontres visent l'élaboration d'une vision commune ou la réorientation du plan d'intervention (67 %), ou encore la discussion et l'échange d'information (56 %). Par contre, dans les rencontres visant une prise de décision, les parents sont absents deux fois sur trois (64 %).

Entre le temps 3 et le temps 6, le nombre d'événements diminue encore de 85 à 48 événements. Toutefois, on se souviendra que le nombre de dossiers actifs où il s'était passé des événements de concertation avait aussi diminué après six mois (*cf.* figure 1). Les rencontres pour discuter et échanger de l'information sont aussi fréquentes que celles où des décisions doivent être prises (31 %). Deux fois sur trois, cependant, les parents sont présents aux premières alors qu'ils sont, à l'inverse, absents huit fois sur dix lorsqu'il s'agit de décider de l'orientation du cas. Au temps 6, les rencontres sont majoritairement reliées au processus de révision et elles se caractérisent par une discussion de cas visant à confirmer ou à revenir sur les orientations antérieures pour décider, par exemple d'un nouveau placement, d'un changement de ressource, d'un nouveau programme de services, de la fermeture du dossier. Ainsi, à l'instar des rencontres qui ont servi à prendre une décision ferme, les réorientations du PI à cette étape se font aussi majoritairement sans les parents (64 %).

Dans l'ensemble, soit toutes étapes confondues, on constate que les parents sont présents dans plus des deux tiers des situations illustrées, à l'exception des rencontres visant une prise de décision où leur présence se manifeste dans un peu moins de la moitié des cas (48 %).

Même si l'absence relative des parents aux événements de concertation ne traduit pas nécessairement une absence de consultation, on peut s'interroger sur la diminution dans le temps des événements de concertation ainsi que sur la diminution de la contribution parentale : parents désengagés ? parents non sollicités ? situations détériorées ?

Degré de participation globale des parents

Le tableau 4 présente le degré de participation globale des parents à l'ensemble des événements de concertation à toutes les étapes. Ce score tient compte du nombre d'événements total dans la situation. Ainsi, un parent qui a participé à un événement sur cinq obtient un score de 0,20 et son degré de participation est qualifié de « faible ». Pour obtenir cette estimation, nous avons calculé l'ensemble des scores de tous les parents et les avons répartis en quatre groupes : aucune participation, participation faible, modérée ou élevée selon la règle du tiers et des deux tiers. On observe que 16 % des parents ne sont jamais présents aux événements de concertation qui concernent leur enfant (sur toute la durée du suivi), 15 % obtiennent un score faible, ayant assisté à moins du tiers des rencontres, 32 % ont un score modéré, ayant participé de une fois sur trois à trois fois sur quatre aux rencontres et 37 % ont un score élevé ayant été impliqués dans plus des trois quarts des rencontres. En moyenne, toutes étapes confondues, le taux de participation des parents aux événements de concertation est de 0,55 sur une échelle de 0 à 1,00 ou de 55 %, ce qui illustre davantage leur présence plutôt que leur absence, bien que plusieurs nuances doivent être apportées sur la nature de cette participation.

Tableau 4

Degré de participation globale des parents aux événements de concertation

Degré de participation parentale aux événements de concertation sur la situation de leur enfant	Pourcentaqge de parents (N = 133)
– Aucune	15,8
– Faible (moins de 33 % des rencontres)	15,0
– Modérée (entre 34 % et 74 % des rencontres)	32,3
– Élevée (plus de 75 % des rencontres)	36,8
Moyenne globale	55,0

On ne peut conclure de ces résultats que le tiers des parents sont peu intéressés à participer aux événements de concertation, puisqu'on ignore les motifs de leur absence. Cependant, on peut se demander quels sont les facteurs qui influencent leur participation ? Pour répondre à cette question, nous avons examiné les caractéristiques des parents, des jeunes et des intervenants afin de mieux comprendre les comportements observés et ce qui pourrait, éventuellement, expliquer la présence plus élevée des parents dans les événements de concertation. Nous présentons ci-après les principaux éléments significatifs en fonction des temps de collecte de données.

Facteurs d'influence de la participation des parents

Des analyses de variance (Anova) ont été effectuées sur la mesure de participation globale des parents à chaque temps afin de déterminer l'influence des variables associées aux caractéristiques des parents, des jeunes et des intervenants.

Au temps 1 : Comme la majorité des parents participent à la planification des activités du plan d'intervention au début de l'application des mesures, on n'observe pas de différence significative en fonction de leurs caractéristiques ou celles de leur enfant. On observe cependant des différences en fonction de deux caractéristiques des intervenants : la participation du parent est moins élevée lorsque l'intervenant a un statut de contractuel et nulle dans les situations sous la responsabilité d'intervenants de moins de 25 ans.

Au temps 2 : Le degré de participation des parents est plus faible chez les jeunes qui sont suivis dans le cadre de la LSSSS et il est plus élevé lorsque les jeunes sont suivis dans le cadre de la LPJ ou de la LJC.

Au temps 3 : Aucun lien significatif n'est observé.

Au temps 4 : La participation parentale est significativement plus élevée chez les parents des jeunes qui sont suivis dans le cadre de la *Loi sur la protection de la jeunesse*.

Au temps 5 : La participation parentale est significativement plus élevée chez les parents de jeunes qui sont suivis pour troubles de comportement et chez les mères qui sont sur le marché du travail.

Au temps 6 : La participation parentale est toujours plus élevée chez les parents des jeunes qui sont suivis pour troubles de comportement.

Au total (toutes étapes confondues) : La participation parentale est globalement et significativement plus élevée chez les parents de jeunes suivis pour troubles de comportement.

Dans l'ensemble, si l'on tient compte de tous les événements de concertation rapportés par les intervenants au cours de la période de suivi, on constate la diminution du nombre total d'événements de concertation au fil du temps. De même, la participation parentale diminue avec le temps et elle est significativement plus élevée chez les parents des jeunes qui sont suivis pour troubles de comportement. Les caractéristiques de ces parents sont quelque peu différentes de l'ensemble de celles des parents d'enfants suivis en protection de la jeunesse. En fait, chez les jeunes suivis pour troubles de comportement, on trouve deux groupes de parents distincts : ceux qui ont une histoire avec les services de protection et dont les enfants ont d'abord été suivis en raison de problèmes familiaux et ceux qui se présentent pour la première fois pour recevoir une aide parce que leur adolescent devient plus difficile à contrôler. Ce groupe de parents est généralement plus *collaborant*, plus mobilisé et prêt à s'impliquer. Cela pourrait traduire le fait que les parents peuvent influencer, par leur motivation, la place qu'on leur fait dans l'orientation de l'intervention.

Ceci pose la question de la mobilisation des autres parents. Comment favoriser et maintenir leur participation ? Quelles sont les principales difficultés rencontrées dans cette mobilisation et quelles stratégies doit-on adopter ? La section qui suit traite de ces enjeux à partir du point de vue de deux intervenants.

PERCEPTION D'INTERVENANTS SUR LES CONDITIONS FAVORISANT L'IMPLICATION DES PARENTS SUR LE TERRAIN : EXIGENCES, STRATÉGIES, DIFFICULTÉS

En complément à la démarche empirique précédente, nous présentons à titre exploratoire, la perception de deux intervenants à qui nous avons demandé de relever les conditions qui favorisent l'implication des parents à l'orientation de l'intervention dans le cadre de leur pratique. Ces intervenants travaillent tous deux auprès d'une clientèle d'adolescent(e)s suivis en centres jeunesse : la première occupe un poste d'intervenante sociale à l'application des mesures ; le second agit comme éducateur spécialisé dans le cadre d'un programme d'intervention intensive en milieu externe.

L'intervention sociale à l'application des mesures et la concertation : le point de vue d'une intervenante sociale

La mobilisation du parent

Certains préalables sont requis avant de s'engager dans une mobilisation du parent à s'impliquer dans un processus de concertation. Il faut d'abord prendre le temps de l'accueillir dans ce qu'il vit, tenir compte de ses blessures et du sentiment d'incompétence qu'il peut ressentir comme parent. Il arrive fréquemment que ces parents expriment le désir de tout laisser tomber en souhaitant « remettre leur adolescent entre les mains de "personnes compétentes" ». En fait, les problèmes vécus par le jeune font souvent ressortir les propres difficultés personnelles des parents. On observe en effet que bon nombre d'entre eux sont aux prises avec des problèmes aigus de pauvreté, de santé mentale, de toxicomanie ou de violence. L'entrée en scène de la Direction de la protection de la jeunesse leur envoie un message d'incapacité à assumer leurs responsabilités d'éducation, de surveillance, de contrôle et de protection. En dépit de leurs résistances et de leurs malaises, ces parents ont besoin qu'on leur reconnaisse une place dans l'intervention.

L'engagement du parent dans un processus de concertation passe d'abord par une sensibilisation au fait qu'il demeure le premier responsable de son enfant. Le parent doit aussi être convaincu que c'est lui qui connaît le mieux son enfant et comprendre qu'on ne peut agir sans sa participation et sa collaboration. Il a aussi besoin d'être informé de ses droits, de ses responsabilités et des limites de son rôle comme parent. Enfin, il faut explorer ses forces personnelles, les zones de confort dans sa relation avec le jeune et clarifier éventuellement le type de relation qu'il souhaite développer. Une fois toutes ces étapes franchies, la prise de conscience de l'importance de son rôle auprès de son enfant sera primordiale dans la mise en commun des efforts et le développement du partenariat entre les différents acteurs impliqués.

L'alliance entre le parent et les intervenants

Lors des rencontres de concertation, le parent doit sentir une alliance entre les divers partenaires présents et c'est cette alliance qui favorisera sa propre collaboration. Même s'il lui arrive de demeurer en retrait ou silencieux, sa présence a néanmoins un impact positif sur son éventuelle implication : d'abord, il voit qu'il n'est plus seul à se questionner, ni le seul qui pourra agir. Il peut ainsi participer à l'élaboration des stratégies pour solutionner le problème et partager, avec les autres intervenants, les tâches et les risques inhérents aux stratégies employées. C'est ainsi qu'on brise l'isolement du parent et que la mise en commun des forces devient un catalyseur vers la réussite. Il faut également que les intervenants en présence comprennent que les responsabilités et les tâches doivent être partagées par *toutes* les personnes impliquées et qu'il ne s'agit pas d'une occasion pour « passer des commandes » ou cibler des responsables. La concertation doit être synonyme de coopération afin d'aplanir les embûches susceptibles de nuire au cheminement du jeune et de sa famille.

Le suivi

Après un événement de concertation, l'intervenant social doit faire un retour avec le parent sur la rencontre, s'assurer de sa compréhension et de sa collaboration dans les suites à donner. Ainsi, l'intervenant doit agir avec le parent avant, pendant et après un événement de concertation. C'est aussi à lui qu'appartient la responsabilité d'aller chercher la contribution des divers intervenants, de coordonner l'action et de mettre en place le suivi, et ce, en s'assurant de maintenir la collaboration du parent. Bien que cette démarche puisse sembler exigeante, car elle exige du temps et qu'elle soit peu répandue dans le cadre des pratiques sociales, elle s'inscrit dans la philosophie de « faire plus de ce qui marche et moins de ce qui ne marche pas ». En résumé, donner une place aux parents dans la concertation est sans contredit une démarche bénéfique dans l'intervention : elle replace le parent au cœur de ses responsabilités parentales et évite ainsi le décrochage.

L'intervention de réadaptation externe dans un programme intensif et la concertation : le point de vue d'un éducateur

Dans le cadre de son mandat de réadaptation, le centre jeunesse offre également des services à des adolescents et adolescentes qui sont suivis à domicile de préférence à un placement en ressource d'accueil. L'un des programmes qui leur est destiné vise une clientèle d'adolescentes de 12 et 13 ans pour lesquelles un encadrement régulier en externe n'apparaît pas suffisant. En plus de répondre à la crise familiale générée par les comportements des adolescentes, le programme assure une intervention soutenue et intensive pouvant s'échelonner sur plusieurs mois. Dans ce contexte d'intervention, les problématiques sont souvent lourdes et structurées sur un fond de négligence avec des problèmes de comportement partagés par l'adolescente, ses frères, ses sœurs et même par ses parents.

Comment mobiliser cette famille qui en a vu bien d'autres et qui espère qu'on prendra en charge l'adolescente qui présente des problèmes de comportement ? Les milieux scolaires partagent souvent le même souhait, mais avec une rhétorique de normes et de règles bien articulées. Lors des tables d'accès, moments de concertation formelle, la collaboration de l'adolescente et de ses parents est sollicitée afin de permettre à l'éducateur de vivre avec eux des moments de leur quotidien, de faire certaines activités qui leur sont proposées et de faire le point ensemble après une période de quatre à six semaines. Ces moments d'observation participante permettent de passer d'une vision linéaire à une vision circulaire de la situation. On peut ainsi mieux comprendre la dynamique interactionnelle de la famille, la richesse de son réseau de soutien et son environnement. Les capacités adaptatives de chacun des acteurs impliqués et leurs compétences sont évaluées, tout comme le niveau de responsabilité que les personnes s'attribuent dans la situation ainsi que les agendas cachés et les leviers de changement potentiels.

Lors du bilan avec la famille, en replaçant les difficultés dans leur contexte, la recherche d'un coupable perd de son sens et il devient alors possible de demander aux acteurs de changer leurs comportements.

Les conditions permettant d'utiliser la concertation comme un levier de changement ne touchent pas seulement les familles. Ainsi, du côté des intervenants, l'intention doit être de trouver des solutions et non un coupable, d'accorder un minimum d'écoute et de garder un minimum de contrôle. Du côté des parents, trois conditions sont gagnantes : la motivation au changement, l'acceptation du partage du pouvoir et l'ouverture sur la recherche de solutions. Enfin, pour l'ensemble des acteurs, plusieurs conditions sont nécessaires : réunir un nombre restreint de personnes dont le langage est simple et clair et adapté aux participants, prévoir un cadre souple, garder un espoir minimal en une solution, atténuer les malaises qui pourraient survenir, définir des rôles clairs, des attentes réalistes et de saines frontières, se donner un espace-temps suffisant, prévoir une animation dynamique, se donner des objectifs précis et réalistes, trouver des moyens concrets et mesurables, et accepter que chacun ait un champ de responsabilités propre.

Cet énoncé de conditions gagnantes montre l'importance pour les intervenants concernés d'avoir une bonne connaissance des personnes et de leurs capacités. Si un trop grand nombre de ces conditions sont absentes, l'intervenant devra se tourner vers la médiation et faire des choix stratégiques, soit viser de petits changements, limiter les sujets et la durée des échanges (technique des petits pas), augmenter le côtoiement, planifier préalablement plusieurs petites rencontres dans un but d'information et d'apprivoisement à deux ou trois personnes, insister sur le fait que le bien-être des autres favorise notre bien-être personnel, et pénaliser les manques de respect en créant des irritants.

Lorsqu'une famille accepte de participer à une rencontre de concertation où il y a plusieurs professionnels, c'est que, déjà, elle a fait confiance et s'est impliquée dans de multiples moments de concertation informels que nous pouvons appeler de petits gestes de collaboration.

CONCLUSION

La considération de l'ensemble des éléments ressortant de la démarche qui précède permet de formuler les commentaires suivants en guise de conclusion.

Dans plus de la moitié des événements de concertation possibles, les parents participent à l'orientation de l'intervention, ce qui démontre que la concertation avec les parents existe bel et bien dans le système d'intervention jeunesse ; après les intervenants sociaux (24 %) et les éducateurs (22 %), les parents (17 %) sont les acteurs les plus présents aux événements de concertation. Ils y participent presque deux fois plus souvent que le jeune lui-même (17 % comparativement à 9 %).

Cependant, cette concertation avec les parents, très active au début du processus d'intervention puisque les parents y sont dans 8 cas sur 10, diminue constamment au fil du temps. Les données obtenues ici ne permettent pas de statuer avec assurance sur les motifs de cette baisse, mais elles permettent de l'inscrire dans une baisse globale et constante du nombre total d'événements de concertation tenus d'un mois à l'autre. Comme nous avons pu l'observer ici, les services jeunesse se déploient initialement dans un contexte de concertation plus active, mais, dès les six premiers mois, la concertation diminue.

De plus, une relation inverse est observée entre l'implication des parents et le statut décisionnel des événements de concertation : les parents ont tendance à être moins présents lorsqu'il y a décision sur l'orientation de l'intervention et plus présents lorsqu'il y a échange d'information et recherche d'une vision commune sur la situation.

Sachant que dans les situations de troubles du comportement, les parents sont plus souvent demandeurs de services que dans les autres problématiques, notre observation d'un engagement significativement plus grand et plus durable des parents d'enfants retenus pour troubles de comportement permet de poser l'hypothèse que les parents peuvent influencer la place qui leur est offerte dans l'orientation de l'intervention.

Enfin, l'analyse des facteurs d'influence de l'implication parentale recueillis auprès de deux intervenants cliniques, à titre d'information complémentaire, fait ressortir une conviction, à savoir que le style de gestion professionnelle de l'intervention peut jouer un rôle significatif dans le niveau de participation des parents. Ces intervenants nous confirment que leur pratique influence la place occupée par les parents.

BIBLIOGRAPHIE

Bailey, D.B., V. Buysse, R. Edmonson et R. Smith (1992). « Creating family-centered services in early intervention : Perceptions of professionals in four states », *Exceptional children, 58*, p. 298-309.

Bailey, D.B., S.A. Palsha et R.J. Simeonsson (1991). « Professional skills, concern and perceived importance of work with families in early intervention », *Exceptional Children, 58*, p. 156-165.

Burton, C.B. (1992). « Defining family-centered education : Beliefs of public school, child care and headstart teachers », *Early Education and Development, 3*, p. 45-59.

Cloutier, R. (1998). « Le difficile partage du pouvoir avec les parents dans l'intervention jeunesse· Symposium sur l'implication des parents dans l'intervention, Association canadienne-française pour l'avancement des sciences, Ottawa, Mai.

Dunst, C.J., C. Johanson, C.M. Trivette et D. Hamby (1991). « Family-oriented early intervention policies and practices : Family centered or not ? », *Exceptional Children, 58*, p. 115-126.

Goupil, G. (1997). *Les élèves en difficulté d'adaptation et d'apprentissage*, 2ᵉ édition, Montréal, Gaëtan Morin Éditeur.

Goupil, G. (1999). *Le plan de transition*, Document vidéo, Montréal, Université du Québec à Montréal, Service de l'audiovisuel.

Goupil, G. et J. Archambault (1986). *L'école des parents et leurs enfants en difficulté*, Document vidéo, Montréal, Université du Québec à Montréal, Service de l'audiovisuel.

Hagner, D., D.T. Helm et J. Butterworth (1996). This is your meeting : A qualitative study of person-centered planning, *Mental Retardation, 34*, p. 159-171.

Meisels, S.J. (1992). « Early intervention : A matter of content », *Zero to Three, 12*, p. 1-6.

Murphy, D.L., I.M. Lee, A.P. Yurnbull et V. Turbiville (1995). « The family-centered program rating scale : An instrument for Program Evaluation and Change », *Journal of Early Intervention, 19*, p. 24-42.

Pearson, A. (1998). *Le rôle de l'implication du jeune et de sa mère dans la réussite du plan d'intervention*, projet de thèse de doctorat, Québec, Université Laval.

L'éthique de l'intervention en protection de la jeunesse pour contrer l'exclusion sociale

Guy GIROUX
Département de science politique
Université du Québec à Rimouski
Bernard DION
Étudiant au programme de maîtrise en éthique
Université du Québec à Rimouski

Il est reconnu que les jeunes qui relèvent le plus longtemps des intervenants du champ psychosocial et de celui de la réadaptation des centres jeunesse auxquels sont rattachés les directeurs de protection de la jeunesse sont nettement, pour la plupart, issus de familles qui sont frappées par la pauvreté. Or, parce qu'elle représente un phénomène particulièrement sérieux qui interpelle, en quelque sorte, les intervenants de la protection de la jeunesse, la pauvreté en tant que source d'exclusion sociale a été retenue comme thème de recherche par une équipe subventionnée par le Conseil québécois de la recherche sociale (CQRS)[1].

---

1. La recherche a été dirigée par Teresa Sheriff, chercheuse au sein de l'Institut universitaire sur les jeunes en difficulté, au Centre jeunesse de Québec. Comme cochercheur, nous nous sommes adjoint un étudiant du programme de maîtrise en éthique de l'Université du Québec à Rimouski, en l'occurrence Bernard Dion, qui a effectué un premier tri des données recueillies lors de la vingtaine d'entrevues avec des intervenants du Centre jeunesse de Québec. Étaient également associés à la recherche le professeur Gilbert Renaud de l'École de service social de l'Université de Montréal, Lise Binet, agente de recherche, ainsi que les intervenants France Goudreault et Sylvain Lavertu du Centre jeunesse de Québec.

Dans ce chapitre, nous allons rendre compte de notre contribution particulière à ce travail d'équipe dans la mesure où nous ne devions pas tant identifier des pratiques novatrices en protection de la jeunesse que de faire ressortir l'éthique qui s'y rattachait, encore qu'il nous fallait bien mettre ces deux questions en relation pour atteindre l'objectif plus précis qui était le nôtre. Or, en rendant compte ici des principaux résultats de notre travail, le présent chapitre mettra respectivement en perspective : a) la finalité de l'intervention en protection de la jeunesse ; b) les valeurs qui lui sont rattachées ; c) l'éthique de l'intervention elle-même lorsqu'elle sert de levier pour contrer l'exclusion sociale. En conclusion, nous allons signaler que l'éthique de l'intervention en protection de la jeunesse pour contrer l'exclusion sociale est en butte à des dilemmes et à des contraintes qui sont parfois en lien avec une compréhension ambivalente du rôle des intervenants concernés, suivant qu'ils croient devoir davantage exercer une fonction de contrôle ou une fonction d'aide.

La recherche à laquelle se rapporte ce chapitre avait comme thème : « Pauvreté et pratiques novatrices d'intervention en protection de la jeunesse ». Elle a notamment été effectuée à l'aide d'un mode qualitatif de collecte de données, en l'occurrence des entrevues auprès d'une vingtaine d'intervenantes et d'intervenants – travailleurs sociaux et éducateurs pour la plupart – du Centre jeunesse de Québec, de l'automne 1997 à l'hiver 1998. Les intervenants concernés avaient tous une expérience de travail auprès des jeunes de 16 ans et plus en situation de protection. Le choix de sélectionner des intervenants ayant ce type d'expérience reposait sur la proposition voulant que plus les jeunes en protection se rapprochent de leur majorité et plus l'intervention devrait se déplacer vers le pôle préventif au sens de prévention de la pauvreté, dans ses composantes économique, relationnelle et symbolique.

La pauvreté relationnelle, comme cette expression le suggère, fait référence à l'absence ou à de faibles capacités d'établir des liens gratifiants et significatifs avec les autres, alors que la pauvreté symbolique renvoie à une image négative de soi, suggérant que l'on ne puisse pas envisager de se sortir d'une dépendance profondément enracinée envers la société, en faisant ainsi le deuil de son autonomie et de sa responsabilité corrélative. Cette problématique avait d'ailleurs été identifiée dans une recherche récente[2].

Or, l'un des objectifs de la recherche dont nous rendons compte ici devait consister à identifier l'éthique de l'intervention en protection de la jeunesse qui préside aux rapports qui se nouent entre les jeunes de 16 et

---

2. Teresa Sheriff *et al.* (1997), *Pauvreté et protection des jeunes de 16-18 ans.* Québec, Institut universitaire sur les jeunes en difficulté, Centre jeunesse de Québec, 189 p.

17 ans et les personnes qui interviennent auprès d'eux. Cette question apparaissait d'autant plus importante que loin de favoriser chez les jeunes relevant de la Direction de la protection de la jeunesse (DPJ) l'accession à un minimum d'autonomie qui puisse les sortir de l'exclusion, on a remarqué que l'aide dont ils avaient été l'objet avait peu joué ou joué défavorablement pour contrer certaines variantes de la pauvreté – source de déresponsabilisation –, sur la foi du témoignage de jeunes de 16 et 17 ans qui avaient relevé d'elle[3].

Sur le plan particulier de l'éthique de l'intervention en protection de la jeunesse, une fois mise à jour, on pourrait croire qu'elle puisse éventuellement susciter l'adhésion du plus grand nombre. Grâce à elle, on pourrait espérer que les intervenants du champ psychosocial et de celui de la réadaptation des centres jeunesse n'aient pas comme effet indésirable et involontaire, par leur travail auprès de jeunes, de provoquer l'accentuation de la marginalisation ou de l'exclusion sociale dont plusieurs d'entre eux sont victimes. Tout compte fait, on voudrait que les jeunes soient mieux préparés, en cessant de relever des centres jeunesse, à accéder, à tout le moins, à un minimum d'autonomie qui puisse les sortir de l'emprise de l'exclusion...

Cela dit, nous allons maintenant rendre compte de l'éthique de la vingtaine d'intervenants en protection de la jeunesse ayant été interviewés dans le cadre de la recherche à laquelle nous avons été associés.

Par éthique et par morale – ces deux concepts étant ici interchangeables pour les fins de notre analyse –, nous entendons tout ce qui fait sens pour les intervenants concernés dans leur travail, que l'on ait affaire à la finalité même de leur action en protection de la jeunesse ou aux valeurs auxquelles ils donnent leur adhésion, dans une perspective d'autorégulation de leur conduite. Cette définition opératoire de l'éthique comporte l'idée de finalité, soit la raison d'être que les intervenants donnent d'eux-mêmes à leurs interventions, l'idée de valeur, c'est-à-dire ce à quoi ils accordent de l'importance dans leur travail et, enfin, l'idée d'autorégulation, qui est prise ici comme synonyme de règle morale découlant de l'adhésion volontaire à des principes faisant autorité à leurs yeux. L'éthique apparaît comme un mode de régulation sociale distinct de celui du droit puisque celui-ci s'impose péremptoirement à tous. En allant plus loin, Gabriel Fragnière[4] a d'ailleurs précisé que : « L'éthique se présente [...] dans la primauté qu'elle doit avoir sur le droit, comme une limite où s'arrête

---

3. *Ibid.*
4. Gabriel Fragnière (1993), *L'obligation morale et l'éthique de la prospérité. Le retour du sujet responsable*, « Philosophie et politique », n° 2 [s.l.], Presses interuniversitaires européennes, p. 248.

le champ du pouvoir que le droit confère à l'État. » Elle se distingue aussi
de la déontologie professionnelle lorsque cette dernière est assimilée, à tort,
à une réglementation de portée juridique, plutôt qu'à une morale professionnelle, comme le suggère pourtant son étymologie.

Ces précisions sémantiques étant apportées, nous allons aborder la
question de la finalité de l'intervention en protection de la jeunesse,
d'après les propos qui ont été tenus à ce sujet par les intervenants ayant
été interviewés.

LA FINALITÉ DE L'INTERVENTION
EN PROTECTION DE LA JEUNESSE

La finalité de l'intervention en protection de la jeunesse, c'est, tout simplement, ce pour quoi l'on travaille. Autrement dit, on a affaire à la raison
d'être des gestes qui sont posés quotidiennement en la matière. Souvent,
il s'agit de la motivation de travailler dans tel domaine plutôt que dans
tel autre. Dans certains cas, cette motivation est demeurée intacte depuis
le début d'une carrière. Pour certaines personnes, cependant, leur motivation a été affectée par leur expérience de travail. Or, parmi la vingtaine
d'intervenants qui ont été interviewés et dont l'opinion a été clairement
exprimée à ce sujet, on observe les catégories de motifs suivantes qui ont
été invoqués pour expliquer la finalité ou la raison d'être qu'ils attribuent
à leur travail :

 a) l'idée qu'il faille aider un jeune à devenir une personne « nor-
    male », en favorisant son autonomie et son estime de soi, en
    particulier par l'éducation et par son insertion sur le marché
    du travail ;

 b) l'idée également qu'il faille offrir un cadre structurant comme
    alternative à celui défaillant de la famille dont il est issu, d'où
    la nécessité d'intervenir en offrant une image d'autorité ;
    certains trouvant alors commode l'invocation de la fonction de
    contrôle qui est inhérente aux interventions de la DPJ ;

 c) l'idée exprimée chez plusieurs intervenants ayant accordé une
    entrevue voulant que leur rôle consiste essentiellement à offrir
    de l'aide en le faisant coïncider avec la nécessité ou simplement
    avec l'utilité de l'établissement d'un lien significatif entre eux
    et les jeunes avec lesquels ils entrent en relation ;

 d) l'idée exprimée par certains intervenants, plutôt modestes dans
    leurs attentes et par conséquent dans la perception qu'ils se font
    de leur rôle, de ne pouvoir assumer la plupart du temps qu'un

mandat de protection, leur aide étant alors l'objet d'une portée limitée en requérant par exemple l'adhésion volontaire des familles et des jeunes avec lesquels ils entrent en relation, tout en conservant l'espoir que ces derniers verront leur situation améliorée un tant soit peu le jour où leur prise en charge prendra fin.

Les quatre catégories de motivations qui viennent d'être énumérées ne sont pas nécessairement exclusives ni exhaustives, pas plus qu'elles ont nécessairement été énumérées par ordre d'importance. En effet, elles se superposent souvent chez plusieurs intervenants. D'ailleurs, d'autres motivations entrent également en ligne de compte, par moments, chez certains d'entre eux. Pour les fins de notre analyse, nous nous sommes toutefois limités à celles qui viennent d'être énumérées puisqu'elles donnent un bon portrait d'ensemble de la perception des intervenants qui ont livré leur point de vue sur leur travail.

Mise à part l'énumération qui vient d'être faite des quatre grandes catégories de motivations afférentes à la finalité que la vingtaine d'intervenants en protection de la jeunesse ayant été interviewés donnent à leur travail, nous allons maintenant aborder la seconde partie de ce chapitre qui porte sur les valeurs proprement dites de l'intervention.

LES VALEURS EN CAUSE

Au départ, rappelons que le concept de valeur, au sens où nous l'entendons, signifie simplement ce à quoi l'on accorde de l'importance. C'est pourquoi ce concept peut être compris comme synonyme de priorité, mais de priorité librement consentie par le sujet éthique, son autonomie étant corrélative à son sens des responsabilités. Ces notions renvoient à l'idée d'autorégulation, comprise en tant que capacité du sujet éthique de s'obliger lui-même, en conscience, à assumer les responsabilités qui sont les siennes. Aussi, dira-t-on de part et d'autre, en lien avec les concepts auxquels il vient d'être fait allusion, que : « Le principe de responsabilité s'appuie sur un mode de gestion de la causalité qui permet de penser une autorégulation des conduites et des activités[5] », puis que : « L'éthique débute dans l'acte par lequel je romps le cours des choses, par lequel, au règne de la nécessité, j'oppose l'initiative concrète de ma liberté[6]. »

---

5. François Ewald (1986), *L'État providence,* Paris, Bernard Grasset, p. 65.
6. Paul Ladrière (1991), « L'éthique, soi et les autres », *Informations sociales* (Publication de la Caisse nationale des allocations familiales en France), n° 9, p. 11.

C'est effectivement de cette liberté dont rendirent compte les personnes interviewées lorsqu'elles nous ont fait part de ce qui avait de l'importance à leurs yeux, dans le cadre de leurs interventions en protection de la jeunesse. Notons que la liberté à laquelle il est fait allusion ici signifie essentiellement que l'intervenant décide de lui-même ce qui a de l'importance dans tout ce qui touche son travail, soit directement, soit indirectement. Néanmoins, cela n'implique pas nécessairement, bien entendu, que tous ses vœux à ce sujet pourront forcément être réalisés. En effet, dans plusieurs cas, il n'a pas le pouvoir d'opérer un changement, soit parce que c'est du ressort de quelqu'un d'autre ou de l'organisation elle-même pour laquelle il travaille, soit parce qu'un changement n'est possible que grâce à la collaboration de plusieurs. Ces précisions étant apportées, parmi les valeurs en cause, les conduites valorisées ou les initiatives auxquelles on devrait accorder de l'importance d'après les intervenants, les suivantes ont été particulièrement mises en relief :

- la collaboration entre les intervenants, notamment la mise en commun des expertises pour assumer collégialement des interventions complexes ou difficiles, entre autres au sein d'équipes pluridisciplinaires ;

- la concertation avec d'autres établissements comme les CLSC et les organismes communautaires pour assurer la continuité d'un support auprès des jeunes de 17 ans, lors du passage à leur majorité, marquant ainsi la fin du mandat de la DPJ auprès d'eux ;

- la stabilité en cours d'intervention psychosociologique ou en réadaptation, soit avant l'âge de 18 ans, en essayant toujours « d'avoir le plus de garanties possibles en termes de continuité pour l'enfant avec ses personnes significatives et son environnement » ; bref, en cas de placements dans des familles d'accueil ou dans des centres, le retour le plus tôt possible dans la famille naturelle ou bien, quand cela n'est pas possible, le maintien le plus stable dans un milieu substitut, y compris en évitant les changements trop fréquents d'intervenants ;

- le développement d'une relation significative au profit d'un jeune, à l'intérieur d'un réseau de personnes avec lesquelles il pourrait établir des relations stables ;

- l'intégration sociale du jeune en cherchant à transformer un comportement passif en une dynamique personnelle axée sur un rôle social de sa part, notamment au sein de l'école ou du marché du travail ;

- le respect, le plus possible, d'une concordance entre la culture du milieu familial naturel et celle du milieu où sera effectué le placement d'un jeune, comme gage de stabilité pour celui-ci, en limitant du même coup le risque qu'il ne se livre à des fugues ;
- la constance dans le travail d'intervention, afin d'éviter que l'intervenant chargé du cas de certains enfants ne les délaisse en n'allant pas les visiter pendant des périodes de temps qui sont plutôt longues à certains moments ;
- par prudence et par désir de s'assurer de la qualité des interventions en familles d'accueil, procéder à des évaluations périodiques sur la capacité de familles substituts de bien s'occuper de chacun des enfants leur ayant été confiés ; chaque cas étant, somme toute, un cas d'espèce puisque le milieu d'accueil ne réagit pas nécessairement de la même façon avec chaque enfant ;
- le souci constant de la meilleure intervention pour chaque enfant, en réévaluant de façon périodique les mesures ayant été prises jusque-là pour lui, mais sans qu'une telle réévaluation ne soit laissée à la discrétion des intervenants concernés ;
- par prudence encore une fois, mais aussi par prévoyance, procéder à l'évaluation des capacités parentales afin de pouvoir réaliser si cela vaut la peine ou non de compter sur la famille naturelle dans la perspective d'un retour souhaitable ou non de l'enfant dans son milieu d'origine ;
- l'amélioration du lien entre l'enfant et ses parents ;
- la responsabilisation du jeune et de ses parents par rapport à la réussite de l'intervention ;
- le développement de l'estime de soi, tant chez le jeune lui-même qu'à l'intérieur de sa famille naturelle ;
- la réalisation d'activités gratifiantes pour le jeune, en particulier lorsqu'il est pris en charge par un milieu d'accueil ;
- le choix de mesures de placement favorisant une alternance entre l'implication du jeune à l'école ou dans un travail et la nécessité de vivre dans un milieu fermé, en limitant le temps de séjour dans celui-ci aux fins de semaine lorsque cela est possible, d'où de meilleures chances d'insertion sociale pour lui ;
- le soutien par les pairs chez les jeunes eux-mêmes, d'où le sentiment de responsabilisation que cela provoque, tout en favorisant l'estime de soi.

Comme on l'aura constaté sur la foi de l'énumération qui précède, ce qui est valorisé la plupart du temps par les intervenants, ce n'est pas tant des « concepts » que des conduites proprement dites. En effet, on ne nage pas ici dans l'abstraction. Les intervenants sont confrontés à la réalité de choix difficiles en raison des responsabilités importantes qui sont les leurs pour aider des jeunes et leur famille. Il est donc compréhensible que leur éthique soit l'expression de choix de valeurs directement en lien avec leur pratique.

C'est ainsi que se termine notre compte rendu des valeurs ayant été invoquées par la vingtaine d'intervenants du champ psychosocial et de celui de la réadaptation du Centre jeunesse de Québec. Nous ne saurions cependant en rester là, car il importe maintenant d'examiner le sens que les intervenants concernés donnent à leur pratique dans la perspective de contrer l'exclusion sociale.

L'ÉTHIQUE POUR CONTRER L'EXCLUSION SOCIALE

Le thème de notre recherche portait sur l'importance de pratiques novatrices chez les intervenants du champ psychosocial et de celui de la réadaptation qui œuvrent en centre jeunesse. Or, ces pratiques novatrices apparaissent pertinentes, à nos yeux, dans la mesure où elles contribuent à contrer ce phénomène d'exclusion sociale qui résulte de la problématique de la pauvreté, dans ses dimensions économique, relationnelle et symbolique. À ce propos, il importe de citer le rapport préparé par Lise Binet pour l'équipe de recherche ayant été subventionnée par le CQRS, où il est dit notamment que :

> Plus souvent qu'autrement, le besoin de protection naît dans un contexte de grande pauvreté qui semble contribuer à miner la capacité des parents de protéger eux-mêmes leurs enfants....

> L'étude des dossiers des plus âgés des mineurs en besoin de protection permet d'apprendre que les besoins de protection qui perdurent concernent des jeunes issus de la pauvreté.

> Deux questions sont associées à un besoin de protection prenant forme dans un contexte de pauvreté familiale : *Comment des parents pauvres peuvent-ils se réapproprier la fonction de protection ? Comment des jeunes nés dans des familles pauvres incapables de les protéger peuvent-ils s'en sortir ?*[7]

---

7. Lise Binet (1999), *L'intervention de protection aux prises avec la pauvreté*. [Première version], Beauport, Institut universitaire sur les jeunes en difficulté, Centre jeunesse de Québec, p. v.

Or, la problématique de la pauvreté chez les jeunes et leur famille qui relèvent des intervenants de la protection de la jeunesse suscite chez plusieurs de ces derniers une prise de conscience des difficultés inhérentes à l'aide qu'ils tentent de leur apporter. Pour nous, il s'agissait de voir comment l'éthique de l'intervention en protection de la jeunesse peut aider les intervenants du champ psychosocial et de celui de la réadaptation des centre jeunesse dans leur travail auprès des jeunes, à ne pas accentuer la marginalisation ou l'exclusion sociale dont plusieurs d'entre eux sont victimes en raison du contexte de pauvreté dans lequel ils vivent. En fin de compte, comme nous l'avons déjà mentionné, on voudrait que les jeunes soient mieux préparés, en cessant de relever des centres jeunesse, à accéder à un minimum d'autonomie qui puisse les libérer de l'emprise de l'exclusion...

Pour les fins qui sont les nôtres, un rapport doit donc être établi entre l'éthique de l'intervention et une approche d'aide auprès des jeunes et de leur famille pour favoriser leur accession à l'autonomie. Mais cet objectif ne doit pas faire perdre de vue la situation très difficile qui est celle de l'intervention en protection de la jeunesse. Effectivement, certains de ses praticiens sont plutôt modestes, quant à leurs attentes et, par conséquent, en ce qui a trait à la perception qu'ils ont de leur rôle ; ils considèrent qu'ils ne peuvent assumer la plupart du temps qu'un mandat de protection, leur aide ayant alors une portée limitée en requérant par exemple l'adhésion volontaire des familles et des jeunes avec lesquels ils entrent en relation, mais ils conservent l'espoir que ces derniers auront un tant soit peu amélioré leur situation le jour où leur prise en charge prendra fin.

D'ailleurs, dans la majorité des cas qui relèvent des intervenants en protection de la jeunesse, la problématique de la pauvreté est omniprésente, rendant leur travail d'autant plus difficile. Comment peuvent-ils s'y prendre, dès lors, pour ne pas démissionner eux-mêmes, par découragement, devant le cas de jeunes à qui l'on espère malgré tout donner l'espoir de s'en sortir en prenant les moyens pour y arriver ?

Ce problème n'est sans doute pas facile à résoudre. Mais en rendant compte de la finalité de l'intervention des personnes interviewées et des conduites qu'elles valorisent dans leur travail, nous avons donné des exemples issus de leur pratique pour montrer comment l'on s'y prend pour favoriser l'autonomie des jeunes. Aussi, allons-nous indiquer en quoi l'éthique de l'intervention servirait à insuffler le désir, chez les intervenants concernés, de concourir à vaincre ou, à tout le moins, à minimiser les risques d'exclusion résultant du contexte de pauvreté dans lequel baignent de nombreux jeunes et leur famille.

Comme l'a fait observer Pierre Lascoumes[8] à propos des services novateurs, afférents à la problématique de la prévention et du contrôle social :

> L'idée essentielle est ici la croyance en la possibilité d'une réorganisation sociale par la base. Les services novateurs en seraient une première manifestation et les modes de vie marginaux seraient dans une certaine mesure des utopies portant en germe les bases d'une organisation sociale nouvelle.

Or, d'après cet auteur, l'idée de services novateurs est notamment en lien avec des tentatives d'auto-organisation des milieux auprès desquels des agents de l'État intervenaient jusque-là, d'où il s'ensuivrait que l'on puisse assister à « un début de dépouillement du pouvoir d'initiative et de contrôle de l'État ».

Cette idée a ceci d'intéressant qu'elle propose une compréhension du rôle de la société elle-même comme alternative à l'intervention de l'État, au niveau de ses unités de base, comme la famille en est une, ainsi que des groupes d'appartenance les plus divers, à l'exemple d'un regroupement de jeunes prenant part à une mobilisation en vue de la défense de leurs intérêts. Les pratiques novatrices en protection de la jeunesse pour contrer l'exclusion sociale ne pourraient donc être viables que pour autant qu'elles misent sur les forces vives des milieux où l'on intervient, en assurant en quelque sorte un transfert de responsabilités de l'État vers la société civile.

Les propos de plusieurs intervenants illustrent leur sensibilité à la prise en compte du milieu lui-même pour favoriser l'autonomie des jeunes. En revanche, un travail considérable reste sans doute à faire, principalement par la mise à contribution des organismes communautaires auxquels plusieurs intervenants ont déjà recours pour les soutenir dans l'aide qu'ils apportent aux jeunes relevant de la « prise en charge » d'un centre jeunesse. De toute façon, pour qu'il puisse être question de pratiques novatrices au sens où Pierre Lascoumes s'y rapporte en parlant de services novateurs, il faudrait envisager non seulement un partage de responsabilités entre les intervenants et leurs partenaires du milieu, mais plus justement un transfert de responsabilités.

Sur ce dernier point, tous conviendront que les intervenants du champ psychosocial et de celui de la réadaptation des centres jeunesse ne sauraient se décharger de leur mandat de protection de la jeunesse lorsqu'ils entrent en relation avec des familles et des jeunes dans des situations où la sécurité ou le développement de ces derniers sont compromis. Bien entendu, ce n'est pas ce à quoi nous faisons référence quand nous suggérons

---

8.   Pierre Lascoumes (1977), *Prévention et contrôle social. Les contradictions du travail social* [s.l.], M+H Médecine et Hygiène, Masson, p. 194.

un transfert de responsabilités d'agents de l'État vers un milieu d'insertion où un jeune pourrait y trouver de l'aide et des ressources pour échapper au « cercle infernal » de la pauvreté et de l'exclusion sociale qui en résulte. D'ailleurs, un transfert de responsabilités n'est possible, comme on l'admettra facilement, que pour autant que les ressources du milieu soient pertinentes et suffisantes afin d'aider un jeune à « s'en sortir ».

On comprendra pourquoi plusieurs intervenants ne se contentent pas de fermer un dossier dès qu'un jeune atteint l'âge de 18 ans, mais ont le souci, avant cet âge fatidique, de prévoir un partenariat avec un CLSC et avec des organismes communautaires pour qu'il ne soit pas laissé sans ressource. Mais on comprendra également qu'on procède de la sorte seulement si un constat préalable a été établi, soit celui de l'incapacité du jeune concerné d'accéder à l'autonomie de façon immédiate. On pourrait objecter que la situation est semblable chez un grand nombre de jeunes, même chez ceux auprès desquels jamais un membre du personnel des centres jeunesse n'a effectué la moindre intervention. En revanche, les difficultés d'accession à l'autonomie seront d'autant plus grandes pour un nombre considérable de jeunes « pris en charge » par les centres jeunesse qu'ils seront issus de familles durement frappées par la pauvreté.

Tout compte fait, c'est là montrer les limites de l'intervention en protection de la jeunesse puisque l'on pourrait invoquer, à bon droit, que les intervenants du champ psychosocial et ceux de la réadaptation n'ont pas à assumer seuls, ni même principalement, le lourd fardeau de contrer l'exclusion sociale des familles et des jeunes avec lesquels ils entrent en relation. On pourrait même alléguer qu'il ne s'agit pas là de leur mandat, trop occupés qu'ils sont déjà à faire face à la problématique de la négligence parentale et de la compromission de la sécurité des jeunes. Cela rejoint l'opinion d'un intervenant pour qui la fonction de contrer la pauvreté n'est pas du ressort de la DPJ, mais bien celle des CLSC.

Somme toute, il s'agit ici d'une question qui relève des intervenants eux-mêmes et qui est directement en lien avec leur éthique personnelle et professionnelle. Aussi, jugeront-ils important d'innover, dans certains cas, pour aider des jeunes non seulement à échapper à la négligence et au danger que leur sécurité ne soit compromise, mais aussi afin qu'ils soient mieux outillés pour accéder, si ce n'est immédiatement à l'autonomie, au moins à une compréhension de leurs potentialités qui soit de nature à leur donner espoir – comme un intervenant l'a mentionné – de pouvoir un jour intégrer la société comme citoyens à part entière.

Quand des intervenants en protection de la jeunesse ont une image audacieuse pour aider des jeunes à « s'en sortir », ils doivent innover par moments, en ayant par conséquent recours à certaines pratiques novatrices, d'autant plus novatrices qu'elles permettent d'échapper – comme le propose Pierre Lascoumes – à la sphère d'intervention de l'État. Or, l'éthique qui sous-tend leurs initiatives en la matière échappe alors à la compréhension toute simple et étroite du mandat qui est le leur en protection de la jeunesse ; ce qui est possiblement le cas de plusieurs des intervenants qui ont été interviewés lorsqu'ils voient dans leur travail quelque chose d'autre qu'un rôle de contrôle ou d'autorité par les pouvoirs qui leur sont conférés par la loi. Nous dirons alors à ce sujet, en prenant à notre compte les propos de Bernard Pellegrini, que : « L'éthique est à nouveau remise sur le métier dans une tentative de relative autonomisation des acteurs, notamment des métiers du "social" face aux décideurs politiques qui tendent à les assigner au seul rôle de techniciens exécutants zélés de leurs politiques[9]. »

CONCLUSION

Au terme de ce chapitre, force nous est de constater que l'éthique de l'intervention en protection de la jeunesse pour contrer l'exclusion sociale est en butte à des dilemmes et à des contraintes. L'un de ces dilemmes réside dans la finalité du rôle de l'intervention elle-même qui est susceptible de varier d'un intervenant à l'autre, mais qui oscille surtout entre une fonction de contrôle et une fonction d'aide. La première suggère une déresponsabilisation du jeune et de sa famille, ne serait-ce qu'au niveau symbolique. En effet, en déresponsabilisant des familles par le retrait d'enfants, ou bien en suggérant symboliquement qu'elles ne sont pas responsables de l'attention, des soins et de l'éducation de certains des leurs, l'État pourrait éventuellement assurer la protection de jeunes tout en compromettant involontairement l'autonomie du noyau familial en même temps que celle de ses rejetons. Il en serait ainsi même dans les cas où des intervenants ne veulent pas tant exercer un rapport d'autorité que susciter une responsabilisation des personnes avec lesquelles ils entrent en relation. Loin de favoriser alors chez les jeunes relevant de la DPJ l'accession à un minimum d'autonomie qui puisse les sortir de l'exclusion, on a remarqué que l'aide dont ils avaient été l'objet avait peu joué ou joué défavorablement pour contrer certaines variantes de la pauvreté – source de déresponsabilisation –, sur la foi du témoignage de jeunes de 16 et 17 ans qui avaient relevé d'elle[10], comme nous y avons fait allusion au début du présent chapitre.

---

9.   Bernard Pellegrini (1991), « Peut-il y avoir une éthique "professionnelle" ? » *Informations sociales* (Publication de la caisse nationale des allocations familiales en France), n° 9, p. 43.
10. Teresa Sheriff *et al., op. cit.*, 189 p.

Or, malgré le fait que la deuxième fonction, en l'occurrence la fonction d'aide, est susceptible de proposer une compréhension du rôle des intervenants en protection de la jeunesse comme agents de changement qui soient susceptibles d'encourager, voire de faciliter avec souvent beaucoup de dévouement, l'autonomie de jeunes et de leur famille, la problématique de la pauvreté, dans sa triple dimension économique, relationnelle et symbolique, qui frappe durement leur « clientèle » empêche souvent leurs efforts d'aboutir à de grandes réalisations. Il s'agit là de l'une des contraintes auxquelles nous avons fait allusion, sans qu'elle ne doive nécessairement inciter les intervenants à renoncer à exercer un rôle qui prendrait tout son sens sous le double rapport de leur conscience personnelle et professionnelle. Mais lorsqu'on réalise combien il est difficile pour les intervenants en protection de la jeunesse de voir leurs efforts récompensés, comme certains d'entre eux en ont témoigné en étant plutôt modestes dans leurs attentes et, par conséquent, dans la perception de leur rôle, il en résulte un dilemme quant aux attentes que l'on pourrait entretenir envers les praticiens du champ psychosocial et de celui de la réadaptation des centres jeunesse.

Le dilemme dont il vient d'être question repose sur les attentes que l'on devrait normalement entretenir envers un appareil d'État dont la mission est de protéger les jeunes lorsque leur sécurité est menacée ou leur développement compromis. En effet, c'est sans doute par rapport à cette mission que les intervenants du champ psychosocial et de celui de la réadaptation des centres jeunesse sont les plus efficaces. Par conséquent, convient-il d'interpréter leur mandat de protection jusqu'à soutenir qu'il est du ressort des centres jeunesse ou de la DPJ en particulier de préparer les jeunes à accéder à un minimun d'autonomie dans l'espoir de contrer l'exclusion sociale résultant de la pauvreté qui est leur lot ? À l'inverse, ce dernier rôle devrait-il plutôt relever des CLSC et d'autres ressources à l'intérieur de la société ? Voilà le dilemme qu'ont à résoudre ceux qui se soucient de l'éthique de l'intervention en protection de la jeunesse.

Un dernier dilemme, qui n'est pas étranger à celui que nous venons d'évoquer, réside dans la conception même des pratiques novatrices pour contrer l'exclusion sociale. En effet, si tant est que l'opinion de Pierre Lascoumes[11] doive faire autorité dans l'interprétation de l'idée de pratiques novatrices à partir d'un « dépouillement du pouvoir d'initiative et de contrôle de l'État », quelle légitimité resterait-il alors aux intervenants en protection de la jeunesse pour prétendre s'adonner à de telles pratiques, alors qu'ils sont pourtant des agents de l'État ? Une piste pour tenter de

---

11. Pierre Lascoumes, *op. cit.*, p. 194.

résoudre ce dilemme se trouverait dans la conception de leur éthique personnelle et professionnelle, voulant qu'elle obéisse au principe de liberté en vertu duquel tout sujet éthique interprète son rôle et ses priorités dans une perspective d'autorégulation de sa conduite. Il s'ensuivrait une rupture possible entre une interprétation rigide que l'on se ferait de leur mandat, résultant de l'application de la loi comme agents de l'État, et l'interprétation personnelle qui serait la leur en vertu de leur compréhension du meilleur intérêt des familles et des enfants auprès desquels ils interviennent. Or, le fait de suggérer une interprétation large de leur mandat, plutôt que restrictive sur la seule base du cadre juridique qui conditionne leur pratique, a comme conséquence de donner ouverture à l'idée de pratiques novatrices, en lien avec la finalité de leurs interventions et des valeurs qui les guident dans leur travail quotidien, comme le présent chapitre l'aura montré.

CONFÉRENCE DE CLÔTURE

Monde en mutation, changements de valeurs ?

Les repères des Québécoises et des Québécois à l'aube de l'an 2000

Nicole BOILY
Présidente, Conseil de la famille et de l'enfance

Je remercie le comité organisateur du Symposium de m'offrir l'occasion, à la fin de ce colloque, de partager avec vous quelques réflexions sur les valeurs qui animent les familles, qui modulent leurs choix ou qui influencent leurs comportements. Il s'agit là d'un thème très actuel, qui suscite autour de nous des débats animés et soulève un questionnement de fond. Les valeurs ne sont toutefois pas déconnectées du contexte particulier dans lequel nous nous trouvons, qui en est un de profonde mutation. Je vais donc poser un regard sur les changements qui se sont opérés dans notre société au cours des dernières décennies et qui ont bouleversé le mode de vie des gens, leurs façons de faire et leurs valeurs profondes.

Je suis à même de témoigner, à travers ma propre expérience de vie, de ces changements importants. Que ce soit le transport aérien, exceptionnel dans mon enfance, devenu aujourd'hui un moyen de transport commun ou encore l'avènement de la télévision, au début de mon adolescence, l'apparition du micro-ordinateur dans les années 1980 et, plus récemment, celle du réseau Internet, toutes ces innovations technologiques ont transformé notre quotidien et nous ont forcés à nous adapter rapidement à la modernité.

Un autre phénomène qui a marqué ma génération est l'accession des femmes et des mères au marché du travail. Peu fréquent à l'époque du début de ma carrière, phénomène impensable pour la majorité des femmes des générations précédentes, travailler à l'extérieur du foyer apparaît tout à fait normal aux jeunes femmes d'aujourd'hui.

À la lumière de recherches et d'études auxquelles vous contribuez toutes et tous à votre manière, je vous présenterai donc, en première partie de mon exposé, un survol des grandes tendances sociales qui se profilent à la fin de ce millénaire et qui ont un impact direct sur les familles. Cela m'amènera, dans un deuxième temps, à souligner les principaux changements de la vie familiale au cours des dernières années. À partir de ces constats, nous verrons quelles sont les valeurs auxquelles se rattachent les Québécoises et les Québécois aujourd'hui. Parmi ces valeurs, quelle place accorde-t-on à la famille et aux enfants ? Enfin, je terminerai mon propos en vous exprimant mon point de vue quant à l'importance de la famille dans la société et de la nécessité de la soutenir dans son rôle.

LES GRANDES TENDANCES

Pourquoi choisir de parler de tendances ? Parce que les changements vécus au sein du noyau familial sont le reflet de bouleversements plus larges qui affectent notre monde. Les tendances qui se dessinent actuellement ont un impact majeur dans l'organisation et la vie des individus et de leurs familles. Elles influencent leurs choix et leurs conduites.

La première tendance, qui m'apparaît fondamentale, a trait au mouvement des femmes. Bien qu'amorcé depuis déjà plusieurs décennies au Québec et dans le monde occidental, le mouvement féministe a eu et continue d'avoir une influence majeure dans la vie des femmes et des répercussions importantes pour les familles et pour l'ensemble de la société. En effet, les revendications des femmes pour faire reconnaître leurs droits comme personnes à part entière et pour atteindre l'autonomie sociale et financière, ont amené des changements dans plusieurs aspects de leur vie. D'abord au niveau social, par leur participation à la vie sociale et politique, puis au niveau familial, que ce soit dans les relations avec leurs conjoints ou encore dans la décision d'avoir des enfants.

Cette quête d'autonomie est devenue le fondement même du bien-être des femmes et elle est déterminante pour beaucoup d'entre elles dans la décision de former une famille. D'autant plus qu'avec les moyens de contraception modernes, elles ont désormais un contrôle presque parfait de leur fécondité : avoir des enfants est devenu un choix et non une fatalité.

La réduction de la natalité, qui résulte d'un ensemble de facteurs sociaux, n'est toutefois pas sans conséquence. Elle entraînera, à moyen terme, la décroissance de certains groupes au sein de la population : d'abord les jeunes, ensuite la population active. Cela conduira inévitablement à une augmentation graduelle de la proportion de personnes âgées. Ce phénomène démographique, le vieillissement de la population, affecte déjà la plupart des sociétés occidentales, à des degrés divers. Plus avancé dans les pays d'Europe, le phénomène est bien amorcé chez nous.

La présente situation démographique et la tendance inéluctable qui se dessine à moyen terme ont des impacts majeurs sur la famille. Moins d'enfants signifie des familles plus petites où la fratrie devient une réalité de moins en moins courante. Déjà en 1996, le quart des enfants dans les familles étaient enfants uniques, alors que 45 % avaient un frère ou une sœur seulement. De même, la parenté est moins nombreuse et les contacts entre cousins et cousines sont et seront aussi moins fréquents.

L'allongement de la vie contribue également, bien que dans une moindre mesure, au vieillissement de la population. L'espérance de vie des Québécoises et des Québécois n'a cessé de progresser au cours des dernières années et continuera sans doute d'augmenter dans le futur grâce à l'amélioration de la santé des personnes. Les gains sur la mort se réaliseront surtout aux grands âges de la vie, car nos conditions sanitaires et médicales ont rendu pratiquement nulle la mortalité infantile, qui est l'une des plus faibles au monde.

L'expérience du vieillissement n'a pas le même impact si l'on est un homme ou une femme. Bien que les femmes soient de plus en plus actives sur le marché du travail, elles sont encore moins bien rémunérées. Comme leur espérance de vie est plus grande, elles vivent seules plus longtemps. Vers la fin de leur vie, les femmes connaissent donc de plus longues périodes de vulnérabilité et de pauvreté. Cette tendance se poursuivra sans doute dans le futur, car les femmes n'ont pas encore atteint l'équité en matière de revenus et d'emplois.

Comme autre conséquence possible du vieillissement, nous pouvons d'ores et déjà entrevoir une situation d'inégalités entre les générations lorsque celle du baby-boom, très nombreuse, commencera à prendre sa retraite, à l'horizon de 2011. L'équilibre socioéconomique sera alors à redéfinir. Déjà apparaissent, au Québec, certains signes de mécontentement des jeunes face aux générations précédentes. Le débat entourant la question des clauses orphelins dans les conventions collectives en est un bon exemple. Mais certaines initiatives, comme celle du groupe « Le pont entre les générations », « Force jeunesse », s'avèrent des plus prometteuses pour approfondir la réflexion et trouver des solutions visant une plus grande équité intergénérationnelle.

Une autre grande tendance que je veux faire ressortir est celle de la mondialisation du commerce et des marchés. Elle entraîne une transformation profonde de nos sociétés vers une intégration économique et sociale et une réduction de l'influence des gouvernements. Les gages de succès d'une telle économie basée sur l'information reposent davantage sur la présence de travailleurs très instruits et possédant une grande faculté d'adaptation. Non seulement doit-on exceller dans cette nouvelle économie, mais il faut aussi être performant, car la compétition internationale est féroce et les lois du marché, impitoyables.

En réponse à ces exigences élevées, l'accroissement des compétences de la main-d'œuvre devient nécessaire. Mais exigences élevées signifient également difficultés d'accès au marché du travail, voire exclusion pour de nombreuses catégories de citoyens, faute de compétences adéquates. Les études tendent à confirmer l'existence d'une classe d'exclus dont le nombre va croissant et tout indique que cette tendance se maintiendra à moyen terme.

Cette transformation de notre économie entraîne des changements importants à plusieurs niveaux. La mondialisation contribue à l'ouverture sur le monde en ouvrant les frontières aux communautés ethnoculturelles de partout. Le marché de l'emploi subit également des modifications profondes.

Une des grandes tendances est la montée du travail atypique, tel le travail autonome ou à temps partiel. Ce phénomène est en constante progression depuis le milieu des années 1970. Selon une étude publiée l'an dernier par le ministère du Travail, près de 73 % des 670 000 emplois créés entre 1975 et 1995, peuvent être considérés comme atypiques. Si la tendance se maintient, le travail atypique pourrait même surpasser, d'ici 20 ans, l'emploi salarié à temps plein, au Québec. La croissance de l'emploi atypique se traduit toutefois par une précarisation de l'emploi. L'obligation de gagner sa vie dans de telles conditions de précarité et de stress touche de plein fouet la vie familiale. Ce mode de vie génère beaucoup d'instabilité économique et influence grandement la décision des jeunes couples d'avoir des enfants ou, encore, d'élargir leur famille.

Une autre tendance qui m'apparaît importante est la polarisation accrue de la société entre nantis et démunis, polarisation qui se répercute également au niveau du temps de travail. Si, en moyenne, le nombre d'heures de travail est demeuré constant depuis les années 1980, certains salariés, en général les plus spécialisés et les mieux payés, cumulent un plus grand nombre d'heures de travail que par le passé alors que d'autres, peu spécialisés, travaillent moins et ont également des revenus moindres. Parmi les couples où les deux conjoints touchent un revenu, près d'un couple sur cinq cumule au moins 90 heures par semaine. Des études montrent que la bipolarisation du temps de travail est un facteur déterminant de l'inégalité croissante des revenus au Canada.

Dans cette recherche effrénée du temps, le temps familial devient une denrée rare à laquelle les enfants ont de moins en moins accès. Cette rareté du temps est d'ailleurs confirmée par une étude sur l'emploi du temps publiée en 1994 par Statistique Canada. L'étude a permis de constater que les familles d'aujourd'hui ont un horaire surchargé et que la pression du temps produit sur elles des effets négatifs. Là où la vie professionnelle et la vie familiale s'entrechoquent, le stress et les conflits sont présents. Les parents qui travaillent se sentent coupables de ne pas passer suffisamment de temps avec leurs enfants ou avec leurs parents âgés. Pour beaucoup de gens, l'horaire de travail domine et exclut plusieurs autres activités.

Enfin, la dernière tendance que je veux mentionner est l'isolement de plus en plus grand des individus au sein de la société. La mondialisation des technologies de communications entraîne, selon plusieurs commentateurs américains tels Rifkin et Drucker, un déclin généralisé de la participation civique. Les gens passent moins de temps et consacrent moins d'efforts à nouer des relations avec leurs voisins et deviennent de plus en plus isolés dans leur collectivité.

À l'intérieur de la famille, l'influence de la télévision sur les enfants n'est plus à démontrer. Ceux-ci sont exposés quotidiennement à des scènes de violence et sont des cibles faciles pour les publicitaires. Certaines valeurs véhiculées par les médias entrent souvent en contradiction avec celles que veulent transmettre les parents.

LES CONSÉQUENCES SUR LA FAMILLE

La famille subit inévitablement les contrecoups des changements et des tendances que je viens d'évoquer. Les individus qui la composent tentent, tant bien que mal, de s'y ajuster en organisant leur vie de façon différente que par le passé.

L'accélération des phénomènes et les multiples changements sociaux ont comme conséquence un changement du rapport qu'entretiennent les individus face au temps : nous sommes dorénavant à l'ère de l'instantanéité. La vitesse des communications, l'ouverture sur le monde, la peur du futur, les incertitudes de toutes sortes obligent les personnes à vivre l'instant présent au détriment d'un parcours de vie plus réfléchi, plus fondé sur les valeurs de continuité qui sont requises pour éduquer les enfants.

La structure, le fonctionnement et la sécurité économique de la famille se sont grandement modifiés au cours des 20 dernières années. La durée moyenne des études a augmenté, au point d'empiéter sur une partie de l'âge adulte. Les femmes ne consacrent plus le gros de leurs années actives à prendre soin des enfants et d'autres personnes à charge. Même si elles ont moins d'enfants, les mères combinent maintenant, pour la plupart, les responsabilités familiales et professionnelles, responsabilités souvent difficiles à concilier.

Aujourd'hui, la famille prend des formes diverses : famille intacte, famille monoparentale, famille recomposée. La hausse importante des ruptures d'unions, ces dernières années, a eu comme conséquence directe l'accroissement de la monoparentalité et des recompositions familiales. En 1996, le quart de l'ensemble des familles avec enfants étaient des familles monoparentales. Ce phénomène n'est pas près de s'estomper, car les couples se séparent encore plus rapidement aujourd'hui qu'auparavant : ainsi, un couple sur cinq marié en 1985 avait déjà divorcé avant 10 ans de mariage.

Un des changements qui me semble assez marquant pour les familles est celui relatif aux cycles de vie des gens, à l'évolution du nombre de transitions significatives dans leur vie. Dans les sociétés industrielles, les transitions clés comprennent le passage de la maison à l'école et de l'école au travail, le passage à l'état de parent, le changement d'emploi et le passage du travail à la retraite. Le rythme de ces transitions s'est accru considérablement au Canada au cours des 30 dernières années et tout indique que ce rythme va se maintenir, voire s'accroître dans les années 2000.

Au cours de sa vie, le Québécois moyen est susceptible d'avoir plus de parents ou de beaux-parents, de vivre avec plus de conjoints, de travailler pour plus d'employeurs et de connaître un plus grand nombre d'expériences d'apprentissage qu'auparavant. L'augmentation des transitions signifie aussi que l'enfant aura probablement un plus grand nombre de parents qu'antérieurement et sera plus susceptible de divorcer et de se remarier une fois adulte.

Chaque transition est source de promesses, mais aussi d'insécurité et d'anxiété, car chacune comporte un risque et oblige à des adaptations répétées. L'augmentation du nombre de transitions obligées, qu'elles soient liées au travail ou à la famille, constitue l'une des principales causes d'insécurité chronique relevées lors des sondages d'opinion.

Même si, dans la plupart des familles, les deux conjoints travaillent, les études indiquent que leur revenu disponible moyen a stagné au cours des 20 dernières années. Les familles, surtout les jeunes familles, se sont appauvries au Québec depuis le début des années 1990. Un rapport récent publié par le Conseil canadien de développement social révèle en effet une augmentation de 45 % du taux de pauvreté chez les familles biparentales de moins de 30 ans, entre 1990 et 1995.

Le rapport indique aussi une augmentation de 33 % du taux de pauvreté chez les jeunes de 15 à 34 ans au cours de la même période. Les jeunes d'aujourd'hui s'en sortent beaucoup moins bien que leurs prédécesseurs du baby-boom. Leurs perspectives d'emploi à long terme diminuent et ils ont de plus en plus de difficulté à trouver un travail qui soit à la fois à temps plein, bien rémunéré, satisfaisant et enrichissant.

La pauvreté touche aussi grandement les familles monoparentales dirigées par une femme. Les données du recensement de 1996 indiquent en effet que 60 % de ces familles avaient un faible revenu. Comme le nombre de familles monoparentales ne cesse d'augmenter, il est à prévoir que s'accentuera, dans les prochaines années, la pauvreté chez les enfants.

L'appauvrissement des familles a une conséquence directe sur le bien-être des enfants. En effet, l'Enquête longitudinale nationale sur les enfants et les jeunes établit un lien incontestable entre la pauvreté et le développement des enfants. Par rapport aux mieux nantis, les enfants pauvres ont une santé moins bonne, affichent un rendement scolaire inférieur, vivent dans un environnement plus dangereux et adoptent des comportements plus risqués. Fait accablant, le nombre d'enfants qui vivent dans des familles à faible revenu demeure plus élevé au Canada que dans d'autres pays industrialisés. En 1992, ils comptaient pour 18 % de tous les enfants canadiens, un pourcentage qui n'a pas bougé depuis 1975.

Ces constats sur la situation des familles montrent jusqu'à quel point leur vie s'est complexifiée et que les problèmes auxquels elles font face sont de taille. Les parents se sentent souvent débordés par l'ampleur des difficultés qu'ils rencontrent et se sentent aussi mal préparés pour assumer leurs rôles. L'absence de repères communs contribue sans doute à accroître le sentiment d'insécurité des jeunes parents.

LES VALEURS

À quelles valeurs se rattachent les parents de nos jours pour orienter leurs choix et leurs conduites ? Pour tenter de répondre à cette question, j'utiliserai les résultats de deux sondages récents et je m'inspirerai des propos recueillis lors d'une consultation que nous avons faite au printemps dernier dans différentes régions du Québec. Le premier sondage, réalisé pour le compte de la Société Radio-Canada, porte sur les valeurs des Canadiens francophones à l'aube de l'an 2000. Le deuxième, réalisé pour le compte du quotidien *Le Devoir*, porte sur les priorités et les aspirations des Québécois. Ces sondages nous révèlent sommairement que :

- La recherche du bonheur individuel est maintenant devenue une priorité : on vise désormais la réussite de sa vie sentimentale, considérée comme l'une des trois principales préoccupations de l'existence. On veut du temps pour soi et pour les siens, seconde préoccupation identifiée par les répondants. Cette quête du bonheur individuel est néanmoins liée à la famille, à l'amour et à l'amitié. Malgré les ruptures et les divorces qui se produisent assez fréquemment, une grande majorité de gens, soit 83 % des répondants, croient encore pouvoir passer leur vie avec la même personne.

- L'enfant est devenu aujourd'hui un projet existentiel, au même titre que la carrière ou les voyages. Pour 54 % des répondants, le manque d'argent est considéré comme le principal obstacle qui empêche les couples d'avoir des enfants.

- Pour l'ensemble des personnes rencontrées lors de nos consultations, le fait d'avoir des enfants est une décision privée, mais qui a des incidences sur la collectivité.

- Alors que la plupart des répondants jugent nécessaire d'imposer aux enfants des interdits et des règles, un peu plus de la moitié affirment qu'il faut davantage insister sur la liberté d'expression. Ambivalence qui en dit long sur la difficulté d'être parent et de faire reconnaître son autorité !

- En ce qui a trait au travail, les deux tiers des gens se plaignent de travailler toujours plus sans voir leurs revenus augmenter. Pourtant, 94 % se disent très satisfaits de leur travail ! Le contexte d'insécurité économique qui prévaut actuellement peut expliquer en partie cette prétendue « satisfaction » des gens à l'égard de leur travail. On pourrait davantage l'interpréter comme une satisfaction d'avoir un travail et de vouloir conserver ses acquis.

- La gestion du temps semble préoccuper un grand nombre de personnes. La majorité des Québécois avouent que le temps leur échappe de plus en plus, mais ils estiment pouvoir le gérer assez bien. Fait contradictoire, un nombre important pense que le travail leur laisse suffisamment de temps pour la famille (73 %) et les amis (72 %). La préoccupation relative au temps libre est une réalité relativement nouvelle et qui révèle que la tâche des travailleurs a augmenté et que les autres activités requérant de notre temps vont aussi en s'accroissant.

- En matière de spiritualité, les Québécois privilégient les choix individuels : on a pris le virage des religions à la carte. Malgré tout, on continue majoritairement de faire baptiser ses enfants.

- Enfin, la tolérance aux autres cultures est généralement acceptée dans notre société.

Les valeurs qui ressortent des sondages sont le reflet d'une société avant tout individualiste et pluraliste, une société à la recherche de nouveaux modèles. Elles témoignent de l'absence de repères communs, clairement définis, auxquels se rattachaient auparavant les individus dans leur quête du bonheur.

De tout temps, le bonheur a principalement été associé à la réussite de la vie affective. Mais, aujourd'hui, l'individu occupe une place centrale dans cette quête. Au sein des générations précédentes, l'individu se mettait au service du couple ou de la famille et pouvait décider de subordonner son bonheur personnel au bien-être de sa famille. Maintenant, on reste en couple tant que l'on y voit un avantage en tant qu'individu.

L'affirmation individuelle prend donc le pas sur les grandes institutions dans la définition des repères, des codes de sens. La religion a longtemps joué ce rôle au sein de la société québécoise, ayant une emprise très forte sur les individus. Les gens puisent dorénavant à diverses sources pour définir eux-mêmes les repères qui leur semblent nécessaires et significatifs.

En dépit de l'affirmation individuelle, les gens croient toujours en la famille. Elle demeure la cellule de base de la société, quels que soient les changements qui interviennent et les modalités qui prévalent dans les situations familiales.

Nous assistons aujourd'hui à une diversité de comportements et de choix familiaux. Les parents éprouvent des difficultés à se positionner dans leurs rôles et sont souvent confrontés à des situations paradoxales : opposition entre tendances sociales et valeurs individuelles. Ces contradictions vécues par les familles comportent des éléments qui échappent à leur contrôle, avec les conséquences qui s'ensuivent. L'impact est majeur, car les parents ont de la difficulté à choisir. Beaucoup d'adultes veulent tout vivre, tout expérimenter. Dans ce contexte, est-ce possible de faire des choix ?

Le choc des valeurs est présent, mais nécessaire pour atteindre un nouvel équilibre. Comme le retour aux anciennes valeurs n'est pas envisageable, nous devons donc apprendre à vivre avec la diversité.

CONCLUSION

Les phénomènes sociaux en émergence ne présagent sûrement pas de meilleures conditions de vie des familles. Devant les difficultés que vivent les familles, et qui nous semblent de taille, et dans le contexte actuel de mouvance, je crois que l'État doit soutenir les parents dans leurs rôles et valoriser la fonction parentale dans notre société. Il m'apparaît important de donner à chaque parent la chance de vivre son projet familial de façon satisfaisante et gratifiante et, à chaque enfant, l'occasion de bénéficier d'un milieu sécurisant, aimant et propice à un développement optimal sous la gouverne d'adultes valorisés dans leurs rôles et responsabilités.

Je tiens à réaffirmer la nécessité d'appuyer les familles, en accord avec les besoins que nous ont exprimés les parents lors de nos consultations ou encore ceux révélés par les enquêtes sur ces questions. Cet appui, qu'il soit financier ou autre, permettrait de consolider l'action des familles auprès de leurs enfants ou d'autres personnes à charge. Les parents, malgré leurs besoins de services et d'aide, veulent malgré tout exercer leur responsabilité envers leurs enfants, en propre. Ils ne sont pas prêts à la déléguer complètement à l'État ou à des institutions.

Comme la famille est la cellule de base, le lieu privilégié de transmission des valeurs et de socialisation, il est important qu'elle reçoive le support dont elle a besoin pour remplir ses fonctions adéquatement.

La famille n'est pas une île ; elle doit aussi se redéfinir, être de son temps, trouver l'essentiel de ce qu'elle est. Elle est appelée à se modifier, mais elle demeurera toujours présente et indispensable à cause des fonctions qu'elle remplit. Elle joue un rôle fondamental d'enracinement des individus à leur collectivité, enracinement qui est à la base même de leur sentiment d'identité et de leur désir de développement.

Les constats que j'ai exposés précédemment pourraient certes nous laisser une impression fort négative du sort réservé à la famille. Au contraire, il me semble que la période de mutation que nous vivons actuellement nous donne l'occasion de redéfinir de nouveaux paramètres, de nouvelles conduites centrées davantage sur le bien-être des parents et de leurs enfants.

Cette orientation peut paraître encore paradoxale, mais c'est peut-être à cette condition que les familles n'auront pas à se définir constamment à contre-courant des mutations socioéconomiques et culturelles de notre monde qui change irrémédiablement.

Enfin, je crois que malgré les tendances actuelles qui poussent les gens à être de plus en plus performants, de plus en plus individualistes et de plus en plus isolés, on voit poindre l'émergence de solutions alternatives, issues de communautés locales. Je fais ici référence au développement local qui m'apparaît une avenue fort intéressante pour l'avenir de notre société. Penser et agir localement dans l'arène de la globalisation signifie la prise en charge, par les collectivités, de leur développement, la recherche de solutions locales aux problèmes d'exclusion sociale et de sous-emploi. Cela suppose une participation active des citoyennes et des citoyens au développement de leur communauté et au soutien de l'État.

Vous remarquerez que ce courant fait appel à des valeurs de solidarité et d'entraide que l'on retrouve encore dans la famille. Il fait également appel à des valeurs démocratiques, où la participation de tous est encouragée et le savoir-faire des citoyens et des citoyennes mis à contribution, pour le bien-être de la communauté.

De plus en plus d'organismes et d'intervenants communautaires y adhèrent et font la promotion d'initiatives locales fort intéressantes. À titre d'exemple, mentionnons le travail fait par le mouvement provincial « Villes et villages en santé », dont le rôle est de promouvoir la réalisation de projets susceptibles d'améliorer la qualité de vie dans leur milieu ou encore le travail du « Carrefour Action municipale et familles », dont le but est de promouvoir le développement de politiques familiales municipales.

Cet éveil de la société civile aux problèmes sociaux et à la nécessité d'y faire face à partir de ses propres ressources me semble des plus prometteurs, en particulier pour les parents et les enfants. Les collectivités sont appelées à jouer un rôle accru dans la résolution des problèmes sociaux. De nouveaux modes de participation émergent au sein des collectivités : à l'école, dans les instances municipales, dans les organismes publics de santé, etc. D'un individualisme nombriliste peut-être nous orienterons-nous vers la recherche du bien-être associé et basé sur la communauté locale.

BIBLIOGRAPHIE

Beaulieu, Carole (1999). *Radiographie d'un peuple contradictoire*, dans *L'Actualité*, 15 octobre, p. 30-32.

Gouvernement du Canada. Développement des ressources humaines Canada (1998). *Investir dans nos enfants : une Conférence nationale sur la recherche, 1998*, Résultats de la recherche canadienne menée dans le cadre de l'Enquête longitudinale nationale sur les enfants et les jeunes (ELNEJ) Ottawa, octobre (édition électronique).

Gouvernement du Canada. Secrétariat de la recherche sur les politiques (1996). Projet de recherche sur les tendances. *Croissance, développement humain et cohésion sociale : rapport intérimaire*, Ottawa, octobre (édition électronique).

Gouvernement du Canada. Secrétariat de la recherche sur les politiques. Projet de recherche sur les tendances (1999). *Soutenir la croissance, le développement humain et la cohésion sociale dans un contexte de mondialisation*, mise à jour des résultats de la recherche, Ottawa, février (édition électronique).

Le Devoir – édition Internet (1999). Rubrique Horizon. Série « Qui êtes-vous ? », Articles portant sur les résultats d'une enquête Sondagem – *Le Devoir* sur les priorités et les aspirations des Québécois, du 2 au 9 octobre.

Michalski, Joseph (1999). *Values and Preferences for the « Best Policy Mix » for Canadian Children,* Ottawa, Réseaux canadiens de recherche en politiques publiques (RCRPP), Document de recherche n° F/05, 74 p.

Société Radio-Canada (1999). Sondage CROP-SRC portant sur les valeurs des Canadiens francophones à l'aube de l'an 2000, Communiqué de presse, 1er octobre.

Tipper, Jennifer et Denise Avard (1999). *Building Better Outcomes for Canada's Children,* Ottawa, Réseaux canadiens de recherche en politiques publiques (RCRPP), Document de recherche n° F / 06, 45 p.

Collaborateurs et collaboratrices *

ATTIAS-DONFUT, Claudine, Caisse nationale d'assurance vieillesse, Direction des recherches sur le vieillissement, 49, rue Mirabeau, 75016 Paris, France.

BARAKATT, Guylaine, Département d'économie agroalimentaire et des sciences de la consommation, Université Laval, Pavillon Paul-Comtois, local 4427, Sainte-Foy (Québec) G1K 7P4.

BOILY, Nicole, Présidente du Conseil de la famille et de l'enfance, 1050, des Parlementaires, bureau 3.21, Québec (Québec) G1R 5Y7.

BOUCHARD, Pierrette, Faculté des sciences de l'éducation, Université Laval, bureau 1182, Sainte-Foy (Québec) G1K 7P4.

BROUSSEAU, Michèle, Centre jeunesse de Québec, Point de services Cap-Rouge, 4515, rue de la Colline, Cap-Rouge (Québec) G1Y 3A1.

CARRIER, Gaby, Centre jeunesse de Québec, Institut universitaire sur les jeunes en difficulté, 2915, avenue Bourg-Royal, 5e étage, Beauport (Québec) G1C 3S2.

DANDURAND, Renée B., INRS – Culture et Société, 306, place D'Youville, bureau B-10, Montréal (Québec) H2Y 2B6.

DUBÉ, Monique, Clinique de pédopsychiatrie Hôpital Jean-Talon, 7345, rue Garnier, Montréal (Québec) H2E 2A1.

GAGNON, Éric, Direction de la Santé publique de Québec, Régie régionale de la santé et des services sociaux de Québec, 2400, rue D'Estimauville, Québec (Québec) G1E 7G9.

GAUDET, Stéphanie, INRS – Urbanisation, 3465, rue Durocher, Montréal (Québec) H2X 2C6.

GIROUX, Guy, Département de science politique, Université du Québec à Rimouski, 300, allée des Ursulines, Case postale 3300, Rimouski (Québec) G5L 3A1.

---

* Cette liste est présentée par ordre alphabétique et comprend uniquement les noms et les coordonnées des premiers auteurs de chacun des textes publiés.

JOURDAN-IONESCU, Colette, Groupe de recherche en développement de l'enfant et de la famille, Département de psychologie, Université du Québec à Trois-Rivières, Case postale 500, Trois-Rivières (Québec) G9A 5H7.

JULIEN, Danielle, Laboratoire de recherche sur le couple et son environnement social, Département de psychologie, Université du Québec à Montréal, Case postale 8888, succursale Centre-ville, Montréal (Québec) H3C 3P8.

LACHARITÉ, Carl, Groupe de recherche en développement de l'enfant et de la famille, Département de psychologie, Université du Québec à Trois-Rivières, Case postale 500, Trois-Rivières (Québec) G9A 5H7.

LAVOIE, Jean-Pierre, Direction de la santé publique de Montréal-Centre et Institut universitaire de gérontologie sociale – CLSC René-Cassin, 1301, rue Sherbrooke Est, Montréal (Québec) H2L 1M3.

LEFEBVRE, Pierre, Département des sciences économiques, Université du Québec à Montréal, Case postale 8888, succursale Centre-ville, Montréal (Québec) H3C 3P8.

LESSARD, Geneviève, Centre jeunesse de Québec, Institut universitaire sur les jeunes en difficulté, 2915, avenue Bourg-Royal, 5e étage, Beauport (Québec) G1C 3S2.

QUÉNIART, Anne, Département de sociologie, Université du Québec à Montréal, Case postale 8888, succursale Centre-ville, Montréal (Québec) H3C 3P8.

SAILLANT, Francine, Centre de recherche sur les services communautaires, Département d'anthropologie, Université Laval, Sainte-Foy (Québec) G1K 7P4.

SAINT-JACQUES, Marie-Christine, Centre de recherche sur les services communautaires (CRSC), Université Laval, Pavillon Charles-De Koninck, bureau 2446, Sainte-Foy (Québec) G1K 7P4.

SELLENET, Catherine, Chercheure au GREF, Paris X Nanterre, 16, rue Dufour, 4400 Nantes, France.

TREMBLAY, Serge, Département de sexologie, Université du Québec à Montréal, Case postale 8888, succursale Centre-ville, Montréal (Québec) H3C 3P8.

MEMBRE DU GROUPE SCABRINI

Québec, Canada
2000